C000093238

Das Leben und Die Lehre Des Mohammad

by Aloys Sprenger

Address:
HardPress
8345 NW 66TH ST #2561
MIAMI FL 33166-2626
USA
Email: info@hardpress.net

DOMI NUS ILLU
MINA TIO MEA
Taylor Institution.

DAS

LEBEN UND DIE LEHRE

DES

MOḤAMMAD.

ZWEITER BAND.

DAS

LEBEN UND DIE LEHRE

DES

MOḤAMMAD

NACH BISHER GRÖSSTENTHEILS UNBENUTZTEN QUELLEN

BEARBEITET

VON

A. SPRENGER.

ZWEITER BAND.

BERLIN
NICOLAI'SCHE VERLAGSBUCHHANDLUNG.
(G. PARTHEY.)
1862.

Inhaltsverzeichnifs zum zweiten Bande.

Achtes Kapitel.

Erste Auswanderung nach Abessynien. Des Propheten Rückfall zum Heidenthum (A. D. 616).

Statt massenhafter Bekehrungen bewirkten die Drohungen und das entschiedene Auftreten des Moḥammad nur Verfolgungen. Wie sehr sich seine Verehrer auch bemühen mochten, ihren Glauben geheim zu halten, so mufste er doch immer durchscheinen, auch mufste es ihnen unwürdig dünken, ihre Ueberzeugung zu verläugnen, um so mehr da der Prophet selbst auf ein offenes Bekenntnifs gedrungen zu haben scheint; wenigstens läfst er in mehreren Straflegenden nur diejenigen Gläubigen gerettet werden, welche »mit den Boten Gottes waren«. Eine solche Forderung war auch nothwendig, denn die Anzahl der erklärten standhaften Bekenner des Islâms scheint zu Anfang des Jahres 616 kaum ein Dutzend überstiegen zu haben. Unter diesen Verhältnissen rieth er jenen Gläubigen, welche am meisten Verfolgungen ausgesetzt waren, Makka zu verlassen und sich nach Abessynien zu flüchten Es ist bereits Bd. I S. 364 erwähnt worden, dafs Châlid von seinem Vater Sa'yd genöthigt wurde, den Glauben abzuschwören. Sein Neffe[1]) erzählt, »der Prophet habe den Châlid mit etwas mehr als einem halben Dutzend Ḳorayschiten zum König von Abessynien geschickt.« Es ist sicher, dafs Châlid bis zur Flucht seinen Glauben verbarg. Auch Andere mögen so gehandelt haben; einige von den Flüchtlingen jedoch hatten ihn offen bekannt. Dies mufs namentlich von ʿOthmân und seiner Frau Roḳayya angenommen werden, welche ebenfalls auswanderten.

Auf die äufsern Verhältnisse, mit denen wir uns, so lange sie uns selbst berühren, viel zu viel beschäftigen, reflectiren wir gewöhnlich gar nicht, wenn es sich um längst verflossene Zeiten handelt. Weil auch damals die Menschen Bedürfnisse hatten und sich davon bestimmen liefsen, so ist die Frage wichtig: Wie konnten die Flüchtlinge in Abessynien ihren Unterhalt finden? Die Tradition sagt uns, dafs sie von dem König unterstützt wurden, und die grofse Anzahl, welche sich allmählig dort hinbegab, und der Umstand, dafs viele von ihnen noch sechs Jahre dort blieben, selbst nachdem Moḥammad für die Gläubigen einen neuen Wohnort in Madyna bereitet hatte, lassen uns keinen Grund, diese Angabe zu bezweifeln. Es fragt sich aber, ob die ersten Auswanderer, auf diese Unterstützung bauend, sich dahin flüchteten, oder ob sie sie erst nach ihrer Ankunft daselbst erwirkten. Man mufs wohl unterscheiden; es ist hier nicht von einer dreitägigen Gastfreundschaft, sondern von der Unterstützung einer Anzahl von Personen mit Weib und Kind die Rede. Wenn sich die ersten Auswanderer mit der Gewifsheit, Unterstützung in Abessynien zu finden, dahin begaben, so folgt, dafs der Fortschritt des Islâms schon im Frühling 616 von den Christen begünstigt worden und den Moslimen von dort eine Einladung zugegangen sei.

Arabien war seiner Streitkräfte und Lage wegen das

---

[1]) Içâba, von Ibn Saʿd, von Saʿyd b. ʿAmr b. Saʿyd, welcher ein Neffe des Châlid war.

wichtigste Land für die griechische und persische Diplomatie, und es ist anzunehmen, dafs die arabischen Statthalter der Griechen in Arabia Petraea früh von dem Auftreten eines Propheten in Makka Nachricht erhielten und die Bewegung mit Wohlgefallen ansahen. Der christliche König von Abessynien hatte sich in einem frühern Fall, als ein yamanischer Fürst den Kaiser gegen die in seinem Vaterlande regierenden Perser um Hülfe bat, als ein treuer Bundesgenosse des Kaisers bewiesen, indem er auf dessen Wunsch diese Hülfe gewährte und Yaman eroberte. Auch in diesem Fall kann eine ähnliche Combination vorhanden gewesen sein oder es mochte der König aus freiem Antrieb sich dem Moḥammad erboten haben, seine Anhänger aufzunehmen. Dies jedoch scheint nicht der Fall gewesen zu sein, und da der Islâm fast gar keine Anhänger zählte, war er wohl noch nicht wichtig genug, um die Aufmerksamkeit der griechischen Politik auf sich zu ziehen. Ich glaube, die Moslime flüchteten sich nach Abessynien ohne Aussicht auf Unterstützung Seitens der Regierung, fanden solche aber später. Aus dem Ḳorânvers 29, 60 geht hervor, dafs selbst im Jahre 617 — früher ist dieser Vers wohl nicht geoffenbart worden — einige Gläubige durch Lebenssorgen von der Auswanderung zurückgehalten worden seien.

Die ersten Auswanderer waren fast alle von wohlhabenden Familien und brachten wohl einige Mittel mit. ʻOthmân mochte von seinem Schwiegervater Moḥammad unterstützt worden sein.

In Bezug auf die Vermögensumstände des Moḥammad finden wir, dafs er sich wohlhabend fühlte, als er als Prophet auftrat:

108, 1. Wir haben dir wahrlich das Kawthar (Fülle) gegeben.

2. Bete daher zu deinem Herrn und schlachte [ihm das Opfer, welches du wie die übrigen Araber bei dem Pilgerfest darbringst].

3. [Nicht du, sondern] dein Widersacher — er ist der Segenlose.

'Âç b. Wâyil Sahmy soll seine Schadenfreude darüber ausgedrückt haben, dafs der Prophet keine männlichen Nachkommen habe, und bei dieser Gelegenheit sollen diese drei Verse geoffenbart worden sein. Das Wort, welches ich durch segenlos übersetze, bedeutet nämlich ganz vorzüglich kinderlos. Ich halte dafür, dafs diese Nachricht aus einer Verdrehung des Sinnes der Korânstelle entstanden sei. Die Veranlassung zu dieser Offenbarung ist übrigens für unsern gegenwärtigen Zweck von weniger Wichtigkeit als eine andere Streitfrage, nämlich die Bedeutung von Kawthar [1]). Begreiflicher Weise wollen die Moslime im Korân nur himmlische Dinge finden, und so kommt es, dafs 'Ikrima unter Kawthar das Prophetenthum und das Buch [welches im Himmel aufbewahrt wird], Ḥasan den Ḳorân, Sa'yd b. Ġobayr aber überhaupt viel Segen und Gutes versteht. Es gab aber schon zu Sa'yd's Zeiten Leute, welche glaubten, dafs das Kawthar

[1]) Wir lesen im Baghawy: „Die Lexicographen sagen, Kawthar wird von Kathra, Menge, gebildet, wie Nawfal von Nafl. Die Araber (Bedouinen) heifsen alle Dinge, welche zahlreich, werthvoll oder wichtig sind, „Kawthar". Aufser diesen zwei Wörtern kann ich mich nur noch auf eins entsinnen, welches eine ähnliche Form hat, nämlich fayçal. Alle diese drei Wörter haben eine doppelte Bedeutung: Kawthar und Kaythar = abundantia und vir munificus; Nawfal = donum und vir valde munificus; fayçal = discriminatio justi et injusti und judex, arbiter. Ich glaube, dafs diese Wörter ursprünglich Substantiva verbalia waren. So bedeutete auch Sulṭân ursprünglich Macht und wurde, wenn ich nicht irre, zuerst von Maḥmûd Ghaznawy als Titel angenommen, wodurch es die Bedeutung von Machthaber erhielt. Dieser Ideengang vom Abstracten zum Concreten und vom Unsichtbaren zum Sinnlich-Wahrnehmbaren ist bei den Persern beliebt und gibt ihren Poeten zu schönen Vergleichen Anlafs, z. B. der Quell ist so rein wie die Seele des Frommen. Bei den Arabern aber ist er sehr selten und es ist nicht unwahrscheinlich, dafs Kawthar und dergleichen Formen und Bedeutungen vom Tigris nach Westen kamen.

ein Flufs im Paradiese sei [1]). Diese Auffassung hat der Phantasie am meisten zugesagt, und es haben sich mehrere Traditionen gebildet, in welchen gesagt wird, dafs an diesem Flusse oder Teiche, welcher das Eigenthum des Propheten ist, die Gläubigen am Gerichtstage Labung finden werden [2]).

Da die ursprüngliche Bedeutung von Kawthar, Fülle, Ueberflufs, von Niemandem angefochten worden ist, so läfst der Zusammenhang der Inspiration keinen Zweifel über den Sinn: Moḥammad spricht seine freudige Dankbarkeit für den ihm von Gott zu Theil gewordenen Wohlstand aus.

Auch in der bereits Bd. I S. 310 eingeschalteten Sûra 93 drückt er die Befriedigung aus, die ihm seine Vermögensverhältnisse gewährten und erkennt zugleich an, dafs er durch seine Heirath in diese glückliche Lage versetzt worden sei.

In der nach 616 geoffenbarten Sûra 20, 131—137 wird ihm befohlen, nicht eifersüchtig nach den Genüssen

---

[1]) Bei Bochâry S. 742 wird eine Tradition der ʿÂyischa, und bei Baghawy zwei dem Anas und zwei dem Ibn ʿOmar in den Mund gelegt, in welchen vom Paradiesflusse Kawthar die Rede ist. Von Flüssen im Paradiese wird schon im Ḳorân gesprochen, und es ist der Natur der Sache gemäfs, dafs die Vorstellungen allmählig bestimmter wurden und dafs man einen Flufs vor andern hervorhob. Ob man ihn aber schon zur Zeit des Propheten Kawthar hiefs oder erst später, lafs ich dahingestellt; jedenfalls bedeutete Nahr alkawthar, wenn auch die Benennung in Hinblick auf den Ḳorân gewählt wurde, im ersten Jahrhundert noch Flufs der Fülle. Und daher, als Abû Bischr Yûnos zu Saʿyd sagte: die Leute sind der Ansicht, dafs [das im Ḳorân genannte] Kawthar ein Flufs im Paradiese sei, antwortete er: dieser Flufs sei nur eines der dem Propheten von Gott gegebenen Güter oder von der Fülle, die ihm bescheert worden.

[2]) Es ist kein Zweifel, dafs Moḥammad von einem solchen Teiche sprach, und Bochâry hat mehrere Traditionen darüber gesammelt, aber Kawthar wurde erst viel später als Eigennamen dieses Teiches angesehen.

seiner Feinde hinzuschielen, der nächstfolgende Vers aber zeigt, dafs er zu jener Zeit von Lebenssorgen frei gewesen sei. Sûra 15, 88 wird die Ermahnung ohne diesen Beisatz wiederholt; vielleicht ging es ihm damals schon schlecht; später erscheint er in grofser Dürftigkeit. Es ist wohl diesem Umstande zuzuschreiben, dafs er im Jahre 617, als die an ihn glaubenden Sklaven grofsen Qualen ausgesetzt waren, nichts für sie that, während Abû Bakr mehreren die Freiheit erkaufte. Es ist anzunehmen, dafs er das Vermögen seiner Frau theils verlor und theils »auf dem Pfade Gottes«, namentlich um diese Auswanderung nach Abessynien zu bewerkstelligen, ausgab [1]).

Dafs es den zuerst Ausgewanderten in Abessynien nicht sehr gut ging, beweist die Eile, mit der sie nach Makka zurückkehrten, als sie von der Aussöhnung des Moḥammad mit den Ḳorayschiten hörten, welche im Sommer 616 stattfand. Ich will nun die Geschichte dieser Aussöhnung erzählen.

Moḥammad war persönlich grofsen Beschimpfungen ausgesetzt. Er ertrug sie mit Geduld, und da es seinen Feinden nicht gelang, ihn mit Gewalt von seinem Vorhaben abzubringen, sollen sie es versucht haben mit ihm zu unterhandeln.

»Einige vornehme Makkaner, erzählt die Tradition [2]), wünschten sich mit Moḥammad zu versöhnen. Sie sagten zu ihm: Lafs uns zu einem Vergleich kommen; folge du

[1]) Ich kann nur eine äufserst schwache Tradition aufbringen zur Unterstützung der Vermuthung, dafs Moḥammad Geld ausgab, um seinen Predigten Eingang zu verschaffen. Es wird nämlich bei Baghawy, Tafs. 41, 13, dem ʿOtba b. Rabyʿa vorgeworfen, dafs er sich durch den guten Tisch des Propheten verleiten lasse, Partei für ihn zu ergreifen.

[2]) Baghawy, Tafsyr 109, 1; Wâḥidy, Asbâb 109. Der letzte Theil der Tradition ist nur im Baghawy. Man vergl. auch Ibn Isḥâḳ S. 239.

unserer Religion, dann wollen wir auch der deinen folgen und in allen Dingen deine Genossen sein. Bete ein Jahr unsere Götzen an, dann wollen wir ein Jahr deinen Gott verehren. Wenn deine Lehre sich als besser erweist, so bleiben wir dabei; ist die unsere besser, so geniefsest du während eines Jahres die Vortheile derselben. Er weigerte sich auf diesen Vorschlag einzugehen und sie sagten: So erkenne wenigstens einige von unsern Göttern an, und wir wollen an dich glauben und deinen Gott anbeten. Er erwiederte: Ich will sehen, was mir in Bezug auf diesen Vorschlag von meinem Herrn geoffenbart wird« [1]).

---

[1]) Schon in dieser Darstellung benehmen sich die Ḳorayschiten viel unterthäniger gegen Moḥammad, als es in Wirklichkeit wahrscheinlich der Fall war. Es war der Geist der Tradition, sie so darzustellen. Deutlicher spricht sich dieser Geist in folgender Nachricht aus. Ibn Isḥâḳ, S. 185, von Yazyd b. Ziyâd, von Moḥammad b. Ka'b Ḳoratzy: Ich habe gehört: 'Otba b. Raby'a, einer der Führer seines Stammes, safs eines Tages in der Gesellschaft der Ḳorayschiten, während Moḥammad sich allein im Bethofe befand. Er sagte: soll ich mich nicht zu Moḥammad begeben, ihn anreden und sehen, ob er nicht irgend einen Vorschlag annimmt und uns in Ruhe lassen will? Dies war nach der Bekehrung des Ḥamza, als die Gläubigen sich vermehrten. Die Ḳorayschiten antworteten: Das ist ein guter Gedanke, führe ihn aus. 'Otba setzte sich neben den Propheten und sagte: Du weifst, mein lieber Vetter, welche hohe Stellung dir deine Geburt und Familie gibt. Du hast nun eine Neuerung angefangen, welche die nachtheiligsten Folgen hat; du hast uns in Parteien gespalten, uns für Thoren erklärt, unsere Götter und Religion beschimpft und unsere dahingeschiedenen Voreltern verdammt. Sieh, ich will dir Vorschläge machen, vielleicht kommen wir zu einem Verständnifs. — Welches sind deine Vorschläge? — Wenn du durch deine Neuerungen Reichthümer zu erwerben suchst, so wollen wir eine Sammlung veranstalten und du sollst der reichste Mann in Makka sein, bezweckst du eine hohe Stellung, so ernennen wir dich zu unserm Führer und wollen nie einen Beschlufs fassen ohne deine Beistimmung, strebst du nach dem Königthum, so rufen wir dich als Herrscher aus [in einer an-

Der erste Theil dieser Nachricht ist zu albern, als dafs wir ihm Glauben schenken könnten. Hingegen ist es

---

dern Version werden ihm auch die schönsten Weiber angeboten]. Wenn du aber von einem Phantom (Rayiyy) geplagt wirst und du nicht im Stande bist, dessen Erscheinen von deiner Seele zu verbannen, so wollen wir keine Unkosten scheuen, Mittel zu suchen, auf dafs du geheilet werdest. Es kommt ja bisweilen vor, dafs ein Tâbi' einen Menschen verfolgt, und es ist dann nöthig, dafs er die gehörigen medizinischen Mittel dagegen gebrauche. Als 'Otba diese oder ähnliche Worte gesprochen hatte, sagte der Prophet: Bist du fertig? — Ja. — Höre nun, was ich zu sagen habe! [Ḳorân 41]: Im Namen Allah's, des gnädigen Raḥmân:

41, 1. Erlafs von dem gnädigen Raḥmân [bestehend in]

2. einem Buche, welches in deutlichen Zeichen geschrieben (d. h. nach einander geoffenbart) zum arabischen Psalter wird für vernünftige Leute,

3. indem es Versprechungen und Drohungen enthält. Aber die Meisten wenden sich davon weg und geben kein Gehör.

Der Prophet setzte sich in Bewegung und fuhr fort, die Sûra bis Vers 37 vorzutragen und fiel auf die Knie. 'Otba schwieg, die Arme auf dem Rücken gekreuzt, und Moḥammad sagte: Du hast nun gehört, wie es mit dir steht (die Ḳorânstelle enthält nämlich eine Drohung der Höllenstrafe). 'Otba begab sich zu seinen Gefährten, und als diese ihn von Weitem sahen, sagten sie: Bei Gott! 'Otba kommt mit ganz anderen Mienen zurück, als er uns verlassen hat. Sie riefen ihm dann entgegen: Was bringst du? — Ich habe eine Rede vernommen, dergleichen ich früher nie gehört habe, es ist kein Gedicht, kein Zauberspruch und kein Orakel. O Ḳorayschiten, thut was ich euch sage, und ich will dafür verantwortlich sein; leget diesem Mann nichts in den Weg, seid vielmehr höflich gegen ihn: was ich gehört habe, enthält eine wichtige Nachricht. Wenn ihn die Bedouinen vernichten, so haben uns Andere von ihm befreit, ist er siegreich, so ist seine Herrschaft über Arabien unsere Herrschaft und seine Gröfse unsere Gröfse, und wir sind die glücklichsten der Menschen. Die Anwesenden erwiederten: Er hat dich mit seiner Zunge bezaubert. 'Otba versetzte: Dies ist meine Ansicht, thut, was euch gut dünkt.

Man könnte diese Geschichte „Moḥammad auf den Zinnen des Tempels" überschreiben. Indessen wenn sie auch eine Dichtung ist, so befinden sich doch historische Erinnerungen darin. Es ist Grund vorhanden zu glauben, dafs 'Otba unter allen Aristokraten am wohl-

gewiſs, daſs Moḥammad mit den Ḳorayschiten zum Einverständniſs kam, daſs er die Götter Lât, ʿOzzà und Manâh, welche ihren Nachbarn am heiligsten waren, bestätigte und sie ihn dafür als Gottgesandten anerkennen sollten. Es ist bereits bemerkt worden, daſs Moḥammad, um keinen Anstoſs zu geben und für inspirirt, nicht aber für besessen zu gelten, anfangs sehr behutsam war und gegen seine Ueberzeugung manchem heidnischen Gebrauche huldigte. Wir wollen nun etwas tiefer in die politische Bedeutung des Götzendienstes im Ḥigâz eingehen, um dieses Einverständniſs würdigen zu lernen.

Die Heiligthümer in Makka und der Umgebung lassen sich vom Standpunkt der Politik in drei Klassen eintheilen. Erstens: Penaten der Makkaner, unter welchen Hobal der wichtigste war. Diese hat Moḥammad von Anfang an verworfen, und auch seinen Stammgenossen waren sie nicht so sehr an's Herz gewachsen, daſs sie sich nicht hätten davon trennen können. Zweitens: die Statuen des Asâf und der Nâyila, welche hinter der Kaʿba innerhalb der Stadt auf zwei Anhöhen, dem Çafâ und der Marwa, standen und welche nicht nur den Makkanern, sondern auch einigen mit ihnen in innigster Verbindung stehenden Stämmen heilig waren und das sichtbare Band der Eintracht bildeten. Diese Stämme hieſsen, mit Einschluſs der Ḳorayschiten, Ḥomsiten; sie verrichteten beim Pilgerfeste Ceremonien vor diesen Statuen, welche die übrigen Stämme nicht mitmachten. Moḥammad hat die Ceremonien zwischen Asâf und Nâyila, wie auch die übrigen Beobachtungen des Pilgerfestes, immer verrichtet. Nach der Eroberung von Makka lieſs er zwar die Statuen zerstören, aber die Ce-

---

wollendsten gegen Moḥammad gesinnt war; auch ist der Geist des betreffenden Ḳorânstückes richtig aufgefaſst.

Eine etwas verschiedene Version theilt Baghawy, Tafsyr 41, 13, auf die Auktorität des Ġâbir b. ʿAbd Allah mit: Baghawy gibt auch die Version des Moḥammad b. Kaʿb Ḳoratzy.

remonien sind bis auf den heutigen Tag Gesetz für die Moslime. Drittens: Heiligthümer, welche von allen Stämmen verehrt wurden, die an dem Pilgerfest Theil nahmen. Zu diesen gehörte der in der Ka'ba eingemauerte schwarze Stein, die heiligen Plätze Minà und 'Arafat, und in der That das ganze heilige Gebiet. Ich habe bereits die Vermuthung ausgesprochen, dafs das Pilgerfest zu Ehren Allah's gefeiert wurde, und wir könnten daher den Moḥammad nicht tadeln, dafs er es sanctionirte [1]), wenn wir nur auch gewifs wären, dafs er den Allah der Heiden von Anbeginn angebetet habe.

Die umliegende Bevölkerung besafs Idole, welche, wie Asâf und Nâyila, den Verband von mehreren Stämmen bildeten, und Specialgötter waren, die aber von ihren Nachbarn respektirt werden mufsten, wenn diese mit den Eigenthümern in gutem Einvernehmen stehen wollten. Moḥammad hat diese Rücksichten vernachlässigt und die Götzen der Nachbarn nicht anerkannt. Ich will nun die Specialgötter, die für uns von Interesse sind, aufzählen.

Westlich von Makka bis an das Meer hin trieben sich die wilden Kinânastämme umher. Die Ḳorayschiten betrachteten sich als einen derselben und hatten an ihnen in grofsen Bedrängnissen Bundesgenossen. Die Kinâniten gemeinschaftlich mit den Ghaṭafâniten besafsen die Göttin 'Ozzà. Weil aber der Zweck der Heiligthümer die Vereinigung mehrerer Stämme war, so wurde der Familie Schaybân aus dem Stamme Solaym die Priesterwürde zugestanden, damit auch dieser Stamm in den Verband gezogen werde. Die 'Ozzà war ein Baum zu Nachla, etwa anderthalb Tagereisen von Makka. Bäume werden noch heutigen Tages von den Arabern verehrt. In einer Strafsenecke zu Damascus steht ein alter Oelbaum, Sitti Zaytûn »Frau Oelbaum« geheifsen, zu welchem diejenigen Einwoh-

---

[1]) Nach Kalby bei Tha'laby, Tafsyr 2, 59, haben auch die Çâbier, d. h. Ḥanyfe, die Heiligkeit der Ka'ba anerkannt.

nerinnen der Stadt wallfahrten, welche Nachkommenschaft wünschen. Nachmittags habe ich stets einen Darwysch dabei bemerkt, der kleine Gaben empfing und sein Gebet mit dem ihrigen vereinigte. Er war ein strammer Bursche, und ich zweifle nicht, dafs seine Fürbitte oft erhört wurde. Osiander hat mit umfassender Gelehrsamkeit die Angaben über 'Ozzà und die übrigen arabischen Götzen gesammelt und sie mit grofsem Scharfsinn zusammengestellt, es ist daher unnöthig, hier in fernere Einzelheiten einzugehen[1]). Ich stimme ihm aber nicht bei, wenn er glaubt, dafs, wo man immer den Namen 'Abd 'Ozzà »Knecht der 'Ozzà« findet, auch ein förmlicher, wenn nicht ausschliefslicher 'Ozzà-Dienst geherrscht habe. Der Aberglaube ist unter ungebildeten Menschen unersättlich, und es ist eine traurige Wahrheit: »Wer der Menschen Leichtgläubigkeit traut, hat auf Fels gebaut«. In der Gegend des Todten Meeres gibt es viele Moslime, welche ihre Kinder nicht nur beschneiden, sondern auch von christlichen Priestern taufen lassen,

[1]) Ich führe jedoch die von Tha'laby gesammelten Nachrichten an:

„'Ozza war dem Moĝâlid zufolge ein dem Ghaṭafân-Stamme angehöriger Baum, welchen dieser Stamm anbetete. Der Prophet sandte dann den Châlid b. Walyd das Heiligthum zu zerstören. Dhaḥḥâk sagt: sie war ein Götze des Ghaṭafân-Stammes, welchen der Ghaṭafânite Sa'd b. Tzâlim einführte. Er kam nämlich nach Makka und beobachtete die Ceremonien, welche die Ḳorayschiten zwischen Çafâ und Marwa verrichteten. Er kehrte nach Baṭn Nachla zurück und sagte zu seinem Volke: die Makkaner haben den Çafâ und die Marwa, ihr habt nichts Aehnliches. Er nahm daher einen Stein vom Çafâ und einen von der Marwa, brachte sie nach Nachla, legte sie in einiger Entfernung von einander und nannte den einen Çafâ, den andern Marwa, dann nahm er drei Steine, lehnte sie gegen einen Baum und sagte: dies ist euer Herr, betet ihn an. Sie thaten wie er gesagt hatte. Ibn Zayd behauptet, die 'Ozzà sei ein Tempel in Ṭâyif gewesen, welchen die Thaḳyfiten anbeteten.“

Diese tendenziöse Dichtung zeigt, dafs der 'Ozzà-Dienst und Çafâ- und Marwâ-Dienst parallel waren, und der eine für die Ḥomsstämme dieselbe Bedeutung hatte, wie der andere für die Ghaṭafâniten.

und ich habe selbst gesehen, wie Moslime dem jakobitischen Patriarchen zu Marâdyn Geld gaben, damit er für ein krankes Kameel bete. In Indien empfangen grofse moslimische Heilige, wie Nitzâm awliyà bei Delhi und Tschischty zu Aǧmyr, ebenso viel Verehrung von den Hindus als von den Rechtgläubigen, und wir wissen, wie sehr die Juden zum Aerger der Leviten geneigt waren, die Opfer den Götzen nachzutragen, statt sie nach Jerusalem zu bringen. Wenn nun der Baum zu Nachla wunderbare Kräfte besafs, wie die Sitti Zaytûn, so ist es wohl begreiflich, wie der Name ʿAbd al-ʿOzzà unter Stämmen vorkommen kann, welche sich im Allgemeinen nicht viel darum kümmerten. Ein gedrücktes Herz, dessen Bitten von den einheimischen Göttern nicht erhört wurde, mag zu diesem fremden Idol seine Zuflucht genommen haben und seine Wünsche mögen in Erfüllung gegangen sein. Was war natürlicher, als aus Dankbarkeit das nächste Kind ʿAbd al-ʿOzzà zu heifsen. Ferner werden Namen gar leicht zur Mode und überschreiten dann die heimischen Grenzen. Es ist übrigens nicht anzunehmen, dafs in allen Fällen ein und dieselbe ʿOzzà zu verstehen sei.

Die Strafse zwischen Makka und Syrien wurde gröfstentheils von yamanitischen Stämmen beherrscht. Diese nebst der inclavirten Modharbevölkerung hatten ein Idol, Manâh bei Ḳodayd, nahe der Meeresküste, ungefähr 25 Stunden nördlich von Makka. Es war ein Felsen am Fufse des Berges Moschallal [1]).

Südöstlich von Makka herrschten Hawâzin-Stämme.

---

[1]) Ḳatâda sagt: die Manâh gehörte dem Stamme Chozâʿa und befand sich zu Ḳodayd. Ibn Zayd behauptet, es war ein Tempel zu Moschallal, welchen die Banû Kaʿb anbeteten. Dhaḥḥâk sagt: sie war ein Götze der Hodzayliten und Chozâʿaiten, den die Einwohner von Makka anbeteten. Einige leiten Manâh von nâa her, welches im Aorist yanû und im Inf. nawon hat und helischer Sternuntergang heifst (Thaʿlaby, Tafsyr 53, 23).

Ihr Mittelpunkt war das alte, schöngelegene Ṭâyif und daselbst hatten sie das Götzenbild Lât [1]).

Den Sommer 1850 brachte ich in der tibetanischen Landschaft Kanaur, jenseits der ersten Schneekette des Himalayagebirges, zu, und obschon die Einwohner dem Namen nach Buddhisten sind, so erinnerte mich ihr Kultus doch recht lebhaft an das, was ich von der Religion der alten Araber gelesen und gedacht hatte. Jedes Dorf besitzt einen oder mehrere Götzen, welche die phantastischsten Gestalten haben. Der Tempel steht entweder im Dorfe oder auf dem schönsten Platze der Umgebung, und es wurde mir gewöhnlich gestattet, dabei mein Zelt aufzuschlagen. Alles was die Einwohner Farbiges und Interessantes finden, wird darin aufgestellt. Um das Gebäude herum stehen gewöhnlich eine Unzahl von gigantischen Geweihen von Steinböcken und andern Thieren jenes prächtigen Gebirges. Ueber dem Eingang des Tem-

---

[1]) Ḳatâda sagt: die Lât war in Ṭâyif; nach Ibn Zayd war Lât der Name eines Tempels zu Nachla, welchen die Ḳorayschiten anbeteten. Ibn ʿAbbâs, Moǵâhid und Abû Çâliḥ lesen Lâtt, welches geröstetes Korn mit Butter kochen bedeutet, und sie behaupten, Lâtt wurde ein Mann genannt, welcher solche Speise für die Pilgrime zu bereiten pflegte. Nach seinem Tode wallfahrteten die Leute zu seinem Grabe, und endlich beteten sie ihn an. Dem Soddy zufolge behauptet Abû Çâliḥ, daſs dieser Lâtt zu Ṭâyif lebte, sich stets bei den Götzen jener Stadt aufhielt, genanntes Gericht bereitete und nach seinem Tode angebetet wurde. Nach Kalby [welcher immer den Namen und die Genealogie weiſs] war Lâtt ein Thaḳyfite und hieſs eigentlich Çarcha b. Ghanm. Er pflegte geschmolzene Butter auf ein Felsstück zu gieſsen, die Bedouinen nahmen sie und benützten solche, geröstetes Korn zu bereiten. Nach seinem Tode brachten die Thâḳyfiten das Felsstück nach ihrem Hauptquartier und betrachteten es als Heiligthum, und endlich wurde Ṭâyif um dieses Heiligthum herumgebaut.

Thaʿlaby, welcher diese Stellen gesammelt hat (vgl. auch Ibn Bashkowâl, Bibl. Spr. 267) vertheidigt die natürliche Ableitung des Wortes ‚Lât von Allâh (vgl. Bd. I S. 286 fg.).

pels von Sunnam (in Gerard's Karte Soognum) waren vergoldete Etiquets von englischen Shirtingstücken angeklebt, und im Tempel fand ich gar ein Paar alte Spielkarten an die Wand gesteckt. Es mag einmal einem deutschen Alterthumsforscher zu geistreichen Spekulationen Veranlassung geben, wie der Herzbub oder das Eichelafs zu göttlicher Verehrung kamen, wie weit sich der Dienst dieser zwei Gottheiten erstreckt und ob er nicht von Tibet ausgegangen sei. Manche Tempel sind das ganze Jahr geschlossen, aufser an dem Feste des Hauptidols oder der Kirchweihe. Da geht es dann in jenen Gemeinden, welche den Mittelpunkt von mehreren Ortschaften bilden, um desto lebhafter her; es versammelt sich viel Volk und es wird getanzt, gejubelt und getrunken, bis alles im Taumel darniedersinkt. Was mir aber besonders auffiel, ist, dafs die Gemeinden all ihren Stolz auf ihren Götzen setzen: er ist der Mächtigste und Wirksamste und auch der Schönste und Reichste, den es gibt, und wer es wagt, ihn herunterzusetzen, beschimpft die Gemeinde. Ich zweifle nicht, dafs bei den Arabern ähnliche Gewohnheiten herrschten und dafs bei ihrem lebendigen National- und Stammgefühl es für die Nachbarn nothwendig war, ihre religiösen Feste mitzumachen und ihre Hauptgötter anzuerkennen, wenn sie mit ihnen in Eintracht leben wollten. Zur Begründung meiner Ansicht, welche Menschen ohne Erfahrung profan erscheinen wird, theile ich hier schon beispielsweise eine wohl begründete Thatsache mit: Im Jahre 630 besiegte Moḥammad die Hawâzin-Stämme und belagerte Ṭâyif. Es wurden Friedensunterhandlungen eingeleitet, Abgeordnete von Ṭâyif kamen in das Lager des Propheten, um die Bedingungen der Unterwerfung festzusetzen. »Sie verlangten aber, erzählt der Berichterstatter [1]), dafs er eine Erzlüge sage. Sie sprachen nämlich zu ihm: Erlaube uns noch ein Jahr, die Göttin Lât

[1]) Wâḥidy, Asbâb. 17, 75, von 'Aṭâ, von Ibn 'Abbâs.

beizubehalten und erkläre, dafs unser Gebiet heilig sei, wie das von Makka, und dafs also die Bäume, Vögel und wilden Thiere desselben von Menschenhand nicht verletzt werden dürfen. Der Prophet verweigerte ihnen ihre Bitte. Sie aber bestanden darauf und motivirten sie mit den Worten: Wir wünschen den Arabern zu beweisen, dafs wir vor ihnen bevorzugt sind. Wenn du aber fürchtest, dafs sie dir Vorwürfe machen, so sage, du hättest uns diese Zugeständnisse in Folge einer göttlichen Offenbarung gemacht. Der Prophet schwieg und überdachte, ob er ihnen dieses Zugeständnifs machen solle. ʿOmar aber erhob sich und schrie: Der Prophet schweigt nur deswegen, weil er eure Vorschläge verabscheut. Darauf wurde Ḳor. 17, 75—77 geoffenbart.«

Wir sehen, dafs Nationaleitelkeit die Araber an ihre Götter knüpfte [1]) und dafs Moḥammad, selbst nachdem er sich einen grofsen Theil von Arabien mit Waffengewalt unterworfen hatte, geneigt war, Zugeständnisse zu machen, welche seinen Grundsätzen zuwider waren, um diese empfindliche Seite des Charakters seiner Nation nicht zu verwunden.

Die Makkaner konnten ohne die Freundschaft der umliegenden Stämme nicht leben und um diese nicht zu verscherzen, mufsten sie ihre Hauptgötter anerkennen. Gewifs wäre es keinem kinânitischen Nomaden eingefallen, zum schwarzen Stein zu pilgern, wenn seine ʿOzzà vernachlässigt worden wäre, noch hätte sich ein Einwohner von Ṭâyif dazu herbeigelassen, nach Makka zu wallfahrten, wenn seine Lât nicht einen Gegenbesuch erhalten hätte. Die Ḳorayschiten machten es daher zur Bedingung ihres

---

[1]) Wir lesen oft im Ḳorân, dafs die Götzen und Menschen sich in diesem Leben einander nützlich sind. Das Gesagte erklärt, wie die Götzen den Menschen nützen. Wenn aber die Götzen Ǵinn d. h. vernünftige Wesen waren, so mufste es für sie sehr schmeichelhaft sein, angebetet zu werden. Der Nutzen war also wechselseitig.

Glaubens an Moḥammad, dafs er die Göttlichkeit der Lât, ʿOzzà und Manâh anerkenne. Dafs dies aus rein politischen Gründen geschah, ersehen wir aus ihren im Ḳorân 28, 57 angeführten Worten: »Wenn wir mit dir der Leitung folgen, so werden wir aus unserm Lande vertrieben« [1]). Wenn nämlich die ganze Umgebung feindlich gegen sie gesinnt gewesen wäre, so hätten sie ihren Karawanen den Weg versperrt und wohl auch, da das heilige Gebiet, in welchem Makka stand, allen angehörte, sie daraus vertrieben.

Moḥammad's Lage war so verzweifelt, dafs ihm kaum eine andere Wahl offen stand, als ihren Anforderungen zu entsprechen. Die Hoffnung, dem Islâm durch Drohungen Eingang zu verschaffen, hatte ihn verleitet, das Strafgericht mit gröfserer Bestimmtheit vorherzusagen, als klug war. Die Zeit, zu der es hatte eintreffen sollen, war nahe [2]). Eine massenhafte Bekehrung allein konnte das Nichteintreten des Strafgerichtes rechtfertigen. Eine solche mufste er um jeden Preis erwirken. Um diesen Zweck zu erreichen, verfafste er im Juni 616 eine kurze Anrede an die Makkaner, in der er sie wieder an seine Visionen erinnert, den drei Göttinnen als Fürsprecherinnen bei Allah huldigt, an das nun nahende Strafgericht erinnert und endlich seine Mitbürger auffordert, sich vor Allah zu prosterniren.

---

[1]) Wâḥidy, Asbâb, bemerkt zu diesem Ḳorânvers:

„Ḥârith b. ʿOthmân b. Nawfal b. ʿAbd Manâf sagte zum Propheten: Wir wissen, dafs das, was du sagst, das Wahre ist, aber wir können dir nicht folgen, denn wenn wir dies thäten, so würden die Araber sich gegen uns vereinen und uns aus unserm Lande vertreiben, und wir wären nicht im Stande ihnen Widerstand zu leisten. Darauf wurde 28, 57 geoffenbart.“

Ich glaube, dafs das Stück, in welchem dieser Vers vorkommt, nach der Widerrufung des Zugeständnisses geoffenbart worden sei. Da es zur Beleuchtung der Situation beiträgt, schalte ich weiter unten das ganze Stück ein.

[2]) Vergl. Ḳor. 53, 58.

53, 1. [Ich schwöre] bei den Plejaden, wie sie untergingen [1]),

2. euer Landsmann ist weder verirrt, noch verwirrt,

3. und er spricht nicht nach seinen Gelüsten (Wahn):

4. was er predigt, ist nichts anderes als eine Offenbarung, die ihm geoffenbart wird;

5. es hat ihn hierüber belehrt der mit grofser Gewalt Ausgerüstete (u. s. w., siehe Bd. I S. 307).

18. Er hat bereits das gröfste der Wunder seines Herrn gesehen.

19. Sehet ihr die Lât und die 'Ozzà

20. und die Manâh, die dritte, andere [Göttin]?

21. Sie sind erhabene Gharânyḳ [2])

22. und, wahrlich, man kann ihre Fürsprache erwarten.

56. Welche Gnade deines Herrn wirst du noch bezweifeln? (d. h. warum zweifelst du, dafs Gott in seiner Güte die Schutzgeister zu Fürsprechern bestellt hat?)

57. Dieser da (d. h. Moḥammad) ist ein Warner wie

---

[1]) Es ist hier nicht von dem täglichen Untergange, sondern von dem helischen, der Nawö, die Rede. Der helische Untergang aller Mondstationen, besonders aber der Plejaden, spielte in den Wetterregeln und auch in der Poesie der Araber eine grofse Rolle.

[2]) „Gharânyḳ bedeutet ursprünglich männliche Wasservögel. Der Singular ist Ghirnawḳ oder Ghirnyḳ. Sie werden ihrer weifsen Farbe wegen mit diesem Namen bezeichnet, man sagt, es sei ein Name des Vogels Kurky, Kranich. Ghornûḳ bedeutet auch einen weifsen, zarten jungen Menschen. Die Heiden glaubten, dafs die Abgötter (açnâm) bei Allah in Gunst stehen und für sie fürsprechen, und sie verglichen sie mit Vögeln, welche gegen den Himmel fliegen und sich erheben" (Mawâhib allad. S. 60). —

Einige verstehen Schwäne unter Gharânyḳ. Auch in der germanischen Mythologie stand der Schwan zu den in Luft und Wasser waltenden Lichtgottheiten in engster Beziehung und galt als weissagender Vogel. Gewisse göttliche Wesen liebten Schwanengestalt anzunehmen, wie die Walkyrien oder Schlacht- und Schicksalsjungfrauen, und die Wald- und Wasserfrauen. Man erinnere sich auch an Jupiters Abenteuer mit Leda.

die frühern Warner waren [1]) (er warnt euch vor dem Strafgerichte wie Noah und Andere ihre Zeitgenossen warnten, denn)

58. das sich Nähernde [2]) hat sich genähert und aufser Allah gibt es Nichts, was es aufhalten könnte.

59. Seid ihr erstaunt über diese Neuigkeit?

60. und lacht ihr statt zu weinen

61. und treibet Scherz?

62. Nein, werfet euch auf das Angesicht vor Allah und betet ihn an!

Die Theologie ist eine so dehnbare Wissenschaft, dafs, wer sich nur einige Zeit mit ihr beschäftigt hat, alles — Raub, Mord, Gotteslästerung — zu rechtfertigen weifs, nur nicht das Ausbleiben des Zehent und der Sporteln. So fiel es auch dem Moḥammad nicht schwer, einen Grund für die Anerkennung der Götzen zu finden. Wenn das Bd. I S. 130 angeführte Dokument ächt ist, so hat man schon lange vor Moḥammad die Geister, deren Repräsentanten die Götzen waren, auch Engel (Malak, Plur. Malâyika) [3]) genannt, d. h. man hat sie mit den biblischen Geistern identifizirt; jedenfalls macht Moḥammad in Sûra 53 [4]) kei-

[1]) Auch Baydhawy bezieht „dieser da" auf Moḥammad oder die von ihm erhaltene Offenbarung, und seine Deutung wird durch sehr viele Ḳorânstellen bestätigt. Abû Mâlik bei Tha'laby hingegen, um diesen Vers mit der vorhergehenden Stelle (s. Bd. I S. 61) in Zusammenhang zu bringen, sagt: „dieses da ist es, wovor ich euch warne, nämlich vor dem Schicksale der alten sündhaften Völker, welches in den Rollen des Abraham und Moses verzeichnet steht." Da Abû Mâlik zu einer Zeit lebte, zu der die Rollen noch bekannt sein konnten, so sind seine Worte insofern interessant als sie die Bd. I S. 61 ausgesprochenen Ansicht bekräftigen und die dort angeführten Ḳorânstellen als Inhaltsanzeige der Rollen erklären.

[2]) Im Ḳor. 40, 18 macht Moḥammad, nach seiner Manier, „das sich Nähernde" zu einem Namen des jüngsten Tages.

[3]) Auch Tha'laby, Tafs. 2, 10, sagt: „Die Heiden unter den Arabern behaupteten, die Engel seien Töchter Gottes."

[4]) Vergleiche auch die in diesem Kapitel angeführte Ḳorânstelle 37, 150—166.

nen Unterschied zwischen Ġinn, Engel und Götze. Indem er also lehrte, dafs die Lât und die andern beiden Götzen für den Menschen bei Gott fürsprechen und indem er diese Götzenbilder als Repräsentanten von Engeln ansah, stimmte seine Lehre mit der der judenchristlichen Sekte, welche an eine Engelhierarchie glaubte, ja wohl gar mit der christkatholischen Lehre, welche in den Engeln und Heiligen Fürsprecher findet (und manchen Götzen in einen Heiligen verwandelt hat), überein. An einem andern Orte wird das Verhältnifs der Ġinn zu den Engeln im Ḳorân ausführlicher besprochen werden.

Diese Ansprache war vom glänzendsten Erfolge gekrönt. Auf seinen Aufruf: Werfet euch nieder vor Allah! fielen alle Anwesenden [1]) auf's Angesicht und berührten mit der Stirn die Erde. Nur der alte Walyd, wenn er auch nicht den Muth hatte, dieser Kundgebung zu widerstehen, wollte sich doch auch nicht beugen. Er nahm daher eine Hand voll Erde auf und drückte sie gegen die Stirne. Er war ein corpulenter Mann, und es wurde seiner Schwerfälligkeit und nicht seinem Stolze zugeschrieben, dafs er sich nicht prosternirte. Moḥammad wurde nun in ganz Makka als ein Bote Allah's anerkannt.

Er hatte seine Anerkennung durch Aufopferung seiner heiligsten Ueberzeugung erkauft und seine früheren Lehren Lügė gestraft. Seine übermüthigen Gegner, welche ihn, indem sie ihm huldigten, doch nur zu ihren Zwekken benutzen wollten, konnten ihn nur verachten, und seine aufrichtigen Anhänger wurden im Glauben irre. Dafs wegen dieser Verläugnung seiner Ueberzeugung wenigstens ein Gläubiger von ihm abfiel, lernen wir aus dem Ḳorân. Moḥammad beschuldigt den Apostat, sich an seine Widersacher verkauft zu haben und verhöhnt ihn, weil sie ihm

[1]) Es entstand in der frühesten moslimischen Gemeinde die Gewohnheit, nach Ablesung dieser Sûra auf das Angesicht zu fallen.

ihr Versprechen nicht hielten und weniger für seinen Abfall gaben als ausgemacht gewesen war.

53, 34. Was däucht dir von demjenigen, welcher den Rücken gekehrt,

35. wenig erhalten und im Brunnengraben auf Fels gekommen ist (d. h. seinen Gönner trocken, nicht freigibig gefunden hat);

36. besitzt er vielleicht die Kenntnifs des Verborgenen? Dann freilich sieht er [was wahr ist],

37. oder ist ihm nicht zur Kenntnifs gebracht worden, was in den Rollen des Moses steht

38. und des Abraham, der Wort hielt. [Fortsetzung Bd. I S. 61.]

Moḥammad erinnert den Abtrünnigen an die Rollen des Abraham und Moses als an eine Schrift, mit der dieser vertraut war und an die er glaubte. Es war also ein Schriftgelehrter und Ḥanyf. Wer mag es gewesen sein? Wir wenden uns natürlich an die Exegeten um Aufschlufs. Moǵâhid und Ibn Zayd [1]) aber haben die Unverschämtheit, einen Mann zu nennen, welcher der erste war, der den Propheten verfolgte, und welcher alle andern Makka-

[1]) Wâḥidy, Asbâb 53, 30. Soddy aber, bei Baghawy, Tafsyr, behauptet, dafs 'Âç b. Wâyil der Abtrünnige war. Diese beiden Traditionisten scheinen in Vers 35, wie ich, o'ṭiya gelesen zu haben; denn sie sagen, dafs der Abtrünnige nur schlecht belohnt wurde. Aber Ibn 'Abbâs, Kalby und Mosayyab b. Scharyk, bei Wâḥidy, haben a'ṭà „er hat gegeben" gelesen, und um die unsinnige Lesart zu rechtfertigen, erzählen sie folgende alberne Gefchichte: 'Othmân b. 'Affân pflegte viel Almosen zu geben. 'Abd Allah b. Sa'd b. Aby Sarḥ fragte ihn, warum er sein Vermögen verschwende? Er antwortete, um seine Sünden zu sühnen und der Höllenstrafe zu entgehen. 'Abd Allah versetzte: wenn du mir deine Kameelin mit Sattel schenkst, so will ich dich davon befreien. 'Othmân ging auf den Handel ein, und dem Versprechen des 'Abd Allah trauend, hörte er auf, Almosen zu geben. Vers 35 würde also bedeuten: er hat wenig [Almosen] gegeben und ist auf Stein gekommen, d. h. sein Bemühen, Verdienste für das Jenseits zu sammeln, hat fehlgeschlagen.

ner an Reichthum übertraf, dem also Moḥammad nicht zumuthen konnte, daſs er sich verkauft habe — sie nennen den Walyd b. Moghyra. Der einzige damals in Makka lebende Ḥanyf, dessen Namen wir kennen, ist Waraḳa. Er mag der Abtrünnige gewesen sein, der in Baḥyrâ den Verkünder der ältesten, wahren Religion und in Moḥammad einen Seher derselben erblickt hatte, aber in beiden Betrüger fand, den nach seinem Abfall auch die Religion seiner Väter so wenig wie vorher befriedrigte und der endlich zum Christenthum überging und so in seiner Abgeschlossenheit weder zu den Freunden des Moḥammad gehörte, noch auch zu seinen Feinden, welche ihn in seinen Erwartungen betrogen hatten.

Die Tradition sagt, daſs der Engel Gabriel sogleich zum Propheten kam, um ihn zurechtzuweisen, und daſs er am folgenden Morgen schon sein Zugeständniſs widerrief. Es wäre unbillig, von der Tradition eine andere Erklärung zu erwarten. Es war demüthigend genug für die Theologen, diesen Miſsgriff zugeben zu müssen; er wird auch von Ibn Hischâm verschwiegen und von dem gelehrten und philosophisch gebildeten Verfasser der Beweise für die Wahrheit des Islâms (ich meine das Schifâ des Ḳâdhiy 'Iyâdh), sowie von den meisten spätern Theologen geläugnet. Thatsachen beweisen jedoch, daſs einige Zeit verstrich, ehe Moḥammad sein Zugeständniſs zurücknahm. Es kehrten nämlich die nach Abessynien geflüchteten Moslime auf die Kunde hin, daſs eine Aussöhnung ihres Meisters mit den Heiden erfolgt sei, nach Arabien zurück. Sie kamen ungefähr einen Monat darnach in die Nähe ihrer Vaterstadt und, wie die Tradition sagt, vernahmen sie hier zum ersten Mal zu ihrem Leidwesen, daſs sich das gute Einverständniſs zerschlagen habe und die Verfolgung heftiger wüthe als zuvor. Sie berathschlagten sich, ob sie ohne Weiteres wieder nach Afrika in's Exil zurückkehren oder sich vorerst nach Makka begeben sollten, entschlos-

wurden wüthend über den unverschämten Betrüger. Sie fragten ihn: Wie kommt es, dafs Allah erst die arabischen Schutzgötter als begünstigte Wesen anerkennt und dann wieder verläugnet und verdammt? Auch seine Drohungen eines Strafgerichtes, welches, obschon sie jetzt mit gröfserer Heftigkeit als je zuvor die neue Lehre verfolgten, dennoch nicht eintrat, war eine Ursache des Spottes. Er gab ihnen folgende Antwort, in welcher er sein Zugeständnifs als eine Eingebung des Teufels erklärt und sagt, dafs Aehnliches auch allen frühern Gottgesandten begegnet sei.

22, 43. Wenn sie dich der Lüge zeihen, so wisse, dafs schon vor ihnen die Zeitgenossen des Noah, die 'Âditen, die Thamûdäer, das Volk des Abraham, das Volk des Lot und die Leute von Madyan [die Boten Gottes] der Lüge geziehen haben. Auch Moses wurde ein Lügner geheifsen. Ich habe eine Weile zugewartet, dann aber habe ich die Ungläubigen hergenommen — und wie war meine Mifsbilligung!

44. Wie viele Städte haben wir nicht vertilgt, weil sie ungerecht waren. Sie sind jetzt öde und ein Haufen von Ruinen, welche ihre Grundvesten, den verschütteten Brunnen und den hohen Thurm bedecken.

45. Reisten sie denn nicht auf der Erde herum? Hätten sie doch Herzen, diese Beispiele zu verstehen und Ohren, sie zu hören. Ihre Augen sind nicht blind, aber die Herzen in ihrem Busen sind blind.

46. Sie fordern dich auf, die Strafe zu beschleunigen. Gott wird seinem Versprechen nicht zuwider handeln; aber ihr müfst bedenken, ein Tag ist bei deinem Herrn so lang als Tausend Jahre nach eurer Rechnung.

47. Wie vielen Städten habe ich [wie jetzt euch] eine lange Frist gewährt. Sie verharrten im Frevel, endlich habe ich sie hergenommen. — Zu mir leitet der Weg! [1])

---

[1]) Diese Worte, welche im Ḳorân mehrere Mal vorkommen, mufsten dem Araber, welcher in einer Schlucht, bei welcher Wan-

48. Sprich: O Menschen, ich bin für euch offenbar ein Warner [1]).

51. Wir haben vor dir keinen Boten und keinen Propheten gesandt, in dessen Lieblingsgedanke [2]), wenn er solchen hegte, der Satan nicht etwas hineinwarf: Allah streicht die Zugabe des Satans und befestigt dann seine eigenen Zeichen. Allah ist der Wissende, der Weise.

52. Gott gestattet solche Versehen, damit das, was der Satan eingibt, eine Versuchung sei für die, in deren Herzen eine Krankheit ist und für Menschen versteinerten

---

derer vorbeiziehen müssen, auf den Feind lauerte, oder der in Furcht war, dafs auf ihn gelauert werde, sehr begreiflich sein. Sie bedeuten: „Der Mensch kann Gott nicht entgehen.“ Uns erinnern sie an Tells Monolog:

> Durch diese hohle Gasse mufs er kommen,
> Es führt kein anderer Weg nach Küfsnacht.

[1]) Hier folgen Verse, welche dem Sinne nach bei jeder Gelegenheit wiederholt werden, und wahrscheinlich in diese Stelle erst später eingeschaltet worden sind.

[2]) Omnyya, Plur. amânyy, bedeutet einen Wahn (engl. a fancy), welcher eine Folge unserer Wünsche und Neigungen ist, ein Hirngespinst, eine unbegründete Lehre oder Theorie. Es kommt von tamannà, sich nach etwas sehnen, und auch sich durch Sehnsucht zum Wahn verleiten lassen, faseln (engl. to fancy); auch in folgender Tradition hat Omnyya diese Bedeutung فلما استيقظ عثمان قال لو ان يقول الناس تمنى عثمان امنية لحدثتكم حديثا الخ Nachdem ʿOthmân erwacht war, sagte er: Sollten etwa die Leute behaupten, ich habe mich von einem Hirngespinst leiten lassen, so will ich euch etwas erzählen: es ist mir der Prophet im Traum erschienen und hat mir mitgetheilt etc. — Wenn ein Moslim im Traume den Propheten sieht, so ist der Traum wahr, denn der Teufel darf alles andere nur den Propheten nicht äffen. Ein solches Traumgesicht nun führt ʿOthmân zum Beweise an, dafs er nicht im Wahne sei. Aus Thaʿlaby, Tafsyr 2, 105, geht hervor, dafs es nur im Dialekte der Ḳorayschiten die Bedeutung „Wahn“ hatte, während es in andern Dialekten „Wunsch“ hiefs. Er sagt: „Amânyyohom, d. h. ihre Wünsche, die sie hegen; es wird aber behauptet, dafs es im Sprachgebrauch der Ḳorayschiten Wahn bedeute, wa ḳyla abâṭylohom bilogha Ḳoraysch.“

nen — — — und sprich ein folgenschweres Wort über sie [1]). Wir werden sehen, dafs Mohammad erklärte, dafs, so lange er in Makka weile, die Stadt nicht untergehen könne, ferner hatten wir bereits Gelegenheit zu beobachten, dafs die früheren Strafgerichte nicht selten auf die Bitte der mifshandelten Gottesboten gesandt wurden. Vers 96: »Herr, stelle mich daher nicht auf die Seite des ungerechten Volkes« wäre demnach eine fernere Erklärung der Worte »nach der Barmherzigkeit deines Herrn, welche du erwartest, strebend«. Diese Stelle bedeutet nämlich: Du erwartest dem allgemeinen Strafgerichte zu entgehen, mache dich dieser Barmherzigkeit Gottes theilhaft, indem du dich entfernst.

Wie es mit diesen Conjecturen auch immerhin stehen mag, so viel scheint aus dem Context hervorzugehen, dafs der Nachsatz ebenfalls eine Drohung enthielt und dafs es nicht wie Ḳor. 40, 77. 43, 40. 7, 112 und 20, 60 hiefs »oder wir lassen dich früher sterben; jedenfalls müssen sie zu uns kommen«. Nach meiner Anschauung ist also der Sinn dieser Stelle: Wenn du willst, so bitte Gott, sie zu vertilgen und dich zu retten; und es soll geschehen. Es ist aber besser, wenn du dies nicht thust und dich von den Ungläubigen zurückziehst. Wir wären allerdings im Stande, sie zu vertilgen etc. Dieser Gegenstand wird an einem andern Orte weitläufiger zur Sprache kommen.

Nach dieser Erklärung wurde die vom Teufel eingeflüsterte Aeufserung selbstverständlich gestrichen und an die Stelle der Worte »sie sind erhabene Gharânik, und man darf wahrlich ihre Fürsprache erwarten« eine Inspiration von entgegengesetzter Tendenz gesetzt:

53, 21. Wie, ihr solltet Söhne haben und Er (Allah) Töchter?

---

[1]) wa ḳol ʿalayhom ḳawlan mâthûran مأثورا statt wie es jetzt heifst: wa ḳol lahom ḳawlan maysûran.

22. Das wäre eine ungleiche Vertheilung! [Die Geburt eines Sohnes gilt nämlich bei den Arabern für ein Glück, die eines Mädchens für ein Unglück] [1]).

24. Soll der Mensch haben, was er wünscht (nämlich Söhne),

25. während doch Allah diese und jene Welt besitzt [und er soll dennoch nur Töchter haben?]

26. Wie viele Engel gibt es nicht in den Himmeln, und ihre Fürsprache ist nutzlos,

27. es sei denn, Allah habe von vornherein die Fürsprache für Jemanden gebilligt, für wen es ihm gefällt.

28. Nur diejenigen, welche nicht an das Jenseits glauben, geben den Engeln (Götzen) weibliche Benennungen.

29. Sie sind ohne alle Kenntniſs hierüber und lassen sich bloſs von Vermuthungen leiten, aber Vermuthungen vermögen Thatsachen gegenüber nichts.

30. Ziehe dich daher von jenen zurück, welche unserer Lehre den Rücken kehrten und deren Streben sich auf das irdische Leben beschränkt.

31. Dies ist die Summe ihres Wissens. Tröste dich, dein Herr kennt diejenigen am besten, welche sich von seinem Wege verirren, und er kennt diejenigen am besten, welche sich leiten lassen.

32. Allah, welcher die Himmel und die Erde besitzt,

---

[1]) Hier folgt ein Vers, dessen Hauptbestandtheil auch sonst noch zweimal im Ḳorân (7, 69 u. 12, 40) vorkommt, und hier, wohin er durch die zu groſse Aengstlichkeit der Sammler gekommen sein mag, die Verbindung unklar macht:

23. Dieses [Lât, d. h. die Göttin; ʿOzzà, d. h. die Erhabene, und Manâh, d. h. Fatum, Fortuna, vgl. das hebräische Meni, Jes. 65, 11] sind nur Namen, welche ihr und eure Väter [den Götzen] beilegtet. Allah hat euch für diese Benennungen durchaus keine Befugniſs gegeben. Ihr folget darin nur Vermuthungen, und den Wünschen eurer Herzen. Es ist aber bereits eine Leitung von eurem Herrn gekommen.

Die Geschichte des Jonas besteht in bloſsen Andeutungen und unterscheidet sich insofern wesentlich von der des Joseph in Sûra 12, deren Kenntniſs er für einen Beweis seiner Mission ausgibt und deshalb ziemlich vollständig darstellt. Sie gleicht vielmehr der Anspielung auf die Volkssage von der Armee des Elephanten und der Legende von den Märtyrern in der Feuergrube (Band I S. 461). Die Andeutungen jedoch sind umfangsreich genug für eine recht vollständige Erzählung, welche entweder als bekannt vorausgesetzt oder nebenbei mitgetheilt wurde. Daſs die Geschichte des Jonas den Makkanern bekannt, die des Joseph und Moses (Sûra 20) aber unbekannt gewesen sein soll, ist nicht vorauszusetzen. Wenn sie Moḥammad aber nebenher erzählte, so fragen wir: warum hat er nicht, wie in den genannten Fällen, die ganze Mittheilung als Offenbarung dargestellt? Ich glaube, daſs er sie von den Christen erhalten habe, und da diese nicht mit ihm im Complott standen, konnte er es nicht wagen, sie in extenso zu erzählen und als eine Offenbarung auszugeben. Es bestärkt mich in meinem Glauben die Form Yûnos, Jonas. Es ist dies nicht die ursprüngliche hebräische Yônâh, noch die im Syrischen erhaltene vulgäre Form, sondern die griechische mit sehr geringer, ja vielleicht ohne Modification; denn da die Vocale im Ḳorân erst viel später gesetzt wurden, ist es möglich, daſs Moḥammad Yunas (Junas) oder gar Yonas (Jonas) gesprochen habe.

Eine kurze aber wichtige Inspiration, welche in diese Zeit fällt, enthält die Grundlage der Theologie, die er von nun an lehrte. Er gibt darin eine Definition von Allah, welche nicht nur das Engel- und Ǵinngeschlecht, sondern auch Jesum von der Verwandtschaft mit Gott ausschlieſst, indem Allah darin als ein Wesen sui generis dargestellt wird. Wenn Moḥammad je Bedenken trug, »seinen Herrn« Allah zu nennen, weil ihn die Heiden als den Patriarchen der Ǵinn betrachteten, so muſsten sie nach dieser Definition wegfallen, und er fängt auch an, »Allah« häufiger als »mein Herr« zu gebrauchen.

112, 1. Sprich: Er ist der Gott (Allah) — einer (d. h. ein isolirter) [1]),

2. [er ist] der in sich selbst abgeschlossene [2]) Gott (Allah):

---

[1]) Im Arabischen Aḥad, wörtlich: irgend einer, aliquis, ullus. Die Commentatoren versichern uns, daſs es statt wâḥid, ein einziger, stehe. Im Texte des Ibn Mas'ûd stand auch wâḥid. Es bedeutete demnach: der alleinige. Ich glaube aber, daſs Aḥâd in der gewöhnlichen Bedeutung aufzufassen sei und daſs Moḥammad in der ganzen Sûra nichts Anderes sagen wolle als: Allah ist ein Wesen sui generis (vergl. Ḳor. 42, 9). Dieses scheint auch die Auffassung des Obayy b. Ka'b [bei Baghawy, Tafs. 112] und des Ibn 'Abbâs [bei Tha'laby, Tafs. 2, 158, von Kalby, von Abû Çâliḥ, von Ibn 'Abbâs] gewesen zu sein. Beide behaupten nämlich, diese Sûra sei auf das Verlangen der Ḳorayschiten, über den Stammbaum des Herrn des Moḥammad unterrichtet zu werden, geoffenbart worden.

[2]) Im Arabischen çamad, welches jetzt in der Bedeutung von „ewig" vorkommt; diese jedoch scheint den ältesten Commentatoren unbekannt gewesen zu sein. Ibn 'Abbâs, Moġâhid, Ḥasan und Sa'yd b. Ġobayr sagen: Çamad ist derjenige, der keine Höhlung (Bauch) hat. Scha'by sagt (wohl im Hinblick auf diese Definition, die er falsch aufgefaſst hat): Çamad ist derjenige, der weder iſst, noch trinkt. Andere glauben, daſs die darauf folgenden zwei Verse eine Erklärung von çamad seien; so faſst sie auch Abû Horayra in einer Tradition bei Bochâry, S. 744, auf, und 'Obayy b. Ka'b soll gesagt haben: Çamad ist derjenige, welcher nicht gezeugt hat, noch gezeugt worden ist, denn wenn er gezeugt worden wäre, müſste er auch sterben. Abû Wâyil, der Halbbruder des Ibn Salama, sagt, es bedeute einen vollkommen unabhängigen Herrn; so soll es auch Ibn 'Abbâs, dem 'Alyy b. Aby Ṭalḥa zufolge, erklärt haben; auch Bochâry huldigt dieser Ansicht. Soddy sagt: Die Bedouinen gebrauchen die Redensart: çamadto fulânan, ich habe mich an Jemanden gewendet. Çamad bedeutet also eine Person, an die man sich in seinen Bedürfnissen wendet und die man in seinen Bedrängnissen um Hülfe anruft. Ḳatâda endlich erklärt, daſs es ewig bedeute; nach 'Ikrima bedeutet es: der Allerhöchste; dies soll auch die Erklärung des 'Alyy gewesen sein.

3. er hat nicht gezeugt und ist nicht gezeugt worden,
4. und nie hat es ein ihm verwandtes Wesen gegeben.

Auch folgende Offenbarung ist im Geiste jener Periode:

109, 1. Sprich: O Ungläubige!
2. Ich bete nicht an, was ihr anbetet
3. und ihr wollt nicht anbeten, was ich anbete,
4. noch will ich anbeten, was ihr anbetet,

Da çamad schon von Ḳatâda durch ewig erklärt wird, und dies jetzt die einzige Bedeutung ist, welche das Wort hat, so ist anzunehmen, dafs sie durch das Sprachbewufstsein des Volkes gebildet worden; wir müssen uns also daran halten, obwohl sie dem Moḥammad nicht bekannt war, und in der durch die genannten Auktoritäten angezeigten Richtung zurückzugehen. Die nächste Stufe ist: der Unveränderliche, aber dies ist ein negativer Begriff und würde auch im Arabischen durch ein Negativum ausgedrückt worden sein; es ist auch eine Abstraction, unsere Führer aber leiten uns zu einer sinnlich wahrnehmbaren Grundvorstellung. Wir haben gesehen, dafs den meisten Commentatoren „derjenige, welcher nicht hohl (sondern massiv — solid) ist" als Grundbedeutung vorschwebte. Çamda heifst ein in dem Boden festsitzendes Felsenstück, und dieses ist das sinnliche Vorbild der Grundeigenschaft des Gottes des Moḥammad; er zeugt nicht, hat keinen Organismus, vergeht und verändert sich nicht, sondern ist solid (und dauerhaft), in sich abgeschlossen und geschlechtslos. Diese Idee wird von Balynûs, welcher Gott als das Fard, Einzelstehende, bezeichnet, deutlicher ausgesprochen (vgl. Note zu S. 61 Bd. I, siehe auch Scharḥ almawâḳif S. 165). Die Sage schreibt den ʿÂditen eine Gottheit zu, welche Çamûd hiefs. In der Bibel, z. B. Deut. 32, 31, wird Gott mit einem Fels verglichen und, wenn auch in einem andern Sinne, so ist zu bedenken, dafs das Wort in der Theologie stets von gröfserer Wichtigkeit und Zähigkeit war als die Bedeutung; wir finden also schon vor Moḥammad Elemente für diese Benennung.

Dieses kühne Epithet hat den stumpfsinnigen Feinden des Islâms schon früh Veranlassung zu Bemerkungen gegeben. Euthymius Zigabenus sagt: *Ὁλόσφυρον λέγει τὸν θεόν, ἤτοι σφαίρικον. Τοῦτο δὲ τὸ σχῆμα σώματός ἐστι, καὶ σῶμα ἐμφαίνει, ὥσπερ δὴ καὶ τὸ πυκνὸν καὶ πεπιλημένον; σφαῖρα δὲ ὑλικὴ κατ' αὐτὸν ὁ θεὸς ὢν οὔτε ἀκούσεται οὔτε ὄψεται.*

5. wie ihr nicht anbeten wollt, was ich anbete.
6. Ihr habt eure Religion und ich habe meine Religion [1]).

Folgende Offenbarung aus dieser Periode gewährt uns einen Blick in das Innere des Propheten und zeigt ihn uns in einem günstigen Lichte:

76, 23. Wahrlich, wir haben den Ḳorân auf dich allmählig herabgesandt,
24. daher [trage kein Bedenken, sondern] gedulde dich, bis der Befehl deines Herrn ergeht, und gehorche weder einem Sünder noch einem Ungläubigen unter deinen Widersachern

---

[1]) Nach Kalby ist folgende Stelle zugleich mit Sûra 112 geoffenbart worden; dem Inhalt nach zu urtheilen, ist sie etwas jünger. Es wird darin der Raḥmân gepredigt:

2, 158. Eure Götter sind Ein Gott; es gibt keinen Gott außer ihm, er ist der milde Raḥmân.

159. Wahrlich, im Baue der Himmel und der Erde, und in der Aufeinanderfolge von Tag und Nacht, und im Schiffe, welches auf dem Meere dahinschwimmt, beladen mit für die Menschen nützlichen Dingen, und in dem Wasser, welches Gott vom Himmel herabsendet, womit er die Erde wiederbelebt, nachdem sie erstorben, und alle möglichen Gattungen von Thieren erfrischet, und in der Bewegung der Winde und Wolken, welche zwischen Himmel und Erde [für die Menschen] Dienste thun, sind Zeichen [welche die Einheit Gottes beweisen] für vernünftige Menschen.

160. Es gibt Menschen, welche Wesen außer Allah ihm gleichstellen und sie ebenso lieben wie Allah. Die Gläubigen aber lieben Allah am meisten. Wenn die Ungerechten die Einsicht hätten, welche sie beim Anblick des Strafgerichtes haben werden, würden sie überzeugt sein, daß die Macht ungetheilt in der Hand Allah's liegt und daß Allah heftig im Strafen ist.

161. Wenn die Einflußübenden sich von den Beeinflußten losgesagt haben, und diese das Strafgericht erblicken und alle Bande zerrissen sind,

162. werden die Beeinflußten sagen: Stände uns doch die Rückkehr offen, wir würden uns von ihnen lossagen, wie sie sich jetzt von uns lossagen. Auf diese Art wird ihnen Allah ihre Werke zu ihrer Verzweiflung anschaulich machen. Sie werden nie aus dem Höllenfeuer befreit werden.

25. und verrichte das Dzikr deines Herrn Morgens und Abends

26. und auch Nachts; und wirf dich auf's Angesicht ihm zu Ehren und verrichte das Subḥân lange Zeit während der Nacht.

27. Jene lieben das Vergängliche und lassen einen schweren Tag unbekümmert hinter sich (d. h. wenden sich vom Gedanken daran weg).

28. Wir sind es, die sie erschaffen und kräftig gemacht haben, und wenn wir wollten, würden wir ihren Typus ändern (d. h. sie in Schweine verwandeln).

29. Diese Offenbarungen sind eine Erinnerung, und wer will, schlage einen zu seinem Herrn führenden Weg ein.

30. Aber ihr könnet nicht wollen, es sei denn, dafs es Allah will, denn Allah ist wissend und weise.

31. Er führt, wen er will, in seine Gnade ein, für die Ungerechten aber hat er eine peinliche Strafe bereitet.

Auch in einer andern Ḳorânstelle trägt Gott dem Propheten auf, nicht jenem »Sünder (Athym)« zu folgen[1]):

68, 7. Wahrlich, dein Herr weifs am besten, wer sich von seinem Pfade verirrt hat, und er kennt auch die Geleiteten am besten.

8. Folge daher [da dein Herr aus dir spricht] nicht den Läugnern [deiner Inspiration].

9. Sie wünschen, dafs du einlenkest, dann würden auch sie einlenken.

10. Aber folge nicht jenem Betheurer und Stümpfer,

---

[1]) Es ist nicht leicht zu bestimmen, wer „jener Athym“ sei. Wenn in allen Ḳorânstellen, wo er genannt wird, dieselbe Person zu verstehen ist, so dürfte Omayya b. Aby-l-Çalt gemeint sein; denn nach der Tradition trieben böse Geister ihr Spiel mit ihm, und nach Ḳorân 26, 222 war jener Athym in derselben Lage. Die Exegeten nennen bei solchen Gelegenheiten gern den Walyd b. Moghyra; es könnte aber, wenn es nicht Omayya ist, auch Abû Sofyân gemeint sein.

11. hinterlistigen Verleumder und parteigängerischen Schimpfer,

12. Hemmschuh des Guten[1]), Widersacher, Sünder und Verunglimpfer,

13. Gewaltthätigen und von der Natur Gezeichneten[2]),

14. bloſs weil er Reichthum besitzt und viele Söhne.

15. Wenn ihm unsere Zeichen vorgelesen werden, sagt er: Dies sind die Asâṭyr der Alten,

16. wir werden ihn bald auf seinen Riesel zeichnen.

Moḥammad schleudert auch eine Stelle[3]) gegen »den Hemmschuh des Guten« und beschuldigt ihn, daſs er die Vielgötterei (wohl unter der Voraussętzung, daſs die Ġinn Engel seien) vertheidige[4]):

50, 18. Und der Taumel des Todes hat dir die Wirklichkeit (die Erfüllung des gedrohten Strafgerichtes) gebracht — dies ist es, was dir schwer im Sinne lag —

---

[1]) Nach einigen bedeutet es geizig, haushälterisch.

[2]) Die zahlreichen Bedeutungen, welche die Lexicographen von zanym angeben, verdanken ihren Ursprung wohl nur dieser Stelle. Ibn ʿAbbâs soll gesagt haben, der hier Beschriebene wäre nicht kenntlich ohne dieses Epithet, er hatte nämlich einen Auswuchs (Zanama) am Nacken. Zannam heiſst überhaupt: ein Thier zeichnen, z. B. dadurch, daſs man ihm die Ohren aufschlitzt. Ich glaube also, daſs der Beschriebene einen Naturfehler hatte und daſs ihm deswegen gedroht wird, er werde am Riesel gezeichnet werden.

[3]) Nach Thaʿlaby 50, 25. 26 beziehen einige Exegeten diese Stelle auf Walyd b. Moghyra. Die meisten andern Commentatoren beziehen sie nicht auf ein Individuum. Es mag sie „kull", wörtlich: jeder, dazu verleitet haben, ihr eine allgemeine Anwendung zu geben. Dieses Wort hat aber nicht nur in andern Schmähstellen des Ḳorâns (z. B. 68, 10. 31, 17. 26, 222), sondern auch in der Tradition die Bedeutung: jener, solcher, z. B. in den Worten, welche Moḥammad an Sorâḳa b. Moʿtamer richtete: اشد الناس عدا كل جعار بعار صخاب فى الاسواق سراقة „der feindseligste unter allen Menschen ist jener Sch....kerl, Mistfink und Gassenbub Sorâḳa."

[4]) Dieser Stelle geht eine Vertheidigung der Auferstehungslehre voraus. Wahrscheinlich wurde das Anathem gegen jenen

19. und es ist in die Posaune gestofsen worden — dies ist der gedrohte Tag,

20. und es sind die Seelen gekommen und mit jeder ein Dränger und einer, der Zeugnifs sag'.

21. Du lebtest darüber unbekümmert, wir haben dir

„Hemmschuh des Guten“ durch seine Angriffe auf diese Lehre hervorgerufen:

50, 1. Ḳâf. — Beim glorreichen Ḳorân!

2. Sie sind wohl gar erstaunt, dafs ein Warner aus ihrer Mitte zu ihnen gekommen ist, und die Ungläubigen sagen: Es ist sonderbar!

3. Wie, nachdem wir gestorben und zu Staub geworden sind [sollen wir auferstehen]! Dies wäre ein wunderbares Zurückbringen!

4. Wir wissen, welche von ihnen die Erde verschlungen hat, denn es ist ein sorgfältig bewahrtes Buch bei Uns.

5. Ja, sie haben die Wahrheit verläugnet, als sie zu ihnen kam, und befinden sich deshalb in einer verzweifelten Lage.

6. Blicken sie denn nicht zum Firmament empor und sehen, wie wir es gemacht und geschmückt haben und dafs es ohne Risse ist,

7. und blicken sie nicht auf die Erde? Wir haben sie ausgespannt und Berge darin gesetzt und alle erdenklichen lebensvolle Paare wachsen lassen,

8. um fromme Knechte Gottes aufmerksam und nachdenklich zu machen.

9. Auch haben wir vom Himmel gesegnetes Wasser herabgesandt und dadurch hervorwachsen lassen Gärten und Getreide zur Ernte

10. und hohe Palmen, beladen mit üpgiger Frucht

11. zur Nahrung für [unsere] Knechte, und wir haben damit eine erstorbene Landschaft belebt. — So geschieht die Auferweckung [der Todten].

14. War etwa die erste Schöpfung schwierig für uns? Dennoch ist ihnen eine neue Schöpfung (die Auferstehung) unbegreiflich.

15. Wir haben den Menschen erschaffen und wissen, was ihm seine Seele einflüstert; wir sind seinem Herzen näher als seine grofse Schlagader.

16. Die zwei Aufpasser passen nämlich auf, einer zur Rechten und einer zur Linken,

17. und der Mensch spricht nicht ein Wort, ohne dafs ein aufmerksamer Wächter bei ihm wäre.

aber den Staar gestochen. Nicht wahr, jetzt ist dein Gesicht scharf, und du hast Tag.

22. Und sein Gespann (der ihn bewachende Engel) sagte: Das ist es, was bei mir über ihn vorlag.

23. [Eine Stimme erschallte:] werfet in die Hölle jenen widersetzlichen Erzfrevler ohne Zag',

24. jenen Hemmschuh des Guten, Zweifler und Ungerechten, dem daran lag,

25. neben Allah andere Götter anzuerkennen. Sie (der Dränger und Zeuge) stürzten ihn auch in die heftige Pein.

26. Sein Gespann sagte: Herr, ich habe ihn nicht verleitet, er war selbst auf weitem Irrwege.

27. Gott sprach: Rechtet nicht vor mir; ich habe die Drohung vorausgehen lassen.

28. Mein Wort ist unabänderlich, und ich bin nicht grausam gegen meine Knechte.

Die weltlichen Rücksichten der Ḳorayschiten, welchen er nachgegeben hatte, verwirft er in einer Offenbarung, die wohl viel spätern Datums sein mag:

28, 57. Sie sagten: Wenn wir mit dir der Leitung folgen, so werden wir aus unserm Lande vertrieben. — Haben wir ihnen nicht eine geheiligte, sichere Stätte zur Wohnung angewiesen, in welche, auf unsere Fügung, Früchte jeder Art eingeführt werden? — Den Meisten mangelt es an Einsicht.

58. Wie viele Städte haben wir nicht, weil sie undankbar waren, zerstört, obschon sie im Uebenflufs schwelgten. Dort stehen ihre Wohnungen, nach ihnen lebten nur wenige darin, denn wir (Gott) sind die Erben.

59. Dein Herr hat noch nie Landschaften vertilgt, ehe er in den Hauptort einen Boten gesandt hatte, der den Bewohnern unsere Zeichen vorlese, noch haben wir je Landschaften zerstört, aufser wenn die Einwohner gottlos waren.

60. Euer Besitz ist nur Tand und Luxus des Erden-

lebens, die Güter bei Allah sind besser und dauerhafter. — Sehet ihr das nicht ein?

61. Ist wohl der, welchem wir eine schöne Verheißung gemacht haben und der er auch entgegengeht, mit dem zu vergleichen, welchem wir irdische Genüsse bescheert haben — der sich aber am Tage der Auferstehung unter den Vorgeladenen befinden wird?[1])

---

[1]) Nach Soddy ist der Gerechte 'Ammâr (siehe Bd. I S. 447) und der Reiche Walyd b. Moghyra.

Anhang zum achten Kapitel.

I. Die Flucht nach Abessynien [1]).

Die Nachrichten systematischer Biographen über diesen Gegenstand hat am klarsten Ibn Sayyid alnâs S. 14 zusammengestellt. Er sagt: „Es gibt zwei Auswanderungen nach Abessynien; das erste Mal flüchteten sich 12 Männer und 4 Frauen. Dann kehrten sie auf die Nachricht hin, daſs sich die Heiden nach Vorlesung der Sûra 53 prosternirt haben, nach Makka zurück, wo sie noch stärker verfolgt wurden als früher. Sie flohen daher das zweite Mal, und es nahmen 83 Männer — vorausgesetzt daſs 'Ammâr unter ihnen war, denn die Tradition in Bezug auf ihn ist nicht ohne Widersprüche — und 18 Frauen Theil, nämlich 11 Ḳorayschitinnen und sieben fremde. Die Ḳorayschiten schickten zwei Mal eine Gesandschaft an den Naǵâschy, nämlich nach der ersten Flucht der Moslime nach Abessynien und wieder nach der Schlacht bei Badr. 'Amr b. 'Âç war beide Mal einer der Gesandten, das erste Mal war 'Omâra b. Walyd sein College und das zweite Mal 'Abd Allah b. Aby Raby'a.“ Im Madâriǵ alnobûwa ed. Dilly Bd. 1 S. 64 wird die zweite wie die erste Flucht dieser Auffassung gemäſs unter dem Jahre 5 der Sendung erzählt. Die Chronologie und die ganze Auffassung ist falsch und, wie wir weiter unten sehen werden, ist der Irrthum durch Wâḳidy veran-

[1]) In diesem Excursus muſs Mehreres, was erst im zehnten Kapitel besprochen werden kann, als bekannt vorausgesetzt werden, und hätte es sich nicht darum gehandelt, die Dokumente bezüglich des Rückfalles des Moḥammad zum Polytheismus hier einzuschalten, würde ich den ganzen Excursus in den Anhang zum zehnten Kapitel verlegt haben; die beiden Abhandlungen lassen sich nämlich nicht wohl trennen.

lafst worden. Ich theile die vorzüglichsten Dokumente über diesen Gegenstand mit:

1. Bochâry, S. 546, theilt unter der Aufschrift „Flucht nach Abessynien“ nur eine Tradition mit und selbst in dieser wird die Flucht nur im Vorbeigehen erwähnt. Vielleicht dürfen wir daraus den Schlufs ziehen, dafs er keine andere fand, welche nach seinem Canon gesund (d. i. authentisch) war. In dieser Tradition wird dem 'Othmân das Verdienst zugesprochen, sich an den zwei ersten Auswanderungen betheiligt zu haben. Der Commentator bemerkt dazu, „nämlich an der Flucht nach Abessynien und Madyna“. Seine Behauptung wird dadurch bestätigt, dafs er sich auch wirklich mit dem Propheten nach Madyna flüchtete und dafs es bei Bochâry, S. 522, wo diese Tradition ebenfalls vorkommt, statt „an den zwei ersten Auswanderungen“ heifst: „an beiden Auswanderungen“. Dieser Version zufolge unterschied man ursprünglich nur zwischen dem Exodus nach Abessynien und Madyna, nicht aber zwischen zwei abessynischen Auswanderungen, denn sonst hätte man dem 'Othmân das Verdienst von drei Auswanderungen zusprechen müssen.

2. Fortsetzung des Briefes des 'Orwa (von Bd. I S. 356):

„Einige von ihnen liefsen sich zum Abfall bewegen, andere stärkte Gott, und sie blieben treu. Unter diesen Verhältnissen befahl ihnen der Prophet, nach Abessynien auszuwandern. Dort regierte ein frommer König, der den Titel Nagâschy führte. Niemandem geschieht dort Unrecht. Abessynien war ein vortheilhafter Handelsplatz für die Ḳorayschiten, wo sie vollkommene Sicherheit genossen. Der Prophet rieth daher seinen Anhängern, dahin auszuwandern, denn sie hatten in Makka viel zu dulden, und er fürchtete, dafs sie abtrünnig werden würden. Die Meisten folgten seinem Befehl. Er selbst wanderte nicht aus. So blieben die Verhältnisse einige Jahre; die Ḳorayschiten bedrückten die Gläubigen sehr hart, aber der Islâm verbreitete sich und einige vornehme Ḳorayschiten bekannten sich dazu.“

3. Ibn Sa'd, fol. 38, von Wâḳidy, von Hischâm b. Sa'd († 160), von Zohry:

„Als sich die Zahl der Moslime vermehrte, sie ihren Glauben öffentlich bekannten und darüber sprachen, wurden viele von den ungläubigen heidnischen Ḳorayschiten über diejenigen von ihren Familien erbittert, welche den Glauben angenommen hatten, und sie quälten sie und sperrten sie ein, um sie von ihrer Religion abtrünnig zu machen. Der Prophet sagte daher zu ihnen: Es ist am besten, wenn ihr die Heimath verläfst. Sie antworteten: Wo sollen wir hingehen? Er deutete nach Abessynien, denn es war ihm am liebsten, dafs sie sich dorthin flüchteten. Es wanderte daher eine Anzahl von den Moslimen dorthin, einige mit ihren Familien und andere allein."

Diese Tradition des Zohry steht auch im Oyûn alathar, S. 19, mit anderer Isnâd, nämlich: 'Abd al-Razzâḳ († 211, 85 Jahre alt), von Ma'mar b. Râschid, von Zohry († 125). Wir können also getrost annehmen, dafs sie Zohry lehrte. In dieser Quelle findet sich aber ein Zusatz, welcher, wenn auch zum Theil, doch gewifs nicht ganz von Zohry herrührt. Er lautet: „Der erste, der sich dahin flüchtete, war 'Othmân b. 'Affân mit seiner Frau Roḳayya, einer Tochter des Propheten. Andere behaupten, der erste Flüchtling nach Abessynien sei Ḥaṭib b. 'Amr gewesen, andere meinen Salyṭ b. 'Amr und Abû Ḥodzayfa, welcher sich vor seinem Vater des Glaubens wegen flüchtete. Es begleitete ihn seine Frau Sahla, welche ihren Glauben vor ihrem Vater verläugnet hatte und nun vor ihm floh. Sie gebar in Abessynien einen Sohn, der den Namen Moḥammad erhielt [1]). Es flohen auch Moç'ab 'Abd al-Raḥmân b. 'Awf, Abû Salama mit seiner Frau, 'Othmân b. Matzûn, 'Âmir b. Raby'a mit seiner Frau Laylà, Abû Sabra mit seiner Frau Omm Kolthûm bint Sohayl b. 'Amr (diese wird von Ibn Isḥâḳ nicht genannt, mit Einschlufs derselben haben sich fünf Frauen geflüchtet), Sohayl b. Baydhâ und 'Abd Allah b. Mas'ûd. Sie verliefsen Makka einzeln, einige zu Fufs, andere auf Kameelen; bei Scho'ayba trafen sie sich, wo sie zwei Handelsschiffe fanden, die sie um einen halben Dynâr an Bord nahmen. Ihre Flucht fand im Raǵab des Jahres 5 der Mission (616) statt. Die Ḳorayschiten verfolgten sie bis an's Meer, fanden aber, als sie daselbst ankamen, dafs sie sich schon eingeschifft hatten. Dann verliefsen Makka: Ǵa'far [hier folgt die Liste des Ibn Isḥâḳ von 83 Männern]."

In der Içâba, Bd. 1 S. 836, sagt Zohry, nach dem Berichte des Yaḳ'ûb b. Sofyân, auf die Auktorität des Sa'yd b. Mosayyib: An der ersten Flucht nach Abessynien betheiligten sich Ǵa'far mit seiner Frau Asmâ, 'Othmân b. 'Affân mit seiner Frau Roḳayya und Châlid b. Sa'yd mit seiner Frau.

Ich glaube, dafs das Wort „ersten" vor „Flucht" eingeschoben sei, denn wenn sich die spätern Quellen auf die Auktorität des Zohry hätten berufen können, dafür, dafs Ǵa'far und Châlid unter den ersten Flüchtlingen gewesen sind, so hätten sie deren Namen in ihren Listen gewifs nicht ausgelassen, sie erscheinen aber weder bei

---

[1]) Hier, glaube ich, endet die Tradition des Zohry; was folgt, ist aus andern Quellen zur Ergänzung hinzugefügt. Dafs die Tradition bis hieher von Zohry sei, wird in der Içâba, Bd. 1 S. 616, bestätigt.

Ibn Isḥâḳ noch bei Ibn Sa'd unter den frühsten 15 oder 16 Flüchtlingen [1]).

4. Wir wollen nun die Ansicht des Ibn Isḥâḳ über die Auswanderung nach Abessynien berücksichtigen. Ṭabary, S. 128, sagt:

„Die Angaben über die Anzahl der Flüchtlinge nach Abessynien, die an dieser Flucht, welche die erste ist, Theil nahmen, sind verschieden. Einige sagen, es waren derer elf Männer und vier Frauen.

Darauf theilt er die unter 5 und 6 erwähnten Traditionen des Ibn Sa'd mit. Dann fährt er S. 129 fort:

„Andere setzen die Zahl der Moslime, welche sich nach Abessynien begaben, ausschliefslich der kleinen Kinder und derjenigen die dort geboren wurden, auf 82 an, vorausgesetzt dafs 'Ammâr b. Yâsir unter ihnen war, denn über ihn waltet einiger Zweifel ob. — Ibn Ḥomayd, von Salama, von Ibn Isḥâḳ [2]) erzählte mir: Als der Prophet sah, wie grofse Drangsale die Gläubigen befielen, rieth er ihnen, nach Abessynien auszuwandern. Auf seinen Rath begaben sich diejenigen Moslime, welche sich dem Propheten angeschlossen hatten, nach Abessynien; sie thaten diesen Schritt aus Furcht vor Versuchung [zum Abfall] und um sich mit ihrer Religion zu Gott zu flüchten. Dies war die erste Auswanderung, welche im Islâm stattfand. Die ersten, welche auswanderten, waren [3]):

1) 'Othmân b. 'Affân.

2) Seine Frau Roḳayya.

3) Abû Ḥodzayfa b. 'Otba b. Raby'a [welcher sich vor seinem Vater flüchtete].

4) Seine Frau Sahla, eine Tochter des Sohayl b. 'Amr, welche ihres Glaubens wegen von ihrem Vater davonlief und in Abessynien einen Sohn Namens Moḥammad gebar.

5) Zobayr b. 'Awwâm b. Chowaylid b. Asad.

6) Moç'ab b. 'Omayr b. Hâschim.

7) 'Abd al-Raḥmân b. 'Awf Zobry.

8) Abû Salama b. 'Abd al-Asad.

9) Seine Frau Omm Salama, die Tochter des Abû Omayya b. al-Moghyra.

10) 'Othmân b. Matz'ûn.

11) 'Âmir b. Raby'a 'Anezy (d. h. vom Stamme 'Aneza b. Asad

---

[1]) Möglich wäre, dafs nicht „erste“ sondern „nach Abessynien“ eingeschoben ist und dafs, wie wir zur Tradition des Bochâry bemerkten, die Auswanderung, welche vom Jahre 616 bis 622 nach Abessynien stattfand, im Unterschied zur Flucht nach Madyna auch in dieser Tradition als die erste Flucht bezeichnet wurde.

[2]) Vergl. Text des Ibn Isḥâḳ S. 208.

[3]) Ich ergänze diese Liste aus Ibn Isḥâḳ.

b. Raby'a, nach andern vom Stamme 'Anz b. Wâyil), ein Verbündeter der Banû 'Adyy b. Ka'b.

12) Seine Frau Laylà, eine Tochter des Abû Ḥathma Ḥodzâfa b. Ghânim, von den Banû 'Adyy.

13) Abû Sabra b. Aby Rohm b. 'Abd al-'Ozzà 'Âmiry. Nach andern war es Abû Ḥâṭib b. 'Amr b. 'Abd Schams b. 'Abd Wodd, ein Bruder des Sohayl b. 'Amr oder Solayṭ b. 'Amr, welcher auswanderte, und einige behaupten, dafs er der erste war, welcher nach Abessynien ging.

14) Sohayl b. Baydhâ von den Balḥârith b. Fihr.

Ibn Isḥâḳ zählt also zehn Männer [mit Ausschlufs der Frauen] auf, dann fährt er fort: Diese zehn sind meinen Nachrichten zufolge die ersten Moslime, welche ihre Heimath verliefsen und sich nach Abessynien begaben. Dann wanderte Ġa'far b. Aby Ṭâlib aus, und es folgten ihm die Moslime, welche sich in Abessynien versammelten. Einige von ihnen hatten ihre Familie mit sich, andere waren allein ohne dieselbe. Darauf zählt er die zweiundachtzig Männer auf, mit Einschlufs der zehn bereits genannten. Er zählt auch die Frauen und Kinder auf, welche sie begleiteten, und diejenigen, welche in Abessynien geboren wurden."

Diese Liste hat Ṭabary nicht abgeschrieben, er stellt aber diese Angabe des Ibn Isḥâḳ der des Ibn Sa'd, No. 6, gegenüber und sagt, dafs dieser nur sechzehn Auswanderer erwähne. Nach Ṭabary's Auffassung haben also alle 83 Männer, welche Ibn Isḥâḳ aufzählt, schon vor der Vorlesung von Sûra 53 und der Bekehrung 'Omar's die Flucht ergriffen. Die Liste dieser Leute nach Ibn Isḥâḳ findet weiter unten einen Platz.

Ibn Isḥâḳ, bei Ṭabary S. 140 (Ibn Hischâm hat diese Tradition ausgelassen, Ṭabary benutzte den Text des Salama b. Fadhl, der im Uebrigen mit dem des Ibn Hischâm übereinstimmt), von Yazyd b. Ziyâd Madany, von Moḥammad b. Ka'b Ḳoratzy (geboren im Jahre 40, † 120)[1]):

„Als der Prophet sah, dafs sich sein Volk von ihm abwandte, schmerzte es ihn, dafs es sich von der Offenbarung, die er ihm von Gott brachte, entfernte. Er hegte den Wunsch, dafs ihm Gott eine Offenbarung schicke, welche eine Aussöhnung zwischen ihm und seinem Volke herbeiführen könnte. Da er sein Volk liebte und es zu gewinnen wünschte, so war ihm daran gelegen, dafs seine Stellung zu ihm weniger peinlich sein sollte. Während er von solchen Gedanken, Wünschen und Hoffnungen beseelt war, offenbarte ihm

---

1) Der Text ist im Journ. As. Soc. Beng. 1850 No. 2 abgedruckt. Ein Theil dieser Tradition findet sich auch bei Baghawy, Tafs. 22, 51, auf die Auktorität des Moḥammad b. Ka'b Ḳoratzy, des Ibn 'Abbâs „und anderer Exegeten".

Gott die (53ste) Sûra: „Bei den Plejaden, wie sie untergingen, euer Landsmann ist weder verirrt noch verwirrt.“ Und als er zu den Worten kam: „Seht ihr die Lât und die ʿOzzà und die Manâh, die dritte Gottheit“, legte ihm der Teufel Worte auf die Zunge, die dem entsprachen, was er bei sich selbst überdacht und gewünscht hatte, nämlich: „Diese erhabenen Gharânyḳ — wahrlich, man darf ihre Fürsprache erwarten!“ Als die Ḳorayschiten dies hörten, freuten sie sich darüber und es gefiel ihnen, dafs er ihre Götter so ehrenvoll erwähnt habe, und sie hörten ihm zu. Die Moslime nahmen die Offenbarung, die ihnen ihr Prophet verkündete, an, ohne zu vermuthen, dafs er sich geirrt habe, und als er zum [letzten] Vers der Sûra kam, in dem es heifst: „fallet nieder!“ und die Sûra vollendet hatte, warf er sich selbst auf die Erde nieder, und die Rechtgläubigen folgten seinem Beispiele, um damit auszudrücken, dafs sie die Offenbarung, die er soeben verkündet hatte, glaubten und ihm folgten. Auch die Heiden unter den Ḳorayschiten und auch andere, welche zugegen waren, fielen nieder, weil er ihre Götter auf diese Weise erwähnt hatte. Es war weder ein Gläubiger noch ein Heide in dem Tempel, der sich nicht auf die Erde warf, aufser Walyd b. Moghyra. Da er ein alter Mann war, so nahm er eine Hand voll Sand auf und neigte seine Stirn darauf. Die Leute gingen nach Hause, und die Ḳorayschiten freuten sich, dafs er ihrer Götter erwähnt hatte und sagten: Moḥammad hat unsere Götter auf die ehrenvollste Weise erwähnt, er hat in dem, was er vorlas, gesagt, dafs sie die erhabenen Gharânyḳ seien und dafs ihre Fürsprache ersprieſslich sei. Es wurde den Ausgewanderten in Abessynien bekannt, dafs sich die Makkaner prosternirt und es hiefs auch, dafs sie sich bekehrt hätten. Einige verliefsen Abessynien und andere blieben. Unterdessen kam Gabriel zum Propheten und sagte zu ihm: Was hast du gethan, Moḥammad! Du hast den Leuten etwas vorgelesen, was ich dir von Gott nicht überbracht habe. Der Prophet war sehr betrübt über diesen Vorfall und fürchtete, dafs Gott ihn strafen würde. Gott sandte ihm daher eine Offenbarung (Sûra 17, 75 ff.), in der er sich seiner erbarmt, ihm die Sache leicht macht und ihn mit der Versicherung tröstet, dafs es keinen Propheten vor ihm gegeben, dem, wenn er Wünsche hegte wie er, der Teufel nicht dem Wunsche entsprechende Worte eingeflüstert hätte. Gott hob die von dem Teufel eingeflüsterten Worte auf und bestätigte die ächten Verse. Auf diese Art befreite er ihn von seiner Traurigkeit und Furcht. An die Stelle der Worte: „Diese erhabenen Gharânyḳ — wahrlich, man darf ihre Fürsprache erwarten“ setzte Gott die Worte: „Wie, ihr sollt Söhne haben und Allah Töchter! Das wäre eine verkehrte Eintheilung. — — — Wie viel Engel sind im Himmel, und doch hilft ihre Fürsprache nichts, aufser wenn's Allah zugibt." Er will damit sagen: wie kann die Fürsprache eurer Götzen angenommen werden? Als die Ḳorayschiten hörten, dafs Gott die Worte des Teufels aufgehoben habe, sagten sie: Moḥammad hat es bereut, sich über die Stellung unserer Götter bei Allah ausgesprochen zu haben. Er hat seine Ansicht geändert und andere Worte an ihre Stelle gesetzt. Die zwei Worte, die der Teufel dem Propheten eingegeben hatte, waren im Munde aller Heiden; sie machten das Uebel noch schlimmer und vermehrten die Verfolgungen, denen seine Anhänger ausgesetzt waren. Die Rechtgläubigen, welche Abessynien verlassen hatten auf das Gerücht, dafs sich die Ḳorayschiten mit Moḥammad prosternirten, kamen bis in die Nähe von Makka. Als sie daselbst erfuhren, wie die Sache stehe, wagten sie es nur heimlich oder unter dem Schutze eines Freundes in die Stadt zu gehen. Unter denen von ihnen, welche in die Stadt hineingingen und daselbst blieben, bis der Prophet nach Madyna floh und mit ihm bei Badr fochten, waren: 'Othmân b. 'Affân mit seiner Frau Roḳayya, Abû Ḥodzayfa mit seiner Frau und viele andere, in Allem dreiunddreifsig Männer."

Im Texte des Ibn Hischâm S. 241 finden wir die Fortsetzung dieser Tradition und den letzten Satz etwas ausführlicher als bei Ṭabary:

„Einige von denen, welche zurückkamen, blieben in Makka bis zur Flucht nach Madyna und fochten bei Badr und Oḥod; andere wurden in Makka festgehalten [1]) und versäumten die Schlacht von Badr und andere Treffen, und andere starben in Makka. Unter diese gehören:

1) 'Othmân b. 'Affân [siehe No. 2 der Liste im Anhange zum zehnten Kapitel], seine Frau Roḳayya.
2) Abû Ḥodzayfa (No. 9), seine Frau Sahla.
3) 'Abd Allah b. Ǵaḥsch (No. 5).
4) 'Otba b. Ghazwân (No. 11).
5) Zobayr (No. 12).
6) Moç'ab (No. 17).
7) Sowaybiṭ (No. 18).
8) Ṭolayb (No. 16).
9) 'Abd al-Raḥmân b. 'Awf (No. 22).
10) Miḳdâd (No. 27).
11) 'Abd Allah b. Mas'ûd (No. 25).
12) Abû Salama (No. 30), seine Frau Omm Salama.

[1]) In Bezug auf die Meisten ist dies ein Euphemismus für „sie wurden abtrünnig".

13) Schammâs (No. 31).

14) Salama b. Hischâm (No. 35), sein Onkel hielt ihn in Makka zurück und er kam erst nach den Schlachten von Badr, Oḥod und Chandaḳ nach Madyna.

15) 'Ayyâsch (No. 36); er floh mit Moḥammad nach Madyna, aber seine beiden Stiefbrüder, Abû Ġahl b. Hischâm und Ḥârith b. Hischâm, welche dieselbe Mutter hatten, holten ihn ein, brachten ihn nach Makka zurück und hielten ihn daselbst fest, bis die Schlacht von Chandaḳ vorüber war.

16) 'Ammâr b. Yâsir (No 83). Es waltet ein Zweifel, ob er sich nach Abessynien geflüchtet hatte oder nicht.

17) Mo'attib (No. 37).

18) 'Othmân b. Matz'ûn (No. 38).

19) Sein Sohn Sâyib (No. 39).

20) Ḳodâma b. Matz'ûn (No. 40).

21) 'Abd Allah b. Matz'ûn (No. 41).

22) Chonays (No. 49).

23) Hischâm b. 'Âç (No. 51). Er wurde nach der Flucht des Propheten zu Makka festgehalten und kam erst nach der Schlacht von Chandaḳ nach Madyna.

24) 'Âmir b. Raby'a (No. 66), seine Frau Laylà.

25) 'Abd Allah b. Machrama (No. 68).

26) 'Abd Allah b. Sohayl (No. 69). Er wurde vom Propheten entfernt gehalten, als dieser nach Madyna die Flucht ergriff. Beim Feldzug von Badr jedoch gelang es ihm, die Heiden zu verlassen, und er focht auf der Seite des Propheten.

27) Abû Sabra (No. 67), seine Frau Kolthûm.

28) Sikrân (No. 71) und seine Frau Sawdâ. Er starb zu Makka vor der Ḥigra, und der Prophet heirathete seine Wittwe Sawdâ.

29) Sa'd b. Chawla (No. 74).

30) Abû 'Obayda (No. 75).

31) 'Amr b. Ḥârith (No. 79).

32) Sohayl b. Baydhâ (No. 76).

33) 'Amr b. Abû Sarḥ (No. 77).

Die Anzahl der Anhänger des Propheten, welche von Abessynien nach Makka zurückkehrten, beläuft sich auf dreiunddreifsig Männer. Einige begaben sich unter den Schutz von Heiden. Von diesen ist uns 'Othmân b. Matz'ûn genannt worden, der sich unter den Schutz des Walyd b. Moghyra stellte, und Abû Salama b. 'Abd al-Asad, der sich unter den Schutz des Abû Ṭâlib stellte; denn seine Mutter war eine Schwester des Abû Ṭâlib, welcher also der Onkel des Abû Salama war."

Im Texte des Ibn Isḥâḳ finden wir S. 208 zwar die Aufschrift „Erzählung der ersten Auswanderung nach Abessynien“, aber in der Erzählung wird kein Unterschied zwischen einer ersten und zweiten Auswanderung gemacht. Vielleicht rührt diese Aufschrift nicht von Ibn Isḥâḳ selbst her; jedenfalls herrscht hier im Werke dieses Shriftstellers eine grofse Verwirrung, die noch dadurch vermehrt wird, dafs in dem Texte, der uns vorliegt, Stellen ausgelassen sind. Nach dem angeführten Berichte über die Auswanderung, dem er noch den der ḳorayschitischen Gesandtschaft an den Naǵâschy anschliefst, folgt S. 224 die Bekehrung ʿOmar's, welche sich im August 617 ereignete, dann die Achterklärung, 9. September 617, die von Moḥammad ertragenen Mifshandlungen und mit ihm geführten Dispute, und S. 241 erst folgt (wenn wir den uns vorliegenden verstümmelten Text aus Ṭabary ergänzen) die Vorlesung von Sûra 53, die Rückkehr der Flüchtlinge von Abessynien und das soeben gegebene Namensverzeichnifs.

In Ṭabary ist folgende Anordnung: Erste Flucht nach Abessynien, Mifshandlungen (aber nicht die Dispute), Gesandtschaft an den Naǵâschy, Bekehrung des ʿOmar, Achterklärung, Vorlesung von Sûra 53 und Rückkehr der Flüchtlinge.

Nach dieser Rückkehr flohen sie wieder von Arabien und dies wird die zweite Flucht nach Abessynien genannt. Wâḳidy nimmt wohl mit Recht an, dafs Ibn Isḥâḳ's Liste von 83 Männern in die zweite Flucht gehöre, er macht sich aber in Bezug auf die Zeit und zum Theil auch in Bezug auf die Art, wie sie flohen, irrige Begriffe.

5. Ibn Saʿd, fol. 39, und Ṭabary, S. 128, beide von Wâḳidy, von Yûnos b. Moḥammad Tzafary, von seinem Vater, von einem Manne seines Stammes; auch [Wâḳidy,] von ʿObayd Allah b. al-ʿAbbâs Hodzaly, von Ḥârith b. al-Fodhayl:

„Sie verliefsen Makka einzeln und heimlich und kamen nach Schoʿayba. Es waren eilf Männer und vier Frauen; einige ritten (auf Kameelen) und andere waren zu Fufs. Gott fügte es so, dafs gerade zwei Handelschiffe daselbst lagen [1]), welche sie um einen halben Dynar nach Abessynien nahmen. Der Auszug fand im Raǵab des fünften Jahres der Mission statt. Die Ḳorasychiten verfolgten sie bis an das Meer, holten aber keinen von ihnen ein, denn sie waren bereits abgesegelt. Die Flüchtlinge erzählten: Wir kamen nach Abessynien, wo uns der beste aller Gastfreunde aufnahm. Wir

[1]) Zwei Schiffe kommen auch bei Ǵaʿfar's Rückfahrt von Abessynien vor wäre nicht eine Verwechselung denkbar?

qlieben unserer Religion treu und beteten Allah an, wir wurden nicht gequält und hörten nichts, was uns hätte beleidigen können."

Ibn Isḥâḳ, S. 217, von Zohry, von Abû Bakr b. 'Abd al-Raḥmân b. Ḥârith b. Hischâm Machzûmy, von Omm Salma, einer Tochter des Abû Omayya, welche später der Prophet heirathete:

„Als wir nach Abessynien gekommen waren, nahm uns Naǵâschy, der beste aller Gastfreunde, auf. Wir blieben unserer Religion treu" etc. [wie oben].

Dies ist eine eigene Tradition, und Wâḳidy that Unrecht, wenn er sie der frühern beifügte. Ich habe bereits bemerkt, daſs die Flüchtlinge erst später von Naǵâschy unterstützt wurden.

6. Ibn Sa'd, fol. 39, von Wâḳidy, von Yûnos b. Moḥammad, von seinem Vater; auch [Wâḳidy,] von 'Abd al-Ḥamyd b. Ǵa'far [† 153], von Moḥammad b. Yaḥyà b. Ḥabbân [† 121, 74 Jahre alt]. Auch Ṭabary hat diese Tradition aufbewahrt.

„Namensverzeichniſs der Ausgewanderten:

1) 'Othmân b. 'Affân.
2) Seine Frau Roḳayya.
3) Abû Ḥodzayfa.
4) Seine Frau Sahla.
5) Zobayr.
6) Moç'ab.
7) 'Abd al-Raḥmân.
8) Abû Salama.
9) Seine Frau Omm Salama.
10) 'Othmân b. Matz'ûn Ǵomaḥy.
11) 'Âmir b. Raby'a 'Anezy.
12) Seine Frau Laylà.
13) Abû Sabra.
14) Ḥâṭib.
15) Sohayl.
16) 'Abd Allah b. Mas'ûd [Hodzaly], ein Verbündeter der Zohriten."

7. Ibn Sa'd, fol. 39, von Wâḳidy, von Moḥammad b. 'Abd Allah, von Zohry, von Abû Bakr b. 'Abd al-Raḥmân b. Ḥârith b. Hischâm:

„Das Gerücht des Niederfallens verbreitete sich allenthalben, und es wurde den Anhängern des Propheten in Abessynien hinterbracht: Die Makkaner haben sich mit dem Propheten prosternirt und den Islâm angenommen; ja selbst Walyd b. Moghyra und Abû Oḥayḥa haben sich hinter ihm prosternirt. Die Flüchtlinge sagten: Wenn sich die Makkaner bekehrt haben, so laſst uns zurückkehren, denn unsere Verwandten sind uns lieber [als die Abessynier]. Sie kamen bis eine Stunde vor Makka; dort trafen sie Kinâniten auf Kameelen reitend und fragten sie nach Neuigkeiten über die Ḳorayschiten. Sie antworteten: Moḥammad hat ihre Götter auf eine anständige Weise erwähnt, und die Vornehmen (Malâ) haben sich für ihn erklärt. Darauf sind sie aber wieder von ihm abgefallen, und er hat wieder angefangen, über ihre Götter zu schimpfen, sie aber sind ihrerseits zu ihren Verfolgungen zurückgekehrt. So stand es, als wir sie verliefsen. Die Flüchtlinge beriethen sich, ob sie nicht nach Abessynien zurückgehen sollten, und sagten: Wir sind nun so weit gekommen, lafst uns in die Stadt gehen und sehen, was die Ḳorayschiten thun. Diejenigen, die es wünschen, können mit den Ihrigen einen Vertrag [des Schutzes] abschliefsen und dann [wenn die Zeit des Vertrages vorüber ist] wieder zurückkehren."

8. Ibn Sa'd, fol. 39 v., von Wâḳidy, von Moḥammad b. 'Abd Allah, von Zohry, von Abû Bakr b. 'Abd al-Raḥmân:

„Sie gingen nach Makka, aber Alle begaben sich unter den Schutz eines Gastfreundes, mit Ausnahme des Ibn Mas'ûd, welcher nur kurze Zeit in Makka blieb und dann nach Abessynien zurückkehrte."

Wâḳidy sagt: Sie waren im Raǵab des fünften Jahres (April 616) ausgewandert und blieben den Scha'bân und Ramadhân (Mai und erste Hälfte des Juni 616) in Abessynien. Im Ramadhân fand die Prosternation statt und im Schawwâl (fing am 24. Juni 616 an) kamen sie nach Makka zurück."

9. Ibn Sa'd, fol. 39, unter der Aufschrift „die zweite Flucht nach Abessynien", von Wâḳidy, von Sayf b. Solaymân, von Ibn Aby Naǵyḥ; auch [Wâḳidy,] von 'Otba b. Ġobayra Aschhaly, von Ya'ḳûb b. 'Omar b. (vielleicht 'an „von") Ḳatâda, von einem Schaych der Banû Machzûm, von Omm Salma; auch [Wâḳidy,] von 'Abd Allah b. Moḥammad Ġomaḥy, von seinem Vater, von 'Abd al-Raḥmân b. Sâbiṭ († 118):

„Als die Anhänger des Propheten, nach der ersten Flucht, nach Makka zurückkamen, verfolgten sie ihre Stammgenossen mit Wuth, ihre Verwandten quälten sie, und sie hatten grofse Drangsale zu ertragen. Der Prophet erlaubte ihnen daher, das zweite Mal nach Abessynien auszuwandern. Ihr zweiter Auszug war mit gröfsern Schwierigkeiten begleitet als der erste. Die Ḳorayschiten fügten ihnen grofse Unbill zu, quälten und verfolgten sie, weil sie gehört hatten, wie gut sie der Naǵâschy behandelt hatte. 'Othmân b. 'Affân sagte daher: O Gottgesandter, du warst in der ersten Auswanderung nicht bei uns, willst du uns auch auf der zweiten nicht begleiten? Er antwortete: Ihr flüchtet euch zu Gott und zu mir, und beide Auswanderungen sind euer Verdienst. 'Othmân erwiderte: Dein Befehl genügt uns.

An dieser Auswanderung nahmen in Allem dreiundachtzig Männer und elf ḳorayschitische und sieben fremde Frauen Theil. Die Ausgewanderten fanden in Abessynien beim Naġâschy die beste Aufnahme. Als sie hörten, dafs sich der Prophet nach Madyna geflüchtet habe, kehrten dreiunddreifsig Männer und acht Frauen [nach Makka] zurück. Zwei Männer starben in Makka und sieben wurden daselbst festgehalten. Vierundzwanzig von ihnen fochten bei Badr. Im ersten Raby' I des ersten Jahres der Flucht schrieb Moḥammad einen Brief an den Naġâschy, in dem er ihn aufforderte, den Islâm anzunehmen, und er sandte ihn durch 'Amr b. Omayya Dhamry. Nachdem der Naġâschy ihn gelesen hatte, bekannte er sich zum Islâm und sagte: Wenn es mir möglich wäre, würde ich zu ihm kommen. Der Prophet schrieb ihm nun, er möchte ihm die Omm Ḥabyba, eine Tochter des Abû Sofyân, zur Frau geben, denn sie war unter den Ausgewanderten und hatte ihren Mann 'Obayd Allah b. Ġaḥsch, welcher in Abessynien zum Christenthum übertrat und dort starb, dahin begleitet. Der Naġâschy gab sie ihm zur Frau und gab ihr eine Mitgift von 400 Dynâr. Die Heirath wurde in Abessynien durch die Procuration des Châlid b. Sa'yd b. al-'Âç vollzogen. Der Prophet schrieb [später] an den Naġâschy, er möchte diejenigen seiner Anhänger, welche noch bei ihm wären, senden. Er that es und sandte sie in zwei Schiffen mit 'Amr b. Omayya Dhamry nach Arabien. Sie landeten zu Bawlà, d. h. al-Ġâr, von wo sie die Reise zu Lande bis Madyna fortsetzten. Als sie ankamen, fanden sie, dafs der Prophet nach Chaybar gezogen war. Sie folgten ihm. Als sie daselbst ankamen, hatte er Chaybar schon erobert, auf seine Empfehlung gaben ihnen aber die Moslime einen Antheil von der Beute."

Es ist ein Irrthum, wenn Wâḳidy die zweite Flucht fast unmittelbar nach der Rückkehr von der ersten versetzt, sie fand erst nach 'Omar's Bekehrung (Aug. 617) und der Achterklärung statt [1]).

10. Ibn Sayyid alnâs, fol. 25, entnimmt dem Verfasser des Isty'âb eine Tradition, welche auf der Auktorität des Abû Dawûd Siġistâny (in dessen Sonan sie sich jedoch nicht befindet) und des Mûsà Ibn 'Oḳba beruht und in welcher folgender Passus vorkommt:

„Als sie in der Schi'b eingeschlossen waren (d. h. nach der Achterklärung), befahl der Prophet den in Makka (und nicht in der Schi'b) wohnenden Gläubigen, sich nach Abessynien zu flüchten. Es

---

[1]) Ibn Mas'ûd, welcher keinen Schutz in Makka fand, mag bald wieder abgereist sein, vielleicht auch einige Andere mit ihm.

war ein Handelsplatz der Ḳorayschiten, und der Prophet lobte den Naǵâschy, weil in dessen Lande Niemandem Unrecht geschieht etc.“

Die Entstehung dieses Theils der Prophetenbiographie ist folgende: Um seine Streitkräfte zu vermehren, legte Moḥammad, als er seit einiger Zeit in Madyna gewesen war, grofses Gewicht auf die Hiǵra, Flucht, d. h. den Aufenthalt in seiner unmittelbaren Nähe. Wie hoch dieses Verdienst angeschlagen wurde, ersehen wir daraus, dafs später ʿOmar denen, die sich dessen rühmen konnten, eine bedeutend höhere Pension ertheilte als andern Gläubigen. Auch die Löhnung ihrer Söhne war bedeutend höher. Es begründete daher den Adel einer Familie, wenn ihr Ahnherr ein Mohâǵir, Flüchtling, war. Man kann aber der Ehre nie zu viel haben, und um einen doppelten Adelsbrief zu besitzen, rühmten sich einige Familien, dafs ihr Stammvater nicht nur nach Madyna, sondern auch nach Abessynien geflohen sei. Dieses Verdienst war besonders für Leute wichtig wie Ǵaʿfar, welcher erst, nachdem der Islâm in der Schlacht bei Badr und andern Gefechten die Feuerprobe bestanden hatte, nach Madyna kam und also nicht das Verdienst der früh nach Madyna Geflüchteten hatte. Wenn man die Sache genauer untersucht, so war die Flucht nach Abessynien gewifs nicht so verdienstlich wie das treue Ausharren eines Abû Bakr beim Propheten. Dessenungeachtet wurde es schon früh eine stereotype Redensart, wie wir aus No. 1 (und wenn wir in der Iṣâba nachlesen, aus sehr vielen Beispielen) ersehen, einem Gläubigen nachzusagen: er hat das Verdienst beider Fluchten [1]).

Schon ʿOrwa († 94) hat angefangen, die Namen der abessynischen Flüchtlinge zu ermitteln. Aus No. 3 und 4 aber geht hervor, dafs selbst Zohry's Liste nicht sehr vollständig war und dafs er die Sache von einem etwas andern Gesichtspunkte ansah als seine Nachfolger. Wahrscheinlich legte er noch kein Gewicht darauf, ob Jemand ein oder zwei Mal nach Abessynien gereist war, sondern wem das Verdienst gebühre, der erste gewesen zu sein, der die Heimath verliefs. Aufser den

---

[1]) Wenn folgende Tradition ächt wäre, so hätte sich schon Abû Mûsà († 21) der zwei Fluchten gerühmt. Sie ist aber wohl von seinem Sohne Abû Borda († 103) zur Verherrlichung der Familie erfunden worden. Bochâry, S. 545, von Borayd b. ʿAbd Allah, von Abû Borda, von Abû Mûsà:

„Wir waren in Yaman, als wir von der Flucht des Propheten nach Madyna hörten. Wir bestiegen ein Schiff, und es wurde an die Küste von Abessynien getrieben. Beim Naǵâschy fanden wir den Ǵaʿfar. Wir blieben bei Ǵaʿfar, bis er zum Propheten ging. Wir kamen zu ihm, als er gerade Chaybar erobert hatte, und er sprach: O Seefahrer, ihr habt das Verdienst beider Auswanderungen.“

Wenn es auch wahr ist, dafs sich Abû Mûsà schon vor 622 bekehrte, so sind seine Verdienste um den Islâm, ehe er mit Ǵaʿfar nach Madyna kam, sehr gering, denn er begab sich in seine Heimath zurück und erschien erst wieder, als Moḥammad seine Siegeslaufbahn begonnen hatte.

Biographen beschäftigten diese Forschungen auch die Genealogen, besonders Ibn Kalby, gerade weil sie es mit dem Adel der Familien zu thun hatten. Die Nachfragen wurden bei den Abkömmlingen der Gefährten des Propheten gemacht, und wenn auch mancher Flüchtling ausgelassen wird, so ist anzunehmen, dafs in den Listen dennoch eher zu viel als zu wenig Namen enthalten sind, denn jede Familie legte ihrem Ahnherrn so viele rühmliche Epithete bei als möglich [1]). Die Feststellung der Geschichte der Fluchten war von diesen Forschungen ziemlich unabhängig; sie wurde, wie das Benehmen der ḳorayschitischen Gesandtschaft vor dem Nağâschy, theils von Geschichtenerzählern von Profession aufbewahrt, theils aber gründete sie sich auf aphoristisch überlieferte Nachrichten von Zeitgenossen oder Ḥadythe (Traditionen) im eigentlichen Sinne des Wortes. Wie wenig Auskunft die Nachkommen der Betheiligten über die früheste Geschichte zu geben vermochten, ersehen wir aus den Nachrichten (Bd. I S. 434), welche die Enkel des Arḳam von dem Gründer ihrer Familie gaben. Sie wiederholten verbatim die Volkssage. Es ist aber kein Zweifel, dafs viele auf diese Art gesammelte Nachrichten werthvoll waren, aber verloren gegangen sind [2]). In No. 2 und 3 ist die Erzählung der abessynischen Auswanderung noch sehr vag und in Ibn Isḥâḳ sehr verworren. Das Verdienst, sie besser beleuchtet zu haben, gebührt dem Wâḳidy.

Die Genealogen, namentlich Ibn Kalby, hatten schon Gewicht darauf gelegt, dafs manchen Personen das Verdienst gebühre, zwei Mal nach Abessynien geflohen zu sein. Wâḳidy prägte nun diese Theorie vollends aus und hat, wenn er nicht selbst im Irrthume war, doch seine Nachfolger hineingeführt. Es ist möglich,

---

[1]) Die Art, wie Ibn Isḥâḳ die beiden Listen benutzt, beweist, dafs sie nicht das Resultat eigner Forschungen seien, sondern dafs er sie anderswoher erhalten habe. In Ibn Saʿd findet sich das Resultat neuer Nachfragen, es war aber zu seiner Zeit, wie es scheint, alles schon gesammelt und auf diesem Felde wenig Ehre zu gewinnen, und spätere Auktoren (vergl. Nûr alnibrâs S. 379) fanden nur noch den Namen der Omm Ayman, der Sklavin des Propheten, hinzuzufügen.

[2]) Die Traditionisten stellten die Regel auf, dafs eine gute Ueberlieferung von verschiedenen Männern erzählt werden müsse, um Glauben zu verdienen, und sie verwerfen die vereinzelten Ueberlieferungen; daher die beständigen Wiederholungen derselben Geschichte. Volkssagen sind immer mehr verbreitet als Nachrichten über Thatsachen, und so trifft es sich, dafs wir in Büchern, wie Bochâry, Mythen finden, während Traditionisten, welche, wie Ibn Kalby, Zobayr b. Bakkâr, Madâyiny, sich an diese Regel nicht hielten und deswegen von den Theologen verachtet wurden, interessante Einzelheiten, die sie durch ihre Nachfragen ermittelt hatten, aufbewahrten; leider ist keins ihrer Werke, mit Ausnahme des Fotuḥ des Balâdzory, der Maghâziy des Wâḳidy und der Geschichte der Eroberung von Syrien des Abû Ismâʿyl Azdy, bekannt geworden. Aber wir haben zahlreiche Auszüge.

dafs einige derjenigen Flüchtlinge, welche, auf die Nachricht hin, Moḥammad habe sich mit den Heiden ausgesöhnt, nach Makka zurückgekehrt waren, sich noch im Jahre 616 wieder nach Abessynien begaben und somit die zweite Flucht machten. Wenn man aber mit Wâḳidy annimmt, es haben alle in der zweiten Liste des Ibn Isḥâḳ genannten dreiundachtzig Männer damals schon miteinander Makka verlassen, so ist es unrichtig, denn als im folgenden Jahre 'Omar dem Islâm beitrat, hatte die Anzahl der erklärten Anhänger kaum die Hälfte von dreiundachtzig Männern erreicht. Wir müssen daher die in No. 10 enthaltene Angabe als Richtschnur wählen und annehmen, dafs die meisten derer, die sich nach Abessynien flüchteten, erst nach dem August 617 Arabien verliefsen. Dies veranlafste den Ibn Isḥâḳ, die Vorlesung von Sûra 53, in Folge welcher die sogenannte zweite Auswanderung nöthig wurde, nach der Bekehrung des 'Omar (Aug. 617) zu erzählen. Unmittelbar nach der Achterklärung mag nun eine bedeutende Anzahl von Moslimen auf einmal Makka verlassen haben, aber ich halte es für einen Irrthum zu glauben, dafs alle dreiundachtzig Männer zu gleicher Zeit auswanderten. Ibn Mas'ûd und vielleicht auch einige wenige Andere kehrten schon 616 oder Anfang 617, sobald sich das gute Einverständnifs zwischen Moḥammad und den Ḳorayschiten zerschlagen hatte, nach Abessynien zurück. Eine bedeutende Anzahl mag mit einander ungefähr um die Zeit der Achterklärung Makka verlassen haben. Andere aber gingen später, wie es die Umstände forderten, nach Abessynien, während noch Andere sich mit ihren Familien aussöhnten und nach Makka zurückkamen. Ueberhaupt scheint von 617 bis 622 ziemlich viel Verkehr zwischen den Moslimen in Makka und denen in Abessynien gewesen zu sein, und einige mögen die Reise hin und her zwei oder drei Mal gemacht haben. Die hier vertheidigte Auffassung findet eine über allem Zweifel erhabene Bestätigung in dem Entwicklungsgange der auf die genannten Ergebnisse bezüglichen Offenbarungen. Die in Sûra 29 und 16 enthaltene Aufmunterung zur Flucht nach Abessynien mufs geraume Zeit nach Sûra 53 geoffenbart worden sein.

Werfen wir einen Blick zurück auf die Tradition des Ibn Sa'd, No. 9, welche Alles enthält, was er uns über die zweite Flucht nach Abessynien zu geben weifs: Aus der Isnâd lernen wir, dafs er sie aus verschiedenen Quellen abgeleitet hat, und aus dem Inhalt, dafs wenigstens eine davon mit dem Berichte des Ibn Isḥâḳ übereinstimmte. Er zwängt aber das Ueberlieferte in sein System und behauptet unter Anderm, dafs die dreiunddreifsig Männer und acht Frauen, welche nicht in Abessynien blieben, sondern nach der zweiten Flucht nach Makka zurückkehrten, erst nachdem sie die Flucht des Moḥammad nach Madyna erfahren hatten, Abessynien verliefsen. Dies ist unrichtig; sie kehrten geraume Zeit vor der Ḥiǵra und wohl nicht alle zu gleicher Zeit nach Arabien zurück. ʿOthmân b. ʿAffân ist einer von ihnen. Ihm wurde in Makka ein Kind (Namens ʿAbd Allah) geboren, ehe er sich nach Madyna begab, und doch trat er die Flucht zur selben Zeit an wie Moḥammad, er mufs also lange vor der Ḥiǵra von Afrika zurückgekommen sein; ja es ist sogar zweifelhaft, ob er eine zweite Reise nach Abessynien gemacht habe [1]). Wenn die übrigen zweiunddreifsig Männer Abessynien erst nach der Ḥiǵra verlassen hätten, wären sie gewifs geraden Weges nach Madyna gegangen, statt zuerst Makka zu besuchen und sich dort festhalten zu lassen. Die Wahrheit ist: sie kamen nach ihrer Vaterstadt, weil sie um's Jahr 620 hörten, dafs die Verfolgung nachgelassen habe. Einige mochten auch deswegen zurückgekehrt sein, weil ihr Glaube erkaltete, denn wenigstens einer von ihnen hat bei Badr gegen Moḥammad gefochten.

II. Belege zu S. 17.

Ein Dokument über diesen Gegenstand steht S. 45—46; ich theile nun auch die übrigen mit.

11, Ṭabary, S. 139, von Yaʿḳûb b. Ibrâhym [b. Kathyr, † 252], von [Ismaʿyl b. Ibrâhym] Ibn ʿAlyya (geb. 110, † 193), von Ibn Isḥâḳ (S. 239), von Saʿyd b. Mynâ, einem Clienten des Abû-l-Boḥtory:

„Walyd b. Moghyra, ʿÂç b. Wâyil, Aswad b. Moṭṭalib und Omayya b. Chalaf begegneten dem Propheten und sprachen: Wohlan, o Moḥammad, wir wollen das anbeten, was du anbetest, bete auch das an, was wir anbeten. Wenn du darauf eingehst, so wollen wir dich in unsere Genossenschaft aufnehmen. Wenn dann das, was du verkündest, besser ist als das, was wir besitzen, so sind wir deine Genossen und haben einen Antheil daran. Wenn aber das, was wir bereits besitzen, besser ist als das, was du hast, so bist du unser Genosse und geniefsest die Vortheile dessen, was unser ist. Gott offenbarte darauf Sûra 109."

In Ibn Hischâm, S. 239, und auch bei Baghâwy, Tafs. 109, ist

[1]) Als ein anderer specieller Fall verdient der des Abû Salama Erwähnung. Ibn Saʿd, fol. 225 v., sagt: „Alle Nachrichten stimmen darin überein, dafs Abû Salama mit seiner Frau an beiden Auswanderungen nach Abessynien Theil nahm." Dann folgt eine Tradition, in der ein Madynenser sagt: „Der Erste, welcher in der Hiǵra von Makka nach Madyna zu uns kam, war Abû Salama b. ʿAbd al-Asad. Er kam am 10. Moḥarram an, der Prophet am 12. Rabyʿ I. Zwischen der Ankunft der Ersten und der Letzten, welche sich mit Moḥammad nach Madyna flüchteten, verflossen zwei Monate." Zohry erzählt eine ähnliche Tradition. Es ist wohl kaum ein Zweifel, dafs Abû Salama von Makka und nicht von Abessynien nach Madyna kam.

der Wortlaut dieser Tradition etwas verschieden. Ṭabary setzt diese Tradition unmittelbar vor die Erzählung der Verhältnisse, unter denen die 53ste Sûra geoffenbart wurde. Kalby, von Ibn 'Abbâs, sagt bei Wâḥidy, 6, 13, daſs die Makkaner dem Moḥammad versprachen, ihn zum reichsten Mann in Makka zu machen, wenn er ihre Religion bestätigen wollte. Ḳatâda berichtet bei Wâḥidy, 10, 16, daſs 'Abd Allah b. Aby Omayya Machzûmy, Walyd b. Moghyra, Mokrab b. Ḥafç, 'Amr b. 'Abd Allah b. Aby Ḳays 'Âmiry und 'Âç b. Wâyil den Propheten aufforderten, im Ḳorân eine Offenbarung zu veröffentlichen, in welcher ihnen nicht aufgetragen würde, die Götzen zu verlassen.

12. Ṭabary, S. 142, von al-Ḳâsim b. Ḥasan, von Ḥasan b. Dawûd [† 247], von Ḥaggâg, von Abû Ma'schar [Verfasser einer Biographie des Propheten, aus der ohne Zweifel Ṭabary diese Tradition abgeschrieben. Er starb im Jahre 170], von Moḥammad b. Ka'b Ḳoratzy [geb. im Jahre 40, starb in oder vor 120], und auch von Moḥammad b. Ḳays. Beide erzählten [dem Abû Ma'schar]:

„Der Prophet saſs unter einer Anzahl von Ḳorayschiten. Er wünschte damals, daſs Gott nichts offenbaren möchte, was seine Stammgenossen von ihm entfernen könnte. Gott offenbarte ihm gerade [die dreiundfunfzigste Sûra]: „Bei den Plejaden, wie sie untergingen, euer Landsmann ist weder verirrt noch verwirrt.“ Er recitirte sie, bis er zu den Worten kam: Seht ihr die Lât und die 'Ozzà und die andere dritte [Gottheit] Manâh“, und dann gab ihm der Teufel die zwei Sätze ein: „Diese erhabenen Gharanyḳ, ihre Fürsprache darf man wahrlich erwarten“. Er sprach mit den Leuten und dann fuhr er fort die Sûra zu recitiren, bis er zu der Sigda kam (d. h. den Schluſsworten der Sûra, wo es heiſst: „Fallet auf euer Angesicht“), und alle Anwesenden prosternirten sich mit ihm. Walyd b. Moghyra, welcher alt war und sich nicht beugen konnte, nahm eine Hand voll Erde auf und drückte sie gegen die Stirn, um so die Prosternation zu verrichten [welche darin besteht, daſs man den Boden mit der Stirn berührt]. Den Ḳorayschiten gefiel, was der Prophet gesprochen hatte, und sie sagten: Wir wissen, daſs Allah das Leben gibt und nimmt und daſs er der Schöpfer und Erhalter ist. Aber unsere Gottheiten befürsprechen alles dies für uns bei ihm. Wenn du ihnen einen Antheil [in der Weltregierung] einräumst, halten wir es mit dir.

Am nächsten Tage kam Gabriel zu ihm und sie collationirten die Sûra mit einander. Als sie zu den beiden Sätzen kamen, die der Teufel ihm eingegeben hatte, sagte Gabriel: Diese zwei Sätze habe ich dir nicht überbracht. Der Prophet erwiderte: Wie, habe ich Gott eine Lüge aufgebürdet und auf seinen Namen etwas gesagt, was er mir nicht geoffenbart hat? Darauf wurden ihm die Worte geoffenbart [Sûra 17, 75]: Es wäre ihnen beinahe gelungen, dich von dem, was wir dir geoffenbart hatten, zu verleiten, dafs du uns eine Lüge aufbürden sollst [bis V. 77]. Der Prophet war sehr traurig und beängstigt darüber, bis ihm Gott die Worte offenbarte [Ḳor. 22, 51]: Wir haben vor dir keinen Boten oder Propheten gesandt, dem nicht etc. Die Moslime, die sich nach Abessynien geflüchtet hatten, erhielten Kunde, dafs alle Makkaner sich bekehrt hätten, und kehrten zu ihren Verwandten zurück. Sie fanden aber, dafs, als Gott die Worte des Satans ausgestrichen hatte, die Ḳorayschiten abtrünnig geworden waren, worauf sie wieder nach Abessynien gingen."

13. Ibn Sa'd, fol. 39, von Wâḳidy, von Yûnos b. Moḥammad b. Fodhâla, von seinem Vater; und auch [Wâḳidy,] von Kathyr b. Zayd († zu Ende des Chalyfats des Mançûr), von al-Moṭṭalib b. 'Abd Allah [b. al-Moṭṭalib]:

„Der Prophet sah, dafs sein Volk ihn floh, und er verlassen war. Dies betrübte ihn und er sprach: Dafs mir doch nichts geoffenbart würde, was meine Stammgenossen von mir entfernt! Er näherte sich ihnen nun und verkehrte mit ihnen, und sie näherten sich ihm. Eines Tages war er in einer jener Gesellschaften, zu denen sie sich bei dem Tempel zu versammeln pflegten, und er las ihnen die 53ste Sûra vor. Als er zu den Worten kam: „Seht ihr die Lât und die 'Ozzà und die Manâh, die dritte Gottheit", gab ihm der Satan folgende zwei Worte ein: „Diese erhabenen Gharânyḳ, wahrlich ihre Fürsprache darf man erwarten". Nachdem sie der Prophet ausgesprochen hatte, fuhr er fort, die Sûra bis zu Ende zu lesen. Er warf sich selbst auf die Erde nieder und das ganze Volk that desgleichen. Walyd b. Moghyra nahm eine Hand voll Erde auf und verrichtete darauf die Ceremonie; denn er war alt und konnte sich nicht prosterniren. Einige sagen, dafs Abû Oḥayḥa Sa'yd b. 'Âmir eine Hand voll Erde aufnahm, weil er alt war, und andere sagen, dafs sie es beide thaten. Die Ḳorayschiten waren erfreut über die Worte des Propheten und sagten: Wir haben stets anerkannt, dafs Allah Leben und Tod gibt und dafs er erschafft und ernährt, aber diese Götter legen Fürsprache für uns ein bei ihm. Wenn du ihnen ihren Theil (ihre Rechte) zugestehst, so halten wir es mit dir. Diese ihre Rede ging dem Propheten sehr zu Herzen. Er blieb zu Hause sitzen bis am Abend; dann kam Gabriel zu ihm, überhörte mit ihm die Sûra und sprach: Diese zwei Worte habe ich dir nicht mitgetheilt. Der Prophet erwiderte: Wie, habe ich von Gott etwas gesagt, was er nicht gesprochen hat? Es wurde ihm darauf Ḳorân 17, 75 geoffenbart."

14. Bochâry, S. 543, und Baghawy, Tafsyr 53, 62, von Abû Isḥâḳ, von Aswad b. Yazyd († 72 oder 75), von 'Abd Allah [Ibn Mas'ûd]:

„Auch die Heiden prosternirten sich, als der Prophet Sûra 53 vortrug, nur einen bemerkte ich, der eine Hand voll Erde aufnahm, darauf die Ceremonie verrichtete und sagte: Dies genügt. Ich sah ihn später wieder, als er getödtet worden war. [Es war Omayya b. Chalaf].“

Wenn dieser Traditionist die anstöfsige Geschichte auch nicht erzählt, so deutet er doch darauf hin und setzt sie als bekannt voraus.

Im Mawâhib, S. 66, wird die Authenticität dieser Erzählung gründlich untersucht. Der Verfasser führt zuerst die Einwendungen des Râzy dagegen an. Dieser Philosoph stellte sich schon vor 600 Jahren auf den Standpunkt unserer modernen Geschichtschreibung und räsonnirt über historische Thatsachen a priori. Er sagt, dafs Moḥammad der Verkünder der Einheit Gottes und der Unfehlbare, unmöglich ein solches Zugeständnifs gemacht haben könne, und dafs, so etwas zu glauben, unvernünftig und gotteslästerlich sei. Die Beweisführung des Verfassers des Mawâhib gegen diese Einwendungen sind so sehr nach meinem Geschmack, dafs ich sie ganz übersetze. Der arabische Text steht im Journ. As. Soc. Beng. Bd. 19 S. 132:

„Dem ist nicht so (wie Râzy behauptet), die Geschichte ist begründet. Man findet sie in den Werken des Ibn Aby Ḥâṭim, Ṭabary und Ibn Mondzir, welche verschiedene Auktoritäten anführen, dann auch in Ihn Mardawayh, in Bazzâr (Bazzâz?), in der Prophetenbiographie des Ibn Isḥâḳ, in den Feldzügen des Mûsà b. 'Oḳba und in der Prophetenbiographie des Abû Ma'schar, wie schon von dem Traditionskundigen 'Imâd aldyn b. Kathyr und andern nachgewiesen worden ist. Râzy jedoch behauptet, dafs die Ketten der Bürgen alle am Anfange unvollständig seien und dafs daher die Isnâde nicht als „gesund“ angesehen werden können. Wir werden zeigen, dafs dem nicht so sei. Auch Abû-l-Fadhl Asḳalâny beweist, dafs die Erzählung begründet sei, indem er sagt: (ich lasse seine Worte aus und gehe sogleich auf die Beweisführung des Verfassers über).

Wir finden die Erzählung [im Mosnad des] Bazzâz und in Ibn Mardawayh auf die Auktorität des Omayya b. Châlid († 200 oder 201), von Scho'ba († 160). Omayya b. Châlid bemerkt: Ich glaube, Scho'ba hat die Nachricht von Sa'yd b. Ġobayr († 95), von Ibn 'Abbâs († 68) erhalten. Bazzâz erklärt: „Dies ist die einzige Isnâd, welche nicht unterbrochen ist; Omayya b. Châlid ist ein zuverlässiger berühmter Traditionist. Es überliefern sie zwar auch Kalby, von Abû Çâliḥ, von Ibn 'Abbâs, aber dem Kalby schenkt man kein Vertrauen." Die Behauptung des Bazzâz in Bezug auf Kalby ist auch begründet. Allein Naḥḥâs führt dafür eine andere Isnâd an, in der der Name des [allerdings verdächtigen] Wâḳidy erscheint. Ibn Isḥâḳ erzählt sie in seiner Biographie weitläufig auf die Auktorität des Moḥammad b. Ka'b, so auch Mûsà b. 'Oḳba in seinen Feldzügen, und zwar von Zohry; und Abû Ma'schar erzählt sie in seiner Biographie von Moḥammad b. Ka'b Ḳoratzy und von Moḥammad b. Ḳays. Auf seine (des Abû Ma'schar) Auktorität wird sie auch von Ṭabary angeführt. Ibn Aby Ḥâtim erzählt die Tradition auf die Auktorität des Asbâṭ, von Soddy; Ibn Mardawayh theilt sie auf die Bürgschaft des 'Abbâd b. Çohayb, von Yaḥyà b. Kathyr, von Kalby, von Abû Çâliḥ mit und auch auf die des Abû Bakr Hodzaly und die des Ayyûb, [beide] von 'Ikrima; Solaymân erzählt sie aus zweiter Hand, auf die Bürgschaft der Zeugen, welche sie von Ibn 'Abbâs genommen haben und bereits genannt worden sind. Ṭabary erzählt sie aufserdem auch auf die Bürgschaft des [Exegeten] 'Awfy, von Ibn 'Abbâs. Diese Bürgschaften laufen alle auf Eins hinaus; denn alle, mit Ausnahme des Sa'yd b. Ġobayr, sind entweder schwach, oder die Kette ist unterbrochen. Indessen da so viele Zeugen vorhanden sind, so mufs man anerkennen, dafs die Geschichte begründet sein mufs. Ferner gibt es noch zwei andere Zeugenreihen, welche zwar nicht bis zu den Zeitgenossen des Propheten hinaufreichen, die aber aus Namen bestehen, welche Zutrauen einflöfsen. Eine von diesen wird von Ṭabary [in seinem Comm. zum Ḳorân] erwähnt, nämlich: von Yûnos b. Yazyd, von Zohry, von Abû Bakr b. 'Abd al-Raḥmân b. Ḥârith b. Hischâm. Die auf dieser Bürgschaft beruhende Tradition ist dieselbe, wie die anderer Bürgen; die andere, welche derselbe Geschichtschreiber anführt, beruht auf dem Zeugnisse des Mo'atmir b. Solaymân und Ḥammâd b. Salama; einer von diesen hatte sie von Dawûd b. Aby Hind, von Abû 'Âliya."

Für diejenigen Leser, welche in die Kritik der Quellen einzugehen geneigt sind, dürften einige Erklärungen nicht überflüssig sein. Die Geschichte wurde von Ibn 'Abbâs († 68) gelehrt, und drei seiner Schüler pflanzten sie auf seine Auktorität fort, nämlich Sa'yd b. Ġobayr, Abû Çâliḥ und 'Ikrima. Jeder von den folgenden Männern des dritten Zeitalters hat nun einen dieser drei Schüler des Ibn 'Abbâs gehört, nämlich: Scho'ba, Kalby, Abû Bakr Hodzaly und Ayyûb. Unter diesen ist Kalby insofern wichtig, als er einen Ḳorâncommentar hinterlassen hat und es wohl anzunehmen ist, dafs er sie darin in seinen Bemerkungen zur Sûra 53 niedergelegt hat. Auch 'Awfy welcher sie ebenfalls (wohl unmittelbar) von Ibn 'Abbâs erhalten hatte, ist der Verfasser eines Ḳorâncommentars. Solaymân Taymy († 180), der Verfasser einer Prophetenbiographie, hat sich schon die Mühe gegeben, die Zeugnisse der genannten drei Schüler des Ibn ʿAbbâs zu sammeln und zu vergleichen.

Eine andere Urquelle ist Moḥammad b. Kaʿb Ḳoratzy. Er wurde A. H. 40 geboren und starb 120. Von ihm haben sie die zwei Hauptbiographen des Moḥammad entlehnt, nämlich Ibn Isḥâḳ, durch Yazyd b. Ziyâd, und Abû Maʿschar, welcher kein Mittelglied nennt. Ṭabary in seiner Geschichte schreibt sie aus den Werken dieser beiden Biographen ab; wir würden dadurch in den Stand gesetzt, durch die Vergleichung des Textes des Ibn Isḥâḳ und des Abû Maʿschar zu urtheilen, ob ihre beiden Versionen hinlänglich übereinstimmen, um die Annahme zu rechtfertigen, daſs Moḥammad b. Kaʿb die Erzählung schriftlich hinterlassen hat, oder nicht, wenn Abû Maʿschar nicht zugleich einen andern Zeugen anführte, den Moḥammad b. Ḳays. Es ist aber klar, er vermischte die Nachrichten der Beiden und redigirte die Tradition auf's Neue.

Auſser den Genannten ist noch Soddy († 127) eine Urquelle, aus welcher durch Asbâṭ der Traditionist Ibn Aby Ḥâtim seine Nachricht herleitete.

Aus diesen Quellen nun floſs die Nachricht durch verschiedene Canäle in spätere Werke, wie Ṭabary, Ibn Mardawayh etc., die aber für uns alt und zum Theil verloren sind. Die Aufgabe der Kritik ist durch Vergleichung den ursprünglichen Inhalt jeder Tradition wieder herzustellen.

An Alter kommt dem Ibn ʿAbbâs am nächsten: Abû Bakr b. ʿAbd al-Raḥmân b. Ḥârith b. Hischâm b. Moghyra Machzûmy († 94). Weil nicht vorauszusetzen ist, daſs er vom Propheten selbst Aussprüche gehört habe, wird seine Nachricht morsal geheiſsen [1]), d. h. die Bürgenkette reicht nicht bis zum Zeitalter des Propheten hinauf und ist daher am Anfange unvollständig. Auf seine Auktorität hat sie Zohry († 125) dem Prophetenbiographen Mûsà b. ʿOḳba erzählt und auch dem Moḥammad b. ʿAbd Allah, von welchem sie Wâḳidy erhalten hat.

Gleichzeitig mit Abû Bakr b. ʿAbd al-Raḥmân lebte Abû ʿAliya [Rofayʿ b. Mihrân Riyâḥy, † 90]. Er erzählte die Geschichte dem Dawûd b. Aby Hind († 140), und durch ihn wurde sie fortgepflanzt. Die Auktorität dieser beiden Traditionisten wird von Ṭabary angeführt aber nicht in seiner Geschichte, sondern wahrscheinlich in seinem Ḳorâncommentar. In seiner Geschichte benutzte er vorzüglich das Werk des Ibn Isḥâḳ und in diesem Falle auch das des Abû Maʿschar. In seinem

---

[1]) Dieser Vorwurf kann der unter No. 14 angeführten Tradition nicht gemacht werden, und nach dem Canon moslimischer Kritik ist sie die wichtigste und besitzt Beweiskraft in der moslimischen Theologie.

Commentar hingegen scheint er sich nicht die Mühe gegeben zu haben, diese Werke nachzuschlagen, sondern er schrieb von frühern Commentatoren ab. So haben auch andere moslimische Schriftsteller gearbeitet, und wir finden über denselben Gegenstand eine bedeutende Verschiedenheit der Angabe zwischen den „Biographen“ und „Exegeten“. Es ist daher von der gröfsten Wichtigkeit, dafs wir nicht, wie bisher geschehen, uns blofs auf die erstern beschränken, sondern auch die letztern zu Rathe ziehen.

III. Ueber die Wege und Stege im Korân.

Moḥammad und seine Familie, ja die meisten Makkaner, beschäftigten sich mit dem Karawanenhandel. In der Wüste wie auf dem Meere ist es schwer zu wissen, wo man ist und in welcher Richtung man gehen soll. Bei solchen Leuten mufste das Finden des kürzesten Weges und das Vermeiden von Umwegen ein häufiges Bild der Rede sein, auch wenn sie von andern Gegenständen sprachen; wir sind daher nicht erstaunt, zu finden, dafs die Hauptbitte in Moḥammad's Vaterunser lautet: „Führe uns auf die gerade Çirâṭ (Strafse), auf die Çirâṭ derer, gegen die du gnädig warst und die nicht irrten“. Aber es befremdet uns, wenn wir hören, dafs er statt des gewöhnlichen arabischen Wortes für Weg ein lateinisches wählt. Çirâṭ ist nämlich wie unser „Strafse“ von strata [via] abgeleitet [1]), und, so viel ich weifs, wird es im Arabischen nicht gebraucht, aufser im Hinblick auf den Korân oder höchstens von einem Schriftsteller, welcher an ungewöhnlichen Wörtern Vergnügen findet. Dieser und einige andere Umstände, die wir bald kennen lernen werden, lenken unsere Aufmerksamkeit auf die Wege und Stege im Korân, um so mehr da der Weg der Gerechten und der Weg der Sünder auch in der Bibel eine bedeutende Rolle spielen.

Das eigentliche Wort für Weg, zur Zeit des Moḥammad wie auch später [2]), war ṭaryḳ (Kor. 20, 79 und auch 4, 167). Es ist auch der gewöhnliche Ausdruck dafür im Hebräischen. Dennoch kommt

---

[1]) Es wird auch Sirâṭ und Zirâṭ geschrieben, und in der Aussprache ist das i kaum vernehmbar (ischmâm alsyn), also srât, strata. Çirâṭ kommt in einem Verse des ʿÂmir b. Ṭofayl vor: شحنا ارضهم بالخيل حتى تركناهم اذل من الصراط „wir haben ihr Land dermafsen mit Cavallerie überschwemmt, dafs wir es zertretener als die Çirâṭ zurückliefsen.“

Ich weifs leider nicht, ob der Dichter vor oder nach Moḥammad blühte.

[2]) In unsern Tagen ist Darb das gewöhnliche Wort für Weg. Vor einigen Jahrhunderten bedeutete es noch Stadtthor; so bei Moḳaddasy, welcher in der Umgangssprache der bessern Gesellschaft schrieb.

ṭaryḳ im Ḳorân in allen seinen Formen nur neun Mal vor, was um so mehr auffällt, da die andern Ausdrücke für dieselbe Idee so oft wiederkehren. Es ist nicht zu übersehen, dafs Moḥammad dieses rein arabische Wort gerade da gebraucht, wo er von einem rein arabischen Gegenstande spricht — den Ġinn. Diese Dämonen der Araber sagen (Ḳor. 72, 11), dafs sie in verschiedene Haufen getheilt waren, welche entgegengesetzte Wege (religiöse Richtungen) verfolgten. Und in einer andern Sûra (46, 29) drücken sie ihre Freude darüber aus, dafs sie den Ḳorân gehört haben, welcher sie zur Wahrheit und auf den geraden Weg führte. Diese Dichtung entsprang in Moḥammad's eigenem Gehirn, und er drückte sie auch in seiner Muttersprache aus, und während er in dreiunddreifsig andern Stellen, in denen er die wahre Religion den geraden Weg heifst, das lateinische Wort çirâṭ, Strafse, gebraucht, ist dies die einzige Stelle, in welcher er ihn mit ṭaryḳ bezeichnet.

Çirâṭ kommt in Allem 45 Mal im Ḳorân vor. Es scheint, dafs es dem Moḥammad besonders vornehm und elegant erschien. Uebrigens bedeutet es nur in zwei oder drei Stellen eine wirkliche sichtbare Strafse, nämlich in Ḳor. 36, 66, dann kommt eine Stelle (Ḳor. 37, 23) vor, wo er von der çirâṭ in die Hölle spricht; in einem andern spätern Verse (Ḳor. 4, 167) heifst er denselben unheimlichen Weg ṭaryḳ. In Ḳor. 7, 84 sagt er: „Pafst den Leuten nicht auf jeder çirâṭ auf, um sie einzuschüchtern und ihnen den Pfad (sabyl) Allah's zu versperren.“ Es ist möglich, dafs çirâṭ hier nicht figürlich zu nehmen ist und dafs er die Heiden beschuldigt, sie packten seine Anhänger auf offener Strafse an, um sie zum Abfalle zu bewegen. Es könnte aber auch bildlich zu nehmen sein: „Begegnet ihnen nicht mit allen möglichen Einwürfen und Vorstellungen“, aber ein ähnlicher Ausdruck kommt auch anderswo (Ḳor. 7, 15) vor. Ich mache auf diese Stelle aufmerksam, um die Erbärmlichkeit des gezwungenen affectirten Stiles des Ḳorâns anschaulich zu machen. Der gewöhnliche Ausdruck für „auf dem Wege auflauern“ ist قعود بالطريق und für Strafsenräuberei قطع السبيل (Ḳ. 29, 28), man sagt aber auch قطع الطريق. Wenn nun Moḥammad in einer dieser Redensarten çirâṭ statt ṭaryḳ oder sabyl gebraucht, so mag es für das arabische Ohr noch ungewöhnlicher geklungen haben, als wenn wir sagten Wegräuber statt Strafsenräuber. Aber die Orientalen haben die unglückliche Gewohnheit, nach seltenen Ausdrücken zu haschen. Ich habe sie überall im Orient bemerkt, und sie spricht sich auch in ihrer Literatur, besonders in der Poesie aus (und der Ḳorân gehört in das Gebiet der Dichtung). Ich gebe hier zwei Beispiele. Die jungen Leute in Indien, welche Englisch gelernt haben, haschen auf orientalische Art nach zwei Dingen: nach gemeinen Redensarten (slang) und vornehmen Worten. Es ist eine gemeine englische Redensart, zu sagen: I cut my sticks statt ich entferne mich. Ein Hindu, bemüht, sich zugleich gemein und vornehm auszudrücken, sagte einst: I amputate my canes. In einer nach englischen Quellen bearbeiteten Geschichte in hindustanischer Sprache wird von den Einfällen der Barbaren in's römische Reich gesprochen. Der Uebersetzer gab Barbar mit Dihḳân wieder, was Landeigenthümer, Dorfbewohner bedeutet. Ich konnte mir lange nicht erklären, wie er zu diesem Einfall gekommen. Endlich verfiel ich auf seinen Gedankengang. Im Hindustanischen bedeutet Gawnwâr „Dorfbewohner" zugleich einen rohen, barbarischen Menschen (nicht so tückisch als ein Gauner in unserer Sprache). Dieses Wort erschien dem gelehrten Verfasser unpassend, nicht etwa deswegen weil es die Idee von Barbar nicht ausdrückt, sondern weil es bekannt und einheimisch ist; er benutzte daher den noch viel unpassendern persischen Ausdruck [1]). Moḥammad beweist in unzähligen Stellen des Ḳorâns, dafs sein Geschmack nicht viel geläuterter war.

In allen übrigen Fällen bedeutet çirâṭ die richtige Lehre, die wahre Religion. Indessen wird nur einmal (Ḳor. 23, 76) alçirâṭ „die Strafse" ohne fernere Erklärung in diesem Sinne gebraucht; in 33 Stellen ist çirâṭ von dem Eigenschaftswort mostaḳyn „gerade" begleitet, welches auch einmal (Ḳor. 46, 29) in demselben Sinne dem synonymen ṭaryḳ beigelegt wird. In drei andern Stellen hat es ein Eigenschaftswort, welches entweder ebenfalls gerade oder eben bedeutet; in einem Falle wird die wahre Religion als die Strafse (çirâṭ) Gottes und in drei andern als die Strafse des Erhabenen und Gepriesenen bezeichnet. „Die gerade Strafse" kann in der That als ein stereotyper Ausdruck für die wahre Religion angesehen werden. Die genannten Verschiedenheiten in der Wahl des Adjektivs sind Opfer, die Moḥammad dem Reime gebracht hat. Nicht zu übersehen ist übrigens, dafs er in diesem figürlichen Ausdruck mit zwei Ausnahmen (Ḳor. 1, 5 und 37, 118) nicht „die gerade Strafse" (mit dem bestimmten Artikel), sondern „eine gerade Strafse" gebraucht. Wir würden gewifs den bestimmten Artikel anwenden, weil uns die Wahrheit vorschwebt, dafs es nur einen geraden Weg zwischen zwei Punkten gebe. Indessen Moḥammad spricht von der Religion, und vielleicht war er so liberal wie der weise Nathan und gab zu, dafs mehrere Wege zum Himmel führen. Aber um ernsthaft zu reden, auch in andern Fällen wird im Arabischen der Artikel nicht ge-

[1]) Ueber die Bedeutung des Wortes Dihḳân siehe Mohl's Einleitung zum Schâhnâma.

braucht, wo wir ihn anwenden würden. Es deutet dies auf eine Verschiedenheit der Vorstellungen hin.

In den allerfrühesten Offenbarungen kommt Çirâṭ nicht vor, es steht dafür sabyl. So bedeutet in dem bereits angeführten Verse Ḳor. 7, 84 sabyl Allah (der Pfad Gottes) die wahre Religion, während in demselben Verse çirâṭ die Bedeutung von Weg, Landstrafse hat, und dies ist eine der frühsten Stellen, in denen wir çirâṭ finden.

In den madynischen Offenbarungen kommt es selten vor und wird wieder durch sabyl ersetzt. Am häufigsten wird es in jener Periode angewendet, in welcher Moḥammad Raḥmân mit Vorliebe gebrauchte und während welcher er christlichen Einflufs auf sich wirken liefs.

Da aus dem Ḳorân hervorgeht, dafs das Seelenheil davon abhänge, dafs man auf dem geraden Wege bleibe, so hat sich die Phantasie der Gläubigen viel mit dem Çirâṭ beschäftigt. Auf eine sehr natürliche Weise schliefst sich folgende gewifs sehr alte Tradition an den Ḳorân an: ʿAbd al-Raḥmân b. Ḥosayn b. Nofayr, von seinem Vater, von Nowâs b. Simʿân, vom Propheten: „Gott hat euch den geraden Çirâṭ als Beispiel vorgelegt. Auf beiden Seiten desselben ist eine Mauer mit offenen Thoren, vor welchen blofs marchâmatische (oder çarchâmatische?) Vorhänge sind. Am Eingange des Çirâṭ steht Jemand, welcher ruft: O Menschen, betretet alle den Çirâṭ und wandelt nicht auf Umwegen. Ein anderer Rufender befindet sich über dem Çirâṭ, und wenn ein Mensch eins der Thore öffnen will, sagt er: Oeffne es ja nicht, denn wenn du es öffnest, wirst du auch hineingehen. Der Çirâṭ ist der Islâm, die Vorhänge sind die Gesetze Gottes, die offenen Thore sündhafte Dinge, der Rufende am Eingange des Çirâṭ ist das Buch Gottes und der Rufende über dem Wege das Gewissen des Gläubigen.“

Später hat man aus dem Çirâṭ eine Brücke gemacht, welche über den Rücken der Hölle geschlagen wird; sie ist schmaler als ein Haar und schärfer als ein Schwert. Moḥammad wird der erste sein, welcher darüber hin dem Paradiese zueilt. Wenn dann die Gläubigen, welche ihm folgen, ausgleiten, so rufen sie: o Moḥammad! o Moḥammad! und der Prophet schreit laut: o Herr, meine Anhänger! meine Anhänger! Natürlich gelingt es allen Frommen, dieses Seiltänzerstückchen auszuführen. Nach andern Dichtungen ist der Çirâṭ nur für uns Ungläubige so eng und gefährlich, für die Moslime ist er so weit wie eine Heerstrafse; ferner müssen manche beim letzten Gerichte 50000 Jahre warten, während andere in wenigen Minuten abgefertigt werden.

Sabyl, welches ich des Unterschieds wegen durch Pfad übersetze, ist ein ursprünglich arabisches Wort und kommt 176 Mal im Ḳorân, in verschiedenen Anwendungen, vor. Die ursprüngliche Bedeutung von sabyl ist nicht so umfassend als die von ṭaryḳ. Sabyl bedeutet einen Weg, dessen Richtung durch zwei oder wenigstens einen Berg, welchem er entlang läuft, bestimmt wird. Von dieser Art war ein grofser Theil der Handelsstrafse von Madyna nach dem Edomiter-Lande. Ein solcher Weg ist unendlich viel angenehmer für Karawanen als der über Steppen. Man findet Wasser und manches Mal sogar Schatten, und wenn man die Reise nur einige Male gemacht hat, ist man sicher, sich nicht zu verirren. Moḥammad macht daher die Makkaner auf die Wohlthat Gottes aufmerksam, welcher weite Thäler erschaffen hat, die als sabyle dienen (Ḳ. 21, 32. 71, 19). Sabyl bedeutet also vorzugsweise einen guten sichern Weg [1]; wenn es aber in einem figürlichen Sinne im Ḳorân vorkommt, so wird es nicht nur, wie çirâṭ, auf die richtige Lehre, sondern meistens, wie „der Weg der Gerechten" in der Bibel, auf einen rechtschaffenen Lebenswandel angewendet, so in Ḳor. 17, 34.

Al-Sabyl „der Pfad" bedeutet in den oft wiederkehrenden Phrasen „sie versperren den Pfad" und „sie machen euch vom Pfade abirren" geradezu die wahre Religion. Es wird auch „sie machen euch von der Geradheit des Pfades abirren" gesagt (Ḳor. 2, 102. 5, 15. 65. 81. 60, 1) Dieser Ausdruck [2]) ist ganz gleichbedeutend mit „Geradheit der Strafse" in Ḳor. 38, 21. Aufserdem kommt sehr häufig der „Pfad Gottes" vor, während „die Strafse Gottes" nur einmal genannt wird. Indessen scheint der Pfad Gottes nicht ganz dieselbe Richtung zu haben in Makka und Madyna. Vor der Flucht bestand er in der Anerkennung und Anbetung des einen wahren Gottes, nach der Flucht aber im Kampfe gegen die Ungläubigen.

An mehreren Stellen (ich glaube an zehn) werden „die Söhne

---

[1]) Der Ausdruck: „es gibt einen Weg für mich gegen dich" (لي سبيل عليك) bedeutet so viel als: du bist mir blofsgestellt, es haftet ein Vergehen auf dir, wodurch du dich compromittirt hast. Hiernach sind die Ḳorânverse 8, 68. 42, 39. 40. zu erklären.

[2]) Im Original سوا السبيل Ebenheit (Geradheit) des Weges. Tha'laby erklärt es durch وسط الطريق Mitte des Weges. Wenn von einer Karawanenstrafse über Steppen die Rede ist, dürfen wir nicht an unsere Chausseen denken. Man läfst die Kameele auf dem Wege, wo sie etwas finden, grasen, und sie mögen sich über eine Breite von mehr als einer halben Stunde ausdehnen; es ist also ein Unterschied, ob man in der Mitte des Weges bleibt oder sich weit davon verirrt, wo man auch Raubanfällen mehr ausgesetzt ist. Jetzt sagt man sawâ in der Bedeutung von gerade. Wenn man einen Araber um den Weg fragt, und er will sagen: gehe gerade fort, so antwortet er: sawâ, sawâ! oder auch ṭoghri, ṭoghri! Letzteres ist das türkische Wort für gerade.

des Pfades“ genannt. Das bedeutet Menschen ohne Dach und Fach, denen man Almosen geben soll. Nicht nur in neuerer Zeit, sondern schon vor mehreren Jahrhunderten kommt sabyl in der Bedeutung von: „öffentliche Wohlthätigkeitsanstalt“ vor, in welcher Reisende Wasser finden oder die Armen Essen. Es frägt sich, ob diese Bedeutung aus dem ḳorânischen „Sohne des Pfades“, oder ob dieser Ausdruck aus jener Bedeutung gebildet worden ist; in diesem Falle müfsten wir übersetzen: „Söhne oder Kunden wohlthätiger Anstalten“.

Von den Karawanenzügen ist auch das Wort Hodà, wörtlich: Weisung auf den rechten Weg, hergenommen, welches sehr oft im Ḳorân vorkommt und die wahre Religion bedeutet. Der Ausdruck: hom ʿalà hodàn min rabbihom, „sie [befinden sich] auf einer Leitung von Seiten ihres Herrn“ könnte man im Deutschen füglich durch ein uns bekanntes Bild wiedergeben und sagen: Ihr Herr führt sie am Gängelbande.

Neuntes Kapitel.

Verfolgungen. Ḥamza's und ʿOmar's Bekehrung.

Moḥammad machte bald nach seinem ersten Auftreten die Erfahrung, dafs kein Prophet angenehm sei in seinem Vaterlande, und bis zu seiner Flucht nach Madyna hatte er einen harten Kampf gegen seine Widersacher zu bestehen. Die arabischen Biographen weisen den Nachrichten über die Verfolgungen einen frühern Platz an [1]). Ich habe an verschiedenen Stellen darauf hingedeutet; hier aber stelle ich sie — freilich mit einigen Wiederholungen — zusammen, theils um die Mittel, welche die Feinde anwendeten, den Islâm zu unterdrücken, anschaulich zu machen, theils um für die darauf bezüglichen Offenbarungen einen Platz zu finden und den Einflufs, den die Feinde auf die Entwickelung des Islâms geübt haben, zu erklären.

Die Biographen und Exegeten nennen mehrere Personen, gegen welche Gott Ḳorânverse geoffenbart hat. Ihre An-

---

[1]) Bochâry stellt sie unmittelbar nach den Bekehrungen und er folgt in solchen Dingen gewöhnlich dem Ibn ʿOḳba. In Ibn Isḥâḳ sind sie etwas zerstreut, fangen aber auch schon unmittelbar nach den Bekehrungen an; an dieser Stelle stehen sie auch bei Ṭabary. Die Inspirationen gegen die Malâ (Aristokratie) von Makka sind jedoch vor Ende 616 nicht geoffenbart worden, und die Angriffe auf einzelne Feinde sind meistens von 617—619.

gaben müssen aber mit Vorsicht angenommen werden; denn in diesen Offenbarungen sahen sie Verdammungsurtheile, welche nur auf diejenigen anwendbar sind, die später im Unglauben starben [1]). Am liebsten beziehen sie selbe auf Männer, die bei Badr fielen, denn natürlich lag ihnen daran, das Strafgericht Gottes recht augenscheinlich zu machen. Von der Feindschaft derjenigen aber, welche am Ende noch den Islâm annahmen und sich dadurch unter den Seeligen einen Platz sicherten, sprechen sie sehr ungern. Im Geiste der orientalischen Schulen ist eine Liste von sechs bis zwölf Männern stereotyp geworden, welche die Traditionisten und Biographen bei jeder Gelegenheit, wo von den Widersachern die Rede ist, wiederholen. Unter diesen Verhältnissen können wir zufällige Aeufserungen nicht hoch genug anschlagen, denn sie sind die einzigen Nachrichten, durch welche wir die dogmatische Biographie berichtigen können.

Ibn Sa'd hat folgende Tradition aufbewahrt, wovon die Schlufsworte nicht zu übersehen sind, indem sie das eben Gesagte bestätigen:

»Als der Prophet und seine Anhänger den Islâm veröffentlichten und seine Religion in Makka bekannt und von den Leuten einander gepredigt wurde, suchte Abû Bakr heimlich Anhänger zu gewinnen; Sa'yd b. Yazyd und 'Othmân benahmen sich ebenso, aber 'Omar, Ḥamza und 'Obayd Allah b. Ġarrâḥ verkündeten sie öffentlich. Dadurch wurden die Ḳorayschiten erbittert, und es zeigten sich Neid und Feindschaft [2]). Einige traten dem Propheten offen entgegen, andere aber, obwohl sie dieselben Gesinnungen hegten, verbargen ihre Feindschaft. Seine und seiner Anhänger offenen Feinde, welche überall Streit und

---

[1]) Man lese Baydhawy's Bemerkung zu 46, ١٧ als Beleg dieser Behauptung.

[2]) Also erst nach der Bekehrung 'Omar's and Ḥamza's, welche im Jahre 617 erfolgte.

Zänkereien suchten, waren Abû Ġahl b. Hischâm, Abû Lahab b. 'Abd al-Moṭṭalib, al-Aswad b. 'Abd al-Yaghûth, Ḥârith b. Kays b. 'Adyy, nach seiner Mutter der Sohn der Ghaythala genannt, Walyd b. Moghyra, Omayya und Obayy, die Söhne des Chalaf, Abû Ḳays b. Fâkih b. Moghyra, 'Âç b. Wâyil, Nadhr b. Ḥârith, Monabbih b. Ḥaġġâġ, Zohayr b. Aby Omayya, Sâyib b. Çayfy b. 'Âyidz, Aswad b. 'Abd Aswad (Moṭṭalib?), 'Âç b. Sa'yd b. 'Âç, 'Âç b. b. Hâschim, 'Oḳba b. Abû Mo'ayṭ, Ibn al-Açady Hodzaly, welchen die lbexe gestochen haben, Ḥakam b. Abû-l-'Âç, 'Adyy b. Ḥamrâ. Dies waren seine Nachbarn. Am weitesten trieben ihre Feindschaft Abû Ġahl, Abû Lahab und 'Oḳba b. Mo'ayṭ.

'Otba und Schayba, die Söhne des Raby'a, und Abû Sofyân waren ihm ebenfalls feind, aber sie griffen ihn nicht offen an, sondern benahmen sich wie überhaupt die Ḳorayschiten. Ibn Sa'd bemerkt, dafs mit Ausnahme des Abû Sofyân und al-Ḥakam nicht einer von den Genannten sich zum Islâm bekehrte [1].«

In Makka gab es keine Regierung, jede Familie mufste sich selbst beschützen und, um sich zu stärken, mit andern Familien in freundschaftlichem Verhältnisse leben. In allen freien Städten, selbst wenn sie, wie überall im Mittelalter in Europa, eine Verfassung haben, kommen einzelne Familien zu grofser Macht und Ansehen. Das mufste nun besonders in einer Gesellschaft der Fall sein, wo kein Gesetz und keine Formen dem Ehrgeize wachsender Familien Schranken setzten. Indessen diese Regellosigkeit mufste auch ein Gegengewicht erzeugen. Sie begünstigte das Streben tapferer, talentvoller Männer. Nicht der älteste, noch der reichste, sondern der klügste und

[1]) Ibn Sa'd, fol. 38, von Wâḳidy, von Mawhab, von Ya'ḳûb b. 'Otba († 128). Eins der ursprünglichen Materialien, auf welche sich diese Tradition gründet, steht in Bochâry S. 543, und ich habe es auch im Anhang in deutscher Uebersetzung eingeschaltet.

entschlossenste Mann in jeder Familie war der anerkannte Führer, und es ist eine Ehrensache unter den Arabern dem Führer zu folgen, ohne sich, wenn es einmal zur That kommt, ein Urtheil zu erlauben. Wenn sich nun solche Führer durch persönliche Eigenschaften auszeichnen, so können sie ihren Einfluſs über den ganzen Stamm ausdehnen. Indessen es bleibt immer nur ein moralischer Einfluſs, und die Familien und ihre Häupter dürfen unter keiner Bedingung gekränkt werden.

Ein so regelloser Zustand hat manche Nachtheile. Der Arme findet keinen Schutz gegen den Reichen, es entstehen häufig Fehden zwischen den einzelnen Familien und wenn die ganze Gemeinde angegriffen wird, fehlt es oft an Einigkeit, auch leidet bisweilen die persönliche Freiheit fast ebenso sehr unter der Allmacht der öffentlichen Meinung als in unsern Tagen unter der Unumschränktheit der Polizei. Indessen nur in einer solchen Gesellschaft konnten jene heroischen Charaktere erwachsen, die wir in der Geschichte der Gründung des Islâms erblicken. Es fehlt uns jeder Maaſsstab, nach welchem wir sie würdigen könnten, und deswegen hat man sie gewöhnlich als Fanatiker gebrandmarkt. Aber wenn sie auch derselbe Enthusiasmus beseelte wie später unsere Kreuzfahrer, so kann man sie doch nicht derselben Blindheit, derselben Verbrechen, noch derselben Rohheit anklagen, noch waren sie neben Prahlerei so erbärmlich feig, wie die in Erz gekleideten Ritter. Sie waren die Männer überlegter That und eiserner Ausdauer; unerschütterlich in ihren Grundsätzen, besonnen in ihren Entschlüssen, beharrlich in ihren Handlungen — selbst wenn die Ueberzeugung wankte — ergeben der gemeinen Sache, voll Aufopferung und Todesverachtung und doch beseelt von jugendlichem Muth und Lust am Leben. Ein solcher Menschenschlag wächst nur in freien Ländern; wir sehen etwas Aehnliches in England und in der Schweiz; aber die gröſste Vollkommenheit erreicht der Mann in den

Oasen der Wüste. Jemehr aber der Mensch bevormundet wird, desto krankhafter und einseitiger ist seine Entwicklung. In unserem Deutschland findet man grofse Gelehrte und emsige Handwerker, geniale Künstler und geschickte Techniker, übermüthige Aristokraten und hitzköpfige Demagogen, aber Männer sind selten. Man hat behauptet, der Nationalcharakter hänge lediglich von der Race ab. Das ist nicht richtig. Freie Institutionen bilden Männer, und die Institutionen hängen ebenso von Verhältnissen als vom Volke selbst ab. Die Gebirge der Schweiz, die insulare Position von England, das Terrain von Nordamerika haben eben so viel Einflufs auf die Entwicklung freier Institutionen geübt als das Wollen des Volkes. So auch verdankt der Araber seinen Nationalcharakter nicht dem Sem und nicht dem Arfachschad, sondern der Wüste und ihrer Lage.

Es war nothwendig, diese Bemerkungen vorauszuschicken, um den Leser in den Stand zu setzen, die Charaktere, welche für und gegen die Entwicklung der neuen Religion thätig waren, und die Verhältnisse, welche wir in diesem Kapitel näher betrachten, zu würdigen. Da ich mich in einer Arbeit, die sich nur mit wissenschaftlichen Forschungen über die Thatsachen beschäftigt, nicht mit der Zeichnung von Charakteren — die immer willkührlich und einseitig ist — befassen kann, so mufs der Leser ein für allemal darauf aufmerksam gemacht werden, dafs die handelnden Personen Araber und nicht Europäer sind.

Die hervorragenden Persönlichkeiten von Makka werden im Ḳorân unter dem Namen Malâ, Aristokratie, zusammengefafst, bisweilen werden sie auch die Motrafûn, Wohlhabenden, geheifsen. Moḥammad hatte eine sehr hohe Idee von der Malâ, sie umfafste jene Männer, welche sich durch Intelligenz auszeichneten, die in Monarchien den Rath der Könige bilden (Ḳorân 27, 29) und welche als die Anführer der Armee sich zum Kriegsrath vereinigen (Ḳor. 2, 247), ja selbst für die Engel oder Ginn, welche sich am Throne

Gottes berathen (Ḳ. 37, s. 38, 69), wufste er keine ehrenvollere Benennung zu finden als Malâ. Die Aristokratie von Makka mufs also mächtig gewesen sein [1]).

Macht ist immer conservativ. Entstehen ist Vergehen, und um dem Vergehen zuvorzukommen, sucht sie das Entstehen zu verhindern. Alles Geistige, Lebensvolle ist ein Gräuel in den Augen der Aristokratie, und ihre Anstrengungen, das Alte wieder zurückzubringen, steigen im Verhältnifs zu ihrer Ohnmacht, dem Fortschritt der Zeit Einhalt zu thun. Die Malâ von Makka gebahrte sich nicht so lächerlich als die Bourbonisten in der Vorstadt St. Germain, noch war sie so bornirt wie die Hofbedienten, welche in Deutschland Grafen und Barone geschimpft werden, noch so brutal wie unsere Bureaukratie; dennoch fehlte es auch ihr, den Neuerungen des Moḥammad gegenüber, an Mäfsigung und Verstand. Es ist kein Zweifel, dafs viele ihrer Mitglieder abergläubisch genug waren, sich durch seine Drohungen erschrecken zu lassen und sich deshalb ruhig verhielten; aber andere verübten allerlei Neckereien und Grausamkeiten gegen die Gläubigen und gingen so weit als es die öffentliche Meinung und die sociale Stellung der betreffenden Persönlichkeiten erlaubten.

Abû Ṭâlib war der natürliche Beschützer des Moḥammad. Er war seines Vaters älterer Bruder und hatte ihn nach dem Tode des Grofsvaters erzogen. Moḥammad hingegen nahm, nachdem er selbstständig geworden war, dessen Sohn ʿAlyy in sein Haus auf, als zur Zeit einer Hungersnoth Abû Ṭâlib nicht im Stande war, seine zahlreiche Familie zu ernähren. Die Bande des Blutes waren somit durch wechselseitige Verbindlichkeiten gestärkt. Abû Ṭâlib war zwar arm, aber er hatte viele Söhne und war daher schlagfertiger als irgend ein anderes Mitglied der Familie des Hâschim. Seine Ritterlichkeit ist aufser allem Zweifel, und dafs er dem Islâm durch die Erfüllung seiner

[1]) Nach Baghawy, Tafs. 38, 3, bestand sie aus ungefähr 25 Personen.

Pflichten gegen seinen Neffen grofse Dienste geleistet habe, ist unläugbar; dennoch müssen wir die Tradition zu seinen Gunsten mit Mifstrauen ansehen. Er war ein Bruder des Ahnherrn der ʿAbbâsidischen Chalyfen und der Stammvater der ʿAlyiden, welche den Herrschern aus dem Hause Omayya den Thron jeden Augenblick streitig machten. Sein Charakter und seine Stellung zum Islâm waren daher schon früh ein Gegenstand des Streites der politischen Parteien. So lange die Omayyiden regierten, behaupteten ihre Hoftraditionisten, dafs der Prophet gesagt habe, Abû Ṭâlib sei tief in der Hölle, mit dem Beisatze: »vielleicht wird ihm meine Fürbitte am Tage der Auferstehung nützen, so dafs er dann in eine Lache [1]) von Feuer versetzt wird, die ihm nur bis an die Fersen reicht, jedoch so heifs ist, dafs ihm das Gehirn davon sieden wird.«

Diese Traditionisten beriefen sich in ihrer Lästerung darauf, dafs er im Unglauben starb. Unter den Anhängern des ʿAlyy hingegen stand er immer in grofsen Ehren, und da sich Wâḳidy zu dieser Partei hinneigte, beurtheilte er ihn vielleicht zu günstig. Die ʿAbbâsiden stimmten in dieser Hinsicht den ʿAlyiten bei, und so kommt es nun, dafs Ibn Isḥâk, welcher seine Prophetenbiographie auf den Wunsch des ersten ʿAbbâsidischen Chalyfen schrieb, dem Abû Ṭâlib bei jeder Gelegenheit ein Gedicht in den Mund legt, in welchem er nicht nur seine Bewunderung für den Propheten, sondern auch seinen Glauben an denselben ausspricht. Im Fihrist [2]) wird berichtet, dafs ein Zeitgenosse des Ibn Isḥâḳ Gedichte fabricirte und sie demselben mit der Bitte übergab, sie in sein Werk aufzunehmen. Ibn Isḥâḳ willfahrte seinem Wunsche, und es unterliegt keinem Zweifel, dafs die Gedichte des Abû Ṭâlib zu den unterschobenen

[1]) Das Wort ist dhaḥdâḥ, welches in allen Traditionen über diesen Gegenstand sorgfältig beibehalten wird. Sie entstammen also alle aus einer Quelle. Siehe Bochâry S. 548.

[2]) Vergl. meinen Aufsatz in der Zeitschr. d. deutsch-morgenl. Ges. 1860 erstes Heft.

gehören. Da nun unsere zwei Hauptquellen über die Prophetenbiographie für Abû Ṭâlib Partei nehmen, stellen sie ihn wahrscheinlich, indem sie den Schutz, den er seinem Neffen gewährte, erzählen, edler dar, als er wirklich war, ohne jedoch die Lügen, welche ihre Vorgänger zu seinem Nachtheil erdichtet hatten, kritisch auszuscheiden. Aus Traditionen, welche ohne Rücksicht auf Abû Ṭâlib überliefert worden sind, geht hervor, dafs er des Propheten Leben schützte, dafs er ihm aber gegen Unbilde nicht beistand; und da Moḥammad selbst schwach und persönlich feig war, mufste er diese ungerächt ertragen.

Indem Abû Ṭâlib wenigstens so weit über seinen Neffen schützend seine Hand ausbreitete, hatten die übrigen Mitglieder seiner Familie zwar die Wahl, sich ihm anzuschliefsen oder ihn im Stiche zu lassen. Indessen hätten sie das letztere gethan, so würden sie ihr Ansehen für immer verloren haben; es hätte ihnen zur ewigen Schande gereicht, wenn sie einem Druck von aufsen nachgegeben und ein Familienglied geopfert hätten. Anders wäre es gewesen, wenn Abû Ṭâlib in Verbindung mit seinen Brüdern von Anfang an und aus freiem Antriebe ihn selbst genöthigt, seinem Berufe zu entsagen, und wenn er ihn im Falle der Verweigerung aus Makka verwiesen hätte. Aber Abû Ṭâlib fühlte sich ihm verpflichtet, und das Uebernatürliche der Begeisterung des Moḥammad wurde allgemein anerkannt, ja selbst seine Feinde behaupteten, es seien Ǵinn in ihm. Aufserdem war Moḥammad sehr schonend gegen Vorurtheile. Anfangs war also kein Grund vorhanden, ihn zu verlassen, und da seine Verwandten einmal angefangen hatten, ihn zu schützen, mufsten sie auch fortfahren, es zu thun.

Der erste Schritt, den die Malâ gegen ihn machte, war vollkommen loyal. Mit Walyd b. Moghyra an der Spitze begaben sich mehrere aus ihrer Mitte zu Abû Ṭâlib und sprachen: Dein Neffe lästert unsere Götter, tadelt unsere Religion, erklärt uns für Thoren und behauptet, dafs unsere Väter im Irrthume waren. Entweder bringe ihn zum Schweigen oder entziehe ihm deinen Schutz und wir wollen schon dafür sorgen, dafs er es nicht länger treibe. Abû Ṭâlib empfing sie mit Artigkeit und machte ihnen mit grofser Mäfsigung Vorstellungen gegen ihr Verlangen. Sie standen davon ab und entfernten sich [1]).

Ich nehme an, dafs dieser Besuch im Frühling oder zu Anfang des Sommers 613 stattfand. Wie wir bereits gesehen haben, ist so viel gewifs, dafs ungefähr um jene Zeit jede Familie diejenigen von ihren Mitgliedern streng überwachte, welche dem Moḥammad anhingen, und sie auch, wenn sie von ihm nicht abfielen, quälte. Auch Abû Ṭâlib scheint seinem Neffen eine Warnung gegeben zu haben, denn er wagte es nicht die nächsten zwei Jahre öffentlich zu predigen.

Die im vorigen Kapitel erzählte Rücknahme des Zugeständnisses, welches Moḥammad zu Gunsten der Lât, ʿOzzà und Manâh gemacht hatte, schürte den Geist der Verfolgung. Die aus Abessynien zurückgekehrten Moslime waren natürlich am schlechtesten daran und sahen sich genöthigt, wie hülflose Fremde ihre heidnischen Bekannten um jenen Schutz anzuflehen, welchen ihnen ihre Verwandten schuldig waren, aber verweigerten. Der ritterliche Sinn der Araber läfst es nicht zu, den Schwachen, wenn er so weit gekommen ist, seine Hülfsbedürftigkeit zu bekennen, von der Thür zu weisen, selbst wenn bis dahin die bitterste Feindschaft bestand und dessen Rettung im grellsten Widerspruche mit den Interessen des Stärkern stehen sollte. Wer kennt nicht die Geschichte des Cid? — er hatte den edlen Geist seiner Väter bewahrt.

Der aus Abessynien zurückgekehrte ʿOthmân b. Matzʿûn begab sich zu Walyd b. Moghyra und bat, dafs er ihn als Gast aufnehme. Der Erzfeind des Islâms war durch seine Bitte entwaffnet und öffnete ihm sein Haus. Er machte al-

[1]) Ibn Isḥâḳ, S. 196.

lenthalben bekannt, dafs ʿOthmân unter seinem Schutze stehe, und er eine Beleidigung gegen seinen Schützling als einen Schimpf gegen sich selbst rächen würde, und er gestattete ihm zugleich volle Freiheit, nach seiner Ueberzeugung zu denken und zu handeln.

Indessen solche Ritterlichkeit von der einen Seite ist nicht denkbar ohne ein ähnliches hohes Selbstgefühl von der andern: Edelmuth unter erbärmlichen Wichten und Freigebigkeit unter schamlosen Bettlern mufs sich schnell erschöpfen. Um solche Tugenden, welche ein Bedürfnifs der Menschen sind, unter sich üben zu können, finden es die Reichen und Mächtigen nöthig, sich von den Armen zu sondern, und diese Sonderung ist um so exclusiver, je gröfser der Reichthum einer Nation ist. ʿOthmân war seines Gönners würdig; er sprach zu sich selbst: Morgens und Abends gehe ich in voller Sicherheit aus und ein unter dem Schutze eines Ungläubigen, während meine Gefährten und Glaubensgenossen wegen Allah Unannehmlichkeiten und Verfolgungen ausgesetzt sind. Nein, ich kann den Gedanken nicht länger ertragen, dafs ich nicht ihr Schicksal theilen soll [1]). Er begab sich zu Walyd und sprach: Deine Verpflichtung gegen mich hat ein Ende, denn ich verzichte auf deinen Schutz. Walyd antwortete: Warum so, mein lieber Neffe, hat dir vielleicht Jemand von meinem Stamme etwas zu Leide gethan? Nein, antwortete er, aber ich ziehe es vor, mich dem Schutze Allah's anzuvertrauen und will nicht der Schützling von irgend Jemand sein. Wenn dem so ist, versetzte Walyd, so begleite mich zur Kaʿba und erkläre dort öffentlich, dafs du meinem Schutze entsagst, wie ich vor aller Welt erklärt habe, dafs du mein Schützling seiest. Sie begaben sich zur Kaʿba und Walyd rief mit lauter Stimme: Hier ist ʿOthmân! er ist hierher gekommen um zu erklären, dafs

---

[1]) Ich glaube, dafs diese Verzichtleistung unmittelbar nach der Bekehrung ʿOmar's stattgefunden, als die Moslime es versuchten, das Volk von der Malâ zu trennen und Moḥammad Sûra 38 verfafste.

Es wäre doch zu arg gewesen, wenn Gott die Unbilden, welche sein Bote zu ertragen hatte, ganz ungerächt gelassen hätte. Yazyd b. Rûmân, einer der Gründer der Prophetenbiographie, erzählt (bei Ibn Isḥâḳ S. 272) gestützt auf den Ḳorânvers 15, 95, in welchem Gott verspricht, er wolle für die Spötter sorgen: Der Engel Gabriel kam zu Moḥammad, als die Leute um die Ka'ba herumgingen. Der Engel blieb stehen und der Prophet stellte sich neben ihn. Es ging Aswad b. Moṭṭalib vorüber; der Engel warf ihm ein grünes Blatt in's Gesicht und er wurde blind; als Aswad b. 'Abd Yâghûth vorbeiging, zeigte er auf seinen Unterleib, und er starb an der Wassersucht; als Walyd b. Moghyra kam, zeigte er auf die Narbe, welche von einer Wunde, die er vor mehreren Jahren durch einen Pfeil erhalten hatte, herrührte. Die Narbe brach auf, und er starb daran. Er zeigte auf den hohlen Theil der Fufssohle des 'Âç b. Wâyil. Einige Zeit darauf ritt er auf einem Esel nach Ṭâyif; auf dem Wege scheute das Thier vor einem

---

ser Fluch in Erfüllung ging, denn] die Genannten wurden in den Brunnen von Badr geworfen, mit Ausnahme von Omayya b. Chalaf, dessen Gliedmafsen getrennt wurden, der aber nicht in den Brunnen geworfen wurde."

Bochâry, S. 519, 544, von Moḥammad b. Ibrâhym Taymy, von 'Orwa:

„Ich fragte 'Abd Allah, den Sohn des 'Amr b. al-'Âç (sic! nicht wie Ibn Isḥâḳ: Ich fragte den 'Amr b. al-'Âç), welches das Schlimmste sei, was die Ungläubigen dem Propheten angethan haben. Er antwortete: Er betete einst im Ḥigr der Ka'ba und es kam 'Oḳba b. Mo'ayṭ, legte ihm sein Kleid um den Hals und würgte ihn sehr heftig. Abû Bakr packte den 'Oḳba bei den Schultern und sagte: Wollt ihr einen Mann tödten, weil er sagt: Mein Herr ist Allah!?"

„Die Drohung in den Ḳorânversen 25, 29—31 bezieht sich auf 'Oḳba b. Aby Mo'ayṭ und Obayy b. Chalaf. Eines Tages besuchte 'Oḳba den Propheten und horchte ihm zu. Obayy, mit dem er im vertrautesten Verhältnisse lebte, hörte davon und machte ihm Vorwürfe darüber. Der andere, um ihm zu beweisen, wie sehr er den Propheten verachte, sagte, er wolle ihm in's Gesicht speien, und er that es auch."

Busch, er trat sich einen Dorn in den Fufs und starb. Er zeigte auf den Kopf des Ibn Ṭolâṭila; es bildete sich ein Geschwür, durch welches er sein Leben verlor.«

Arḳam war ein Mitglied der mächtigen Familie Machzûm, und wie feindlich auch die Häuptlinge derselben dem Islâm sein mochten, so war es eine Anerkennung ihrer Macht und Ritterlichkeit, wenn ein freies Mitglied einer anderen Familie bei ihnen Schutz suchte, und ohne die hergebrachten Gewohnheiten zu verletzen, konnten sie ihn nicht versagen. Für Moḥammad selbst war es freilich eine Schande genöthigt zu sein, zu einem fremden Hause seine Zuflucht zu nehmen; aber dieser Schimpf fiel auf seine Verwandten, die denselben auch nicht lange trugen. Ihm war die Sicherheit, die er genofs, von grofsem Vortheil, denn er brachte die Zahl seiner erklärten Anhänger in ein paar Monaten von weniger als vierzig zu mehr als hundert. Edle Naturen finden einen Genufs in Gefahren; und Hindernisse, welche in dieser Welt nie fehlen, scheinen dazu vorhanden zu sein, die schönsten Eigenschaften des Menschen zu entwickeln. Der Drang für einen hohen Zweck zu kämpfen und zu wagen, hat auch bei dieser Gelegenheit dem Islâm einige der schönsten Kräfte zugeführt. Einer von denen, welche sich im Hause des Arḳam bekehrten, war der Löwe Gottes, Ḥamza, ein Sohn des Abû Ṭâlib und Vetter des Propheten.

Abû Ġahl ging beim Çafâ, wo Arḳam's Haus stand, am Propheten vorüber, schimpfte ihn und erlaubte sich beleidigende Bemerkungen über dessen Religion und Verhältnisse. Moḥammad schwieg. Eine Frau, welche in ihrem Hause safs, hörte es [1]). Abû Ġahl begab sich in die

[1]) Auch bei einem andern Vorfalle war eine Frau die Beschützerin des Moḥammad.

Abû Ġahl und eine Anzahl anderer Ungläubiger versperrten dem Propheten den Weg und quälten ihn. Ṭolayb eilte herbei

Gesellschaft der Korayschiten, welche bei der Ka'ba safsen, und unterhielt sich mit ihnen. Es dauerte nicht lange, da kam Ḥamza, welcher ein Jagdliebhaber war, mit Pfeil und Bogen vom Jagen zurück, und seiner Gewohnheit gemäfs ging er auf die Ka'ba zu, um welche er herum zu gehen pflegte, ehe er sich nach seiner Wohnung begab. Auf dem Wege trat ihm die Frau entgegen — der Prophet hatte sich nach Hause begeben — und sagte: o Ḥamza! wenn du doch gesehen hättest, wie soeben Abû-l-Ḥakam [1]) deinen Vetter Moḥammad behandelt hat: er hat ihn beschimpft und gröblich beleidigt. Da Gott seine Wunder an Ḥamza wirken wollte, so ward dieser von Zorn entflammt. Obschon es sonst seine Sitte war, wo er immer einige Leute beisammen sah, sie zu grüfsen und mit ihnen eine Weile zu plaudern, so ging er jetzt doch schnellen Schrittes fort, ohne sich bei irgend Jemandem aufzuhalten, um Abû Ġahl aufzusuchen und zurechtzuweisen. Er fand ihn bei der Ka'ba in Gesellschaft mehrerer Leute, ging auf ihn zu und gab ihm mit dem Bogen einen derben Schlag auf den Kopf mit den Worten: Wie, du wagst es, ihn zu schimpfen, ihn, an dessen Religion ich glaube und dessen Ansichten meine Ansichten sind? Gieb mir den Schlag zurück, wenn du es wagst! Einige von den anwesenden

---

und schlug den Abû Ġahl blutig. Ṭolayb wurde darauf von den übrigen ergriffen, aber Abû Lahab vertheidigte ihn und hinterbrachte die Sache seiner Mutter Arwà, dafs sie ihn strafe. Sie aber sagte: Der schönste Tag meines Sohnes ist der, an welchem er seinen Vetter vertheidigt hat. Es wurde dann dem Abû Lahab hinterbracht, dafs sie zur Çâbierin geworden sei. Er begab sich zu ihr und tadelte sie darob. Sie antwortete: Gehe und schütze deinen Neffen; gelingt es ihm, was er angefangen, so gewinnst du dabei, thust du es nicht, so hast du deinen eigenen Neffen verrathen. Er antwortete: Unsere Macht beruht auf den Arabern (Bedouinen), diese aber mifsbilligen es, dafs er eine neue Religion einführen will. — Içâba unter Arwà.

[1]) Abû Ġahl, d. h. Vater der Unwissenheit, ist ein Schimpfname; das wahre Kunya dieses Mannes ist Abû-l-Ḥakam.

Machzûmiten, zu deren Familie Abû Ġahl gehörte, eilten ihm zu Hülfe; dieser aber sagte: Laſst ihn gehen, denn ich habe fürwahr seinen Vetter gar arg beschimpſt. Ḥamza blieb Moslim; als die Makkaner seine Bekehrung vernahmen, wuſsten sie, daſs Moḥammad eine mächtige Stütze gewonnen habe, und sie wagten es nicht, sich so vermessen gegen ihn zu betragen wie bisher [1]).

Nicht lange nach Ḥamza [2]), im August 617, als der Prophet noch im Hause des Arḳam weilte, bekehrte sich ʿOmar, der gröſste Staatsmann, der je gelebt hat.

ʿOmar, sagen seine Biographen, hatte, wie die Männer aus dem Sadûs-Stamme, einen kräftigen Körperbau und eine weiſs-röthliche Haut [3]). Wenn er sich unter einer Volksmenge befand, ragte er durch seine ungewöhnliche Gröſse über alle empor. Dabei war er behend und wurde der Amphidexter geheiſsen, weil er die linke Hand mit ebenso viel Fertigkeit benutzen konnte als die rechte; er hatte einen schnellen Gang und machte groſse Schritte. Als er dem Islâm beitrat, war er 26 Jahre alt und in seiner vollen Jugendkraft. Diesen kräftigen Körper belebte

---

[1]) Die Nachrichten stimmen auf das Befriedigendste überein. Ibn Saʿd, fol. 179, von Wâḳidy, von ʿObayd Allah b. ʿAbd al-Raḥmân b. Madhab, welcher den Moḥammad b. Kaʿb Ḳoratzy erzählen hörte: Abû Ġahl, ʿAdyy b. Ḥamrâ und Ibn Açady begegneten eines Tages dem Propheten und beschimpften und quälten ihn. Ḥamza erfuhr es, begab sich voll Wuth in den Bethof und schlug den Abû Ġahl mit dem Bogen, daſs man am Kopfe die Spuren sehen konnte. Ḥamza bekehrte sich dann und Moḥammad und die Moslime wurden durch seine Bekehrung gehoben. Dieses ereignete sich, nachdem er sich in das Haus des Arḳam begeben hatte, im Jahre 6 nach der Sendung.

Die von Wâḥidy 6, 122 auf die Auktorität des Ibn ʿAbbâs erzählte Darstellung nähert sich der des Ibn Isḥâḳ (S. 184).

[2]) Dem Madâriġ Bd. 1 S. 56 zufolge nur drei Tage später.

[3]) Nach einer Tradition war er braun; es heiſst, daſs er ursprünglich weiſs gewesen, in dem Seuchenjahr A. H. 18, welches ʿÂm alramâda genannt wurde, weil es Mensch und Vieh hinwegraffte, sich von Oel nährte, während er bis dahin Milch und Butter zu es-

ein gesunder Geist. Er hatte einen richtigen Blick, war rasch im Entschlufs, unerschütterlich in seinem Vorhaben und kühn, ja gewaltthätig in der Ausführung. Dieser mächtige Mann besafs alle Eigenschaften, um, was er auch immer ergreifen mochte, Ungewöhnliches zu leisten und eine Wohlthat oder ein Fluch für seine Mitmenschen zu sein. Glücklicher Weise war er dabei schlicht, frei von Selbstsucht und persönlichen Rücksichten, und wenn er auch unter seiner Geradheit viel Schlauheit verbarg und mit Rohheit Nachgiebigkeit verband, so war er doch von den edelsten Absichten beseelt. Gegen seine Freunde bewies er grofse Anhänglichkeit und Aufopferung, sie mufsten sich's aber gefallen lassen, dafs er in wichtigen Momenten für sie sprach und handelte; er fühlte, dafs er zum Herrscher geboren sei. Er machte nach dem Tode des Propheten keine Ansprüche auf das Chalyfat, sondern erhob den Abû Bakr zu dieser Würde, leitete aber in den meisten Fällen die öffentlichen Angelegenheiten. Um sein Verhältnifs zu Moḥammad deutlich zu machen, erlaube ich mir einen Vergleich. Wie der Mann in der Schwäche seiner Frau eine gewisse Uebermacht erblickt, ihre Rathschläge befolgt und selbst ihren Launen nachgiebt, sie beschützt und zugleich leitet und erzieht, so auch scheint es gerade die Schwäche des Moḥammad gewesen zu sein, was den gewaltigen 'Omar zu ihm hinzog; die Ueberlegenheit seines einseitigen Genies, in dem er die Stimme Gottes erkannte, erfüllte ihn mit Verehrung, aber in gewöhnlichen Dingen bewachte er ihn, wie eine Mutter ihr Kind. Er übte grofsen Einflufs auf Moḥammad's Gesetzgebung; selbst Moslime schreiben ihm den Ursprung von einigen Ḳorânversen zu [1]). Er mischte sich sogar in dessen Familienangele-

sen gewohnt gewesen war, und dies die Ursache der Veränderung seiner Hautfarbe war. Es ist richtig, dafs in tropischen Ländern, wo die Hautfarbe der Menschen dunkel ist, sich Schwäche und Kränklichkeit durch Bleichung derselben zeigen.

[1]) Tha'laby, Tafsyr 2, 119, — — von Moḥammad b. 'Abd Allah b. Mothanniy Ançâry, von Ḥomayd dem Langen, von Anas b. Mâlik:

genheiten; so erschien er, als sich in dem Harem des Propheten ein rebellischer Geist zeigte, mit einem Stocke in der Hand unter den schönen Bewohnerinnen und stellte mit Schimpfworten und Schlägen die Subordination wieder her. Wenn auch nicht viele Waffenthaten von ihm erzählt werden, so war er doch der gewaltige Hagen des Islâms, welcher bei allen wichtigen Gelegenheiten das Wort nahm und Widerspruch und Schwierigkeiten mit dem Stocke oder Säbel beilegte.

„'Omar sagte: Gott hat in drei Dingen mit mir übereingestimmt. Ich sagte zum Propheten: Wäre es nicht passend, wenn du den Maḳam Ibrâhym zu einem Betplatze machtest? und Gott offenbarte Ḳor. 2, 119. Ein anderes Mal sagte ich zu ihm: Es gehen tugendhafte und ausschweifende Menschen aus und ein bei dir; wäre es nicht besser, wenn du das Verschleiern deiner Frauen einführtest? und es wurde Ḳor. 33, 53 geoffenbart. Einmal bemerkte ich, dafs die Mütter der Gläubigen und der Prophet in Zwiespalt gerathen waren. Ich begab mich zu ihnen und sagte: Wenn ihr den Propheten nicht in Ruhe lafst, so wird ihm Gott statt eurer bessere Frauen geben. Die letzte, der ich einen Verweis gab, war Omm Salama, und sie antwortete: Kann der Prophet seinen Frauen nicht selbst einen Verweis geben, dafs du dich berufen fühlst, dies zu thun? Ich schwieg und es wurde sogleich Ḳor. 66, 5 geoffenbart."

Moslim, Bd. 1 S. 462, von Ġowayryya b. Asmâ, von Nâfi', von Ibn 'Omar:

„'Omar sagte: Ich stimmte in drei Dingen mit Gott überein: In Bezug auf den Maḳâm Ibrâhym, auf das Verschleiern und auf die Kriegsgefangenen von Badr."

Tha'laby, von Ibn Kaysân:

„Man erzählt, dafs der Prophet in Begleitung des 'Omar bei dem Maḳâm Ibrâhym vorüberging. 'Omar sagte: Ist dieses nicht der Maḳâm unseres Vaters Abraham? — Allerdings. — Willst du ihn nicht als Betplatz wählen? — Ich habe keinen Befehl dazu. — Die Sonne war noch nicht untergegangen, als Ḳor. 2, 119 geoffenbart wurde."

Aus einer Tradition bei Moslim, Bd. 2 S. 463, geht hervor, dafs auch die Offenbarung von Ḳ. 9, 85 durch 'Omar verursacht wurde. Wenn die Moslime diese Fälle zugeben, dürfen wir schliefsen, dafs sie sehr häufig waren, denn solche Geständnisse widersprechen ihren Ansichten von Offenbarung.

Der schwache Moḥammad wäre geneigt gewesen, jenen Geist mönchischer Demuth und Entsagung seinen Anhängern einzuprägen, welcher das Christenthum vom Islâm unterscheidet. Die Moslime verdanken dem festen Willen des ʿOmar jene stolze, männliche Selbstachtung und jenes brüderliche Zusammenhalten, welche Eigenschaften sie vor allen anderen Religionsgemeinden auszeichnen und selbst unter den Gräueln der Türkenherrschaft im Volke noch fortleben. Ein Moslim stellt sich über alle andere Menschen und selbst über die Engel; er achtet Niemanden aufser seinem Glaubensbruder und diesen achtet er, weil er Moslim ist, auch hält er sich für dessen Ehre und Wohlfahrt verantwortlich. Wenn ein Gläubiger auf einer Reise in einem kleinen Orte anlangt, so ist sein erster Gang nach der Moschee; dort findet er stets Brüder, die ihn in ihr Haus aufnehmen und ihm mit Rath und That beistehen. Die Moschee dient nämlich in vielen Orten nicht blofs als das Bethaus, sondern auch als die Schule und das Forum der Gläubigen. Wenn die Unschuld einer gläubigen Frau in Gefahr ist, so leistet ihr jeder Moslim Schutz, und wenn sie sich vergangen, hält sich Jeder für berechtigt, sie zu strafen, ja zu tödten. Dies ist der Geist des ʿOmar, der noch unter den Bekennern des Islâms fortlebt.

Von der Jugendgeschichte dieses grofsen Mannes wissen wir, dafs er ursprünglich die Kameele seines Vaters hütete und sie nach Dhaḡnân, einer sumpfigen, aber mit üppiger Vegetation besetzten Gegend in der Wüste, nördlich von Makka, hinaustrieb. Nachdem er als Chalyf ausgerufen worden war, ging er einmal bei diesem Orte vorüber und in dankbarer Erinnerung dafür, dafs ihn die Vorsehung zum mächtigsten Manne seiner Zeit gemacht habe, sprach er (Vers):

»Alles, was du siehst, ist nur Tand; Gott allein bleibt, und er gewährt Reichthum und Kinder.«

Es ist sehr begreiflich, dafs die Volkssage die Bekehrung dieses Mannes, wie die des Paulus, einem Wunder zuschreibt. Es wird erzählt: Moḥammad betete zu Gott, daſs er seine Religion durch den Uebertritt des ʿOmar oder seines Erzfeindes Abû Ġahl verherrlichen möge [1]). Seine Bitte wurde erhört, und er hatte sich kurz darauf der Bekehrung ʿOmar's zu erfreuen.

»ʿOmar, so fährt die Volkssage fort, ging, das Schwert über die Schulter gehangen, aus, und begegnete einem Zohriten, welcher ihn fragte: Wo gehst du hin, ʿOmar? Er antwortete: Ich bin entschlossen, den Moḥammad zu tödten. Aber, wie wirst du vor den Banû Hâschim und Banû Zohra sicher sein, wenn du ihn todt schlägst, fragte der Zohrite? ʿOmar erwiderte: Mir scheint, auch du bist zum Çâbier geworden und hast die Religion verlassen, in der du geboren. Der Zohrite sagte: Soll ich dir etwas sagen, was noch sonderbarer ist? — Dein Schwager und deine eigene Schwester [Fâṭima] sind Çâbier geworden und haben deine Religion verlassen. ʿOmar begab sich wüthend zu seinem Schwager [Saʿyd b. Zayd]. Es war gerade ein Gläubiger Namens Chabbâb bei ihm und seiner Frau. Chabbâb verbarg sich, als er ʿOmar's Fuſstritte hörte. ʿOmar trat herein und sprach: Was ist das für ein Gesumme, welches ich soeben vernommen? — Sie hatten nämlich gerade die Sûra Ṭah (das 20ste Kapitel des Ḳorâns) gelesen. — Sie antworteten: Wir haben uns über die Tagesneuigkeiten unterhalten. Ich vermuthe, sagte ʿOmar, ihr seid Çâbier geworden. Und wie, versetzte sein Schwager, wenn die Wahrheit in einer andern Religion als der deinigen wäre? ʿOmar sprang auf ihn zu und gab ihm einen Tritt, und seiner Schwester, welche ihrem Manne zu Hülfe eilte, versetzte er eine tüchtige Ohrfeige. Sie blutete und sprach: Zürnest du mir, o ʿOmar? Aber wenn dennoch deine Religion falsch wäre? — Ich bezeuge, daſs es keinen Gott giebt

---

[1]) Diese Tradition ist alt und ging wahrscheinlich von Moḥammad selbst aus. Sie hat, wie es scheint, die wunderbaren Bekehrungsgeschichten in's Leben gerufen.

aufser Allah und dafs Moḥammad sein Bote ist. ʿOmar verzweifelte, sie von ihrem Glauben abwendig machen zu können und sagte: Gebt mir die Schrift, die ihr habt, auf dafs ich sie lese, ʿOmar hatte nämlich bereits die Bibel gelesen. Seine Schwester antwortete: Du bist unrein, und nur die Reinen dürfen sie berühren. ʿOmar wusch sich, dann nahm er die Schrift und las die Sûra bis zu den Worten: »Ich bin Gott, es giebt keinen Gott aufser mir«. Er rief aus: Führt mich zu Moḥammad. Chabbâb kam nun aus seinem Schlupfwinkel hervor und sprach: Freue dich, ʿOmar, die Fürbitte, welche der Prophet am Donnerstag für dich einlegte, ist wirksam. Er betete nämlich: Stärke den Islâm durch die Bekehrung des ʿOmar b. Chaṭṭâb oder des ʿAmr b. Hischâm (d. h. Abû Ġahl). Der Prophet befand sich in dem Hause [des Arḳam], welches am Fufse des Çafâ-Berges liegt. ʿOmar begab sich dahin und fand Ḥamza und Ṭalḥa und andere Gläubige an der Thür. Die übrigen fürchteten sich vor ihm. Ḥamza aber sprach: Ja, es ist ʿOmar. Wenn ihm Gott wohl will, so bekehrt er sich und folgt dem Propheten, hat er aber andere Absichten, so wird es uns ein Leichtes sein, ihn zu tödten. Der Prophet war im Innern des Hauses und es wurde ihm geoffenbart, was vorging. Er kam daher heraus, nahm ʿOmar beim Kleide und Säbelriemen und sprach: Für dich hat Gott nicht bestimmt, dafs du einen so schrecklichen Lebenswandel führen sollst wie Walyd b. Moghyra. O Gott verherrliche den Islâm durch den Beitritt ʿOmar's! Darauf legte dieser das Glaubensbekenntnifs ab« [1]).

Legenden gehen meistens aus dem Bedürfnisse hervor, eine subjektive Ueberzeugung oder auch eine Thatsache, welche nicht stark genug in die Sinne fällt, durch eine Erzählung recht anschaulich zu machen. ʿOmar wurde

---

[1]) Ibn Saʿd, fol. 231, von al-Ḳâsim b. ʿOthmân Baçry, von Anas b. Mâlik. Aehnliche Traditionen sind auch bei Ibn Isḥâḳ, S. 246, und ʿOyûn alathar, S. 23.

durch die Erhabenheit des Ḳorâns bewogen, dem Islâm beizutreten; um nun dieses recht handgreiflich zu machen, hat ihm ein frommer Traditionist folgende Erzählung in den Mund gelegt [1]): »Ich verliefs mein Haus, um mich dem Propheten zu widersetzen (wohl nur zu disputiren). Er hatte sich vor mir nach der Moschee (der Ka'ba) begeben, wo ich ihn auch traf. Ich blieb stehen und er recitirte den Anfang von Sûra 69. Ich bewunderte die Composition des Ḳorâns und sprach zu mir selbst: Er ist ein Dichter. Er las darauf den Vers: »Er ist nicht ein Dichter; ihr habt wenig Glauben.« Ich dachte: Nein, er ist ein Kâhin, denn er weifs, was ich denke. Darauf fuhr er fort: Dies sind nicht die Worte eines Kâhin, und vollendete dann die Sûra. Nun schlug der Islâm tiefe Wurzeln in mir« [2]).

Diese Tradition ist, dem Inhalte nach zu urtheilen, älter als die vorhergehende. Ibn Isḥâḳ, S. 247, hat eine noch weniger ausgebildete aufbewahrt, welche ebenfalls die Tendenz hat zu zeigen, dafs die Bekehrung des 'Omar der Macht des Ḳorâns zuzuschreiben sei. Dieser zu-

[1]) Sohayly, Abkürz. S. 36, von [Moḥammad b. 'Abd Allah] *Ibn* Sangar, von Abû-l-Moghyra, von Çafwân b. 'Amr, von Schorayḥ b. 'Obayd.

[2]) Es hat sich auch eine andere, von dieser ganz unabhängige Tradition gebildet, welche Baghawy, Tafs. 74, 17 aufbewahrt hat. Dieser zufolge machte der Anfang von Sûra 40 einen so tiefen Eindruck auf Walyd b. Moghyra, dafs man fürchtete, er werde zum Islâm übertreten. Er hatte diese Offenbarung bei der Ka'ba erhorcht, begab sich zu seinen Stammgenossen und drückte seine Bewunderung über dieselbe aus; dann ging er nachdenklich nach Hause. Abû Ġahl eilte ihm nach und bewog ihn, zu seinen versammelten Stammgenossen zurückzukehren. Hier entspann sich das Gespräch, in welchem er und die übrigen Heiden erklärten: Moḥammad ist nicht von Ġinn besessen, er ist kein Kâhin, kein Dichter und kein Lügner. Endlich kam Walyd zum Schlufs, dafs er ein Sâḥir (Zauberer) sei, weil er durch seine Lehre die wunderbarsten Dinge bewirke. Ibn Isḥâḳ versetzt die Erklärung in eine andere Zeit und giebt eine andere Veranlassung an. Ich werde seiner Version der Geschichte

folge war ʿOmar ein lustiger Geselle, der den Wein liebet und seinen Abend gern im Stadtviertel Ḥazwara bei einer Machzûmitischen Familie unter Trinkgenossen zubrachte. Eines Tages fand er sie nicht versammelt, er begab sich in die Schenke, aber auch diese war geschlossen, und so ging er zur Kaʿba. Dort fand er den Moḥammad. Er hatte eine Stellung eingenommen, dafs sein Gesicht gegen die Kaʿba und Syrien (Jerusalem) gekehrt war, und betete so laut, dafs man jedes Wort vernehmen konnte. Seine Andachtsübungen bestanden in der Recitation von Ḳorânstellen. ʿOmar schlich sich unbemerkt näher und verbarg sich hinter dem Tuche, mit dem der Ḥigr bedeckt war, um ihn deutlich hören zu können. Die Worte Gottes, welche er sprach, machten einen solchen Eindruck auf ihn, dafs er ihm, als er sich entfernte, in sein Haus folgte und das Glaubensbekenntnifs ablegte.

Die wohlmeinenden Erfinder dieser Erzählungen scheinen sich wenig in die Verhältnisse der Zeit versetzt und nicht bedacht zu haben, dafs wohl Jedermann im Ḥiǵâz mit einigen Offenbarungen bekannt war und dafs diejenigen, welche Moḥammad von Zeit zu Zeit erhielt, so schnell

---

einen Platz anweisen, obschon sie mir jünger zu sein scheint als jene. Hier will ich jedoch bemerken, Moḥammad habe sich im Ḳorân dagegen verwahrt, dafs er ein Sâḥir sei. Aber Sâḥir ist in dem Sinne von Taschenspieler, Betrüger aufzufassen. Der Schlufs dieser Geschichte hat die Absicht, gestützt auf die Verdrehung des Sinnes der betreffenden Ḳorânstelle, zu zeigen, dafs auch die Ungläubigen schon in früher Zeit die übernatürliche Kraft seiner Inspirationen anerkannten und ihn deswegen Sâḥir (Wundermann) nannten.

Ich werde in Kap. 13 zeigen, dafs die Makkaner wirklich Ursache hatten, einige Ḳorânstücke, welche er um die Zeit der Bekehrung des ʿOmar veröffentlichte, für eine Betrügerei zu halten und dafs Moḥammad es vollends verdiente, Sâḥir (Taschenspieler, Betrüger) genannt zu werden. Vielleicht gehörte die Bekehrung ʿOmar's zu den Erfolgen seines Kunststückchens, und ist dies die Ursache, warum die Tradition seine Bekehrung dem Zauber des Ḳorâns zuschreibt.

in Makka bekannt werden mufsten, als zu seiner Zeit das neuste Lied des Béranger in Paris.

Dafs die Bekehrung des 'Omar nicht so plötzlich und also auch nicht so wunderbar war, als die Volkssage erzählt, geht aus folgendem Berichte der Laylà hervor: »'Omar verfolgte mich und meinen Mann 'Âmir wüthender als irgend ein Anderer. Als wir uns aber zur Abreise nach Abessynien rüsteten und ich schon reisefertig auf dem Kameele safs, kam 'Omar und fragte: Wohin, o Mutter des 'Abd Allah? Ich antwortete: Ihr habt uns unserer Religion wegen so verfolgt und gequält, dafs wir nach dem Lande Gottes hinziehen. Er erwiderte: Möge Gott euch begleiten, und ging fort. Als mein Mann kam, erzählte ich ihm, was vorgefallen, und er sagte: Was ich von dir höre, erfüllt mich mit der Hoffnung, dafs er sich bekehren werde.«

Wenn auch in diesem Berichte gesagt wird, dafs 'Omar ein wüthender Widersacher des Islâms gewesen war, so unterliegt selbst dieses einigem Zweifel. Es scheint vielmehr, dafs 'Omar's Familie nicht Willens war, ihn zu schützen und dafs sein Uebertritt zum Islâm mit Gefahr für sein Leben verbunden war. Er konnte es daher nicht wagen, seinen Glauben öffentlich zu erklären, ehe er sich des Schutzes des Sahmiten 'Âç b. Wâyil versichert hatte, dafs er aber schon vor seinem öffentlichen Uebertritt dem Islâm hold war, geht aus einer Erklärung hervor, die sein Schwager Sa'yd b. Zayd öffentlich auf der Kanzel von Kûfa machte: Es gab eine Zeit, zu der 'Omar mich und meine Frau ('Omar's Schwester) in unserm Glauben stärkte, noch ehe er selbst dem Islâm beigetreten war [1]).

Die Bekehrung einer so hervorragenden Persönlichkeit wie 'Omar versetzte Makka in grofse Aufregung. Sein

---

[1]) Bochâry, S. 546. Diese Nachricht, welche auf sehr guter Auktorität beruht, steht in direktem Widerspruche mit der zuerst erzählten Bekehrungsgeschichte des 'Omar.

Sohn erzählt: »Als sich mein Vater bekehrt hatte, versammelte sich das Volk bei seinem Hause und rief: ʿOmar ist zum Çâbier geworden [1]) [und sie wollten ihn tödten]. Ich war ein Knabe und safs auf dem Hausdache. Da kam ein Mann, der eine Ḳobâ von Atlas anhatte, und sprach: Wohlan ʿOmar ist ein Çâbier geworden — was hat das zu sagen? Ich bin sein Beschützer. Als die Leute dies hörten, entfernten sie sich. Ich fragte, wer der Mann sei, und man sagte mir: der Sahmite ʿÂç b. Wâyil [2]).«

Der Einflufs des ʿOmar auf die kleine Gemeinde der Gläubigen, welche bis dahin höchstens aus zweiundfunfzig Personen bestand, machte sich bald fühlbar. Nach seiner Bekehrung, sagt Ibn Masʿûd, waren wir stets geachtet [3]), und Çohayb [4]) erklärt: nachdem sich ʿOmar bekehrt hatte, bekannten und predigten wir den Islâm öffentlich. Wir wagten es, uns um die Kaʿba herum zu setzen und die als religiöse Handlung betrachteten Gänge um den schwarzen Stein zu verrichten. Wir liefsen es uns nicht mehr länger

[1]) Es wird dem Leser nicht entgangen sein, dafs in den Traditionen, die sich auf die Bekehrung ʿOmar's beziehen, der Ausdruck „zum Çâbier werden" mit Vorliebe gebraucht wird. Dies ist wohl die älteste Tradition, in der dieser Ausdruck vorkommt und er ist dann in allen neuern adoptirt worden.

[2]) Bochâry, S. 545, von Sofyân b. ʿOyayna, von ʿAmr b. Dynâr, von Ibn ʿOmar. Ein Bericht, welcher von der Familie des ʿOmar aufbewahrt wurde, lautet: „Während mein Vater mit Furcht erfüllt im Hause safs, kam der Sahmite ʿÂç zu ihm. Er hatte eine Ḥolla aus Ḥibara und ein mit Seide eingefafstes Ḳamyç an; er gehörte zur Familie Sahm, welche mit uns im Heidenthum verbündet war. Er sprach: Wie ist dir zu Muthe? ʿOmar antwortete: Deine Stammgenossen glauben, dafs sie mich tödten können, weil ich mich zum Islâm bekehrt habe. ʿÂç versetzte: Das ist aufser aller Frage. Als ich dies hörte, sagte Ibn ʿOmar, fühlte ich mich sicher. ʿÂç ging fort und begegnete den Leuten, welche wie ein Wildbach durch das Thal herbeiströmten. Er fragte: Was wollt ihr? Sie antworteten: Es gilt dem ʿOmar, welcher zum Çâbier geworden ist. ʿÂç sagte: Das geht nicht an, und sie kehrten um."

[3]) Bei Bochâry, S. 545.

[4]) Bei Ibn Saʿd, fol. 232.

gefallen, wenn wir grob behandelt wurden, und vergalten womöglich Gleiches mit Gleichem. Ein anderer Zeitgenosse sagt: ʿOmar's Bekehrung war für uns ein Sieg, seine Flucht nach Madyna eine Hülfe und sein Regierungsantritt ein Gottessegen.

Die Gläubigen verliefsen nun das Haus des Arḳam und den Schutz der Machzûmiten und nahmen eine herausfordernde Stellung ein. Es ist kein Zweifel, dafs in diese Zeit (Ende Sommer 617) die Offenbarungen fallen, in welchen Moḥammad es wagt, die Malâ (Aristokratie) anzugreifen [1]). In Sûra 38 [2]) zeigt er, wie ohnmächtig die Malâ vor Gott sei und dafs ihr Spott über die Nichterfüllung seiner früheren Drohungen sie doch am Ende gereuen dürfte, denn wenn es Gott einmal gefalle sie zu strafen, so genüge ein Ruf, sie zu vertilgen:

38, 1. Çâd. Beim Ḳorân, welcher die Mahnung enthält, [schwöre ich, dafs er wahr ist] — doch die Ungläubigen verharren im Uebermuth und Zwispalt [3]).

2. Wie viele Geschlechter haben wir vor ihnen vertilgt! Sie riefen um Gnade, als die Zeit der Rettung vorüber war [4]).

---

[1]) Aus Ḳor. 7, 73 erhellt, dafs viele von dem gemeinen Volke geneigt waren, an Moḥammad zu glauben, dafs sie aber von den Aristokraten zurückgehalten wurden. Diese werden daher der Ränke und Umtriebe gegen Gott beschuldigt.

[2]) Wir haben das directe Zeugnifs des Baghâwy, Tafsyr 38, 3, dafs diese Sûra unmittelbar nach der Bekehrung des ʿOmar geoffenbart wurde. Wenn ich auch dem Baghawy darin beipflichte, so setze ich doch den von ihm erwähnten Gang der Mâla zu Abû Ṭâlib etwas später und halte ihn für eine Folge des in dieser Sûra enthaltenen Angriffes auf die Mâla.

[3]) Nach einigen ist der Sinn: Die, welche im Unglauben verharren, thun es aus Stolz und Widerspenstigkeit, obwohl der Ḳorân voll Ermahnung (oder glorreich) ist. Schiḳâḳ, Zwispalt ist eins der Merkmale der Ethnoi; sie sind im Zwispalt mit ihrem eigenen bessern Wissen, mit Gott und unter sich selbst (vgl. Bd. I S. 471 Note).

[4]) Der Ausdruck des Originals: lâta ḥyn manâç hat den Grammatikern Schwierigkeiten verursacht. Einige sagen, dafs man im

3. Sie sind darüber erstaunt, dafs ein Warner aus ihrer Mitte aufgestanden ist, und die Ungläubigen sagen: Dieser Mann ist ein Taschenspieler und ein Lügner.

4. Wie, er nimmt statt der Götter nur einen Gott an? Dies ist wahrlich eine höchst wunderbare Geschichte!

5. Die Malâ (Aristokratie) von ihnen entfernte sich [von ihrem Boten] und sagte: Geht und bleibt bei euren Göttern; es ist klar, wo man hinaus will (d. i. er strebt nach der Herrschaft);

6. wir haben nichts von dem in der vorhergehenden Kirche gehört [1]). Dies ist alles Machwerk (Lüge),

7. wie, er soll so vor uns bevorzugt sein, dafs ihm die Kündigung geoffenbart wurde! — Sie bezweifeln meine (Gottes) Mahnung; freilich haben sie meine Strafe noch nicht gekostet [die ihnen angekündiget wird; wenn dieselbe sie überfällt, werden sie anders denken].

8. Sind sie vielleicht im Besitze der Schätze der

Dialekt von Yaman lâta für laysa sage, welches im Ḳorân und überhaupt in der Schriftsprache „er ist nicht" bedeutet. Es ist merkwürdig, dafs in allen arabischen Dialekten, die ich gehört habe, dieses bequeme Wort verloren gegangen und durch mû und mûsch (d. i. mâ hûa und mâ hûa schay) ersetzt wird; auch lâ wird jetzt nur noch im Prohibitiv benutzt, während in andern Stellen mâ „nicht" seine Stelle ersetzt. Dennoch kommt lâ in stereotypen Redensarten jetzt noch vor; so sagt man: lâ ädriy, ich weifs nicht, anstatt mâ ä'rif. Wahrscheinlich sind lâ und laysa, wenn sie je in allen Dialekten im Gebrauch waren, mit einander daraus verschwunden. Wie nun das moderne mû aus mâ hû „es ist nicht" entstanden ist, mag auch lâta aus lâhua durch Verhärtung des h in t, die im Arabischen sehr häufig ist (auch umgekehrt, die Erweichung des t in h kommt vor; so habe ich Bedouinen den Euphrat Frâh nennen hören) entstanden sein. Einige nehmen lâ taḥyn manâçon als die richtige Lesart an, und Abû 'Obayda erklärt, dafs dies die Lesart im Codex des 'Othmân sei. In diesem Falle heifst der Satz: „Flucht ist nicht an der Zeit" und im erstern: „dies ist nicht die Zeit der Flucht".

[1]) Es scheint, dafs die Ḳorayschiten sagen wollten: Die Christen erkennen die Engel als Beschützer und Fürsprecher an.

Barmherzigkei deines Herrn, des Erhabenen und Bescherenden [dafs sie glauben, einer von ihnen, den Reichen und Vornehmen, hätte vorzugsweise zum Prophetenthum berufen werden sollen?] [1]).

9. Oder gehört ihnen die Herrschaft der Himmel und der Erde und alles Dessen, was zwischen beiden ist? Wenn dem so ist, so mögen sie auf der Himmelsleiter emporsteigen [und erzwingen, dafs einer von ihnen als Prophet gesandt werde].

10. Aber dort wird jede Legion von Ethnoi in die Flucht geschlagen.

11. Schon vor ihnen hat das Volk des Noah, der Stamm 'Âd und Pharao, reich an Pfählen, die Gottgesandten der Lüge geziehen,

12. wie auch die Thamûdäer, das Volk des Lot und das Volk von al-Ayka. Dieses sind die Ethnoi —

13. ja alle haben sie die Boten der Lüge beschuldigt und meine Züchtigung [welche sie getroffen hat] verdient.

14. Diese (die Ethnoi, denen sich auch die Makkaner anschliefsen) haben in der Regel nur einen Ruf zu erwarten, es bedarf keines zweiten [2]).

15. Sie (die Makkaner) haben gesagt: Herr, schreibe schnell unser Conto noch vor dem Tage der Abrechnung [3]).

16. Höre ihren Spott geduldig und erwähne unsern Diener David, den wir mit Macht ausgestattet haben, weil er sich bekehrte.

Hier folgt die Geschichte des David und Salomon. Es scheint, Moḥammad wollte den Aristokraten zeigen, dafs

---

[1]) Vergl. Ḳor. 43, 31.

[2]) Nach einer andern Erklärung: Darauf folgt keine Pause.

[3]) Moḥammad hatte nämlich in Ḳor. 69, 19 von einer geschriebenen Rechnung gesprochen, worüber sich die Ḳorayschiten lustig machten; vergl. auch Ḳor. 17, 73 und 84, 7.

nicht alle Propheten so elend waren wie er, und dafs auch Könige darunter waren. Am Ende werden aber auch Hiob und andere Propheten genannt.

In einer andern Sûra wiederholt er die Geschichte der vertilgten Städte fast mit denselben Worten, in denen er sie früher erzählt hatte, doch mit dem Unterschiede, dafs diesmal der Hochmuth und die Umtriebe der Aristokraten an dem Unglauben der Einwohner und an der Strafe, die sie befallen hat, schuld sind.

7, 1. Alif, Lâm, Mym, Çâd. [Dies ist] eine Schrift, welche dir geoffenbart worden ist — entferne jede Besorgnifs darüber von deiner Brust — auf dafs du durch dieselbe [die Ungläubigen] warnest, und zur Ermahnung der Gläubigen

2. Folget den an euch erlassenen Offenbarungen eures Herrn und folget nicht andern Rathgebern. — Ihr nehmet die Sache wenig zu Herzen.

3. Wie viele Städte haben wir nicht schon zerstört; und unser Zorn hat sie plötzlich im nächtlichen Schlaf oder während des Mittagsschlummers übereilt.

4. Und wenn unsere Strenge sie befiel, so konnten sie weiter nichts vorbringen als dafs sie sagten: Wir sind wahrlich ungerecht gewesen [1]).

---

[1]) In diesem Verse spricht er von etwas Geschehenem — von einer Strafe, die an ungläubigen Städten vollzogen worden ist — und er droht den Makkanern eine ähnliche, wenn sie dem bösen Rath ihrer Malâ — Fürsten — folgen. Da diese Drohung nicht in Erfüllung gegangen ist, so schaltete er später folgende Verse ein, wodurch die Drohung eine andere Bedeutung erhalten und sich auf den jüngsten Tag beziehen soll:

5. Wir werden Diejenigen befragen, zu denen Boten gesandt worden sind, und auch die Boten;

6. wir werden dann den Boten Kenntnifs [von den Sünden der Völker] mittheilen, denn wir waren nicht abwesend [und wissen was sie gethan].

7. An jenem Tage wird mit Gerechtigkeit gewogen, und wessen Waagschale schwer ist, der geht in die Glückseligkeit ein;

57. So haben wir den Noah zu seinem Volke gesandt und er sprach: O Volk, betet Allah an, denn ihr habt keinen andern Gott als ihn. Ich fürchte wahrlich für euch die Strafe eines ernsten Tages.

58. Die Malâ (Aristokratie) von seinem Volke erwiederte [1]): Wir halten dafür, dafs du in handgreiflichem Irrthum bist [es wird keine Strafe kommen].

59. Er antwortete: O Volk, ich bin nicht im Irrthum: ich bin vielmehr ein Bote des Herrn der Welten.

60. Ich überbringe euch die Botschaften meines Herrn, ertheile euch Rath und weifs von Allah was ihr nicht wisset.

61. Seid ihr darüber erstaunt, dafs euch durch einen Menschen aus eurer Mitte eine Mahnung von eurem Herrn überbracht wird, euch zu warnen [2]), damit ihr gottesfürchtig werdet, und damit ihr auch möglicher Weise Barmherzigkeit findet?

62. Sie ziehen ihn der Lüge. Wir aber haben ihn und die, welche es mit ihm hielten, in eine Arche gerettet, während wir diejenigen, welche unsere Zeichen als Betrug erklärten, ersäuften; denn sie waren ein verblendetes Volk.

63. Und zu den 'Âditen [sandten wir] ihren Bruder Hûd und er sprach: O Volk, betet Allah an; denn ihr

---

8. Diejenigen aber, deren Wagschalen leicht sind, haben ihre Seeligkeit verloren, weil sie wider unsere Zeichen ungerecht gehandelt.

9. Wir haben euch ehedem (vor dem Tage der Abrechnung?) auf der Erde mächtig gemacht und euch mit eurem Unterhalt versehen. Ihr seid aber wenig dankbar.

Darauf folgen Stücke, welche ursprünglich selbstständige Inspirationen bildeten, bei der Zusammenstellung des Ḳorâns aber hier eingeschoben wurden; im Vers 57 endlich finden wir die Fortsetzung des obigen Angriffes auf die Aristokraten.

[1]) „Die einflufsreichen Männer seines Volkes, welche ungläubig waren, sagten etc.“ Ḳor. 23 24—25.

[2]) Vergl. Ḳor. 38, 4. 7.

habt keinen Gott aufser ihm. Wollt ihr denn Gott nicht fürchten?

64. Die Malâ (Aristokratie) von seinem Volke, welche ungläubig war, erwiederte: Wir glauben, dafs du der Thorheit schuldig bist, und halten dich für einen Lügner.

65. Er antwortete: O Gott, ich bin keiner Thorheit schuldig, ich bin vielmehr ein Bote des Herrn der Welten;

66. ich überbringe euch die Botschaften meines Herrn und bin euch ein treuer Rathgeber.

67. Seid ihr darüber erstaunt, dafs euch durch einen Menschen aus eurer Mitte eine Mahnung von eurem Herrn überbracht wird, damit er euch warne? Erinnert euch, dafs er euch als Nachfolger des Geschlechtes Noah eingesetzt und euch mit ungewöhnlicher Leibesgröfse begabt hat. Gedenket der Wohlthaten Gottes, damit ihr gedeihet.

68. Sie antworteten: Bist du zu uns gekommen, auf dafs wir nur Allah anbeten und die Götter verlassen sollen, welche unsere Väter verehrten? Bringe die Strafe über uns, welche du androhest, wenn du zu den Wahrhaftigen gehörest [1]).

69. Er sprach: Verworfenheit und der Zorn eures Herrn ruhen bereits auf euch. Wollt ihr mit mir über Namen streiten, welche ihr und eure Väter [den Gegenständen eurer Anbetung] beilegtet und wozu euch Allah durchaus keine Auktorität gegeben hat? — Wartet nur zu, auch ich warte [auf das Strafgericht].

70. Wir aber haben ihn und die, welche mit ihm hielten, in Folge einer von uns ausgegangenen Gnade gerettet, während wir diejenigen, welche unsere Zeichen als Betrug erklärten, ausrotteten; denn sie waren nicht zum Glauben bestimmt.

71. Und zu den Thamûdäern [sandten wir] ihren Bruder Çâliḥ, und er sprach: O Volk, betet Allah an; denn ihr habt keinen Gott aufser ihm. Es ist zu euch eine von eurem Herrn ausgehende Erleuchtung gekommen. Diese

---

[1]) Vergl. Ḳor. 38, 15.

Kameelin Allah's diene euch zum Zeichen. Lafst sie auf der Erde Gottes fressen und thut ihr nichts zu Leide, sonst wird euch eine peinliche Strafe treffen.

72. Erinnert euch, dafs er euch eingesetzt hat als Nachfolger der Âditen und euch auf der [selben?] Erde eure Wohnorte angewiesen hat. Auf den Ebenen habt ihr Schlösser gebaut und in den Bergen habt ihr Häuser ausgehauen. Gedenket der Wohlthaten Gottes und stiftet nicht Verderben auf der Erde.

73. Die Malâ (Aristokratie), welche unter seinem Volke übermüthig war, sagte zu den Schwachen (Mittellosen), nämlich zu denjenigen von ihnen, welche glaubten: Seid ihr auch versichert, dafs Çâliḥ ein Bote von seinem Herrn ist? Sie antworteten: Wir glauben was er überbringt.

74. Die Uebermüthigen erwiederten: Wir verwerfen das, was ihr glaubet.

75. Sie lähmten die Kameelin [und schlachteten sie], widersetzten sich dem Befehle ihres Herrn und sprachen: o Çâliḥ, bringe nur die Strafe über uns, welche du androhest, wenn du zu den Gottgesandten gehörst.

76. Es ergriff sie das Beben und am Morgen lagen sie als Leichen in ihren Häusern.

77. Er wandte sich von ihnen ab und sprach: O Volk, ich habe euch die Botschaft meines Herrn überbracht und euch meinen Rath ertheilt, aber ihr liebt die Rathgeber nicht.

Bemerkung. Hier folgt die Geschichte des Lot, die wir bereits kennen, vergl. Bd. I S. 494.

83. Und zu den Madyanitern [sandten wir] ihren Bruder Scho'ayb und er sprach: O Volk, betet Allah an, denn ihr habt keinen Gott aufser ihm. Es ist zu euch eine von eurem Herrn ausgehende Erleuchtung gekommen: gebet volles Maafs und Gewicht, verkürzet Niemanden sein Recht und stiftet nicht Verderben auf Erden, nachdem sie verbessert worden ist. Dies wird zu eurem Besten gereichen, wenn ihr zum Glauben bestimmt seid.

84. Und setzt euch nicht auf jeden Pfad drohend und bemüht, den Weg Allah's jenen, welche an ihn glauben, zu versperren und krumm zu machen. Erinnert euch, wie ihr noch wenig zahlreich waret, und er hat euch vermehrt; Sehet was das Ende der Bösewichter war.

85. Wenn ein Theil von euch das glaubt, womit ich gesandt worden bin, und andere nicht glauben, so seid geduldig bis Allah zwischen euch entscheidet, denn er ist der beste Schiedsrichter.

86. Die Malâ, welche übermüthig war unter seinem Volke, sagte: Wir werden dich und die mit dir glauben gewifs aus der Stadt vertreiben, wenn du nicht zu unserer Religion zurückkehrst. Er antwortete: Wie, gegen unsern Willen [sollen wir zurücktreten?]

87. Wir würden uns einer Lüge in Bezug auf Allah schuldig machen, wenn wir zu eurer Religion zurückkehrten, nachdem uns Allah davon befreit hat. Wir können unmöglich zurückkehren, es sei denn, dafs Allah, unser Herr, es wolle. Das Wissen unseres Herrn umfafst Alles, auf Allah vertrauen wir. Herr löse die Schwierigkeiten zwischen uns und unserem Volke in Wahrheit, denn du bist der Beste der Lösenden.

88. Die Malâ, welche unter seinem Volke ungläubig war, sagte zu diesem: Wenn ihr dem Scho'ayb folgt, so büfst ihr ganz gewifs ein beim Handel.

89. Es ergriff sie also das Beben und am Morgen lagen sie als Leichen in ihren Häusern;

90. diejenigen, welche den Scho'ayb des Betruges beschuldigten, waren wie wenn sie nie darin gelebt hätten, und es stellte sich heraus, dafs diejenigen, welche den Scho'ayb des Betruges beschuldigten, im Handel verloren haben.

91. Er wandte sich von ihnen ab und sprach: O Volk, ich habe euch die Botschaften eures Herrn überbracht und euch meinen Rath ertheilt. Wie soll ich mich über ein ungläubiges Volk betrüben.

92. So oft wir einen Propheten in eine Stadt sandten, verhängten wir über die Einwohner Unglück und Mangel, damit sie sich demüthigen sollen;

93. dann sandten wir statt des Schlimmen Gutes bis sie sich grofsen Wohlstandes erfreuten; darum sagten sie: Auch unsere Väter haben Gutes und Böses erfahren. Wir haben sie daher plötzlich ergriffen ehe sie es gewahr wurden.

94. Wenn die Bewohner der genannten Städte geglaubt hätten und gottesfürchtig gewesen wären, so würden wir den Segen des Himmels und der Erde für sie eröffnet haben. Aber sie verharrten im Läugnen und wir bestraften sie ob dessen, was sie damit gewonnen (d. h. wie sie es verdienten).

95. Waren etwa die Bewohner dieser Städte [1]) sicher vor der Möglichkeit einer Strafe, welche sie über Nacht im Schlaf überfalle?

96. Waren die Bewohner dieser Städte etwa sicher vor der Möglichkeit einer Strafe, welche sie um Mittag bei Scherz und Spiel überfalle?

97. Waren sie etwa sicher vor der List Allah's? Niemand wird sich sicher wähnen vor der List Allah's, ausgenommen Leute, welche ihrem Untergange entgegeneilen.

98. Sind Jene (die Makkaner), welchen wir die Erde nach dem Untergang ihrer frühern Bewohner zum Erbe gaben, zur Ueberzeugung gelangt, dafs, wenn wir wollen, wir auch sie ihrer Sünden wegen bestrafen? Wir pflegen ein Siegel auf ihre Herzen zu drücken und sie hören nicht mehr (d. h. wir machen sie verstockt).

99. Zu den Bewohnern jener Städte, von deren Geschichte wir dir bisweilen Mittheilungen machen, waren Bo-

---

[1]) Nach Baghawy ist Makka und die Umgebung unter „Städte" zu verstehen; man müfste also übersetzen: Sind die Bewohner der Städte etc.

ten gekommen mit Erleuchtungen [1]), aber sie waren nicht bestimmt zu glauben, was sie bis dahin geläugnet hatten [2]). So versiegelt (verhärtet) Allah die Herzen der Ungläubigen.

100. Wir haben gefunden, dafs die meisten ihren Verpflichtungen nicht nachkamen. Ja, wir haben gefunden, dafs die meisten Verderben stifteten.

101. Nach diesen Propheten sandten wir den Moses mit unsern Zeichen (Offenbarungen) zu Pharao und seiner Malâ, sie aber verwarfen sie. Sieh, was die Verderbenstifter für ein Ende nahmen!

102. Moses sprach: O Pharao, ich bin ein Bote vom Herrn der Welten.

103. Es geziemt sich daher, dafs ich in Bezug auf Allah nur die Wahrheit rede. Ich bin mit einem Beweise von eurem Herrn ausgerüstet: Entlasse die Kinder Israel mit mir. Pharao erwiederte: Wenn du mit einem Zeichen ausgestattet bist, lafs es sehen, so du die Wahrheit sprichst.

104. Er warf seinen Stab hin, und dieser wurde zur unverkennbaren Schlange.

105. Dann zog er die Hand [aus dem Busen] hervor, und die Anwesenden sahen, dafs sie weifs war.

106. Die Malâ des Volkes des Pharao sagte: Dies ist ein geschickter Zauberer (Taschenspieler).

107. Er will euch aus eurem Lande vertreiben. Was beschliefst ihr?

108. Sie sagten [zu Pharao]: Bestelle ihn und seinen Bruder auf später. Schicke inzwischen Leute in die Städte,

109. welche alle geschickten Zauberer zusammenrufen und zu dir bringen.

110. Die Zauberer stellten bei Pharao sich ein und

---

[1]) Die Commentatoren verstehen Wunder unter „Erleuchtungen."

[2]) Nach Yamân b. Rabbâb's Auffassung, müfsten wir übersetzen: Und jedes Volk läugnete, was ihre vertilgten Vorgänger geläugnet hatten. Diese Auffassung scheint mir richtig zu sein, denn Mohammad hält die Ethnoi aller Zeiten für ein und dasselbe Gezücht.

sprachen: Wir erhalten gewifs eine Belohnung, wenn wir siegreich sind.

111. Pharao antwortete: Ja, und ihr werdet bei mir hoch in Gnade stehen.

112. Sie sprachen: O Moses, willst du den [Stab] hinwerfen oder sollen wir zuerst werfen?

113. Er antwortete: Werfet! Als sie geworfen hatten, bezauberten (täuschten) sie die Augen der Menschen und erfüllten sie mit Entsetzen. Sie vollbrachten einen grofsen Zauber.

114. Wir offenbarten dem Moses: Wirf deinen Stab hin! und siehe, er verschlang ihre Gaukelei.

115. Die Wahrheit hielt Stich, und ihr Thun war vereitelt.

116. Sie waren überwunden und zogen sich gedemüthigt zurück.

117. Die Zauberer warfen sich anbetend auf's Angesicht nieder und sprachen:

118 Wir glauben an den Herrn der Welten,

119. den Herrn des Moses und Aaron.

120. Pharao sprach: Wie, ihr glaubet, ehe ich es euch erlaube? Dies ist eine List, die ihr in der Stadt ersonnen habt, um die Einwohner daraus zu vertreiben. Aber ihr werdet sehen.

121. Ich lasse euch einerseits die Hände und andrerseits die Füsse abhauen und dann kreuzige ich euch alle an Palmenstämmen.

122. Sie antworteten: Wir werden dann zu unserm Herrn zurückkehren;

123. denn du rächst dich an uns, blofs weil wir an die Zeichen unsers Herrn glauben, nachdem sie uns kund geworden. Herr, verleihe uns Geduld und lafs uns als Moslime (dir ergeben) sterben.

124. Die Malâ des Volkes des Pharao sagte: Willst du den Moses und sein Volk Unheil auf Erden stiften lassen? Er wird dich und deine Götter verlassen. Pharao antwortete:

Wir wollen ihre Söhne tödten und ihre Töchter am Leben lassen. Wir haben sie ja vollends in unserer Macht.

Bem. Man sieht deutlich, dafs er in V. 119—122 die Geschichte nacherzählt, wie er sie gehört hatte; in V. 124 erwähnt er dieselbe Thatsache noch einmal auf seine Situation angepafst. In dieser Redaktion der Geschichte des Moses ist die Malâ feindlich gegen ihn; in einer andern (vergl. Kap. 12) ist sie seiner Religion hold.

125. Moses sprach zu seinem Volke: Rufet Allah um Hülfe an und seid geduldig, denn die Erde gehört Allah, und er bestimmt sie für wen er will von seinen Dienern zum Erbe, und am Ende werden die Frommen Meister.

126. Sie antworteten: Wir sind gepeinigt worden, ehe du zu uns kamst und nachdem du kamst. Er sagte: Vielleicht wird euer Herr eure Feinde vertilgen und euch auf Erden zu ihren Nachfolgern machen. Er wartet nur ab, wie ihr euch benehmt.

127. Wir hatten die Leute des Pharao bereits mit unfruchtbaren Jahren und Mangel an Früchten heimgesucht, auf dafs sie in sich gehen sollten.

128. Als ihnen wieder Gutes widerfuhr, sagten sie: Dies ist unser (so gehört es sich). Wenn ihnen aber Böses widerfuhr, so hielten sie den Moses und die mit ihm waren für Unglücksvögel. Aber ihr Schicksal stand bei Allah — die meisten jedoch wissen es nicht.

129. Sie (die Aristokraten) sagten: Was für Zeichen du uns immer bringen magst, uns zu täuschen, wir glauben dir doch nicht.

130. Darum schickten wir über sie die Fluth, die Heuschrecken, Ungeziefer, Frösche und Blut als deutliche Zeichen. — Sie aber beharrten in ihrem Hochmuthe, und benahmen sich als ein verbrecherisches Volk.

131. Als sie diese Plagen befielen, sprachen sie zu Moses: Bitte deinen Herrn, das zu thun, was er nach deinem Vorgeben gelobet hat, und wenn du uns von der Plage befreit hast, wollen wir an dich glauben und die Kinder

Israel mit dir entlassen. Nachdem wir aber die Plage von ihnen einstweilen, bis ihre Zeit kommen würde, weggenommen hatten, brachen sie ihr Wort.

132. Wir rächten uns an ihnen und ertränkten sie im Meere; weil sie unsere Zeichen als Trug angesehen und gleichgültig dagegen gewesen waren.

133. Und wir gaben dem Volke, das sie erniedrigt hatten, den Osten der Erde und den Westen, worüber wir unsern Segen ausgossen. So wurde das gnadenreiche Wort deines Herrn an den Kindern Israel erfüllt, weil sie ausdauernd [unter den Verfolgungen] waren; und wir zertrümmerten das, was Pharao und sein Volk gethan hatten und auch ihre Bauten.

Ich schliefse hier meine Auszüge aus dieser Sûra, weil darin die Malâ und ihr Uebermuth ferner nicht erwähnt werden und weil die Fortsetzung wegen der zahlreichen madynischen Einschiebsel kritische Erörterungen nöthig macht, welche an einen andern Platz gehören. Um die Tendenz dieser Stelle vollends zu verstehen, ist es nöthig, in Kap. 12 die Bemerkungen über Prädestination, über die Hungersnoth und den darauf folgenden Wohlstand in Makka nachzulesen.

Die Situation des Moḥammad spiegelt sich gewöhnlich in den den Boten Gottes und ihren Feinden in den Mund gelegten Worten am deutlichsten ab; die Erzählung selbst ist meistens so, wie er sie gehört hatte. Folgende in Sûra 10 enthaltene Offenbarung ist überaus bezeichnend für die Lage der Moslime, als sie, den Aristokraten trotzend, aus dem Hause des Arḳam hervortraten. In Vers 83 wird gesagt, dafs nicht alle Israeliten an Moses glaubten. Geiger findet diese Einzelheit in den jüdischen Quellen wieder, denn es heifst in den Midr. Rab. zu 2 M. Par. 5 (bei Geiger S. 160): »Der Stamm Levi war frei von harter Arbeit«. Gleichviel ob wirklich die Rabbiner schon vor Moḥammad die Behauptung, dafs die Leviten allein an Moses glaubten, aufgestellt hatten, oder ob erst Moḥammad auf den Einfall kam, er wufste den Umstand sehr gut zu benutzen.

»Trauet auf Gott und seid Moslime und er wird euch nicht verlassen!« läfst er Moses seiner kleinen Schaar von Gläubigen zurufen. Nirgends im Ḳorân wird die Furcht der Aristokraten, dafs Moḥammad sich über sie erheben wolle, so klar ausgesprochen wie in V. 79. Er verdammt daher ihren Uebermuth, wie in andern in dieser Periode entstandenen Offenbarungen.

10, 76. Dann sandten wir nach ihnen (andern Boten) den Moses und Aaron zu Pharao und seiner Malâ mit unsern Zeichen (Offenbarungen); sie aber waren übermüthig und benahmen sich wie ein lasterhaftes Volk.

77. Nachdem also die von uns ausgehende Wahrheit zu ihnen gekommen war, sagten sie: Dieses ist wahrlich handgreifliche Zauberei (Betrug).

78. Moses antwortete: So sprecht ihr von der Wahrheit, nachdem sie zu euch gekommen ist? Wie, dieses ist Zauberei? Die Zauberer (Betrüger) gedeihen nicht.

79. Sie erwiderten: Bist du zu uns gekommen, um uns von der Ueberzeugung abwendig zu machen, in der wir unsere Väter gefunden haben? Ihr beide würdet euch emporschwingen im Lande, und wir sind daher nicht gesonnen, an euch zu glauben.

80. Pharao sagte: Bringt jeden geschickten Zauberer zu mir. Als sich die Zauberer eingestellt hatten, sprach Moses zu ihnen: Werfet hin, was ihr hinzuwerfen gedenket.

81. Nachdem sie [ihre Stäbe] hingeworfen hatten, sagte Moses: Euer Werk ist Zauber (Gaukelei). Allah wird ihn vereiteln, denn Allah begünstigt nicht die Werke der Verderber.

82. Allah bestätiget die Wahrheit mit seinen Worten, wenn es die Lasterhaften auch mifsbilligen.

83. Es glaubte an Moses nur ein Stamm aus seinem Volke, die andern fürchteten, Pharao und seine Malâ würden sie quälen. Pharao stand wahrlich hoffärtig im Lande, und er war einer der Zuweitgehenden.

84. Moses sprach: Wenn ihr an Gott glaubet, so baut ihr auch auf ihn, wenn ihr euch wie Moslime benehmet.

85. Sie antworteten: auf Allah setzen wir unser Vertrauen. Herr, gieb uns nicht der Verfolgung eines Volkes von Unterdrückern preis [1]),

86. rette uns durch deine Barmherzigkeit von diesem ungläubigen Volke.

87. Wir offenbarten dem Moses und seinem Bruder: Errichtet Häuser für euer Volk in Egypten und stellt sie so, dafs sie gegen die Ḳiblah sehen und verrichtet das Gebet. Bringe zugleich den Gläubigen freudige Botschaft.

88. Moses sprach: O Herr, du hast dem Pharao und seinen Fürsten Schmuck und Reichthum in diesem Erdenleben verliehen, damit sie, o Herr, deinen Weg verfehlen sollen. Herr, vernichte ihre Reichthümer und verhärte ihre Herzen, und sie werden auch dann nicht glauben, ehe sie die peinliche Strafe sehen [und ihr nicht mehr entgehen können].

89. Gott antwortete: Ich habe eure Bitte erhört. Seid standhaft und folget nicht dem Wege der Unwissenden.

90. Die Kinder Israel führten wir durch das Meer. Pharao und seine Legionen folgten ihnen in Frevel und Feindschaft, bis die Fluth über sie hereinbrach. Da sagte Pharao: Ich glaube, dafs es keinen Gott giebt aufser demjenigen, an welchen die Kinder Israel glauben und ich bin einer der Moslime (der Ihm Unterwürfigen).

91. Jetzt glaubst du, früher aber warst du widerspenstig und einer der Verderbenstifter!

92. Heute wollen wir dich retten mit deinem Körper [2]), auf dafs du ein Zeichen seiest [von der Macht des Glaubens] für die nach dir, denn viele Menschen kümmern sich nicht um unsere Zeichen [3]).

---

[1]) Wörtlich: Mache uns nicht zur Versuchung dieses ungerechten Volkes, d. h. lafs nicht zu, dafs sie sich an uns versündigen.

[2]) Dem Baghawy zufolge ist nur der Leichnam auf das Ufer geworfen worden, nach Geiger aber hat er Gnade gefunden.

[3]) Folgender Vers scheint mir ein Zusatz zu sein, aus der Zeit, zu der Moḥammad feindlich gegen die Juden geworden war:

Die Hauptabsicht, warum Moḥammad diese Version der Geschichte des Moses verfaſste, war, seinen Widersachern den Unterschied zwischen Offenbarung und Siḥr (Zauberei, Gaukelei, Betrug) anschaulich zu machen. Im dreizehnten Kapitel wird der Betrug, dessen er sich um diese Zeit schuldig machte, nachgewiesen werden: er gab Geschichten, die ihm ein Vertrauter erzählte, als Offenbarungen und die Kenntniſs derselben als Beweis seiner Inspiration aus. Wir haben schon in den Legenden über die Bekehrung des ʿOmar gesehen, daſs die Tradition Moḥammad's Verwahrung gegen Siḥr in diese Periode verlegt. Er giebt sich aber nirgends so viel Mühe, diesem Vorwurf zu begegnen als in dieser Stelle.

Die Volkssage hat diese Verwahrungen recht schön benutzt. Obschon Siḥr im Ḳorân in den meisten Fällen Taschenspielerei, Betrug bedeutet, hat sie das Wort in dem Sinne von Zauberkunst genommen und dadurch ein Mittel gefunden, den Propheten als einen Wundermann darzustellen [1]):

»Mehrere Ḳorayschiten versammelten sich bei Walyd

---

93. Wir haben einst den Kindern Israel einen Aufenthaltsort des Wohlwollens als Wohnstätte angewiesen und ihnen gute Dinge zur Nahrung gegeben. Sie waren auch nicht in Meinungsverschiedenheit bis ihnen das Wissen zu Theil geworden war. Aber dein Herr wird zwischen ihnen die streitigen Fragen am Tage der Auferstehung entscheiden.

Unter dem Wissen, welches die Ursache des Zwiespalts wurde, verstehen die Commentatoren die Offenbarung des Moḥammad. Vielleicht bezieht sich der Vers auf einen Irrthum des Moḥammad. In früheren Ḳorânstellen behauptete er, daſs Gott den Israeliten das Land Egypten zum Erbe gegeben habe. Ueber diesen Irrthum mochte er von seinen Feinden zurechtgewiesen worden sein und nun drückt er sich über diesen Punkt unbestimmt aus und behauptet, daſs früher alle Juden die gleiche Ansicht gehabt, jetzt aber nachdem Gott gesprochen, hätten einige ihre Ansicht geändert.

[1]) Es war jedoch die Bedeutung von Siḥr den Exegeten nicht unbekannt. Baghawy bemerkt zu Ḳor. 7, 113: اى صرفوا اعينهم عن ادراك حقيقة ما فعلوه من التمويه والتخييل وهذا هو السحر

b. Moghyra, welcher schon seines Alters wegen eine hohe Stellung unter ihnen einnahm, und er richtete folgende Worte an sie: Es nähert sich die Zeit des Pilgerfestes und es werden Leute von verschiedenen Stämmen hierher kommen. Sie haben von Mohammad gehört, und es ist also besser, dafs wir alle dieselbe Aussage über ihn machen, damit nicht einer dem andern widerspreche. Sie erwiderten: Es ist deine Aufgabe zu entscheiden, was wir über ihn sagen sollen; gib deine Meinung zum besten, wir wollen horchen. Er fuhr fort: Nein, sprecht ihr, und ich will horchen. Sie sagten: Wir wollen sagen, er ist ein Kâhin (vergl. Bd. I S. 255). Er antwortete: Nein, bei Gott, er ist kein Kâhin. Wir haben Kâhine gesehen, er aber murmelt und reimet nicht wie sie. Sie sagten: Wir wollen behaupten, er ist mağnûn (besessen, verrückt). Jener antwortete: Er ist nicht mağnûn. Wir haben Mağnûne gesehen, aber er hat nicht jenes Ersticken, Irrereden und Flüstern an sich. Sie sagten: Er ist ein Dichter. Er antwortete: Er ist kein Dichter; wir kennen alle Dichtungs- und Versarten und keine entspricht seinen Worten. Sie sagten: Er ist ein Zauberer. Er antwortete: Er ist kein Zauberer; wir kennen die Zauberer und ihr Blasen und Knotenbinden. Sie fragten ihn, welche Aussage sie machen sollten. Er antwortete: Seine Worte sind voll Süfsigkeit und der Inhalt voll Frische, und daher, was ihr immer sagen möget, wird sich als falsch erweisen. Es ist doch am besten, wir sagen: er ist ein Zauberer, denn seine Worte üben wirklich Zauber; sie trennen Mann von Frau, Vater von Sohn, Sohn von Vater und Bruder von Bruder. Sie einigten sich dahin, ihn für einen Zauberer zu erklären, und als die Pilgrime kamen, thaten sie es auch.«

Das Thatsächliche in der Erzählung ist wohl, dafs sie seinen Sihr (Betrug) hinsichtlich der Quellen, aus denen er die biblischen Legenden geschöpft hatte, aufdeckten und so weit bekannt machten als möglich. Vgl. Note S. 89 dieses B.

Anhang zum neunten Kapitel.

Die Feinde des Islams.

Unter den makkanischen Familien war die der Omayyiden, aus der später die Chalyfen, welche zuerst in Damascus und dann in Spanien regierten, hervorgingen, bei Weitem die angesehenste. Ihr Schaych Abû Sofyân war ein kluger, gemäfsigter und würdevoller Mann. Die neue Lehre erfüllte ihn mehr mit Verachtung als mit Entsetzen. Er beobachtete daher gegen Moḥammad die äufseren Formen herablassender Artigkeit, intriguirte aber im Stillen gegen ihn und gab den seiner Familie angehörigen Anhängern des Islâms nur wenig Schutz. Die Klagen, welche Moḥammad im Ḳorân über die Hinterlist seiner Gegner ausstöfst, scheinen besonders gegen Leute von dessen Schlage gerichtet zu sein.

Es befindet sich eine kurze Schmäh-Sûra im Ḳorân, welche von den Commentatoren auf verschiedene Personen bezogen wird [1]. Sie pafst aber am besten auf Abû Sofyân, dessen Name, da der Geschmähte zur Hölle verdammt wird, Abû Sofyân aber als Moslim starb, von den Exegeten nicht genannt werden konnte:

104,1. Wehe jenem Verläumder, welcher seine Umtriebe verhehlt,
2. Schätze gesammelt und gezählt
3. und darauf rechnet, dafs sein Reichthum ihn unsterblich erhält;
4. wir aber schleudern ihn in das Ḥoṭame.
5. Weifst du auch was ist das Ḥoṭame?
6. Es ist Allah's brennende Flamme,
7. welche über die Herzen schlägt zusammen

[1]) Ibn Isḥâḳ, S. 234, bezieht sie auf Omayya b. Chalaf Ġomaḥy; Kalby, bei Baghawy, auf Achnas b. Scharyḳ; Moḳâtil, ebendaselbst, auf Walyd b. Moghyra, und Moġâhid auf alle Verläumder des Propheten.

8—9. und wie ein Gewölbe auf hohen Säulen sie umschliefst[1]).

Ḥâkim b. Abû-l-Âç b. Omayya, der Ahnherr der Marwânischen Chalyfen, stand in dieser Familie dem Abû Sofyân am nächsten an Ansehen[2]), übertraf ihn aber an Rachsucht und Verfolgungsgeist. Er war vielleicht der einzige, der es wagte, seine Verachtung gegen Moḥammad, selbst nachdem er durch die Einnahme von Makka den Islâm anzunehmen gezwungen war, an den Tag zu legen. Moḥammad verwies ihn dafür nach Ṭâyif, wo er A. H. 32 starb.

'Otba und sein Bruder Schayba hatten nebst einem bedeutenden Vermögen grofsen Einflufs von ihrem Vater Raby'a b. 'Abd Schams ererbt, welcher sich nicht nur über ihre mit den Omayyiden innigst verbundene Familie, die Banû 'Abd Schams, sondern auf die ganze Makkanische Republik ausdehnte. 'Otba war daher ihr Feldherr in den zwei wichtigsten Kriegen, die zu seiner Zeit geführt wurden — in dem von Fiğâr und in dem von Badr. Diese zwei Brüder waren von milder Gemüthsart und wurden vielmehr durch ihre Position als durch ihre Ueberzeugung verleitet, dem Propheten zu opponiren. Wenn sie sich ihm auch feindlich entgegenstellten und am Ende im Kampfe gegen ihn fielen, so hat doch ihre Unentschlossenheit seiner Sache grofsen Vorschub geleistet, und es scheint, dafs sie halb von seiner Sendung überzeugt waren.

Die Familie der Asaditen stand der Familie 'Abd Schams nahe. Unter ihren Mitgliedern waren Abû-l-Bachtary 'Âç b. Hischâm b. Ḥârith b. Asad und Aswad b. Moṭṭalib b. Asad b. 'Abd al-'Ozzà Abû Zam'a wie durch Einflufs so auch durch Feindschaft gegen die neue Religion am hervorragendsten.

Die Machzûmiten übertrafen an Reichthum und numerischer Stärke alle andern makkanischen Familien, standen aber an Adel hinter den genannten zurück. Ihr Oberhaupt Walyd b. Moghyra b. 'Abd Allah b. 'Omar b. Machzûm ist uns schon bekannt: er war einer der frühesten und entschiedensten Feinde des Islâms, dabei aber ritterlich und nicht ohne Bildung. Er nahm daher mehr darauf Bedacht, seine Mitbürger von der neuen Religion abzuhalten, als durch einen Eingriff in die persönlichen Rechte der Moslime, sie im Keime zu ersticken. Statt physische Macht zu gebrauchen, schlofs er Leute

[1]) Ungefähr um das Jahr 619 erfand Moḥammad eine Anzahl von Namen für die Hölle, darunter der hier, sonst aber nirgends im Ḳorân gebrauchte, Ḥoṭame. Den Lexicographen zufolge ist die ursprüngliche Bedeutung von Ḥoṭame ein heftiges Feuer.

[2]) Vielleicht gebührte diese Ehre dem Abû Oḥayḥa 'Abd Allah. Es wird von ihm erzählt: Wenn er eine besondere Art von Turban wählte, so wagte es Niemand in Makka einen eben solchen zu tragen. Sein Sohn Oḥayḥa starb im Fiğârkrieg. Vier von seinen Söhnen bekehrten sich zum Islâm, nämlich Abân, Châlid, 'Amr und al-Ḥakam. Sein Sohn Âç fiel bei Badr gegen Moḥammad.

von Talent, Kenntnissen und Erfahrung an sich, wie Omayya b. Aby Çalt und Nadhr b. Ḥârith, und bemühte sich, die Widersprüche und den Betrug des Moḥammad aufzudecken und ihn in den Augen vernünftiger Menschen verächtlich und lächerlich zu machen, das gemeine Volk aber beschwichtigte er durch sein Ansehen und durch materielle Vortheile. Wir haben gesehen, daſs Walyd der erste war, welcher auf die Gefahr aufmerksam machte, die ihm von den Prätensionen des Moḥammad unzertrennlich erschienen, und die Makkaner davon zurückhielt, denselben als Propheten anzusehen. Moḥammad hat daher in mehreren Stellen des Ḳorâns das Verdammungsurtheil gegen ihn ausgesprochen, besonders aber in folgenden Versen, welche auf mich den Eindruck machen, als wäre sein Groll aus gescheiterten Unterhandlungen entstanden:

74, 11. „Laſst mich allein mit dem, welchen ich einzig erschaffen (d. h. vor andern Menschen ausgezeichnet) habe [1]).

12. Ich habe ihm groſse Reichthümer

13. und Söhne gegeben, die nicht in die Fremde zu gehen nöthig haben,

14. ich habe ihm das Leben recht bequem gemacht,

15. dennoch wünscht er mehr Segen.

16. Aber er soll ihn nicht haben, denn er ist ein Widersacher unserer Zeichen [Offenbarungen].

17. Ich will ihn eine Anhöhe hinauftreiben (d. h. Schwierigkeiten in den Weg legen) [2]);

18. denn er hat gesponnen und gesonnen [wie er unsere Zeichen lächerlich machen soll].

19. Zum Henker! was hat er ersonnen?

20. Noch einmal: Zum Henker! was hat er ersonnen?

21. Er hat [die Zeichen oder Offenbarung] angesehen,

22. die Stirn gerunzelt und ein saures Gesicht gemacht,

23. dann hat er aus Hochmuth den Rücken gewendet

24. und gesagt: Dies ist nichts als ein auswendig gelernter Zauber [3])

---

[1]) Walyd wurde Waḥyd, der „Einzige“ oder „Ausgezeichnete“ geheiſsen; darauf bezieht sich dieser Vers.

[2]) Dieser Ḳorânvers hat zu einem Mythus Anlaſs gegeben, der uns an die Mythologie der Griechen erinnert. Kalby sagt, diese Anhöhe ist ein Fels in der Hölle, auf den er hinaufklimmen muſs, und man läſst ihm nicht Zeit Athem zu holen. Er wird mit eisernen Ketten vorwärts gezogen und von rückwärts mit eisernen Hacken geschlagen. In vierzig Jahren erreicht er die Spitze, gleitet hierauf wieder hinunter und muſs dann wieder beginnen, ihn zu besteigen.

[3]) Zauberei, Siḥr, wird hier mit Poesie erklärt. Siḥr ḥalâl „erlaubte Zauberei“ bedeutet allerdings Poesie, aber ich zweifle, ob der Ausdruck so alt ist. Hier heiſst Siḥr wohl so viel als Betrug, Taschenspielerei. Der Betrug bestand, wie bereits erwähnt, darin, daſs Moḥammad's Erzählung, welche ihm heimlich mit-

25. und Menschenwort.
26. Aber ich will ihn in das Saḳar stürzen.
27. Weifst du was das Saḳar ist? [1])
28. Was darin ist dauert nicht und bleibt nicht unberührt,
29. es frifst die Haut
30. und Neunzehn (Wächter) haben die Aufsicht.

Die Makkaner machten sich lustig über die kleine Anzahl von Wächtern der Hölle. Der Ġomaḥite Abû-l-Aschadd (Osayd oder Asad b. Kalda b. Chalaf) erklärte, er wolle allein mit siebzehn von ihnen fertig werden und hoffe, dafs es doch Jemand mit den übrigen beiden aufnehmen werde. Auch Abû Ġahl glaubte, dafs neunzehn Wächter gegen die muthigen Ḳorayschiten nichts ausrichten könnten. Moḥammad versichert seine Gegner in folgender würdevollen Antwort, dafs seine Angabe auch in den Büchern der Schriftbesitzer vorkomme, und erhebt seine Kenntnifs derselben zum Beweis seiner Mission. Er legt ihnen zugleich an's Herz, dafs die Wächter Engel seien, mit welchen nicht so leicht zu kämpfen ist.

74, 31. Die Wächter der Hölle sind alle Engel. Wir haben ihre Zahl so festgesetzt, auf dafs sie ein Aergernifs sei für die Ungläubigen und andererseits, um den Schriftbesitzern Vertrauen einzuflöfsen [auf die Wahrheit des Prophetenthums des Moḥammad, denn diese Zahl wird auch in ihren Büchern angegeben] und um die Ueberzeugung der Gläubigen zu stärken,

32. und auf dafs [indem diese Wahrheit wieder geoffenbart wird]

---

getheilt worden war, für Offenbarung ausgab; daher „auswendig gelernter Zauber.“ Mehr über diesen Gegenstand in Kap. 13.

[1]) Saḳar kommt wahrscheinlich vom Lateinischen Sacrum. Es kommt aufserdem noch in dem bereits erwähnten Vers 54, 48 und auch in folgender Inspiration vor:

74, 41. Jede Seele haftet für das, was sie gethan hat, aufser die Genossen der Rechten [d. h., nach der Erklärung des Moḳâtil, diejenigen, welche für die Seeligkeit bestimmt sind].
42. Sie werden in Gärten wohnen und die Bösen fragen:
43. Was hat euch in das Saḳar gebracht?
44. Diese antworten: Wir haben nicht gebetet
45. und die Armen nicht gespeist;
46. wir grübelten mit den Grüblern
47. und wir läugneten den Tag des Gerichtes,
48. bis es zu spät war (wörtlich: bis uns die Gewifsheit — d. h. der Tod — kam).
49. Fürsprache wird ihnen nichts fruchten.

Die Ideen, die Ausdrücke (wie: die Genossen der Rechten) und auch die Darstellung dieser Inspiration stimmen mit Sûra 54, 80 und 90 überein. Da nun die zwei erstgenannten Inspirationen im Jahre 621 geoffenbart worden sind, so versetze ich auch Sûra 74 in das Jahr 620—621.

den Schriftbesitzern und den Gläubigen durchaus kein Zweifel übrig bliebe [dafs wirklich Neunzehn sind] [1]).

Abû-l-Aschadd b. Kalda wird für die Prahlerei mit seiner körperlichen Kraft und Freigebigkeit in folgender Offenbarung zurechtgewiesen:

90,1. Ich brauche nicht bei diesem Orte (Makka) zu schwören,
2. — du bist vogelfrei (schutzlos) in diesem Orte —
3. noch beim Erzeuger (Adam) und denen, die er erzeugt hat,
4. dafs wir den Menschen zu Mühseligkeiten erschaffen haben.
5. Glaubt er dennoch, Niemand könne seiner Herr werden?
6. Er sagt: Ich habe viel Geld verschwendet (als Almosen ausgegeben).
7. Glaubt er denn, Niemand hat ihn gesehen (und weifs, dafs er nur prahlt)?
8. Haben wir ihm nicht zwei Augen gegeben,
9. und eine Zunge und zwei Lippen?
10. Haben wir ihn nicht zu den zwei Anhöhen geführt? [2])
11. Er hat sich aber nicht an die Ecke (den steilen Weg der hinaufführt) gemacht.
12. Weifst du auch, was die Ecke sei?
13. Das Befreien eines Gefangenen,
14. 15. oder zur Zeit der Noth eine anverwandte Waise zu nähren,
16. oder einen nothleidenden Mann.
17. [Wenn er diese Höhe erklimmt] sei er auch einer von denen, die glauben, die sich einander Geduld und Milde empfehlen:
18. dies sind Genossen der Rechten;
19. diejenigen aber, welche an unsere Zeichen nicht glauben, sind Genossen der Linken.
20. Ueber die schlägt das Feuer zusammen.

Derselben Familie gehörten zwei Brüder, Ḥârith und Abû Ġahl, Söhne des Hischâm b. Moghyra, an. Sie waren von sehr verschie-

---

[1]) Ich glaube, dafs ursprünglich die Offenbarung hier endete. Wie es scheint, haben nachgehends auch Schriftbesitzer (Juden?), „in deren Herzen eine Krankheit nistete", die Thatsache in Abrede gestellt, und Moḥammad fand sich veranlafst, sie in folgenden Versen als ein Gleichnifs oder, wie Swedenborg gesagt haben würde, als eine Entsprechung zu erklären:

33. Und auf dafs diejenigen, in deren Herzen eine Krankheit nistet, und die Heiden sagen: Was will Gott mit diesem Gleichnisse?

34. Auf diese Art führt Gott irre, wen er will und leitet den rechten Weg, wen er will. Niemand kennt die Heerschaaren deines Herrn, als er selbst. Das Gesagte ist blofs zur Ermahnung für die Menschheit bestimmt.

[2]) Es wird durch Scheideweg zwischen dem Guten und Bösen erklärt. Mir kommt es vor, dafs der Vers bedeutet: Wir haben ihm Gelegenheit gegeben, die zwei Cardinal-Tugenden: Freigebigkeit und Gastfreundschaft, zu üben.

dener Gemüthsart. Abû Ġahl zeichnete sich durch seine Unwissenheit (daher sein Spitzname Abû Ġahl, d. h. Vater der Thorheit) und Leidenschaftlichkeit aus. Er benutzte jede Gelegenheit, den Propheten und seine Anhänger zu beschimpfen und rächte seine Wuth an Sklaven und schwachen Weibern. Dieser Haynau war es, der die Somayya auf die schimpflichste Weise tödtete, indem er ihr durch die Schaamtheile eine Lanze in den Leib stiefs.

Die Legende erzählt von ihm:

„Einst sagte er zu den Ḳorayschiten: Soll ich das Gesicht des Moḥammad niederdrücken und es besudeln? Sie antworteten: Thue es. Er sprach: Wenn er wieder betet und sich prosternirt, packe ich ihn bei dem Genick und reibe sein Angesicht in den Staub. Als Moḥammad zur Ka'ba kam, um seine Andachtsübungen zu verrichten, wollte jener sein Vorhaben ausführen, aber eine übernatürliche Macht hinderte ihn" [1]). Darauf bezieht sich:

96, 9. Was hältst du von jenem Menschen, welcher hindert

10. einen Diener Gottes, wenn er betet?

11. was hältst du von ihm, wenn es sich herausstellt, dafs dieser (der Diener Gottes) geleitet wird

12. und die Frömmigkeit empfiehlt?

13. was hältst du von ihm, wenn er ihn als Lügner verschreit und sich wegwendet?

14. Weifs er denn nicht, dafs Gott auch sieht.

15. Allein, wenn er nicht aufhört, so packen wir ihn bei seinen Locken [2]).

16. bei seinen lügenhaften, sündlichen Locken.

17. Dann mag er seine Freunde anflehen,

18. wir aber werden die Zabâny (Schergen) herbeirufen.

19. Hingegen du mufst ihm nicht folgen, sondern dich prosterniren und Gottes Gunst erwerben.

Solche Rohheit mufste einen höchst nachtheiligen Eindruck machen und dem Moḥammad eher nützen als schaden. Wir finden daher, dafs Abû Ġahl's Ansehen bei der Familie Machzûm so gering war, dafs diese dem Moḥammad Schutz gewährte.

---

[1]) Baghawy, Tafsyr 96, 9, von Na'ym b. Aby Hind, von Abû Ḥâzim, von Abû Horayra. Ibn Isḥâḳ S. 190 erzählt diese Geschichte nach seiner Art mit Uebertreibungen.

[2]) Wörtlich: den Locken (nâçiya) über der Stirne. Wenn ein Mann gefangen und begnadigt wurde, so schnitt ihm der Sieger diese Locken ab, um den bleibenden Beweis zu liefern, dafs er ganz in seiner Macht war. Es war die gröfste Entehrung Jemanden auch nur bei den Locken oder dem Schopf zu packen. Die Legende ist aus dieser Ḳorânstelle hervorgegangen; was hier gedroht wird, stellt sie als geschehen dar.

Auch sein Bruder Ḥârith war ein grofser Held und lief bei der Schlacht von Badr davon. Aber er war milder und besafs mehr Bildung. Als sich Moḥammad zu Madyna aufhielt, stand Ḥârith mit dem Juden Ka'b b. Aschraf in einem engen Verhältnisse, und dieser schrieb Lobgedichte auf ihn. Es ist gewifs, dafs die Ḳorayschiten schon vor der Higra sich mit den Juden in Verbindung gesetzt hatten, um mit ihrem Beistande die Grundlosigkeit der Lehren des Moḥammad nachzuweisen, und es ist sehr wahrscheinlich, dafs Ḥârith der Gründer dieser Verbindung war und dafs sein freundschaftliches Verhältnifs zu Ka'b von dieser Zeit datirte [1]).

Mit dieser Familie standen die Banû Ġomaḥ in Verbindung. Sie zeichneten sich ebenfalls durch ihre Feindschaft gegen Neuerungen aus. Unter ihren Häuptern ist Omayya b. Chalaf b. Wahb b. Ḥodzâfa b. Ġomaḥ zu nennen. Er verwaltete eine wichtige Stelle in der Ka'ba, welche ein Vorrecht seiner Familie war. Es waren ihm nämlich die Pfeile anvertraut, wodurch die Ḳorayschiten die Geheimnisse des Schicksals erforschen zu können glaubten. Er fiel in der Schlacht von Badr, und sein Sohn Çafwan folgte ihm in der Verwaltung der Pfeile. Die Frau des Çafwân war eine Tochter des Walyd b. Moghyra. Auch Obayy, ein Bruder des Omayya, war ein bitterer Widersacher des Propheten [2]). Dieser rohe, aber gar nicht dumme Geselle scheint sich mehr auf das argumentum baculi, als auf theologische Spitzfindigkeiten verstanden zu haben. Dennoch wagte er sich, im Wahne, dafs in der Theologie auch der gesunde Menschenverstand etwas gelte, auf dieses Gebiet. Eines Tages kam er mit einem morschen Knochen zum Propheten und sagte: Glaubst du wirklich, dafs dieses Gebein wieder belebt und einst auferstehen werde? Dabei warf er ihn gegen den Gottgesandten. Ja, antwortete dieser, er wird auferstehen, und auch du wirst nach dem Tode wieder in's Leben gerufen und in die Hölle verstofsen werden. Darauf wurde geoffenbart: [3])

36,77. Hat der Mensch nicht beobachtet, dafs wir ihn aus Saamen erschaffen haben? — Und sieh, nun ist er ein offener Widersacher!

78. Ja, er hat uns sogar ein Problem vorgehalten — vergessend, wie er erschaffen worden ist — und gefragt: Wer wird diese Knochen wieder beleben, da sie doch vermodert sind?

---

[1]) Zu dieser Familie gehörten auch 'Abd Allah b. Aby Omayya b. Moghyra b. 'Abd Allah b. 'Omar b. Machzûm, Zohayr b. Aby Omayya und Abû Ḳays b. Fâkih b. Moghyra.

[2]) Aufserdem ist aus dieser Familie auch Sohayl b. 'Amr Ġomaḥy unter den Feinden des Islâms zu erwähnen.

[3]) Wâḥidy, Asbâb 36, 77, von den „Exegeten"; und von Hoschaym, von Ḥoçayn, von Abû Mâlik. Vergl. auch Ibn Isḥâḳ S. 238.

79. Antworte: Jener, welcher sie das erste Mal in's Leben gerufen hat. Er kennt die ganze Schöpfung.

80. Jener, welcher auch aus dem grünen Holze Funken hervorlockt [1]), womit ihr das Feuer anzündet.

81. Soll Er, welcher die Himmel und die Erde erschaffen hat, nicht im Stande sein, Wesen, wie ihr seid, hervorzubringen? Freilich ist er es im Stande, denn er ist der Schöpfer, der Wissende.

82. Es verhält sich so mit Ihm: Wenn er will, dafs etwas entstehe, so sagt er: Etwas sei! und es ist.

83. Glorie Ihm, in dessen Hand die Herrschaft (malakût) aller Dinge ist. Zu Ihm werdet ihr zurückgebracht werden.

Ueber die Auferstehung hat Moḥammad viel nachgebrütet und er hat sich alle mögliche Mühe gegeben, die Wahrheit derselben den Heiden begreiflich zu machen. Es kommen daher viele darauf bezügliche Stellen im Ḳorân vor, in denen er sich nicht selten wiederholt, so wird auch V. 77 in Sûra 16, 4 wiederholt und mit V. 82 ist 16, 42 parallel. Ich führe hier eine Inspiration an, welche Vieles mit dieser Stelle gemein hat und sich wohl ebenfalls auf Obayy bezieht:

75, 31. Er hat weder geglaubt noch gebetet,

32. sondern [die Offenbarung] als Lüge verschrieen und sich davon weggewendet;

33. dann ist er zu den Seinen zurückgekehrt und im Hohn verharret.

34. Aber wehe dir! ja wehe!

35. Noch ein Mal: wehe dir! ja wehe!

36. Glaubt etwa der Mensch, dafs man ihn so gehen lasse?

37. Ist er nicht ein Tropfen Saamen gewesen, der ergossen wird?

38. Dann ist er ein Klumpen geworden und [der Herr] hat ihn gebildet und gestaltet

39. und er hat ihm ein Geschlecht gegeben — Mann oder Weib —

40. Soll nicht derselbe [Herr] im Stande sein, die Todten in's Leben zurückzurufen?

In die Sûra 96 hat sich ein Fragment verloren, welches denselben Reim hat, wie diese Offenbarung, und eine Fortsetzung derselben sein mag:

96, 6. Aber der Mensch überschreitet Maafs und Ziel

7. und hält sich für unabhängig;

8. aber wahrlich zu deinem Herrn führt der Weg (er kann ihm nicht entgehen).

---

[1]) Die Araber machten Feuer, indem sie zwei Stücke Holz gegen einander rieben.

mehrere Sklaven der Verfolgung entrissen, indem er sie kaufte und ihnen später ihre Freiheit gab, wodurch sie

---

gepeinigt, bis er nicht wufste, was er sagte, Çohayb wurde gepeinigt, bis er nicht wufste, was er sagte. Auch Bilâl, 'Âmir b. Fohayra, und eine Anzahl Moslime hatten dasselbe Loos. Auf sie bezieht sich der Ḳorânvers: „Diejenigen, welche in Gott ausgewandert sind, nachdem sie gepeinigt worden sind". Wie der Vers hier angeführt wird, kommt er im Ḳorân nicht vor. Ein Abschreiber, welcher nicht ganz ḳorânfest war und dennoch seinem Gedächtnisse traute, hat Ḳor. 16, 43 und 16, 111 mit einander gemischt. Die Tradition bezieht sich aber auf Ḳor. 16, 111.

Ibn Sa'd, fol. 224, und bei Içâba unter Somayya, von Ġaryr b. 'Abd Ḥamyd, von Mançûr, von Moġahid:

„Sieben Personen bekannten Anfangs den Islâm offen: Der Prophet, Abû Bakr, Bilâl, Chobbâb, Çohayb, 'Ammâr und Somayya, die Mutter des 'Ammâr. Der Prophet wurde von seinem Onkel geschützt und Abû Bakr von seiner Familie, die übrigen aber wurden ergriffen, in eiserne Kuirasse gesteckt, der heifsen Mittagssonne ausgesetzt und dort gelassen, bis sie fast verschmachteten; dann reichten sie ihnen Alles, was sie verlangten. Endlich brachte jede Familie einen grofsen Schlauch (anṭa') von Leder mit Wasser gefüllt, warf den ihnen angehörigen Gläubigen hinein und trugen ihn herum. Nur dem Bilâl geschah dies nicht. Am Abend kam Abû Ġahl, beschimpfte die Somayya und rannte ihr den Speer durch den Leib. Sie ist die erste Person, welche im Islâm den Märtyrertod starb. Nur Bilâl machte eine Ausnahme [wohl von der Apostasie; der Satz „die Andern fielen ab", ist ausgelassen worden], denn aus Liebe zu Gott achtete er sein Leben gering. Die Heiden fuhren fort ihn zu quälen und rösteten ihn, dann banden sie ihm einen Strick um den Hals und liefsen ihn durch Knaben im Thale von Makka herumführen. Er aber rief beständig: Es gibt nur einen, nur einen (Gott)!"

Wâḥidy, von Ibn 'Abbâs:

„Dieser Vers bezieht sich auf 'Ammâr b. Yâsir. Die Heiden ergriffen ihn und seinen Vater und seine Mutter Somayya und Çohayb und Bilâl und Chobbâb und Sâlim und folterten sie. Die Somayya banden sie zwischen zwei Kameele und stachen ihr einen Spiefs in die Schaamtheile mit den Worten: Du hast der Männer wegen den Islâm angenommen. Sie und ihr Mann Yâsir wurden getödtet, und sie waren die ersten Märtyrer des Islâms. 'Ammâr gab vor, den Glauben abzuschwören. Es wurde dem Moḥammad

seine und seiner Familie Clienten und Schützlinge wurden [1]).

Gegen freie Männer konnten die Familien-Häupter ebenso viel und ebenso wenig Zwang üben als bei uns. Es wäre allerdings möglich gewesen, dafs ein Moslim von seinen Angehörigen erschlagen oder geächtet worden wäre. Dagegen aber war ein einfaches Mittel, welches 'Omar anwendete. Er stellte sich unter den Schutz eines einer andern Familie angehörigen, angesehenen Mannes. Dadurch wurde seine eigene Familie genöthigt, ihn wieder aufzunehmen und sein Leben zu schützen, wenn sie nicht an Ansehen verlieren wollte. Hätte eine Familie eines ihrer Mitglieder ohne vorhergegangene förmliche Achterklärung preisgegeben, so hätte sie einen unauslöschlichen Schandflecken auf sich geladen. Indessen wenn auch das Leben der Moslime geschützt war, so waren sie doch den gröfsten Unannehmlichkeiten ausgesetzt [2]). Ihre Verwandten überhäuften sie mit Schimpf und Schande, und schwache Individuen liefsen sich wohl gar körperliche Züchtigungen ge-

gesagt: 'Ammâr ist abtrünnig geworden. Er aber erwiderte: Nimmermehr, denn er ist voll von Glauben vom Scheitel bis zur Fufssohle, und der Glaube ist ihm in Fleisch und Blut übergegangen. 'Ammâr kam dann weinend zum Propheten. Er trocknete seine Thränen und sagte: Wenn sie dich wieder foltern, wiederhole ihnen meine Worte. Darauf wurde Ḳor. 16, 108 geoffenbart."

[1]) Die Namen dieser Sklaven und Sklavinnen sind: 1) Bilâl, 2) 'Âmir b. Fohayra, 3) Zonnayr, 4) Omm 'Obays 5) Nahdyya, 6) ihre Tochter, 7) eine Sklavin, die der Familie 'Adyy, nach Andern der Familie Moämmal oder dem 'Amr b. Moämmal angehörte.

[2]) Es kommt der Ausdruck ḥabasû fulâna „sie haben diesen oder jenen Moslim gefangen gehalten" vor, man mufs sich aber hüten, ihn mifszuverstehen und zu glauben, es habe Gefängnisse gegeben. Der Chalyfe 'Omar kam einst zu spät zum Gottesdienst, weil gerade sein Kleid geflickt wurde und er kein anderes besafs; er entschuldigte sich bei der auf ihn wartenden Versammlung, deren Vorbeter er war, mit den Worten: ḥabasany ḳamyçy „mein Kleid hat mich aufgehalten". Ḥabasa hat ungefähr die Bedeutung des englischen „to detain, detention".

fallen. Unter Völkern, welche patriarchalische Institutionen haben, ist es nichts Geringes, mit der Familie (dieses Wort ist im weitesten Sinne zu nehmen; denn eine böse Frau schicken die Araber weg) in Zwiespalt zu leben. Sociale Stellung, Wirkungskreis, gesellige Vergnügen, kurz alles, was dem Menschen theuer ist, mufs er im Schoofse der Familie suchen. Wenn er unzufrieden ist, kann er sich als Bundesgenosse mit einer andern Familie verschmelzen. Dieser Ausweg stand aber, wenigstens zu der Zeit, von der wir sprechen, den Moslimen nicht offen. Die beständigen Neckereien, denen die Gläubigen ausgesetzt waren, mochten manchen Makkaner bewogen haben, seine Ueberzeugung rücksichtlich der Mission des Moḥammad zu verläugnen [1]). Der Umgang mit Glaubensgenossen konnte dem Moslim wohl Trost und Kraft gewähren, aber nicht vollen Ersatz für das, was er entbehrte.

Des Moḥammad selbst wollten sie sich um jeden Preis entledigen. Um seine Stellung zu seinen Feinden zu zeigen, schalte ich einige darauf bezügliche Offenbarungen ein und gehe in das Jahr 616 zurück.

Geraume Zeit war verflossen, seit die Makkaner in Folge der Zurücknahme seines Zugeständnisses wieder von ihm abgefallen waren, und täglich forderten sie ihn heraus, das gedrohte Strafgericht oder die Stunde eintreten zu lassen. Er konnte nur antworten: Es wird schon kommen. Am Ende gelang es ihm, einen Grund für das Ausbleiben zu finden — das Strafgericht konnte nicht eintreten, weil er und viele von seinen Anhängern unter den Ungerechten weilten. Er läfst sie daher merken, was die Folge sein würde, wenn er sich auch nur eine Weile entfernte, und es ist ziemlich klar, dafs er ihnen auch drohte, Makka zu verlassen:

37, 167. Sie pflegten zwar zu sagen:

---

1) Vergl. Ḳor. 16, 108 und 111.

168. Wenn wir im Besitz einer Ermahnung (Offenbarung) von den Vorvätern wären [1]),

169. würden wir ausschliefslich dem Allah dienen.

170. [Aber was Moḥammad gepredigt, ist ja eine Offenbarung], und doch verläugnen sie es. — Sie werden bald sehen!

171. Schon in der Vorzeit ist das Versprechen an unsere als Boten gesandten Diener ergangen,

172. nämlich dafs sie ganz gewifs Beistand finden werden

173. und dafs unsere Heerschaaren ihre Feinde überwinden werden.

174. Geh' daher von ihnen auf eine Weile hinweg

175. und sieh' ihnen zu. Sie werden bald sehen (d. h. vertilgt werden).

176. Wollen sie unsere Strafe beschleunigen?

177. Wenn einmal die Heerschaaren ihre Hofraithe besetzt haben, dann geht ein böser Morgen auf für die Gewarnten.

178. Geh' weg von ihneu auf eine Weile

179. und sieh' zu, sie werden bald sehen!

180. Gepriesen sei dein Herr, der Erhabene. Er sei ferne von dem, wie sie ihm zuschreiben.

181. Heil sei den Gottesgesandten

182. und alles Lob dem Herrn der Welten.

[Ein Fragment:]

43, 88. Und seine Worte: Herr, sie sind ein ungläubiges Volk, [hat Gott vernommen, und er hat geantwortet:]

89. Entferne dich von ihnen und sage: lebet wohl, ihr werdet bald sehen.

---

[1]) Den Commentatoren zufolge: Eine Schrift, wie sie den alten Völkern (Juden und Christen) zu Theil wurde. Ich denke aber Awwalûn bedeutet hier wie in Ḳor. 37, 17 (vergl. auch 23, 83) die Vorväter der Araber, und der Satz heifst: Wenn wir eine Schrift von unsern Vätern ererbt hätten.

Nach dem Lehrplane, welchen Moḥammad damals befolgte, sollte man erwarten, dafs er seine Behauptung durch das Beispiel einer Stadt, welche so lange als der Bote Gottes darin weilte verschont wurde, beweisen werde. Obschon er das schöne Zwiegespräch zwischen Abraham und den Engeln über Lot nicht gekannt zu haben scheint, so wufste er doch die Thatsache, dafs Sodoma nicht vertilgt wurde, so lange sich Lot darin aufhielt, und er erzählt sie auch in diesem Sinne in Sûra 29. Er wiederholt die Redaction der Geschichte von Sûra 15, läfst aber den Abraham die Engel an den Lot erinnern und schaltet den Passus ein: »Bring das Strafgericht — sagten die Ungläubigen zu Lot — wenn du die Wahrheit sprichst.«

29, 27. Auch den Lot sandten wir. Er sprach zu seinem Volke: Ihr verübet Schändlichkeiten wie bisher Niemand unter den Menschen verübt hat.

28. Wie, ihr macht euch wirklich an die Männer? lauert ihnen auf den Landstrafsen auf und thut Unerlaubtes in euren Versammlungen? Die Antwort seines Volkes aber war keine andere, als dafs es sagte: Bring das Strafgericht Allah's, wenn du die Wahrheit sprichst.

29. Er sprach: Herr, stehe mir bei gegen diese verworfene Menschen! [und sende die Strafe]

30. Nachdem unsere Boten dem Abraham die Freudenbotschaft überbracht hatten, sprachen sie: Wir wollen die Einwohner dieser Stadt vertilgen, denn sie waren ungerecht.

31. Er versetzte: Es wohnt aber Lot darin. Sie antworteten: Wir wissen recht gut, wer darin ist, und wir werden ihn und die Seinen retten, mit Ausnahme seiner Frau, welche zu den Uebertretern gehört.

32. Als unsere Boten zu Lot kamen, war ihm übel zu Muth und er war ihres Erscheinens wegen rathlos. Sie aber sprachen: Fürchte dich nicht und sei nicht traurig, wir wollen dich und die Deinen retten, mit Ausnahme deiner Frau, denn sie gehört zu den Uebertretern (Ghâbiryn).

33. Aber auf die Einwohner dieser Stadt wollen wir etwas Schreckliches vom Himmel herabsenden ob ihrer Gräuelthaten.

34. Wir haben von diesem Strafgerichte ein offenbares Zeichen (das todte Meer) hinterlassen für verständige Menschen.

Man begreift wohl, dafs sich die frevelhaften Makkaner nicht zwei Mal sagen liefsen, dafs sie nur seinetwegen verschont werden. Sie forderten ihn daher auf zu gehen, und er machte Miene, Makka zu verlassen. Am Ende aber zog er es doch vor zu bleiben und erinnert sie noch ein Mal, was die Folgen sein würden, wenn er fortginge. Die Anspielungen auf seine Anerkennung der Nationalgötter bestimmen die Zeit dieser Inspiration ungefähr im Winter 616—617.

17, 75. Ihren Versuchungen wäre es beinahe gelungen, dich von dem abzubringen, was wir dir geoffenbart haben, auf dafs du uns statt dessen etwas Anderes andichtest; in diesem Falle würden sie dich freilich als Freund behandelt haben [1]).

76. Hätten wir dich nicht bestärkt, so hättest du auch nachgegeben, denn du warst nahe daran, dich ihnen in einigen Dingen zuzuneigen.

77. In diesem Falle hätten wir dich das doppelte Maafs [der Strafe] des Lebens und das doppelte Maafs

---

[1]) Sa'yd b. Ġobayr (wurde von Ḥaǵǵâǵ hingerichtet im J. 95) erzählt: „Der Prophet wollte als gottesdienstliche Handlung den schwarzen Stein berühren, die Ḳorayschiten aber sagten: Wir erlauben nicht, dafs du dies thust, wenn du nicht auch unsere Götzen berührst. Er dachte bei sich selbst: da ich gezwungen werde, und nur unter dieser Bedingung den schwarzen Stein berühren kann, wird es mir Gott nicht als Sünde anrechnen.“ „Andere behaupten, sagt Baghawy sie verlangten, dafs er ihre Götzen berühren soll und dafür, versprachen sie, wollten sie ihn anerkennen.“

Wenn das gegründet ist, so erblicken wir darin immerhin nur eine nach seiner Anerkennung der Lât, 'Ozzà und Manâh gesteigerte Forderung der Makkaner.

[der Strafe] des Sterbens empfinden lassen [1]), und du könntest [unter den Abgöttern] keinen Helfer gegen uns auftreiben.

78. Und es wäre ihnen beinahe gelungen, dich aus dem Lande zu verscheuchen, um deiner loszuwerden. In diesem Falle würden sie

79. in Folge der Satzung, die wir in Bezug auf die Boten, die wir vor dir gesandt haben — und unsere Satzungen erleiden keine Abänderung — nur noch kurze Zeit nach deinem Scheiden geblieben sein.

In einer andern Stelle spricht er nicht von der Absicht, Makka zu verlassen, sondern von seinem Tode:

67, 28. Sprich: Gesetzt Allah läfst mich und meine Anhänger untergehen oder er erbarmt sich unser (d. h. er läfst uns eines natürlichen Todes sterben, noch ehe ihr euch bekehrt habt), wer wird dann nach eurer Ansicht den Ungläubigen gegen eine peinliche Strafe Schutz gewähren?

Die Makkaner verloren endlich die Geduld; sie wollten nicht mehr zuwarten, bis er selbst fortgehe oder sterbe, sie wollten ihn vertreiben oder morden; mochte die Folge ihres Frevels sein, welche sie wolle. Sie unterhandelten mit Abû Ṭâlib, aber ohne Erfolg [2]). Sie machten kein

---

[1]) Auch in andern Ḳorânstellen wird Verführern das doppelte Maafs der Strafe gedroht, z. B. Ḳ. 7, 36.

[2]) Ibn Sa'd, fol. 40, von Wâḳidy, von al-Mondzir b. 'Abd Allah und Anderen, von einem seiner Schayche, von Ḥakym b. Ḥizâm. Auch (Wâḳidy) von Moḥammad b. 'Abd Allah, von seinem Vater, von 'Abd Allah b. Tha'laba b. Ço'ayr.

„Die Nachrichten, welche die Gesandten von Abessynien brachten, bewogen die Ḳorayschiten den dritten und letzten Versuch zu machen, den Abû Ṭâlib zu bestimmen, dafs er seinem Neffen den Schutz kündige. (Ich setze diesen Versuch in das Jahr 617.) Diesmal nahm Walyd b. Moghyra seinen Sohn 'Omâra und bot ihn dem Abû Ṭâlib statt des Moḥammad. Er war ein hübscher, muthiger Junge von edler Geburt; diesen sollte er an Sohnes Statt annehmen,

Geheimnifs aus ihrem Vorhaben. Die Verwandten des Moḥammad fühlten sich zu schwach, im offenen Kampfe seinen Tod zu rächen, und ihn ungerächt zu lassen, wäre so schändlich gewesen, dafs sie den Untergang vorgezogen hätten. List und Entschlossenheit war das einzige Mittel, ihre Ehre zu retten. Eines Tages fehlte Moḥammad. Man glaubte, er sei ermordet worden, und seine Verwandten, die Waffen unter den Kleidern, begaben sich zur Ka'ba, um die dort versammelten Aristokraten unversehens zu überfallen, wenn er todt sein sollte, und um eine Demonstration zu machen, wenn er noch am Leben wäre. Glücklicher Weise wurde er noch zur rechten Zeit gefunden, und es blieb bei der Demonstration.

Auf diese Mord- und Vertreibungspläne bezieht sich folgendes Fragment:

8, 30. Und wenn die Ungläubigen Ränke schmieden, dich fest zu halten, oder dich zu tödten, oder dich zu vertreiben, so lafs sie Ränke schmieden. Auch Allah schmiedet Ränke, und er ist der gewandteste Ränkeschmieder.

31. Wenn ihnen unsere Zeichen vorgetragen werden, so sagen sie: Wir haben das schon gehört, und wenn wir wollen, können wir, was diesem gleichkommt, aufsagen: Dies sind die Asaṭyr der Alten.

32. Sie sagen: O Allah, wenn dies (die Drohung) die

---

um dadurch seine Familie und seine Streitkräfte zu vergröfsern. Abû Ṭâlib antwortete: Ich weifs nicht, was ihr mir zumuthet. Ich soll euren Sohn ernähren, euch meinen nächsten Verwandten und Schützling überliefern, damit ihr ihn tödtet. Wahrlich einen solchen Tausch werde ich nimmermehr eingehen. Mot'im b. 'Adyy fiel ihm in's Wort: Um die Sache kurz zu erledigen, hat dir dein Stamm alle möglichen Zugeständnisse gemacht und dir eine hinreichende Vergütigung angeboten; du aber weisest jeden Vorschlag zurück. Abû Ṭâlib sagte: Ihr handelt höchst unbillig gegen mich. Du legst es darauf an, mich des Schutzes meiner Stammgenossen zu berauben und sie gegen mich zu vereinigen. Wohlan, ich lasse es darauf ankommen! Führe deine Absichten durch, entflamme den Krieg und wir wollen einander vernichten."

von dir ausgehende Wahrheit ist, so lafs Steine vom Himmel auf uns herabregnen oder verhänge eine peinliche Strafe über uns!

33. Aber Allah ist nicht geneigt, sie zu strafen, so lange du unter ihnen bist, noch ist Allah sie zu strafen geneigt, so lange sie möglicher Weise um Verzeihung flehen könnten.

Ich versetze die Abfassung der Hauptbestandtheile von Sûra 40 und 11 in diese Zeit und schreibe den herausfordernden Ton, welcher in einigen Stellen herrscht, der gehobenen Stimmung zu, mit welcher die Haltung der Hâschimiten den Propheten erfüllte. In Sûra 40 ist es Moses, welcher ermordet werden soll und die Situation, in der sich Moḥammad befand, repräsentirt.

Der Trotz des Moḥammad und der Widerstand seiner Familie hatten zur Folge, dafs diese in die Acht erklärt wurde. Der Anfang und die Dauer der Acht läfst sich nicht mit Gewifsheit bestimmen. Wahrscheinlich fing sie im Herbste 617 an und dauerte bis zum Herbste 619. Die Traditionisten haben übertriebene Nachrichten darüber hinterlassen, und die Geschichtschreiber haben sie mit Unwissenheit der Verhältnisse verarbeitet. Die ganze Achterklärung scheint aber darin bestanden zu haben, dafs sich die übrigen Ḳorayschiten durch ein schriftliches Dokument unter einander verpflichteten, mit den Hâschimiten, d. h. der Familie des Moḥammad, keine Ehen zu schliefsen, mit ihnen keine Handelsgeschäfte einzugehen und ihnen keinen Schutz zu gewähren.

Jede Familie in Makka hatte ihr eigenes Quartier, in welchem die meisten Mitglieder derselben wohnten. Es kam aber vor, dafs einige in den Stadtquartieren anderer Familien sich aufhielten; so lebte z. B. Moḥammad im Hause seiner Frau, im Quartier der Asaditen und nicht in dem seiner Familie, der Hâschimiten. Drei oder vier Quartiere im östlichen Theile von Makka, dem Fufse des Berges Abû Ḳobays entlang, wurden schon dazumal Schiʿb geheifsen. Sie haben noch diesen Namen, und Burckhardt hat wahrscheinlich nicht genau gehört, da er Schab schreibt. Jetzt heifst das nördlichste dieser Quartiere Schi'b 'Âmir [1]), weiter südlich ist die Schi'b al-mawled d. h. die Schi'b, in welcher Moḥammad geboren wurde, und am südlichsten ist die Schi'b 'Alyy. Zur Zeit des Moḥammad wurden die zwei letztgenannten die Schi'b der Hâschimiten und Moṭṭalibiten, oder auch blos die Schi'b genannt. Dies nun war der Stammsitz dieser zwei Familien, obwohl nicht alle Mitglieder daselbst wohnten [2]). In diesen gefahrvollen Zeiten jedoch zogen sie sich alle dahin zurück, um stets zum wechselseitigen Schutz bei der Hand zu sein.

Schi'b heifst eine Revine oder ein Weg, der zwischen zwei Bergen hindurchführt. Die genannten Stadtquartiere haben ihren Namen wahrscheinlich daher, weil sie in Buchten des Berges Abû Ḳobays liegen. Die Bedeutung des Wortes hat nun schon früh unkritische Redacteure von Traditionen irre geführt. Sie bildeten sich ein, dafs sich die Geächteten in eine Schi'b (Bergschlucht), entfernt von der Stadt, zurückgezogen haben, und weil sie übertriebene Beschreibungen von ihren Drangsalen vorfanden, stellten sie so ihren Zustand als eine förmliche Blokade dar [3]). Wenn man bedenkt, dafs der Handelsverkehr mit ihren Brüdern abgeschnitten war, dafs sie sich keiner ḳorayschitischen Karawane anschliefsen konnten und selbst nicht mächtig genug waren, eine solche auszurüsten und zu vertheidigen, und dafs folglich ihr Erwerb vernichtet war, wird man sich einen Begriff machen können, wie viel sie zu dulden hatten. Eine Belagerung jedoch hat nicht stattgefunden, und

---

1) Ibn Fâridh erwähnt sie in einem Gedichte: „Ist auch nach mir die Schi'b 'Âmir noch bewohnt?" (Vgl. Jones, Poes. As. p. 94.)

2) Nûr alnibrâs S. 419.

3) Die bezüglichen Traditionen sind unter überwiegendem Hâschimitischen respective 'Abbâsidischen Einflufs ausgebildet worden und haben den Zweck, die Verdienste der Hâschimiten für den Islâm anschaulich zu machen.

es ist kein Zweifel, dafs sie frei umhergehen durften, immer jedoch der Gefahr ausgesetzt, von dem ersten besten muthwilligen Kerl mifshandelt zu werden, ohne Hoffnung auf Redresse.

Der Versuch, das Volk von seinen Führern zu trennen, war gescheitert, und die Verfolgung hatte eine Höhe erreicht, dafs die neue Sekte in Gefahr war, sich aufzulösen. Unter diesen Verhältnissen predigte Moḥammad die Flucht nach Abessynien und versprach den Abtrünnigen Wiederaufnahme in die Gnade Gottes, wenn sie auswanderten [1]):

16, 108. Auf Denjenigen, welche Allah verläugnen, nachdem sie an ihn geglaubt haben — es sei denn, dafs sie dazu gezwungen worden und ihr Herz noch fest geblieben im Glauben, denn es sind nur Diejenigen, deren Inneres mit Unglaube erfüllt ist, gemeint — rubet der Zorn Allah's und es erwartet sie eine grofse Strafe;

109. denn sie ziehen das Erdenleben dem jenseitigen Leben vor, und Allah leitet nicht das frevelhafte Volk.

111. Hingegen ist dein Herr gegen Jene vergebend und milde, welche auswandern, nachdem sie weggepeiniget worden sind [vom Glauben] [2]) und sich darauf zusammen genommen und ausgedauert haben.

---

[1]) Wir haben oben gesehen, dafs die sogenannte zweite Auswanderung nicht lange nach der Rückkehr von der ersten begonnen hatte. Der Aufruf hatte den Zweck, die lauen Moslime und solche, welche den Islâm verläugnet hatten, zu bewegen, Arabien zu verlassen. Folgender Vers bestätiget die bereits ausgesprochene Vermuthung, dafs dafür gesorgt war, dafs die Moslime eine günstige Aufnahme in Abessynien fanden:

16, 43. Denjenigen, welche in Allah auswandern, nachdem sie grausam behandelt worden sind, weisen wir schon in dieser Welt eine schöne Heimath an.

[2]) Im Original: fotina, welches versucht oder gepeinigt werden heifst; man sagt aber im Arabischen: fotina ʿan aldyn, er ist vom Glauben weggepeiniget, d. h. durch Qualen abtrünnig gemach worden. Es ist hier also ʿan aldyn ausgelassen aber zu suppleiren.

Es ist ein grofser Vortheil, wenn allgemeine Angaben durch specielle Fälle anschaulich gemacht werden. Ich schalte daher einen Auswanderungsversuch des Abû Bakr nach dem Berichte des Ibn Isḥâḳ ein [1]):

»Mein Vater, erzählte ʿÂyischa, hatte viel zu dulden und Makka wurde ihm unerträglich, weil er sah wie viel sich die Ḳorayschiten gegen Moḥammad und seine Anhänger herausnahmen. Er bat daher den Propheten um Erlaubnifs, die Flucht antreten zu dürfen. Diese wurde ihm gegeben und er verliefs seine Heimat. Als er eine oder zwei Tagereisen von der Stadt entfernt war, begegnete er dem Ibn Doghonna, welcher damals Häuptling der Aḥâbysch war. Die Aḥâbysch bildeten einen gemischten Stamm in der Nachbarschaft von Makka, welcher mit den Einwohnern, den Ḳorayschiten, in Bündnifs stand. Als Ibn Doghonna ihn erblickte, fragte er ihn, wo er hinwolle. Er antwortete: Mein Stamm hat mich schlecht behandelt und sie haben mich vertrieben. Wie ist es möglich? fiel ihm Ibn Doghonna in's Wort, du bist die Zierde der Gesellschaft und der Helfer der Nothleidenden; kehre mit mir zurück ich will dich beschützen. Abû Bakr nahm seinen Vorschlag an, und als sie nach Makka kamen, verkündete der Schaych öffentlich: Der Sohn des Abû Ḳohâfa (d. h. Abû Bakr) ist unter meinem Schutz; Jedermann hüte sich, ihm irgend etwas Unangenehmes anzuthun.

Abû Bakr wohnte in dem Stadtviertel der Banû Ġomaḥ und hatte vor der Thüre seines Hauses einen Platz eingerichtet, wo er die Gebete zu verrichten pflegte. Er war so weichen Gemüthes, dafs er vor Rührung Thränen vergofs, so oft er den Ḳorân las, und die Kinder, Sklaven und Frauen blieben stehen, denn sie nahmen Interesse an ihm und es gefiel ihnen, was er that. Einige Ḳorayschiten begaben sich daher zu Ibn Doghonna und sprachen:

---

[1]) Von Zobry, von ʿOrwa, von Âyischa.

Du verleihst diesem Manne doch nicht deinen Schutz, auf dafs er sich uns durch seinen Skandal lästig mache. Wenn er betet und das, was Moḥammad gelehrt hat, recitirt, so thut er dies mit so viel Rührung, dafs er durch sein Benehmen die Aufmerksamkeit der Frauen, der jungen und unbeschützten Leute auf sich zieht. Wir fürchten, dafs er sie von ihrer Religion abwendig machen wird. Sag' ihm er soll den öffentlichen Skandal vermeiden und in sein Haus gehen, dort kann er thun was er will. Ibn Doghonna ging zu Abû Bakr und sagte zu ihm: Ich habe dich nicht deswegen in Schutz genommen, dafs du deine Stammgenossen kränken sollst. Sie mifsbilligen, dafs du dich gerade auf diesen Platz stellst, und sie fühlen sich gekränkt, wenn du nicht in das Innere deines Hauses gehest, wo du thun kannst, was dir gefällt. Abû Bakr antwortete: Wenn du willst, so verzichte ich auf deinen Schutz und verlasse mich auf den Schutz Gottes. Ibn Doghonna war damit zufrieden, und er rief mit lauter Stimme aus: Der Sohn des Abû Ḳoḥâfa verzichtet auf meinen Schutz; ihr könnt nun meinetwegen thun mit ihm, was ihr wollt!«

Diese Erzählung zeigt, dafs sich's die Moslime selbst in ihren Drangsalen angelegen sein liefsen, ihre Religion mit einer gewissen Ostentation auszuüben. Dieser Geist belebt die Anhänger des Propheten bis auf den heutigen Tag; wenn sie unter Andersglaubenden leben, suchen sie stets Plätze, die von allen Seiten gesehen werden können, um die närrischen Genuflexionen, Inclinationen und Prosternationen, welche ihre Andachtsübungen constituiren, zu verrichten.

In Folge der Aufmunterung des Moḥammad und der günstigen Aussichten, welche die Gläubigen erwarteten, flüchteten während der folgenden Jahre (616—620) eine Anzahl von Moslimen nach Abessynien.

Moḥammad hat uns in Sûra 29, deren Veröffentlichung ich in's Jahr 617—618 setze [1]), ein ziemlich deutliches

[1]) Weil die „Flucht" in dieser Sûra erwähnt wird, so hat sie schon Scha'by als eine madynische Offenbarung angesehen. Er be-

Bild der damaligen Verhältnisse hinterlassen. Ich theile sie daher fast ganz mit. Es geht daraus hervor, dafs mehrere Gläubige der Verfolgungen wegen von dem Propheten abfielen (Vers 9). Er ermuntert sie standhaft zu sein, denn auch die Anhänger früherer Propheten seien verfolgt worden (Vers 1—2), und er versichert sie, dafs sie für ihre Drangsale belohnt werden würden (V. 4). In V. 7 spielt er auf das Beispiel eines heldenmüthigen Jünglings an, welcher sich durch die Thränen seiner Mutter nicht bewegen liefs, den Islâm zu verläugnen, und er rechtfertigt sein Benehmen.

29, 1. A. L. M. Denken die Menschen, sie können sagen: »Wir glauben!« ohne sich Prüfungen (Verfolgungen) auszusetzen?

2. Wir haben Prüfungen über die, welche vor ihnen waren, verhängt. Allah wird dann [nach der Prüfung] die, welchen es ernst ist und auch die, welche lügen, kennen.

---

merkt nämlich zum ersten Verse, dafs er sich auf die Gläubigen beziehe, welche nach der Flucht des Propheten in Makka zurückblieben. Nach Moḳâtil aber bezieht er sich auf Mahǵa', den Clienten des 'Omar. Er fiel bei Badr und seine Verwandten beweinten seinen Tod. Moḥammad sagte ihnen darauf in diesem Verse, dafs es ohne Trübsale nicht abgeht.

Nach Wâḥidy wäre V. 60 ein madynischer Vers. Er erzählt nämlich von Ibn 'Omar, dafs er mit Moḥammad aufserhalb Madyna umherging und der Prophet dort einige Datteln pflückte, wobei er die Bemerkung machte, dafs er drei Tage nichts gegessen habe; dann fuhr er fort zu sagen: Wenn ich wollte, könnte ich Gott um so grofse Schätze bitten als der Chosroes und Kaiser besitzen. Aber möchtest du unter einem Volke leben, das im Ueberflufs schwelgt und in der Erkenntnifs Gottes zurück ist?" Er hatte dies Worte kaum ausgesprochen als Ḳor. 29, 60 geoffenbart wurde.

Ich halte dafür, dafs in der Sûra von der Flucht nach Abessynien die Rede sei; denn sie wird sonst allgemein für eine makkanische gehalten. Die Geschichten der Veranlassung, auf welche der erste Vers geoffenbart sein soll, stehen mit sich selbst in Widerspruch. Wâḥidy's Bemerkungen zum V. 60 sind unwahrscheinlich; endlich spricht V. 45 klar dafür, dafs es sich um die Auswanderung nach Abessynien handle.

3. Andrerseits wenn diejenigen, welche Böses thun (die Verfolger), denken, dafs sie uns entgehen können, so trügt sie ihr Urtheil.

4. Wer das Zusammentreffen mit Allah (d. h. eine Vergeltung oder Strafgericht) zu erwarten pflegte, der wisse, dafs der Termin Allah's gewifs kommen wird. — Er ist der Hörende, der Wissende.

5. Und der, welcher sich nicht geschont hat, der wisse, dafs er die Mühseligkeiten seiner selbst willen trage; denn Allah bedarf Niemandes in der ganzen Welt.

6. Denen, welche glauben und Gutes thun, werden wir ihre Missethaten vergessen, und wir werden ihnen bei der Vegeltung nur ihre schönsten Handlungen in Rechnung bringen.

7. Wir haben es dem Menschen zur Pflicht gemacht, sich schön gegen seine Eltern zu benehmen. Wenn sie dir aber Gewalt anthun, mir Wesen beizugesellen, wovon du nichts weifst, so gehorche ihnen nicht [1]); denn vor meinem Richterstuhle müfst ihr erscheinen, und ich werde euch dann sagen, was ihr gethan habt,

---

[1]) Moslim Bd. 2 S. 472, von Abû Chaythama; und Wâḥidy, Asbâb 29, 7, von den „Exegeten" und von Simâk b. Ḥarb, von Moçaʿb b. Saʿd b. Aby Waḳḳâç, von seinem Vater; und Wâḥidy, ebend., von Moslima b. ʿAlḳama, von Dawûd b. Aby Hind, von Abû ʿOthmân Nahdy:

„Saʿd b. Aby Waḳḳâç Mâlik sagte: Der Ḳorânvers 29, 7 bezieht sich auf mich. Ich hatte nämlich meine Mutter sehr lieb. Als ich mich zum Islâm bekehrte, sagte sie: O Saʿd, was hast du angefangen? Verlasse diese Religion oder ich versage mir Speise und Trank bis ich sterbe, und du sollst Muttermörder geheifsen werden. Ich beschwor sie, dies nicht zu thun, weil ich den Islâm unter keiner Bedingung verlassen würde. Sie afs und trank einen Tag nichts und dann noch einen Tag. Da sie viel duldete, so sagte ich zu ihr: Lafs ab von deinem Vorhaben; es ist unnütz, denn wenn du hundert Leben hättest und eines nach dem andern hingäbest, um mich abwendig zu machen, so würde ich meine Ueberzeugung doch nicht verläugnen. Dadurch liefs sie sich bewegen, wieder Nahrung zu sich zu nehmen."

8. und die Gläubigen und Guten werden wir dann unter die Gottseligen [1]) einführen.

9. Es giebt Menschen, welche sagen: Wir glauben an Allah! und wenn sie wegen Allah gepeinigt werden, ist ihnen die Verfolgung der Menschen ebenso schrecklich wie die Strafe Allah's. Wenn dir dein Herr einmal Sieg verleiht [und die Ungläubigen vertilgt werden], so würden diese Gleifsner gewifs sagen: Wir gehören zu euch. Aber weifs Gott etwa nicht, was in den Herzen der Menschen ist?

10. Allah wird dann die Gläubigen und die Heuchler kennen [weil er sie geprüft hat].

11. Die Ungläubigen haben zu den Gläubigen gesagt: Schlaget unsern Pfad ein, und wir wollen eure Sünden auf uns nehmen. Sie können nichts von euren Sünden auf sich nehmen. Sie sind Lügner.

12. Sie werden ihre eigene Last zu tragen haben und aufser ihrer eigenen noch eine andere, und sie werden am Tage der Auferstehung über ihre Lügen zur Rechenschaft gezogen werden.

Um den Ḳorân richtig zu benutzen, ist es wichtig, nicht zu vergessen, dafs Moḥammad darin absichtlich nur

---

[1]) Çâliḥ „gottselig" heifst ursprünglich: rechtschaffen, unbescholten (24, 32), und daher al-Çâliḥât gute Werke; nur bildet sich der Orientale einen rechtschaffenen Lebenswandel anders ein als wir, wenigstens drückt er sich anders aus. Wir sagen: ein Mann hat viele gute Werke gethan; der Orientale sagt aber gewöhnlich: ein Mann hat die guten Werke gethan, d. h. er hat consequent das Gute gewählt. In Ḳ. 4, 71 zählt Moḥammad die vier Klassen von Heiligen im Himmel auf — nach christlichen Begriffen — und die Çâliḥûn nehmen die vierte Stufe ein. Hier entspricht es also dem katholischen „Seelig" (beatus). Diese technische Bedeutung hat das Wort auch in Ḳor. 16, 123. 29, 26. 12, 102. 26, 83. Es werden nun auch die Moslime den Heiden gegenüber die Çâliḥûn, gleichsam „the latter days' Saints" (Ḳor. 9, 76) genannt. Da aber das Wort im gemeinen Leben gang und gäbe war, so wird es neben dieser technischen Bedeutung selbst in den spätern Sûren auch in der ursprünglichen gebraucht.

Andeutungen niedergelegt hat. Er enthält gleichsam die Texte, über welche er predigte, und nach seinem eigenen Vorgeben, sind sie manchesmal so dunkel, daſs er sie nur, nachdem ihm der Engel Erklärungen mitgetheilt hatte, verstehen konnte. Gewöhnlich sind die ersten Andeutungen am dunkelsten, allmählig spricht er sich deutlicher und deutlicher aus, und wir sind somit durch Hinzuziehung von Parallelstellen in den Stand gesetzt, den Sinn und die Tendenz festzustellen. Wenn es aber an Parallelstellen fehlt, wie in der folgenden Offenbarung, so wird man mich hoffentlich nicht tadeln, wenn ich mich an den Ideengang halte.

29, 13. Ehedem sandten wir den Noah zu seinen Zeitgenossen und er blieb tausend Jahre weniger fünfzig [ehe seine Drohung in Erfüllung ging]; endlich aber ergriff sie die Fluth, denn sie waren ungerecht.

14. Und wir retteten ihn und diejenigen, welche in der Arche waren und machten sie (die Arche) zum Zeichen für die Menschheit.

Oben S. 24 (Kor. 22, 46) hat er gesagt, daſs der Verschub der Strafe von einigen Tagen nichts zu sagen habe, denn ein Tag Gottes daure tausend Jahre; hier erwähnt er einen concreten Fall, in welchem ein Warner 950 Jahre alt wird, ehe die Strafe eintritt [1]); jedoch wenn sie Gott auch lange verschoben hat, so hatte jener doch noch die Genugthuung, die Vertilgung der Sünder mitanzusehen, und die Freude, mit seinen Anhängern gerettet zu werden. An diese Thatsache lieſs sich eine erbauliche Predigt knüpfen.

In dieser Sûra wird wohl zum ersten Male etwas Näheres über Abraham berichtet und zwar im Geiste der Straflegenden, wenn auch auf seine Predigten keine Strafe gefolgt ist. In dieser Sûra kommt Moḥammad auf die Drohungen eines Strafgerichtes zurück, obschon sie damals bereits veraltet waren, weil dieselbe zum Theil an Abtrünnige

---

[1]) Bekanntlich belief sich, der Bibel zufolge, seine ganze Lebensdauer auf 950 Jahre.

gerichtet ist, welche in Folge dieser Drohungen den Glauben angenommen hatten.

15. Und den Abraham [sandten wir] und er sprach zu seinem Volke: Betet Allah an und fürchtet ihn, [ihr werdet finden, dafs] dies am besten für euch ist, wenn ihr zur Einsicht kommt.

16. Ihr verehret aufser Allah Abgötter und erdichtet Lügen. Wahrlich die Wesen, welche ihr aufser Allah verehret, sind nicht im Stande euch zu nähren, heischet daher eure Nahrung von Allah und betet ihn an und danket ihm. Vor ihm werdet ihr einst erscheinen müssen [um Rechenschaft zu geben].

17. Wenn ihr ausruft: Lug und Trug! so haben dies auch die Völker vor euch gethan, mir aber als Bote liegt keine andere Pflicht ob, als die Botschaft Gottes öffentlich zu überbringen. [Hier enden die Worte des Abraham. Jetzt spricht Gott zu Moḥammad].

18. Haben sie denn nicht gesehen, wie Allah die Menschheit zum Dasein ruft. Einst wird er sie wieder [aus dem Grabe] zurückführen. Dies ist ein Leichtes für Allah.

19. Sprich: Geht auf der Erde herum und sehet, wie er die Menschheit zum Leben gerufen hat. Einst wird Allah sie zum zweiten Male zum Leben erwecken, denn Allah kann alles thun.

20. Er, der Allmächtige quält, wen er will, und ist gnädig, gegen wen er will, aber ihr werdet einst alle vor ihm erscheinen müssen [und dann werden die Heiden, die euch jetzt verfolgen, gegen die aber Gott jetzt gnädig ist, bestraft und ihr belohnt werden].

21 Ihr könnt ihm nicht widerstehen weder auf Erden noch im Himmel [1]), denn aufser Allah habt ihr keinen Beschützer und keinen Retter.

---

[1]) Vergl. Psalm 139, 7—8. Bemerkenswerth ist, dafs Moḥammad hier nicht wie in andern ähnlichen Stellen Himmeln sagt, obwohl in der Bibel der Plural steht.

22. Diejenigen, welche die Zeichen Allah's und die Vergeltung [im nächsten Leben] läugnen, verzweifeln an meiner Barmherzigkeit [wenn sie verfolgt und gefoltert werden], und eine qualvolle Strafe erwartet sie.

23. Auch die Antwort des Volkes des Abraham [als er ihnen die Einheit Gottes predigte] war keine andere, als dafs sie sagten: Tödtet ihn oder verbrennet ihn! Gott errettete ihn aus dem Feuer. Wahrlich, hierin sind Zeichen für Leute, die glauben.

24. Auch er sagte zu seinem Volke: Ihr erkennt aufser Allah [die Ġinn] als Abgötter an aus wechselseitiger Freundschaft zwischen euch; diese dauert in diesem Leben, aber am Tage der Auferstehung werdet ihr sie, und sie werden euch verläugnen, und ihr werdet einander fluchen. Die Hölle wird euer Aufenthaltsort sein und ihr werdet keinen Retter finden [obwohl ihr jetzt von ihnen Beistand erwartet].

25. Lot glaubte an ihn und sprach: Ich wandere aus zu meinem Herrn. Er ist der Erhabene, der Weise.

26. Wir schenkten ihm (dem Abraham) den Ishaak und Jakob und bestimmten für seine Nachkommen das Prophetenthum und das Buch. Wir gaben ihm schon in dieser Welt seinen Lohn, und in jener Welt wird er unter den Gottseligen sein.

Hier folgt die Erzählung der Vertilgung von Sodoma und anderer Straflegenden, die wir schon kennen. Wichtig ist Vers 25, der deshalb mit gesperrter Schrift gedruckt ist. Um seiner Aufforderung zur Auswanderung nach Abessynien Nachdruck zu geben, hält er den Gläubigen das Beispiel des Lot vor. In der Fortsetzung der Sûra 29 stellt er den Gläubigen vor, dafs die Erde weit sei (V. 56), dafs Gott selbst für den Unterhalt der Thiere sorge (V. 60) und ermuntert sie, dem Beispiele des Lot zu folgen und auszuwandern. Wenn sie aber in Abessynien angekommen sein würden, sollen sie sich in keine Streitigkeiten mit den Christen einlassen, sondern sie vornhinein versichern, dafs sie an die Bibel glauben. Er setzt auch das Verhältnifs des Ḳorâns zur Bibel auseinander: beide sind ein Abglanz des im Himmel aufbewahrten Buches, enthalten im Wesentlichen dasselbe und sind gleich berechtigt. Mehrere Verse dieser Inspiration sind Anklänge an die zweite Drohungsperiode [1]), während welcher sie verfafst wurden:

29, 44. Trage vor, was dir von dem Buche [welches im Himmel aufbewahrt wird] geoffenbart worden ist, und verrichte das Gebet, denn dieses hält von Ausschweifungen und Sünden zurück. Den Namen Allah's zu erwähnen ist das Allerwichtigste. Allah weifs, was ihr thut.

45. Und streitet nicht mit den Schriftbesitzern aufser zu Gunsten [2]) einer Sache, die besser ist, und widersetzet euch nur den Ungerechten von ihnen [die euch von eurer Religion abwendig zu machen suchen]. Saget [zu den Schriftbesitzern]: Wir glauben an das, was an uns und an das, was an euch [vom Himmel] herabgesandt worden ist, und unser Gott und euer Gott ist ein und derselbe, und ihm sind wir unterwürfig.

46. Und [wie wir früher an die Propheten, so haben wir auch an dich das im Himmel aufbewahrte] Buch hinabgesandt. Diejenigen, welchen wir das Buch schon früher mitgetheilt haben, glauben daran (d. h. an das Buch im Himmel), und unter ihnen giebt es Einige, welche daran [dafs wir es auch an dich hinabgesandt haben] glauben, und in der That läugnen nur die Frevler [die Aechtheit] unserer Zeichen (d. h. Offenbarungen an dich).

---

[1]) Die hier erzählten Straflegenden beurkunden denselben Geist: so sagen die Sodomiten zu Lot, V. 28, bringe das Strafgericht Allah's, wenn du die Wahrheit sprichst!

[2]) Ueber die Bedeutung von bi nach ĝâdal vergl. Ḳor. 40, 5. Es ist sehr wahrscheinlich, dafs dieser Vers einen madynischen Zusatz enthält und ursprünglich lautete: Und streitet nicht mit den Schriftbesitzern, sondern saget: Wir glauben an das, was etc.

47. Du hattest nie ein Buch gelesen, noch eins mit deiner Hand geschrieben vor diesem (dem Korân). Wäre dem nicht so, würden deine Opponenten Ursache haben zu zweifeln.

48. Aber er (der Korân) besteht aus einleuchtenden Zeichen, welche in den Herzen derjenigen leben [1]), die mit dem Wissen begabt sind, denn nur die Ungerechten läugnen unsere Zeichen.

49. Sie sagen: Warum wurde ihm nicht die Macht ein Zeichen zu wirken gegeben? Antworte: Zeichen zu wirken steht in der Hand Allah's. Ich aber bin offenbar ein Warner.

50. Genügt es ihnen denn nicht, dafs wir auf dich das Buch hinabgesandt haben, welches ihnen vorgelesen wird? Darin erblicken Leute, die glauben, einen Akt der [göttlichen] Barmherzigkeit und eine Ermahnung.

51. Sprich: Allah genügt als Zeuge im Streite zwischen mir und euch,

52. denn er weifs, was in den Himmeln und auf Erden ist. Jene aber, welche an nichtige Wesen glauben und Allah verläugnen, sind im Nachtheile.

53. Sie fordern, dafs du die [ihnen gedrohte] Strafe beschleunigst. — Wäre der Termin nicht bestimmt, so würde die Strafe schon gekommen sein. Aber sie wird sie plötzlich überraschen, ehe sie es gewahr werden [2]).

55. An einem Tage wird sie die Strafe von oben und unten bedecken, und er (Gott) wird ihnen zurufen: Geniefset nun [die Früchte dessen], was ihr gethan habt.

---

[1]) Wir finden hier ganz deutlich die Lehre der Clementinen über die Aufbewahrung der Offenbarung im Gewissen der Gläubigen. Vergl. Bd. I S. 26. Wir verstehen nun was im Korân „das Wissen" bedeutet.

[2]) Folgenden Vers halte ich für eine Einschiebung aus der dritten Strafperiode:

54. Sie fordern, dafs du die Strafe beschleunigest. Wahrlich die Hölle umzüngelt die Ungläubigen [und sie können ihr, wenn auch die irdische Strafe nicht eingetreten ist, nicht entgehen].

56. O meine gläubigen Diener, die Erde ist weit, und mir, mir müfst ihr dienen!

57. Jedes lebende Wesen kostet den Tod und darnach werdet ihr zu mir zurückgebracht (vor mir erscheinen müssen).

58. Den Gläubigen, welche tugendhaft waren, weisen wir einen hohen Platz im Paradiese an, das von Bächen durchschnitten ist und worin sie ewig bleiben werden. Vortrefflich ist der Lohn der Handelnden,

59. welche in Geduld ausharren und auf ihren Herrn ihr Vertrauen setzen.

60. Wie viele Thiere giebt es, welche nicht im Stande sind, ihre Nahrung zu sammeln. Allah nährt sie, so wie er euch nährt, denn er ist der Hörende, der Allwissende.

61. Wenn du sie (die Heiden) frägst: Wer hat die Himmel und die Erde erschaffen und wer befiehlt der Sonne und dem Monde ihre Dienste zu thun? so antworten [selbst] sie: »Allah«. — Wozu dann Fictionen (andere Götter)?

62. Ja, Allah gewährt Ueberflufs an Mitteln wem er will von seinen Dienern und mifst ihm zu; denn Allah weifs alle Dinge.

63. Wenn du sie frägst: Wer sendet das Wasser vom Himmel und belebt die Erde, nachdem sie todt gewesen? so antworten sie: »Allah«. Sprich: Das Lob sei dem Allah! Aber die Meisten verstehen dies nicht.

64. Dieses irdische Leben ist nur Tand und Spiel. Die nächste Welt ist das wirkliche Leben. O wenn es die Menschen doch wüfsten!

65. Als sie auf dem Schiffe fuhren, riefen sie Allah an und hielten sich ausschliefslich an seinen Cultus; jetzt aber, nachdem er sie an's Land gerettet hat, gesellen sie ihm andere Wesen bei;

66. um mit Undank zu vergelten das, was wir ihnen bescheert haben und Vortheile zu geniefsen. Aber bald werden sie zur Vernunft gebracht werden.

67. Sehen sie (die Einwohner von Makka) nicht ein,

dafs wir ihr Land zur heiligen, sichern Stätte gemacht haben, während die Menschen rings umher im Kampfe sind [sie würden also, auch wenn sie den Götzendienst aufgeben, Vortheile geniefsen]; und dessen ungeachtet glauben sie an nichtige [Wesen] und sind undankbar gegen Allah.

68. Wer aber ist ungerechter als der, welcher auf Gott eine Lüge erdichtet, oder die Wahrheit, nachdem sie ihm mitgetheilt worden, als Lug und Trug erklärt? Verdienen diese Gottlosen nicht die Hölle?

69. Diejenigen, welche sich unsertwegen anstrengen, wollen wir unsere Wege führen, denn Allah ist mit den Guten.

Unter diesen Verhältnissen und Aufmunterungen vermehrte sich die Anzahl jener, welche nach Abessynien auszuwandern Lust hatten. Es werden 83 Männer und 18 Frauen genannt, welche sich nach und nach dorthin flüchteten. Die Liste nach Ibn Isḥâḳ mit kurzen biographischen Notizen steht im Anhange. Wenn wir sie mit der Liste der Gläubigen, welche sich nach Madyna flüchteten, oder mit der Musterrolle der Badrhelden vergleichen, so stellt sich heraus, dafs ungefähr um's Jahr 618 kaum über ein Dutzend erklärter Moslime bei Moḥammad in Makka weilten.

Wâḥidy bemerkt auf die Auktorität des Soddy, dafs der Ḳorânvers 6, 108 in Folge von Vorstellungen geoffenbart worden sei, welche die Ḳorayschiten dem Oheim des Moḥammad machten. Ich glaube: dies ist richtig. Die Ueberlieferer alter Traditionen sind aber oft durch den Wunsch, zu vollständig zu sein irre geführt worden. So ist es auch in diesem Falle gegangen. Es wird in dieser Tradition die Geschichte des Besuches, welchen die Ḳorayschiten dem Abû Tâlib abstatteten, fast in denselben Worten wie in andern Traditionen erzählt, nur wird er auf das Todesbett des ehrwürdigen Patriarchen verlegt. Der Hergang der Sache war wohl dieser. Die Acht war für die Hâschimiten sehr drückend und auch für die Feinde des Moḥammad war die Spaltung im Stamme schmerzlich. Die Hâschimiten erfüllten eine Pflicht, indem sie ihren Anverwandten schützten, ohne dessen Freiheit zu schmälern; die Gegner aber erklärten, dafs die Freiheit ihre Grenzen habe, und wollten dem Moḥammad und seinen Anhängern nicht das Recht zugestehen, von ihren Göttern mit Verachtung zu reden. Abû Tâlib sah die Billigkeit dieser Forderung ein und knüpfte seinen Schutz an die Bedingung, dafs dieser Unfug aufhöre [1]). Gott offenbarte daher:

6, 106. Folge was dir geoffenbart wird und von deinem Herrn ausgeht, nämlich: Es giebt keinen Gott als Ihn. Und ziehe dich von den Vielgötterern zurück;

107. denn wenn es Allah so wollte, so würden sie nicht Vielgötterer sein. Wir haben dich nicht als ihren Wächter oder Anwalt bestellt.

108. [O Gläubige] lästert nicht die Wesen, welche sie aufser Allah anbeten, denn sonst werden sie in ihrer Unwissenheit aus Feindschaft auch Allah lästern. So haben wir jeder Religionsgemeinde ihre Thaten als schön vorgespiegelt. Allein sie müssen zu ihrem Herrn zurück, und er wird ihnen sagen, was sie gethan haben.

Diese Wendung war vortheilhafter für Moḥammad als man glauben sollte. Da die Makkaner so frevelhaft waren, ihm nicht auf sein Wort zu glauben, ja seine Widersprüche und seinen Betrug aufzudecken, so hatte er kaum eine andere Wahl als ein für alle Mal das Anathem über sie auszusprechen und zu ihrem Hohne zu schweigen. Weislich schwieg er nur da, wo er keine Antwort geben konnte, benutzte aber jede Gelegenheit, sich zu rechtfertigen.

Ich führe sogleich einen Fall an. Steinregen war keiner auf Makka gefallen, noch war die Stadt von der Erde ver-

---

[1]) Bei Ibn Isḥâḳ, welcher S. 278 bei Gelegenheit des Todes des Abû Tâlib die Geschichte wieder erzählt, sagen die Ḳorayschiten: Wenn er uns in Ruhe läfst, lassen wir auch ihn in Ruhe, und wenn er unsere Religion nicht angreift, greifen wir auch seine Religion nicht an.

schlungen worden. Er begnügt sich nun zu sagen, dafs es in der Macht Gottes stünde, das eine oder das andere geschehen zu lassen, zugleich macht er seine Feinde auf die politische Lage seiner Vaterstadt, auf die Entzweiung der Familien aufmerksam und droht ein neues Strafgericht, — dafs sie sich einander vernichten.

6, 65. Sprich: Gott besitzt die Macht, eine Strafe von oben oder von unter euren Füfsen über euch zu senden, oder ertheilt (wörtlich: verwirrt) euch in Parteien, so dafs Einer die Wuth des Andern fühlet [1]). Sieh, wie wir unsere (Offenbarungen) drehen, auf dafs ihr zur Vernunft kommt.

66. Dein Stamm hat es (das Strafgericht) geläugnet. Es ist jedoch eine Thatsache. Sprich: Ich bin nicht euer Anwalt. Jede Weissagung hat eine bestimmte Zeit [zu der sie eintreffen wird]; ihr werdet es bald wissen.

67. Und wenn du Diejenigen siehst, welche über unsere Zeichen grübeln [2]), so ziehe dich von ihnen zurück, bis sie sich mit einem andern Gespräche beschäftigen.

Energische Leute unter seinen Anhängern, welche von seiner Sendung besser überzeugt waren als er selbst, mochten denken: Si Deus nobiscum, quis contra nos? und ihren Wortkampf mit den Heiden fortsetzen. Für diese wird geoffenbart:

16, 126. Rufe [die Menschen] zum Wege deines Herrn

---

[1]) Soyûṭy, Irschâd, in einer Glosse zu Wâḥidy's Asbâb, von Ibn Aby Ḥâtim, von Zayd b. Aslam:

„Als Gott Ḳ. 6, 65 geoffenbart hatte, sprach der Prophet: Verharret nicht länger im Unglauben, Gott wird euch entzweien und Einer wird dem Andern mit dem Schwert den Kopf abhauen. Sie sagten darauf: Wir bezeugen, dafs es keinen Gott giebt aufser Allah und dafs du der Bote Allah's bist. Einige von ihnen sagten: Das wird nie geschehen, dafs wir einander erschlagen, denn wir sind jetzt Moslime. Darauf wurde geoffenbart: Sieh wie wir unsere Zeichen wenden etc. bis: Ihr werdet es erfahren."

Die Tendenz dieser Tradition liegt auf der Hand.

[2]) Er meint die Männer, welche ich in Kap. 14 erwähnen werde, wo der Leser auch diese Stelle ganz finden wird.

mit Klugheit und anziehender Unterweisung, und wenn du dich in Streit mit ihnen einläfst, so geschehe es auf die mildeste Art; denn dein Herr kennt den am besten, der sich von seinem (des Herrn) Weg verirrt, und er kennt am besten die Geleiteten [1]).

128. Daure aus! Deine Ausdauer ist aber nur durch Allah möglich. Betrübe dich nicht über sie und lafs dich durch ihre Ränke nicht in die Enge treiben; denn Allah ist mit den Gottesfürchtigen und den Guten.

Auch an den Propheten vor Moḥammad wird von nun an die Geduld als die Kardinaltugend gepriesen, und während z. B. Noah bisher zu Gott gefleht hatte, die Sünder zu vertilgen, bittet er ihn, nachsichtig gegen sie zu sein. Gott sagt zu ihm:

39, 11. Sprich mir nicht mehr zu Gunsten der Ungerechten; denn sie sind bestimmt zu ertrinken.

Diese neue Wendung schliefst die Angriffe auf die Aristokratie, die schon früher selten geworden waren, vollends ab [2]) und hatte den Vortheil, eine Aussöhnung zwischen den Hâschimiten und übrigen Ḳorayschiten möglich zu machen, welche auch im J. 619 erfolgte, nachdem die Acht zwei, nach andern drei Jahre gedauert hatte. Das Wunder, welches als der Grund für die Aufhebung der Acht erzählt wird, beurtheilen wir im Anhange.

Es wird berichtet, dafs dreiunddreifsig Auswanderer aus Abessynien nach Makka zurückkehrten [3]). Obschon die

---

[1]) Vers 127 enthält eine moralische Lehre, welche wohl bei einer andern Gelegenheit geoffenbart, aber wegen der Gleichheit des Inhaltes hier eingeschoben worden ist. Er lautet:

127. Wenn ihr euch rächt, so fügt eine eben so grofse Beleidigung zu als ihr erduldet, wenn ihr aber geduldig seid, so ist es am besten für den Duldenden.

[2]) Später scheint er seine Satyren gegen Individuen gerichtet zu haben.

[3]) Ibn Isḥâḳ hat uns die Namen derselben aufbewahrt:

1. 'Othmân b. 'Affân (vergl. No. 2 in der im Anhang eingeschalteten Liste) und seine Frau Roḳayya; 2. Abû Ḥodzayfa (vergl.

Zeit ihrer Rückkehr nicht angegeben wird, so nehme ich doch keinen Anstand, selbe in das Jahr 619 zu versetzen.

No. 9 in der Liste im Anhang) und seine Frau Sahla; 3. ʿAbd Allah b. Ġaḥsch (No. 5); 4. ʿOtba (No. 11); 5. Zobayr (No. 12); 6. Moçʿab (No. 17); 7. Sowaybiṭ (No. 18); 8. Ṭolayb (No. 16); 9. ʿAbd al-Raḥmân (No. 22); 10. Miḳdâd (No. 27); 11. ʿAbd Allah b. Masʿûd (No. 25); 12. Abû Salama (No. 30) und seine Frau; 13. Schammâs (No. 31); 14. Salama b. Hischâm (No. 35); 15. ʿAyyâsch (No. 36); 16. ʿAmmâr (No. 83); 17. Moʿattib (No. 37); 18. ʿOthmân b. Matzʿûn (No. 38); 19. dessen Sohn Sâyib (No. 39); 20. Ḳodâma (No. 40); 21. ʿAbd Allah (No. 41); 22. Chonays (No. 49); 23. Hischâm b. ʿÂç (No. 51); 24. ʿÂmir (No. 66); 25. ʿAbd Allah b. Machrama (No. 68); 26. ʿAbd Allah b. Sohayl (No. 69); 27. Abû Sabra (No. 67); 28. Sikrân (No. 71); 29. Saʿd b. Chawla (No. 74); 30. Abû ʿObayda (No. 75); 31. ʿAmr b. Ḥârith (No. 79); 32. Sohayl (No. 76); 33. ʿAmr b. Aby Sarḥ (No. 77).

Ibn Isḥâḳ, aus dessen Werk diese Liste entlehnt ist, berichtet, daſs No. 14, 23 und 26 dem Propheten nicht sogleich nach Madyna folgten. No. 15 wanderte zwar dahin aus, wurde aber von seinen beiden mütterlichen Brüdern, Abû Ġâhl und Ḥârith b. Hischâm, nach Makka zurückgebracht. No. 28 starb vor der Flucht nach Madyna.

Die Tradition sagt, daſs die Gläubigen, welche dem Moḥammad nicht gleich nach Madyna folgten, von den Heiden in Makka festgehalten wurden (ḥobisû vgl. oben S. 121 Note). Mit dem Festhalten war es wahrscheinlich nicht so arg. In einer Tradition des Ibn ʿAbbâs (bei Baghawy, Tafsyr 29, 1) und in einer andern des ʿAbd al-Razzâḳ ... von ʿAbd al-Mâlik b. Aby Bakr b. al-Ḥârith b. Hischâm (bei Içâba, unter Salama), welche durch eine Tradition des Abû Horayra (bei Bochâry und Moslim) bestätiget wird, werden ʿAyyâsch b. Rabyʿa, Salama b. Hischâm, und ʿAmmâr b. Yâsir in dieselbe Kategorie gestellt mit Walyd b. Walyd, dieser aber focht gegen Moḥammad bei Badr, wurde gefangen und trat erst, nachdem er seine Freiheit erhalten hatte, wieder zu Moḥammad über. Die Wiederbekehrung dieser drei Leute (des ʿAyyâsch, Salama und Walyd) war nun freilich durch die Fürbitte des Propheten bewirkt, denn er betete für sie, daſs Gott sie aus den Händen der Ungläubigen erlösen soll, als er hörte, daſs sie gegen ihn zu Felde zögen; aber es ist doch ganz klar, daſs sie mehr durch moralischen als physischen Zwang in Makka zurückgehalten worden, denn sonst hätte Walyd nicht gegen ihn gefochten.

Alle Parteien sahen die Nothwendigkeit der Versöhnlichkeit und Duldsamkeit ein.

Im Jahre 619 [1]), nachdem die Acht aufgehoben war, verlor Moḥammad kurz nach einander seine Frau Chadyga und seinen Oheim Abû Ṭâlib. Ich schalte die Worte des Ibn Sa'd über das, was darauf folgte, im Anhange ein.

Ich mufs nun noch einmal auf die abessynische Auswanderung zurückkommen. Den Ḳorayschiten mufste noch das Verhältnifs des Königs 'Othmân zu den Byzantinern im Gedächtnisse sein, sie konnten es also nicht mit Gleichgültigkeit ansehen, dafs ihr Stamm seiner besten Kräfte beraubt wurde und diese sich im Auslande sammelten, um vielleicht einst mit fremder Hülfe als Sieger in das Vaterland zurückzukehren. Hatten doch dieselben Abessynier früher auf die Vorstellungen eines mifsvergnügten Prinzen Yaman erobert. Sie schickten also eine Gesandtschaft an den König von Abessynien, um ihn über die neue Lehre des Moḥammad aufzuklären und zu bitten, seine Gäste nach Arabien zurückzuschicken. Wir haben zwar einen alten Bericht über diese Gesandtschaft, aber man sieht es ihm an, dafs er von den Geschichtenerzählern herstamme und dafs die Einzelheiten wenig Glauben verdienen. Wir müssen ihn einmal hinnehmen, wie er ist, und ich schalte ihn hier ein. Unter den verschiedenen Versionen desselben wähle ich zwei, welche noch nicht gedruckt worden sind, und stelle sie zusammen [2]):

---

[1]) Die späteren Biographen haben seinen Tod auf den Tag berechnet. Moḥammad war als Abû Ṭâlib verschied 49 Jahre, 8 Monate und 11 Tage alt, heifst es in dem Mawâhib S. 29. Nach dieser berechnung fiele sein Tod auf den 7. Juli 619.

[2]) Ibn Aby Schayba, S. 51, von 'Obayd Allah b. Mûsà, von Isrâyl, von [seinem Grofsvater] Abû Isḥâḳ, von Abû Mûsà — und Wâḥidy, Asbâb 3, 61, von Kalby, von Abû Çâliḥ, von Ibn 'Abbâs; und (Wâḥidy) von 'Abd al-Raḥmân b. Ghanm [† 78], von den Gefährten des Propheten; und (Wâḥidy) von Ibn Isḥâḳ. Ich berück-

»Die Ḳorayschiten versammelten sich im Rathhause und beschlossen, zwei einsichtsvolle Männer als Gesandte an den Naǵǵâschy zu schicken mit der Bitte, die Flüchtlinge auszuliefern. Sie schossen Geld zusammen, um für den Naǵǵâschy Geschenke, besonders Leder (Adym), anzukaufen. 'Amr b. 'Âç und Mo'ayṭ wurden als Abgeordnete gewählt. Sie schifften sich auf dem Rothen Meere ein und erreichten nicht ohne kleine Abenteuer ihre Bestimmung. Beim Naǵǵâschy vorgelassen, warfen sie sich auf ihr Angesicht nieder und sprachen: Unser Stamm hegt die freundschaftlichsten Gesinnungen und die Gefühle der tiefsten Dankbarkeit gegen dich, und er bewundert alle deine Verfügungen. Er hat uns zu dir gesandt, um dich vor jenen Leuten zu warnen, welche bei dir Zuflucht genommen haben. Sie sind die Anhänger eines Lügners, der unter uns aufgestanden ist und glaubt, dafs er ein Bote Gottes sei. Niemand folgt ihm, als Thoren. Wir haben sie in die Enge getrieben und sie genöthigt, in einer Schi'b in unserm Lande Zuflucht zu suchen, wo sie Niemand besucht und Niemand von ihnen es wagt herauszukommen. Hunger und Durst reiben sie beinahe auf[1]). In dieser Be-

---

sichtige den Bericht des Ibn Isḥâḳ (S. 217) nicht, weil er dem Publikum durch die Uebersetzung des Hrn. Wüstenfeld bekannt gemacht werden wird.

Die Biographen wissen nicht, in welche Zeit sie diese Gesandtschaft verlegen sollen. Einige sagen, dafs sie unmittelbar nach der ersten Auswanderung stattfand. Aber die Zeit des Aufenthaltes der Flüchtlinge in Abessynien war zu kurz, und in der Erzählung spielt Ǵa'far eine wichtige Rolle, welcher damals in Makka war. Wenn sie aber andere erst nach der Aufhebung der Acht, ja nach der Schlacht von Badr (623) stattfinden lassen, so sind sie doch gewifs in noch gröfserem Irrthume. Nach Ibn Sa'd waren die Gesandten schon nach Makka zurückgekommen, als die Hâschimiten in die Acht erklärt wurden.

[1]) Wâḥidy setzt die Gesandtschaft nach der Schlacht von Badr (A. D. 624) und gebraucht daher in diesem Satze das Perfektum. Nach Ibn Aby Schayba hingegen kam sie sobald in Abessynien an,

drängnifs sandte er seinen Vetter zu dir, damit er deine Religion, dein Königreich und deine Unterthanen verderbe. Hüte dich vor ihnen und treibe sie zu uns zurück, wir wollen schon mit ihnen fertig werden. Es diene dir als Zeichen ihrer Halsstarrigkeit, dafs, wenn sie vor dich treten, sie sich nicht vor dir niederwerfen und dich nicht mit demselben Grufse begrüfsen wie andere Leute. Die Ursache davon ist, dafs sie von deiner Religion und von deinen Gebräuchen abweichen.

Der Naǵǵâschy liefs sie rufen. Als sie ankamen, rief Ǵa'far bei der Pforte: die Schaar Gottes wünscht vorgelassen zu werden. Der Naǵǵâschy befahl, ihnen zu bedeuten, dafs Ǵa'far seinen Ruf wiederholen soll und, als er es gethan hatte, antwortete jener: Ja, lafst sie herein unter dem Schutze und dem Geleite Gottes. 'Amr b. al-'Âç sah seinen Gefährten an und sprach: Hörst du nicht, dafs sie den arabischen Ausdruck »Schaar Gottes« [1]) gebrauchen und was ihnen der Naǵǵâschy geantwortet hat? Beiden mifsfiel dies. Sie traten vor den König, ohne sich auf die Erde zu werfen. 'Amr sagte zum Naǵǵâschy: Sie sind zu stolz, sich vor dir zu verbeugen. Er sprach zu ihnen: Warum werft ihr euch vor mir nicht nieder und grüfset mich nicht auf die Weise, wie mich Leute, die von allen Weltgegenden herkommen, grüfsen? Sie antworten: Wir prosterniren uns nur vor Gott, der dich und dein Königreich erschaffen hat. Wir pflegten auf dieselbe Weise zu grüfsen wie andere, als wir noch Götzen anbeteten. Aber Gott hat unter uns einen Propheten aufstehen lassen, den schon Jesus vorhergesagt hat in den Worten: Nach mir kommt ein Bote, dessen Name

---

dafs der König noch gar nichts von der Anwesenheit von Flüchtlingen in seinem Lande wufste. Auch in Wâḥidy kommt ein Passus vor, demzufolge er sie noch nicht kennt, obschon sie acht Jahre im Lande gewesen wären. Auf die Chronologie achteten diese Herren nicht. Es lag ihnen nur daran, die Erzählung recht erbaulich und vortheilhaft für den Islâm zu machen.

[1]) حزب الله

Aḥmad ist. Dieser hat auf Gottes Befehl den Grufs der Bewohner des Paradieses unter uns eingeführt, und dieser ist: Salâm! Der König wufste, dafs dies richtig sei, denn es steht in der Thora und im Evangelium geschrieben. Er fragte: Wer von euch hat ausgerufen: Die Schaar Gottes wünscht vorgelassen zu werden? Ġaʿfar antwortete: Ich! Der Naġġâschy befahl ihm nun das Wort zu nehmen. Ġaʿfar sprach: Du bist einer der Könige der Erde und einer der Schriftbesitzer. Viele Worte sind nutzlos vor dir und Ungerechtigkeit unmöglich. Ich will im Namen meiner Gefährten sprechen. Lafs auch einen von diesen zwei Männern reden und befiehl dem andern zu schweigen. ʿAmr sagte zu Ġaʿfar: Es sei so; sprich!

Ġaʿfar wandte sich an den König mit den Worten: Frage sie, ob wir Sklaven oder freie Männer sind. Wenn wir Sklaven sind, so sende uns zu unseren Herren zurück. Der König fragte: Sind sie Sklaven oder Freie? ʿAmr antwortete: Sie sind freie Männen von edler Abkunft. Ġaʿfar sagte: Frage sie, ob wir mit Blutschuld belastet sind? Wenn es der Fall ist, so soll das Blut an uns gerächt werden. ʿAmr antwortete: Durchaus nicht. Ġaʿfar fragte: Habt ihr fremdes Eigenthum von uns zu fordern? Wir wollen es zurückstellen. ʿAmr antwortete: Nicht einen Ḳyrâṭ. Der Naġġâschy sprach: Was ist denn die Schuld dieser Leute? ʿAmr antwortete: Wir hatten alle dieselbe Religion und bildeten ein Gemeinwesen. Es war die Religion unserer Väter. Sie haben sie verlassen und eine neue gestiftet, wir aber hängen noch der alten an. Unser Stamm hat uns zu dir geschickt, damit wir dich bitten, uns die Abtrünnigen auszuliefern. Der Naġġâschy fragte den Ġaʿfar: Worin besteht euer früherer Glauben, den ihr verlassen habt, und der neue Glauben, dem ihr anhängt. Ġaʿfar antwortete: Die Religion, welche wir verlassen haben, ist die Religion des Satans: wir verläugneten den wahren Gott und beteten Steine an. Unsere neue Religion aber ist die Religion Gottes und der Islâm. Gott hat einen Boten zu uns gesandt, der sie uns predigte und ein Buch offenbarte, wie das Buch des Sohnes der Maria. Der Naǧǧâschy erwiederte: Was du sagst, ist richtig, aber nur gemach!

Er liefs die Glocken läuten und es versammelten sich die Priester und Mönche. Der Naǧǧâschy sprach zu ihnen: Ich beschwöre euch bei jenem Gott, der Christo das Evangelium geoffenbart hat, sagt mir: Findet ihr zwischen dem Erlöser und dem Tag der Auferstehung einen Propheten, der mit einer Botschaft an die Menschheit geschickt wird? Sie antworteten: Ja, Jesus hat ihn vorhergesagt, mit dem Beisatz: Wer an ihn glaubt, der glaubt an mich, und wer ihn verläugnet, der verläugnet mich. Der König fragte den Ġaʿfar: Was lehrt euch dieser Mann? Ġaʿfar antwortete: Er trägt uns ein Buch vor, in welchem was recht und billig ist befohlen, und was unrecht ist, verboten wird. Er befiehlt uns gute Nachbaren zu sein, Verwandte zu unterstützen, Mildthätigkeit gegen Waisen zu üben, Allah allein anzubeten und kein anderes Wesen [1]). Dem Naǧǧâschy gefielen seine Worte. Als ʿAmr dies bemerkte, sprach er: Heil dem Könige! Sie weichen aber von deiner Meinung ab in Bezug auf den Sohn der Maria. Der Naǧǧâschy fragte darauf den Ġaʿfar, was der Prophet in Bezug auf Jesus lehre? »Er lehrt in Bezug auf ihn das Wort Gottes, nämlich dafs er der Geist des Allah sei, und sein Wort, dafs er ihn aus der reinen Jungfrau hervorgebracht habe, welche kein Mann berührt hatte.« Darauf las Ġaʿfar die Sûra Maryam (d. h. die 19te) vor. Der Naǧǧâschy nahm ein Stückchen Holz von der Erde und sprach: O Priester und Mönche, der Unterschied zwischen dem was er lehrt und was ihr lehrt beläuft sich nicht auf das

---

[1]) Soweit folgte ich besonders dem Wâḥidy, von hier aber dem Ibn Aby Schayba. Dieser Traditionist vergifst jedoch zu sagen, dafs Ġaʿfar die 19te Sûra vortrug. Es wird aber von Ibn Isḥâķ und Wâḥidy berichtet.

Gewicht dieses Hölzchens. Dann wandte er sich zu den Flüchtlingen und fuhr fort: Seid mir willkommen, und wohl dem, von welchem ihr kommt. Ich bezeuge, dafs er ein Bote Allah's und derjenige sei, den Jesus verheifsen hat. Hielten mich nicht meine Regierungsgeschäfte zurück, so würde ich zu ihm gehen, um ihm die Schuhe nachzutragen. Bleibet in meinem Lande so lange ihr wollt. Darauf befahl er, ihnen Speisen zu reichen und Kleider zu geben; dem 'Amr und 'Omâra aber stellte er ihre Geschenke zurück und entliefs sie.

'Amr war klein und 'Omâra war ein schöner Mann. Auf der Reise nach Abessynien tranken sie auf dem Schiffe. 'Amr hatte seine Frau bei sich und 'Omâra sagte zu ihm, als sie betrunken waren: Erlaube deiner Frau, mir einen Kufs zu geben. 'Amr antwortete: Wie, schämst du dich nicht? 'Omâra ergriff ihn darauf und warf ihn in's Meer, rettete ihn aber auf dessen Bitten vom Tode. 'Amr, welcher dies nicht verzeihen konnte, sagte zum Naǵǵâschy: Behalte den 'Omâra unter deinen Leuten, wenn ich das Land verlasse. Der Naǵǵâschy blies ihn an, er wurde wahnsinnig und lebte mit den wilden Thieren« [1]).

Der Naǵǵâschy ist für uns von so grofser Wichtigkeit, dafs ich eine Nachricht über ihn aus Ibn Isḥâḳ S. 223, von Ǵa'far b. Moḥammad, vom Vater, einschalte:

»Die Abessynier versammelten sich und sagten zum Naǵǵâschy: Du hast unsere Religion verlassen! und sie empörten sich gegen ihn. Er liefs den Ǵa'far zu sich kommen, bereitete Schiffe für ihn und die übrigen Moslime und sprach zu ihm: Besteiget diese Schiffe und lebet darauf nach eurer Weise. Wenn ich im Kampfe unterliege, so segelt hin, wo es euch gefällt; wenn ich aber siegreich bin, so bleibet hier. Dann schrieb er wie folgt: Ich be-

---

[1]) Die Geschichte des Wahnsinns des 'Omâra wird ausführlicher im Kitâb alaghâniy berichtet, wie es scheint wurde sie früh poetisch bearbeitet.

zeuge, es giebt keinen Gott aufser Gott, und Moḥammad ist sein Knecht und Bote. Ferner bezeuge ich, dafs Jesus sein Knecht und Bote, und sein Geist und sein der Maria eingeflöfstes Wort ist. Diese Schrift verbarg er in seinem Kleide bei der rechten Achsel. Dann begab er sich zu den Abessyniern, welche sich in Schlachtordnung gestellt hatten. Er sagte zu ihnen: Denket ihr nicht, dafs ich unter allen Menschen am berechtigsten bin, euch zu regieren? Sie antworteten: Ja. Er fragte: Und was denket ihr von meinem Wandel? Sie erwiderten: Er ist sehr gut. Er fragte weiter: Was wollt ihr dann? — Du hast unsere Religion verlassen und behauptest, Jesus sei ein Knecht. Er fragte sie: was saget ihr von ihm? — Wir behaupten, dafs er Gottes Sohn sei. Der Naǵǵâschy legte nun die Hand auf die Brust, nämlich auf das Kleid und sagte: Ich bezeuge, dafs Jesus der Sohn der Maria sei. — Er fügte sonst nichts hinzu und zeigte zugleich auf die verborgene Schrift, welche sein Glaubensbekenntnifs enthielt. Die Abessynier waren nun zufrieden und kehrten ruhig nach Hause zurück. Der Prophet hörte dies und verrichtete nach seinem Tode die Leichengebete für dessen Seele.«

Auch andere Traditionen [1]) bestätigen, dafs, als Moḥammad Kunde von dem Tode des Naǵǵâschy erhielt, er Gebete für ihn verrichtete. Man folgert daraus, dafs er ihn für einen orthodoxen Moslimen hielt und zwar zu einer Zeit, wo er mit den Schriftbesitzern gebrochen hatte, denn er starb im October 630 (Raǵab A. H. 9).

Die oben ausgesprochene Vermuthung, dafs die Byzantiner dem Islâm ihren moralischen Beistand angedeihen liefsen, findet einige Bestätigung im Ḳorân. Die betreffende Stelle beweist, dafs die Araber an der Politik der angrenzenden Länder damals ebenso viel Antheil nahmen als jetzt noch, und auch ebenso gut unterrichtet waren. Für die persische und byzantinische Politik war die kampf-

[1]) Vergl. Bochâry S. 547 und Içâba Bd. 1 S. 219.

lustige Bevölkerung der Wüste von grofsem Interesse, denn sie entschied oft ihre Kriege. Den Griechen war es gelungen, mehrere Stämme der mesopotamischen und syrischen Araber zum Christenthum zu bekehren, die Perser hingegen beschenkten ihre Bundesgenossen mit Ländereien im fruchtbaren Delta des Tigris, und die Lehre des Zoroaster machte einige, wenn auch unbedeutende Fortschritte an der Westküste des Rothen Meeres.

Um die hierhergehörige Korânstelle zu würdigen, ist es nöthig, einen Rückblick auf die Geschichte des Königs der Könige, Anuschyrwân des Gerechten, und auf die glorreiche Laufbahn des Heraclius zu werfen. Im Jahre 603 fielen die Perser in das römische Gebiet ein, eroberten das feste Dara, unterwarfen sich das blühende Maradyn und das wasserreiche Orfa. Sie setzten über den Euphrat, belagerten und nahmen die Burg von Aleppo und eroberten im Jahre 611 die umliegende Landschaft. Der Enkel des weisen und gerechten Perserkönigs unterwarf sich im Jahre 614 Jerusalem und dehnte in demselben Jahre, in welchem die Moslime in Abessynien zuerst eine Zufluchtsstätte fanden (616), seine Siege nach Egypten und Klein-Asien aus, im Jahre 621 endlich bedrohte er Constantinopel.

Im Jahre 622 landete Heraclius im Golf von Iskanderûn und drang siegreich bis an das Taurusgebirge und den Halysflufs vor. Dieser Fortschritt der christlichen Waffen erfüllte den Propheten mit Muth gegen seine heidnischen Gegner, deren Sympathie auf Seite der Perser war, und er sprach seine Erwartungen in folgender Inspiration aus:

30, 1. Alyf, Lâm, Mym. Die Byzantiner sind besiegt worden

2. in dem [uns am] nächsten Lande. Aber gewifs werden sie nach ihrer Niederlage siegen

3. in wenigen Jahren; denn Allah hat zu befehlen, vor wie nach. Dann werden sich die Gläubigen freuen

4. ob des Beistandes Allah's. Er steht bei (verleiht den Sieg), wem er will, denn er ist der Erhabene, der Barmherzige.

Die Exegeten versetzen diese Weissagung in eine frühere Zeit, indem sie behaupten, Moḥammad habe sie gemacht, als der persische General Schahryrâz in der Gegend von Boçrà und Adraʿât einen Sieg über die Griechen erfocht. Ferner schreiben sie die ersten Vortheile der Byzantiner Verrath und nicht Wundern zu.

Anhang zum zehnten Kapitel.

I. Belege.

Ibn Sa'd fol. 39 v., von Wâḳidy, von Abû Bakr b. 'Abd Allah b. Aby Sabra, von Isḥâḳ b. 'Abd Allah, von Abû Salma Ḥadhramy, von Ibn 'Abbâs; auch [Wâḳidy] von Mo'âdz b. Moḥammad Ançâry, von 'Âçim b. 'Omar b. Ḳatâda; auch [Wâḳidy], von Moḥammad b. 'Abd Allah, von Zobry, von Abû Bakr b. 'Abd al-Raḥmân b. al-Ḥârith b. Hischâm; auch [Wâḳidy], von 'Abd Allah b. 'Othmân b. Aby Solaymân b. Ġobayr b. Moṭ'im, von seinem Vater. Die verschiedenen Angaben sind in Eine Erzählung verwoben:

„Als die Ḳorayschiten hörten wie der Naġġâscby den Ġa'far und seine Begleiter behandelte, und wie ehrenvoll er sie aufgenommen habe, schmerzte es sie, und sie waren über den Propheten und seine Anhänger erbittert. Sie kamen daher zum Einverständnifs, dafs sie ihn morden wollen, und sie fertigten eine Schrift gegen die Hâschimiten [welche den Moḥammad beschützten] aus: Dafs sie mit ihnen keine Ehe eingehen, mit ihnen keinen Handel treiben und keine Gemeinschaft (Umgang) haben wollen. Das Dokument wurde von Mançûr b. 'Ikrima 'Abdâry geschrieben und seine Hand wurde gelähmt [1]). Sie hingen das Schriftstück im Innern der Ka'ba auf. Einige aber sagen, dafs es der

---

[1]) Das Dokument wurde von Baghydh b. 'Âmir b. Hâschim b. 'Abd Manâf b. 'Abd aldâr geschrieben. Mançûr b. 'Âmir b. Hâschim war ein Bruder des Dichters 'Ikrima und Besitzer des Rathhauses. Es kaufte ihm dasselbe aber zur Zeit des Heidenthums Ḥakym b. Ḥizâm ab. So sagt Zobayr [b. Bakkâr]. Nach Ibn Kalby aber war es 'Ikrima b. 'Âmir, welcher das Rathhaus an den Mo'âwiya um 100000 Dirham verkaufte. (Glosse zu Ibn Sa'd von Dimyâṭy.)

Omm al-Ġolâs, einer Tochter des Mocharriba Ḥantzalyya, welche eine Tante des Abû Ġahl war, zur Aufbewahrung übergeben wurde. Am ersten Moḥarram des siebenten Jahres, nachdem Moḥammad zum Propheten erkoren worden war, schlossen sie die Hâschimiten in der Schi'b des Abû Ṭâlib ein. Die Banû Moṭṭalib b. 'Abd Manâf begaben sich zu den Hâschimiten in die Schi'b des Abû Ṭâlib. Abû Lahab aber [obwohl er ein Hâschimite war] ging zu den Ḳorayschiten und unterstützte sie in ihrem Unternehmen gegen die Hâschimiten und Moṭṭalibiten.

Sie schnitten ihnen die Zufuhr an Lebensmitteln ab und die Blokirten kamen nur zur Zeit der Mawsim (des Pilgerfestes) aus der Schi'b heraus. Sie hatten grofse Drangsale zu erdulden, und man hörte die Stimmen der Kinder auf der anderen Seite der Schi'b. Einige Ḳorayschiten freuten sich darüber, anderen aber mifsfiel es und sie sagten: Seht, was den Mançûr b. 'Ikrima befallen hat. Sie blieben drei Jahre in der Schi'b; dann machte Gott dem Propheten den Zustand des Dokumentes bekannt, nämlich dafs die Würmer alles zerfressen hätten, was von Unterdrückung und Ungerechtigkeit darin stand, und dafs nur die Erwähnung Allah's unversehrt geblieben war.

Der Prophet erzählte dies dem Abû Ṭâlib, welcher es seinen Brüdern mittheilte. Sie gingen darauf zum Tempel [wo sich die Ḳorayschiten gewöhnlich versammelten] und Abû Ṭâlib sagte zu den ungläubigen Ḳorayschiten: Mein Neffe, der mich noch nie belogen, hat mir gesagt, dafs die Würmer euer Dokument zernagt haben. Die Ungerechtigkeit, Unterdrückung und schlechte Behandlung der Verwandten, die darin erwähnt wird, haben sie zerstört, und alle Stellen, in denen Gott genannt wird, haben sie verschont. Wenn mein Neffe die Wahrheit spricht, so gebt eure bösen Entschlüsse auf, wenn er aber nicht die Wahrheit spricht, so will ich euch denselben ausliefern und ihr könnt ihn tödten oder am Leben lassen, wie es euch gefällt. Sie antworteten: Dein Vorschlag ist billig. Sie schickten nach dem Dokument, öffneten es, und siehe da, es war wie der Prophet gesagt hatte. Sie waren sehr betrübt darüber. Abû Ṭâlib sprach: Warum sollen wir eingesperrt und blokirt werden, da sich doch die Sachlage so herausgestellt hat, wie wir sagten. Darauf begab er sich mit seinen Leuten in den Raum zwischen der Ka'ba und der sie umgebenden Mauer und sprach: Allahomm! stehe uns bei gegen die, welche ungerecht gegen uns sind und ihre Verwandten unterdrücken, und erlöse uns von dem Interdikt, mit dem sie uns belegt haben; dann kehrten sie in die Schi'b zurück.

Mehrere Ḳorayschiten, darunter Moṭ'im b. 'Adyy, 'Adyy b. Ḳays,

Zama'a b. Aswad, Zohayr b. Aby Omayya und Abû Bochtary b. Hâschim, tadelten die andern wegen der Behandlung der Hâschimiten und griffen zu den Waffen; sie begaben sich zu den Hâschimiten und Moṭṭalibiten und sagten ihnen, sie mögen die Schi'b verlassen und in ihre Wohnungen zurückkehren. Als die Ḳorayschiten dies sahen, grämten sie sich, namentlich als sie bemerkten, dafs jene Leute sie (die Hâschimiten) nicht verlassen würden. Sie verliefsen die Schi'b im zehnten Jahre nach der Sendung."

Bemerk. Es ist zu bedauern, dafs Wâḳidy durch das Zusammenfügen von verschiedenen Traditionen uns eine kritische Untersuchung fast unmöglich gemacht hat. Wir finden in seiner Erzählung zwei einander widersprechende Nachrichten über die zwei Hauptpunkte; nach einer bestand die Verfolgung in einem Vertrage, mit den Hâschimiten keine Ehen zu schliefsen und überhaupt sie mit dem Interdikt zu belegen; nach der andern in einer förmlichen Blokade; ferner verdanken die Hâschimiten nach einer Version dem Einschreiten des Moṭ'im b. 'Adyy und anderer patriotischer Männer, nach der andern aber einem Wunder ihre Befreiung. Ibn Sa'd führt aufser den obigen noch zwei Traditionen an, um zu zeigen, dafs das Dokument von Würmern zerfressen worden sei. Für die eine ist Ġâbir, von Moḥammad b. 'Alyy und von 'Ikrima († 107), für die andere derselbe Ġâbir [b. Yazyd? † 127], von einem Ḳorayschiten aus Makka, von seinem Grofsvater, welcher das Dokument in Verwahrung hatte (!), Bürge.

Nach einer Glosse oder Variante wurde das Dokument in „Chayf Banû Kinâna" ausgefertigt. Diese Glosse mag aus folgender Tradition des Abû Horayra, die Bochâry S. 548 erzählt, entstanden sein:

„Als der Prophet nach Ḥonayn ziehen wollte, sagte er: So Gott will, ist morgen unser Lager in Chayf Banû Kinâna, wo sie (die Ungläubigen) sich zum Unglauben verschworen haben."

Man nimmt an, dafs unter dieser Verschwörung das Schreiben dieses Dokuments zu verstehen sei. Das Chayf Banû Kinâna wird auch Moḥaççab geheifsen, und ist eine Gegend zwischen Makka und Minâ, doch näher bei Minâ. Es fängt nämlich von al-Ḥaġûn an und erstreckt sich bis Minâ.

Ibn Sa'd, fol. 38, von Wâḳidy, von Moḥammad b. Lûṭ Nawfaly, von 'Awn b. 'Abd Allah b. al-Ḥârith b. Nawfal, auch [Wâḳidy] von 'Âyidz b. Yaḥyâ, von Abû Ḥowayrith; auch [Wâḳidy] von Moḥammad b. 'Abd b. Achy Zohry, von seinem Vater, von 'Abd Allah b. Tha'laba b. Ço'ayr 'Odzry († 87 oder 89). — Die Angaben der drei Auktoritäten sind in ein Ganzes zusammengestellt:

„Als die Ḳorayschiten sahen, daſs der Islâm Aufsehen machte, und die Moslime sich um die Ka'ba herumsetzten, ärgerten sie sich sehr. Sie gingen daher zu Abû Ṭâlib und sprachen zu ihm: Du bist unser Sayyid (Herr) und der ausgezeichnetste Mann unter uns. Du hast gesehen, was jene Thoren angefangen haben in Verbindung mit deinem Neffen: sie haben unsere Götter verlassen, sie lästern dieselben und erklären uns für Thoren. Sie brachten zugleich den 'Omâra b. al-Walyd b. Moghyra zu Abû Ṭâlib und sprachen: Wir bringen dir einen Ḳorayschiten-Jüngling, der sich durch Schönheit, Abstammung, kräftigen Körperbau und poetische Talente auszeichnet. Wir wollen dir ihn geben, er soll dir beistehen im Kampfe gegen deine Feinde, und du sollst ihn erben; du aber giebst uns deinen Neffen, auf daſs wir ihn tödten. Auf diese Art werden die Stammesverpflichtungen am besten aufrecht erhalten und die Schwierigkeit auf's Befriedigendste beendet.

Abû Ṭâlib antwortete: Ihr seid wahrlich nicht billig gegen mich. Ihr gebt mir euren Sohn, damit ich ihn nähre, und ich soll euch meinen Neffen dafür geben, auf daſs ihr ihn tödtet. Das ist nicht Recht. Ihr benehmt euch gegen mich, wie sich der Niedrige gegen den Edlen benimmt.

Darauf sprachen sie: Rufe ihn, und wir wollen uns mit ihm verständigen. Der Prophet wurde gerufen, und Abû Ṭâlib sprach zu ihm: Neffe, hier sind deine Verwandten und die Vornehmen deines Stammes, sie kommen, um sich mit dir zu verständigen. Der Prophet sagte: Sprecht, was ihr wollt, und ich will es thun. Sie antworteten: Schweige von unsern Göttern (lästere sie nicht), und wir wollen von deinem Gott schweigen. Abû Ṭâlib bemerkte: Dieser Vorschlag ist wirklich sehr billig, nimm ihn an. Moḥammad erwiederte: Glaubt ihr wohl, ich werde euch das zugestehen? Wohlan, sprecht mir ein Wort nach, und ihr werdet die Araber beherrschen, und das Ausland wird sich euch unterwerfen. Abû Ġahl sagte darauf: Ich schwöre bei deinem Vater, wenn dieses Wort zu solchem Ziele führt, wollen wir es annehmen und noch zehn dazu; sprich, welches Wort ist es? — Es lautet, erwiderte Moḥammad: Es giebt keinen Gott auſser Allah. Sie verzogen die Gesichter, wurden dem Islâm noch mehr abgeneigt und zürnten auf ihn. Dann standen sie auf und sprachen: Bleibet euren Göttern getreu, es ist klar, wo man hinaus will (oder es steckt eine Absicht dahinter, vergl. Ḳorân 38, 5). Nach einigen Erzählern wurden diese Worte von 'Oḳba b. Aby Mo'ayṭ gesprochen.

Die Ḳorayschiten sagten: Wir wollen ihm keine weiteren Vorschläge machen — es ist am besten, ihn zu meucheln. An demselben Abende wurde er vermiſst. Abû Ṭâlib und seine andern Onkel kamen in sein Haus und suchten ihn, fanden ihn aber nicht. Abû Ṭâlib versammelte einige junge Helden der Familie des Hâschim und al-Moṭṭalib und sprach: Es nehme jeder ein scharfes Schwert und folge mir, wenn ich in den Tempel gehe; dann lese sich jeder von euch irgend einen der vornehmen Männer aus und setze sich neben ihn. Auch Abû Ġahl war unter denen, die auf diese Art hätten bedroht werden sollen, denn obwohl er ein naher Verwandter des Moḥammad war, so war doch vorauszusetzen, daſs er dabei gewesen wäre, wenn man den Moḥammad gemeuchelt hätte.

Die jungen Leute waren alle einverstanden, so zu handeln. Unterdessen aber kam Zayd b. Ḥâritha. Abû Ṭâlib fragte ihn, ob er seinen Neffen gesehen habe. Er begleitete den Zayd und fand den Propheten mit seinen Anhängern in einem Hause beim Çafâ (d. h. in dem Hause des Arḳam). Er erzählte ihm, welche Vorbereitungen er getroffen hatte, und fragte ihn, ob ihm nichts geschehen sei. Moḥammad antwortete, daſs ihm nichts geschehen. Abû Ṭâlib sagte: Gehe ohne Furcht in dein Haus. Am nächsten Tage kam er zu Moḥammad, nahm ihn bei der Hand und führte ihn, gefolgt von den jungen Leuten, in die Versammlung der Ḳorayschiten und sprach: O Ḳorayschiten, wiſst ihr, was ich gestern vor hatte? Sie sagten: Nein. Er rief den jungen Leuten zu: Entblöſset eure Waffen. Jeder zeigte seinen blitzenden Säbel. Abû Ṭâlib fuhr fort: Hättet ihr den Moḥammad gemeuchelt, so wäre keiner von euch am Leben geblieben. Unser Stamm hätte sich aufgerieben. Alle waren entsetzt, besonders Abû Ġahl."

Tabary, S. 121, von Aḥmad b. Mofadhdhal, von Asbâṭ, von Soddyy. (Abgekürzt übersetzt:)

„Es versammelten sich mehrere Ḳorayschiten, darunter Abû Ġahl b. Hischâm, 'Âç b. Wâyil, Aswâd b. al-Moṭṭalib, Aswad b. 'Abd Yaghûth [1]), und sprachen: Laſst uns zu Abû Ṭâlib gehen, um ihn zu bewegen, daſs er seinem Neffen verbiete, unsere Götter zu lästern und wir wollen ihm seinen Gott, den er anbetet, lassen. Der alte Mann (Abû Ṭâlib) könnte sterben und die Araber würden uns nachsagen, daſs wir ihn gewähren lieſsen bis sein Onkel todt war und dann erst den Muth hatten, ihm entgegen zu treten oder ihn zu tödten. Abû Ṭâlib sagte zu Moḥammad: Sie machen mir einen billigen Vorschlag, nämlich daſs du aufhörst, ihre Götter zu lästern und sie wollen dich in Ruhe und deinen Gott verehren lassen. Er antwortete: O Oheim, predige ich ihnen nicht etwas Besseres? — Und was ist das? — Wenn sie mir ein Wort nachsprechen, werden

[1]) Wâḥidy nennt Abû Sofyân, Abû Ġahl, al Nadhr, Omayya und Obayy, die Söhne des Chalaf, 'Oḳba b. Aby Mo'ayṭ, 'Amr b. al-'Âç und Aswad b. Bochtary. Es scheint, daſs die Namen erst von den Ueberlieferern in diese und andere Traditionen gesetzt oder wenigstens nach Belieben verändert worden sind.

sie die Araber beherrschen und das Ausland wird sich ihnen ergeben. Abû Ġahl sagte darauf: Was ist dieses? wir wollen dir zehn solche Worte nachsagen. — Es lautet: Es giebt keinen Gott aufser Allah. Sie waren unzufrieden und sagten: Verlange etwas Anderes. Moḥammad aber erwiederte: Wenn ihr die Sonne in meine Hand legt, so werde ich kein anderes sagen. Sie verliefsen ihn zornig und sagten: Bleibet euren Göttern treu etc. (Ḳor. 38, 5).

Er wandte sich dann zu Abû Ṭâlib und sagte: Sprich mir nach: Es giebt keinen Gott aufser Allah, und ich will am Tage der Auferstehung dein Zeuge sein. Dieser aber weigerte sich. Darauf wurde Ḳor. 28, 26 geoffenbart."

Bemerk. Wâḥidy, Asbâb 6, 108, erzählt diese Tradition ebenfalls, verlegt sie aber schon auf die Zeit des Todes des Abû Ṭâlib, wie es auch in folgender Version geschieht. Nach meiner Ansicht sind die Makkaner einige Wochen oder Monate vor dem Tode des ritterlichen Mannes in ihn gedrungen, dafs er seinem Neffen untersage, ihre Götter zu lästern.

Ṭabary, S. 123, von ʿAmasch, von ʿAbbâd, von Saʿyd b. Ġobayr, von Ibn ʿAbbâs:

„Als Abû Ṭâlib krank wurde, besuchten ihn mehrere Ḳorayschiten, darunter Abû Ġahl. Er sagte: Dein Neffe lästert unsere Götter und thut Dies und Jenes und sagt Dies und Jenes. Lafs ihn kommen und verbiete es ihm. Als Moḥammad kam nahm Abû Ġahl den Sitz zunächst bei Abû Ṭâlib ein, und er mufste an der Thüre bleiben. Abû Ṭâlib sagte: Dein Stamm beklagt sich über dich, dafs du die Götter lästerst. Moḥammad antwortete: Wenn sie mir ein Wort nachsprechen, gehorchen ihnen die Araber und das Ausland zahlt ihnen Tribut. Die Anwesenden antworteten: Wir wollen dir zehn solche nachsagen — wie lautet es? — Moḥammad antwortete: Es giebt keinen Gott aufser Allah. Sie waren voll Aerger und sprachen: Er macht nur Einen Gott aus den Göttern etc. Ḳor. 38, 4.

Bemerk. Eine ähnliche Tradition erzählt Wâḥidy, Asbâb 38, 4, mit etwas verschiedener Isnâd, nämlich von ʿAmasch, von Yaḥyâ b. ʿOmâra, von Saʿyd b. Ġobayr, von Ibn ʿAbbâs. Vergl. auch Ibn Isḥâḳ S. 278. Ich will nur bemerken, dafs der Ḳoranvers 38, 4 auf den sie sich alle beziehen, spätestens 617 geoffenbart worden ist.

Baghawy jedoch, welcher den Exegeten folgt, verlegt die Geschichte um fast zwei Jahre früher, indem er erzählt:

„Die Bekehrung des ʿOmar schmerzte die Ḳorayschiten, während die Gläubigen darüber frohlockten. Walyd b. Moghyra sprach daher zu der Malâ, d. h. den Tapfern (çanâdyd) und Edeln (aschrâf) der Ḳorayschiten, welche in Allem aus fünf und zwanzig Mann bestanden, unter denen Walyd b. Moghyra der älteste (akbar, angesehenste?) war: Lafst uns zu Abû Tâlib gehen. Sie begaben sich zu diesem und sagten zu ihm: Du bist unser Schaych und unser Aeltester; du weifst, was jene Thoren angefangen haben. Wir kommen zu dir, damit du zwischen uns und deinem Neffen die Sache zu einer Krise führest. Abû Ṭâlib sandte nach Moḥammad und sagte zu ihm: Dein Volk erwartet Billigkeit von dir; du mufst ihrem Anerbieten nicht auf jede Weise ausweichen. Moḥammad fragte, was sie wünschten, worauf sie erwiederten: Erwähne uns und unsere Götter nicht wieder, und wir wollen auch dich und deinen Gott in Ruhe lassen. Moḥammad sprach: Wollt ihr mir ein Wort zugestehen? ich verspreche euch, ihr sollt dadurch alle Araber beherrschen, und die übrigen Nationen werden sich zu euch bekehren. Abû Ġahl antwortete: Zehn, nicht nur eins; heraus damit! Dieses Wort ist, sagte Moḥammad feierlich: Es giebt keinen Gott aufser Allah! Sie standen auf und zerstreuten sich; denn wie, sagten sie, könnte Ein Gott die ganze Schöpfung umfassen."

II. Liste der Auswanderer.

Die bereits erwähnte Liste des Ibn Isḥâḳ, S. 209—215, enthält die Namen aller Moslime, welche von 616—622 nach Abessynien auswanderten, in so weit sie sich zu seiner Zeit ermitteln liefsen. Dies ist das zweite Verzeichnifs, welches die Biographen aufbewahrt haben und das hier mit kurzen biographischen Nachrichten mitgetheilt wird. Das erste steht im Anhange zu Kap. 5 Bd. I S. 395, und ich verweise darauf, wenn ein Name darin schon vorgekommen ist.

a) Hâschimiten.

1. Ġa'far I, 32.

Seine Frau (1) Asmâ I, 33. Sie gebar in Abessynien einen Sohn Namens Moḥammad [1]).

[1]) 'Abd Allah b. Ġa'far war das erste moslimische Kind, welches in Abessynien geboren worden ist, auch sein Bruder Moḥammad und 'Awn erblickten daselbst das Licht des Tages, und zwar nach Ibn 'Oḳba A. H. 2. 'Abd Allah war zehn Jahre alt als der Prophet starb. In der Schlacht von Çyffyn kommandirte er einen Theil des Heeres. Als ein Zug seiner Redlichkeit und Freigiebigkeit wird erzählt, dafs ein Dihḳân (Landeigenthümer) von Sawâd ihn ersuchte, mit 'Alyy über eine Angelegenheit zu sprechen. Er that es, und die Angelegenheit wurde zur Zufriedenheit des Dihḳân entschieden. Aus Dankbarkeit schickte er ihm 4000 Dirham. Ġa'far gab sie mit dem Bedeuten zurück, dafs er zu den Mitgliedern der Familie des Propheten gehöre, welche Recht und Billigkeit nicht verschachere. Einst hörte er, dafs ein Kaufmann eine Quantität Zucker nach Madyna gebracht und daselbst einen schlechten Markt gefunden habe; er gab

b) ʿOmayyiden.

2. ʿOthmân b. ʿAffân I, 5.

Seine Frau (2) Roḳayya, Bd. I S. 202.

3. ʿAmr [Abû ʿOḳba], ein Sohn des Abû Oḥayḥa. Er bekehrte sich nach seinem Bruder Châlid. Ibn ʿOḳba meldet, dafs er mit seiner Frau, einer Tochter des Çafwân, nach Abessynien floh. Omm Châlid, die Tochter seines Bruders Châlid, erzählte: Unser Onkel ʿAmr kam zwei Jahre nach uns in Abessynien an und nach einem Aufenthalte von zwei Jahren kehrte er wieder nach Makka zurück. Moḥammad ernannte ihn zum Statthalter über Wâdiy alḳorà, und sein Gebiet dehnte sich allmählig über Taymâ und Chaybar aus. Sein Bruder Châlid war Statthalter in Yaman und sein anderer Bruder Abân in Baḥrayn. Auf die Nachricht vom Tode des Propheten kamen sie alle drei nach Madyna. Abû Bakr wollte sie in ihren Aemtern bestätigen, sie aber zogen es vor, sich der nach Syrien abgehenden Armee anzuschliefsen; sie fielen im Kampfe für den Glauben, und zwar ʿAmr in der Schlacht von Aǵnâdayn.

Seine Frau (3) Fâṭima, eine Tochter des Çafwân.

4. Sein Bruder Châlid b. Saʿyd I, 44.

Seine Frau (4) Omayna, eine Tochter des Chalaf.

Verbündete der Omayyiden.

5. ʿAbd Allah b. Ǵaḥsch I, 30.

6. ʿObayd Allah b. Ǵaḥsch I, 30.

Seine Frau (5) Omm Ḥalyba bint Aby Sofyân.

7. Ḳays (Roḳaysch) b. ʿAbd Allah Asady. Ibn ʿOḳba nennt ihn unter den Flüchtlingen nach Abessynien, Ibn Saʿd sagt bestimm-

---

sogleich seinem Ḳahramân den Befehl, den Zucker zu kaufen und unter das Volk zu vertheilen. Einst machte er dem Chalyfen Yazyd seine Aufwartung und dieser machte ihm ein Geschenk von zwei Millionen Dirham. In einer andern Tradition wird gesagt, dafs ihm Yazyd ein sehr reichliches Geschenk an Geld machte, er aber dasselbe, ohne es in sein Haus bringen zu lassen, unter die Armen vertheilte. Der Dichter ʿAbd Allah b. Ḳays al-Raḳyyât spielt in den Worten darauf an: „Du bist nicht verschieden von dem edlen Sohne des Ǵaʿfar, welcher sah, dafs Geld keine Dauer habe, weswegen sein Ruhm auch nie verstummen wird.“

Er starb A. H. 80.

Sein Bruder Moḥammad, welcher ebenfalls in Abessynien geboren wurde, soll nach einigen Berichten der erste gewesen sein, welcher nach dem Propheten Moḥammad genannt wurde. Er war jünger als ʿAbd Allah und wurde also nach der Flucht geboren. Ueber seinen Tod weichen die Berichte von einander ab. Wahrscheinlich war Moʿâwiya noch am Leben als er starb.

ʿAwn war jünger als sein Bruder ʿAbd Allah; es ist aber nicht bestimmt, ob er jünger oder älter war als Moḥammad. Er fiel unter ʿOthmân bei Tostor.

ter, dafs er an der zweiten Flucht Theil nahm und dafs ihn seine Frau (6) Baraka bint Yasâr begleitete.

8. Mo'aykib oder Mo'aykyb b. Aby Fâṭima soll aus dem Stamme Dzû Açbaḥ oder Daws entsprossen sein. Er war ein Verbündeter der 'Abd-Schamsiten, bekehrte sich schon in Makka und soll sich nach Abessynien geflüchtet haben. 'Omar ernannte ihn zu seinem Schatzmeister und 'Othmân zum Siegelbewahrer. Er starb unter der Regierung des letztern oder erst nach dem Jahre 40.

c) Banû 'Abd Schams

9. Abû Ḥodzayfa I, 47.

Seine Frau (7) Sahla bint Sohayl bekehrte sich früh und gebar in Abessynien den Moḥammad. Später heirathete sie den Solamiten Schammâch b. Sa'yd und gebar ihm den 'Âmir; dann heirathete sie den 'Abd Allah b. Aswad b. 'Amr aus dem Stamme Mâlik b. Ḥanbal und gebar ihm den Salyṭ; dann heirathete sie den 'Abd al-Raḥmân b. 'Awf und gebar ihm den Sâlim.

10. Abû Mûsà Asch'ary. Seine Mutter war Ṭayyiba bint Wahb vom Stamme 'Akk; sie bekehrte sich in Madyna, wo sie auch starb. Abû Mûsà lebte zu Makka und trat in ein Schutzbündnifs mit Sa'yd b. 'Âç; später bekehrte er sich zum Islâm und floh nach Abessynien, wo er bis nach der Einnahme von Chaybar blieb. Dann begab er sich nach Madyna. Einige behaupten, dafs er in seine Heimath zurückgekehrt war und dafs, als er nach Madyna übersiedeln wollte, sein Schiff und das des Ġa'far zusammentrafen und sie mit einander beim Propheten anlangten. Er wird daher, wie in der Içâba gesagt wird, weder von Mûsà b. 'Okba, noch von Wâkidy, noch von Ibn Isḥâḳ (?) unter den Auswanderern nach Abessynien genannt. Moḥammad ernannte ihn zum Statthalter über das Küstenland von Yaman, welches Zabyd und 'Adan in sich begriff; der Chalyf 'Omar sandte ihn nach Moghyra als Gouverneur nach Baçra und unter seinem Kommando eroberten die moslimischen Truppen Ahwâz und Ispahân. 'Othmân ernannte ihn zum Statthalter von Kûfa, und bei Çiffyn war er einer der Schiedsrichter zwischen 'Alyy und den Omayyiden. Er hatte eine sehr schöne Stimme, und weder eine Çanġ (صنج), noch ein Barbaṭ (Barbitus), noch ein Nây (Flöte) klangen schöner als sein Ton wenn er den Ḳorân vorlas. Als Gouverneur zeichnete er sich durch seine Gerechtigkeitsliebe und seine Administrativ-Talente so sehr aus, dafs 'Omar sagte: Ich lasse einen Statthalter nur ein Jahr an seiner Stelle, aber den Abû Mûsà vier Jahre. Von ihm lernten die Einwohner von Baçra den Ḳorân richtig lesen und die Kunde des Gesetzes. Er war einer der sechs Männer, welche sich durch ihre Kenntnisse des Islâms auszeichneten. Er starb im

J. 42 oder 44, 66 Jahre alt; er konnte also erst 14 Jahre alt gewesen sein, als Moḥammad die erste Offenbarung erhielt, und wahrscheinlich ist sein Aufenthalt in Makka und seine frühe Bekehrung, sowie seine Auswanderung nach Abessynien zu seiner Verherrlichung erfunden worden. Unter seinen Kindern werden genannt: Mûsà, Ibrâhym, Abû Borda und Abû Bakr.

d) Banû Nawfal.

11. ʿOtbâ b. Ghazwân aus dem Mâzin-Stamme. Ueber die Zeit seiner Bekehrung wissen wir nur, daſs er einer der frühen war. Zur Zeit der Flucht nach Madyna war er 40 Jahre alt. Er zeichnete sich unter den Leuten des Propheten als sicherer Bogenschütze aus. Während der Eroberungskriege diente er in der gegen Osten ziehenden Armee des Saʿd b. Aby Waḳḳâç. ʿOmar ernannte ihn brieflich zum Kommandanten der in der Nähe der Tigrismündung stationirten Heeresabtheilung, und er gründete Baçra; früher war Obolla die Hauptstadt jener Gegend. Nachdem er diese hohe Stelle sechs Monate verwaltet hatte, begab er sich nach Madyna. ʿOmar sandte ihn auf sein Amt zurück, und er starb auf dem Wege dahin zu Maʿdan Banû Solaym A. H. 17 in einem Alter von 57 Jahren. Bei Moslim sagt er: Es war eine Zeit, zu der ich der siebente von sieben Anhängern des Propheten war und zu der sie nichts zu essen hatten als Baumblätter.

e) Asaditen.

12. Zobayr b. ʿAwwâm I, 6.

13. Aswad b. Nawfal. Sein Vater war ein heftiger Widersacher des Islâms. Aswad war ein Neffe der Chadyğa, und seine Mutter Faryʿa bint ʿAdyy b. Nawfal b. ʿAbd Manâf war mit Moḥammad verwandt. Er kam nach dem Propheten in Madyna an. Unter seinen Nachkommen wurde Abû-l-Aswad Moḥammad b. ʿAbd al-Raḥmân b. ʿAswad unter dem Namen Yatym ʿOrwa berühmt.

14. Yazyd b. Zamʿa. Seine Mutter hieſs Ḳaryba und war eine Tochter des Abû Omayya und eine Schwester der Omm Salama. Er war einer der Häuptlinge der Ḳorayschiten und soll sich erst in Folge der Einnahme von Makka bekehrt haben; Andere behaupten, daſs er einer der ersten Gläubigen war und sich nach Abessynien flüchtete. Um nun die Verschiedenheit der Ansichten auszusöhnen, erzählt man, daſs er einen Bruder Namens Zayd hatte, welcher sich früh bekehrte. Ibn ʿOḳba und Ibn Isḥâḳ sagen, er sei bei Ḥonayn gefallen, während er nach Zobayr b. Bakkâr vor Ṭâyif sein Leben verlor.

15. ʿAmr b. Omayya bekehrte sich früh zum Islâm und war nach Wâḳidy und Ṭabary einer der Flüchtlinge nach Abessynien, wo er auch starb.

f) Banû ʿAbd.

16. Ṭolayb Abû ʿAdyy b. ʿOmayr (ʿAmr). Seine Mutter war Arwà bint ʿAbd al-Moṭṭalib [1]). Er bekehrte sich im Hause des Arḳam, dann ging er zu seiner Mutter und sagte: Ich folge dem Moḥammad. Sie antwortete: Es ist deiner würdig, dafs du deinem Vetter beistehen willst; wären wir Frauen, wie die Männer im Stande, Jemandem Schutz zu gewähren, so würden wir ihn unter unsere Aegide nehmen. Er sprach darauf: Was hindert dich, liebes Mütterchen, an ihn zu glauben, da doch dein Bruder Ḥamza seiner Religion beigetreten ist? Sie sagte, ich will sehen, was meine Schwestern thun und ich werde ihrem Beispiele folgen. Er stellte ihr vor, dafs ihr Seelenheil davon abhinge, und sie legte das Glaubensbekenntnifs ab; sie war seiner Sache mit ihrer Zunge nützlich und ermunterte ihren Sohn, ihm seinen Arm zu leihen. Er that es auch, indem er einen Ungläubigen beim Bart nahm und blutig schlug. Mûsà b. ʿOḳba, Abû Maʿschar, Wâḳidy und Ibn Isḥâḳ zählen ihn unter jene, welche an der zweiten abessynischen Flucht Theil nahmen. Unter denen, welche bei Badr fochten, wird er nur von Wâḳidy, nicht aber von den andern dreien genannt. Er wurde in der Schlacht von Aǵnâdayn, im Ǵomâdà I. 13, 35 Jahre alt, getödtet.

g) ʿAbdariten.

17. Moçʿab al-chayr. Seine Mutter war die ʿÂmiritin Chonâs bint Mâlik. Er zeugte mit Ḥamna bint Ǵaḥsch eine Tochter Zaynab, welche an ʿAbd Allah b. ʿAbd Allah b. Aby Omayya b. Moghyra verheirathet wurde und ihm die Ḳaryba gebar.

Moçʿab war ein junger, schöner Mann und wurde von seinen Eltern sehr geliebt. Seine Mutter war sehr reich und gab ihm die schönsten und feinsten Kleider. Er trug Sandalen von Ḥadhramawt an seinen Füfsen, und Niemand duftete von so köstlichem Parfüm wie er. Als er hörte, dafs der Prophet im Hause des Arḳam den Islâm predige, ging er zu ihm hin und legte das Glaubensbekenntnifs ab, er verbarg aber seinen Glauben aus Furcht vor seiner Mut-

---

[1]) Arwà war nach Einigen eine Tochter des ʿAbd al-Moṭṭalib, also eine Tante des Propheten; nach Andern eine Tochter des Abû ʿÂç b. Omayya b. ʿAbd Schams, folglich eine Schwester des Ḥakam, die Mutter des Marwân und die Tante des ʿOthmân b. ʿAffân. Zuerst war sie an den ʿAbditen ʿOmayr verheirathet, dem sie den Ṭolayb gebar, dann an den ʿAbdariten Kalada b. ʿAbd Manâf, dem sie die Arwa gebar. Sie floh auch nach Madyna.

ter und den Mitgliedern seiner Familie und besuchte den Propheten heimlich. 'Othmân b. Ṭalḥa sah ihn einmal beten und hinterbrachte es seinen Leuten. Sie hielten ihn gefangen, bis die erste Flucht [1]) nach Abessynien stattfand. An dieser nahm er Theil und kam auch mit den Moslimen, als sie wieder nach Arabien gingen, zurück. Wie verändert war jetzt sein Aussehen! er war ganz verwildert und seine Mutter nahm sich seiner nicht an [2]). Er schmachtete auch in der gröfsten Armuth bis zu seinem Tode. Einst kam er [in Madyna] zum Propheten und hatte nichts am Leibe als einen Fetzen von einer weifs und schwarz gestreiften wollenen Decke oder eines Mantels [3]), welcher mit einem Stücke ungegerbter Haut so grofs wie ein Trommelfell zusammengenäht war. Auch die übrigen Moslime waren damals noch in so grofser Noth, dafs sie ihm nicht helfen konnten. Moḥammad sprach bei diesem Anblick: Alles Lob sei Gott, welcher solche Veränderungen in der Welt herbeiführt. Moç'ab schwelgte im Ueberflusse, so lange er bei seinen Eltern war, und seine Liebe zum Guten (al-chayr, daher wird er Moç'ab al-chayr geheifsen) und zu Gott hat ihn zu diesem Opfer fähig gemacht.

Im Jahre 621 schickten die Gläubigen von Madyna einen Boten an Moḥammad mit einem Briefe folgenden Inhalts: Schicke uns einen Mann, der uns in der Religion unterrichten und den Ḳorân recitiren lehren kann. Der Prophet sandte den Moç'ab. Er lebte im Hause des As'ad b. Zorâra, besuchte die Leute in ihren Häusern und trug ihnen den Ḳorân vor. Es gelang ihm auch, bald einen bald zwei Männer zu bekehren, bis der Islâm fast allgemein wurde, nur einige Familien der Awsiten, wie die Familien Chaṭma, Wâbil und Wâḳif blieben dem Heidenthum treu. Moç'ab schrieb dann an den Propheten und bat ihn um die Erlaubnifs, einmal wöchentlich die Gemeinde versammeln zu dürfen; er ertheilte ihm diese

---

[1]) 'Âmir b. Raby'a erklärt, er sei stets der Freund und Gefährte des Moç'ab gewesen und sie seien auch beide Mal [nach Abessynien und Madyna] mit einander geflohen.

[2]) Ibn Sa'd fol. 201 r., von Wâḳidy, von Ibrâhym b. Moḥammad Çadry von seinem Vater.

[3]) Namra oder Namira. Es wird erklärt als eine yamanische Decke (جادر) oder Mantel شملة, in welchem weifse und schwarze Streifen sind, oder eine wollene Decke, dergleichen die Bedouinen tragen. Es heifst daher in einer Traditon des Sa'd: Ein Nabaṭäer in seiner Ḥibwa (soll wohl heifsen Ḥibra) und ein Bedouine in seiner Namra sind wie ein Löwe in seiner Höhle. — Die Bedouinen tragen noch diese Art Mäntel. Sie sehen aus, wie ein langer Ueberrock und dienen zum Zudecken bei Nacht. Deswegen wird auch von der Namra des Moç'ab gesagt, dafs sie nicht lang genug war, um die Füfse und den Kopf zugleich zu bedecken; sie wird nämlich zu diesem Zwecke schräg genommen. Nach einer Tradition hatte er eine Borda.

Erlaubnifs und schrieb an ihn: Am Tage, an welchem die Juden ihres Sabbaths wegen in Bewegung sind, verehre Gott, indem du nach Sonnenuntergang zwei Inklinationen verrichtest. Diesem Befehle gemäfs hielt Moç'ab eine Versammlung im Hause des Sa'd b. Chothayma, welcher zwölf Männer beiwohnten. Es wurde für alle nur ein Schaf geschlachtet. Dies war der erste Gemeinde-Gottesdienst im Islâm. Einige Madynenser behaupten aber, dafs As'ad b. Zorâra schon früher Gottesdienst zu halten pflegte und dafs Moç'ab nur zwölf Tage vor Moḥammad in Madyna ankam. Da er ein Mitglied der Familie der 'Abdariten war, welche in der Republik von Makka das Recht genossen, im Kriege die Fahne tragen zu dürfen, vertraute ihm auch der Prophet in der Schlacht von Oḥod das Liwâ an. Man erzählt mit offenbarer Uebertreibung, dafs, als ihm die rechte Hand abgehauen wurde, er es mit der Linken ergriff, und als ihm auch diese abgehauen war, er es mit den beiden Armen gegen den Leib drückte, bis er getödtet wurde. Nach ihm nahmen es nacheinander die beiden 'Abdariten Sowaybiṭ und Abû Rûm, wovon es der letztere nach der Schlacht zurück in die Stadt brachte. Moç'ab war 40 Jahre alt oder etwas mehr, als er in der Schlacht von Oḥod fiel.

18. Sowaybiṭ b. Sa'd aus dem Chozâ'a-Stamme. Er wird auch von Ibn 'Oḳba und 'Orwa unter den Flüchtlingen nach Abessynien genannt; es wird aber nicht genauer bestimmt, an welcher Flucht er Theil nahm.

19. Ġahm (oder Ġohaym) b. Ḳays hatte dieselbe Mutter wie Ġahm b. Çalt. Von seinem Leben ist nichts bekannt. Abû Hind Dâry erzählt, dafs der Prophet zu seinem Gunsten ein Dokument ausfertigen liefs, welches 'Abbâs, Ġahm b. Ḳays und Schoraḥbyl b. Ḥasan als Zeugen unterzeichneten. Es ist zweifelhaft, ob er mit diesem Ġahm identisch ist.

Seine Frau (8) Omm Ḥarmala und sein Sohn 'Amr und seine Tochter Chozayma oder Chozâma (nach einigen war Chozayma ein Knabe) flohen ebenfalls nach Abessynien.

20. Abû Rûm b. 'Omayr. Wâḳidy sagt, seine Flucht nach Abessynien wird von Ibn 'Adyy und Andern in Abrede gestellt. Er soll nach Madyna gekommen sein, ehe Moḥammad gegen Chaybar zog, und dort gefochten haben.

21. Firâs b. Nadhr wird [nur?] von Ibn Isḥâḳ unter den Flüchtlingen genannt. Er fiel bei Yarmûk. Sein Vater fiel bei Badr auf der Seite der Feinde des Islâms.

h) Zohriten.

22. 'Abd al-Raḥmân b. 'Awf I, 7.

23. ʿÂmir b. Aby Waḳḳaç, ein Bruder des Saʿd (I, 8) war dem Wâḳidy zufolge der zehnte, der sich bekehrte. Seine Mutter Ḥamna, eine Tochter des Abû Sofyân, soll geschworen haben, sie wolle nicht unter Dach gehen, ehe ihr Sohn den Islâm abgeschworen habe. Die Verwandten drangen in ihn, ihr nachzugeben, aber Gott offenbarte (Ḳor. 29, 7 und 31, 14): Wenn sich aber deine Eltern anstrengen, dich zu bewegen, mir etwas, wovon du nichts weifst, beizugesellen, so gehorche ihnen nicht. ʿÂmir starb in Syrien während des Chalyfates des ʿOmar. Auch Balâdzory zählte ihn unter die zweiten abessynischen Flüchtlinge.

24. Moṭṭalib b. Azhar. Auch Wâḳidy nennt ihn in der zweiten Flucht nach Abessynien, wo ihm ʿAbd Allah geboren wurde; nach Ibn Kalby flüchtete sich auch ʿAbd Allah mit seinem Vater und sie starben beide in Abessynien. Vergl. I, 40.

Seine Frau (9) Ramla bint Aby ʿAwf. Sie bekehrte sich dem Ibn Saʿd zufolge ehe Moḥammad im Hause des Arḳam Zuflucht nahm. (Vergl. I, 41.)

Verbündete der Zohriten.

25. ʿAbd Allah b. Masʿûd I, 23.

26. ʿOtba b. Masʿûd kehrte erst mit Ǵaʿfar oder etwas früher von Abessynien zurück. ʿOmar verwendete ihn mit Sâyib b. Yazyd den Zehent einzutreiben. Er starb während der Regierung des ʿOmar.

27. Miḳdâd der Kindite. Er wurde Ibn Aswad geheifsen, sein Vater war aber ʿAmr b. Thaʿlaba b. Mâlik. Ibn Kalby erzählt: ʿAmr b. Thaʿlaba kam nach Ḥadhramawt und wurde dort ein Verbündeter der Kinditen; er heirathete auch eine Frau jenes Landes, welche ihm den Miḳdâd gebar. Als dieser aufgewachsen war, hatte sein Vater einen Zank mit dem Kinditen Abû Schimr b. Ḥoǵr und verwundete ihn mit dem Schwert am Fufse. Der Thäter floh daher nach Makka und wurde der Verbündete des Zohriten Aswad b. ʿAbd Yâghûth. Er schrieb dann seinem Sohne und auf seine Einladung kam auch dieser nach Makka und wurde von Aswad als Sohn adoptirt, wefswegen Miḳdâd der Sohn des Aswad genannt wurde. Er soll unter den ersten sieben Gläubigen gewesen sein. Nach Wâḳidy und Ibn Isḥâḳ hat Miḳdâd die zweite Flucht nach Abessynien mitgemacht, er wird aber von Abû Maʿschar und Ibn ʿOḳba nicht genannt. Miḳdâd war ein guter Bogenschütze, ein begeisterter Krieger für den Glauben und der erste, welcher zu Pferde focht; er ritt nämlich in der Schlacht von Badr seine Stute Sabḥa. Obwohl er ein Fremder war, gab ihm Moḥammad doch die Dhobâʿa, eine Tochter des Zobayr b. ʿAbd Moṭṭalib, zur Frau. Eine Dattelplantage (aṭʿima,

wörtlich: Lebensmittel), welche ihm der Prophet zu Chaybar geschenkt hatte und die aus 15 Wisḳ bestand, kaufte Mo'âwiya dessen Nachkommen für 100000 Dirham ab. Er starb zu Ġorf, drei Meilen von Madyna, nachdem er eine Dosis Ricinusöl genommen hatte, im Jahre 33 (43?), ungefähr 70 Jahre alt. Nach einer andern Nachricht hatte er einen Griechen zum Sklaven. Dieser rieth ihm, um seinen ungeheuren Wanst zu vertreiben, sich operiren zu lassen, wodurch dem Fette Abfluſs verschafft würde. Er lieſs ihn gewähren und der Sklave schnitt ihm den Bauch auf und floh.

i) Taymiten.

28. Ḥârith b. Châlid. Sein Enkel Moḥammad b. Ibrâhym b. Ḥârith berichtete, daſs sich Ḥârith nach Abessynien geflüchtet habe und zwar, wie 'Ikrima behauptet, mit Ġa'far. Nach Bochâry war ihm sein Sohn Ibrâhym in Makka geboren worden, welchen er mit nach Abessynien nahm. Als er nach Madyna kam, verheirathete der Prophet die Tochter des 'Abd Yazyd b. Hâschim an ihn.

Seine Frau (10) Rayṭa bint Ḥârith; sie gebar in Abessynien den Mûsà, die 'Âyischa, Zaynab und Fâṭima. Sie soll auf dem Wege von Abessynien nach Madyna alle ihre Kinder (mit Ausnahme des Ibrâhym) in Folge des Trinkens von einem tödtlichen Wasser verloren haben.

29. 'Amr b. 'Othmân, welcher nach Balâdzory in der Schlacht von Ḳâdisiya fiel.

k) Machzûmiten.

30. Abû Salama b. 'Abd Asad I, 11, und seine Frau (12).

31. Schammâs b. 'Othmân. Seine Mutter war Çafyya bint Raby'a b. 'Abd Schams. Schammâs zeugte mit Omm Ḥabyb bint Sa'yd b. Yarbû' b. 'Ankatha b. 'Âmir b. Machzûm den 'Abd Allah. Dem Ibn Isḥâḳ und Wâḳidy zufolge floh er das zweite Mal nach Abessynien, Ibn 'Oḳba und Abû Ma'schar nennen ihn nicht. In der Schlacht von Oḥod war er überall, wo dem Propheten Gefahr drohte, und dieser verglich ihn daher mit einem Schilde; er fiel aber als Opfer seines Eifers. Verwundet wurde er vom Schlachtfelde getragen und starb in dem Hause der Omm Salama in einem Alter von 34 Jahren.

32. Habbâr b. Sofyân. Ibn 'Oḳba, auf die Auktotität des Zohry, Abû-l-Aswad, auf die des 'Orwa, sowie auch Ibn Isḥâḳ nennen ihn unter den Flüchtlingen nach Abessynien. Einige sagen, er fiel zu Aġnâdayn, andere zu Yarmûḳ und noch andere zu Mûta.

33. 'Abd Allah b. Sofyân, ein Bruder des Vorhergehenden. Seine Mutter war die 'Âmiritin, eine Tochter des 'Obayd b. Aby

Ḳays b. ʿObayd. Ibn ʿOḳba sagt: Er floh nach Abessynien und fiel bei Yarmûḳ. So erzählt auch Abû-l-Aswad auf die Auktorität des ʿOrwa. Zobayr behauptet, dafs nicht er, sondern sein Bruder ʿObayd zu Yarmûḳ fiel. Ibn Saʿd sagt: Er bekehrte sich früh und floh das zweite Mal nach Abessynien.

34. Hischâm b. Aby Ḥodzayfa wird auch von Zobayr b. Bakkâr unter den Flüchtlingen genannt, aber weder von Ibn ʿOḳba, noch von Abû Maʿschar. Wâḳidy nennt ihn Hâschim.

35. Salama b. Hischâm, ein Bruder des Abû Ġahl und Ḥârith. Er soll einer der ersten Gläubigen gewesen sein, als aber Moḥammad nach Madyna geflohen war, hielten ihn die Ungläubigen mit Gewalt in Makka zurück, wofür sie der Prophet formell verfluchte. Wahrscheinlich ist, dafs er den Salama seiner Abtrünnigkeit wegen verfluchte. Nach einer Tradition bestand das gewaltsame Zurückhalten nur darin, dafs sie ihm, so oft er Makka verlassen wollte, zuriefen: Du bist ein Ausreifser! Endlich kam er doch nach Madyna, wie es scheint nach der Schlacht von Mûta. Er siedelte sich später in Syrien an und fiel in der Schlacht von Marġ alçafr oder in der Schlacht von Aġnâdayn.

36. ʿAyyâsch b. Abû Rabyʿa I, 26.

Verbündete der Machzûmiten.

37. Moʿattab (Moʿattib, auch ʿAyhâma genannt) b. ʿAwf von dem Stamme Chozâʿa. Er wird Moʿattab Ibn al-Ḥomra und Abû ʿAwf genannt und war ein Verbündeter der Machzûmiten. Dem Ibn Isḥâḳ und Wâḳidy zufolge, flüchtete er sich das zweite Mal nach Abessynien. Ibn ʿOḳba und Abû Maʿschar nennen ihn aber nicht unter denen, welche nach Abessynien auswanderten. Er focht bei Badr und starb im J. 57, 78 Jahre alt.

1) Ġomaḥiten.

38. ʿOthmân b. Matzʿûn. Vergl. Bd. I S. 387.

39. Sein Sohn Sâyib. Er bekehrte sich früh (vergl. I, 39) und focht bei Badr. Nach Ibn Kalby war es sein Onkel, welcher auch Sâyib hiefs, der zu Badr focht. Er starb an einer Wunde, die er in Yamâma erhalten, in einem Alter von etwas über 30 Jahren.

40. Ḳodâma b. Matzʿûn I, 14.

41. Ḥâṭib b. Ḥârith I, 34.

Seine Frau (13) Faṭima bint Moġallil. Sein Sohn Moḥammad wurde in Abessynien geboren. Der Vater starb daselbst und die Mutter brachte den Sohn auf einem der zwei Schiffe, welche auch den Ġaʿfar A. H. 7 nach Madyna führten, ebendahin. Es ist schon früh behauptet worden, defs er das erste Kind war, das im

Islâm Moḥammad genannt wurde. Wenn er auch, wie anzunehmen ist, nach dem Propheten so benannt wurde, so widerlegt diese Thatsache doch nicht die oben S. 155 ff. ausgesprochene Vermuthung; denn wenn es wahr ist, dafs er ein Milchbruder des ʿAbd Allah b. Ġaʿfar war, so wäre er um die Zeit der Hiġra geboren worden; ʿAbd Allah war nämlich zehn Jahre alt als der Prophet starb, er mag aber 2 oder 3 Jahre nach der Hiġra geboren sein; jedenfalls verdient es keinen Glauben, wenn man ihn selbst sagen läfst, er sei auf der Ueberfahrt nach Abessynien geboren. Er starb während Bischr Statthalter von ʿIrâḳ war, nach Andern A. H. 74.

Ḥâṭib hinterliefs noch einen andern Sohn Namens Ḥârith. Auch er wurde, dem Zohry zufolge, in Abessynien geboren. Die Behauptung des Moçʿab Zobayry, er habe sich nach Abessynien geflüchtet, beruht auf einer Verwechselung. Marwân († 65) gab dem Ḥârith eine Anstellung (über die Masâʿy?) in Madyna und dessen Sohn ʿAbd al-Mâlik († 86) versetzte ihn nach Makka; er mufs ziemlich lange nach der Hiġra geboren sein, wenn er unter Yazyd noch am Leben war.

43. Ḥaṭṭâb b. Ḥârith I, 36.

Seine Frau (14) Foḳayha bint Yasâr I, 37.

44. Sofyân b. Maʿmar ward auch von Mûsà b. ʿOḳba auf die Auktorität des Zohry unter den Flüchtlingen nach Abessynien genannt. Er und seine zwei Söhne Ġâbir und Ġonâda kamen erst A. H. 7 von Afrika nach Makka, und sie starben alle drei während des Chalyfates des ʿOmar. Nach einigen Genealogen war Sofyân aus der madynischen Familie Zorayḳ. Er war schon vor dem Islâm nach Makka gekommen und hatte sich mit Maʿmar verbündet.

45 u. 46. Seine Söhne Ġâbir und Ġonâda.

Ihre Mutter (15) Ḥasana.

47. Ihr Sohn Schoraḥbyl. Sein Vater soll ʿAbd Allah b. al-Moṭaʿ Kindy gewesen sein. Andere sagen, er sei ein Tamymite gewesen und leite seinen Ursprung von Ghawth b. Morr, einem Bruder des Tamym ab; sie behaupten, dafs er deswegen Tamymite geheifsen werde. Seine Mutter Ḥasana war eine Clientin (freigelassene Sklavin) des Maʿmar und sein Sohn Sofyân zeugte mit ihr den Ġâbir und Ġonâda, welche also Halbbrüder des Schoraḥbyl waren. Nach Andern war Sofyân nicht ein Sohn des Maʿmar, sondern ein Madynenser, an welchen er die Ḥasana verheirathete und welchen er an Sohnes Statt angenommen hatte. Schoraḥbyl gelangte später zu grofser Berühmtheit, und da sein Ursprung nicht bekannt war, hatte die Phantasie der Genealogen freien Spielraum. Er soll sich früh bekehrt haben und nach Abessynien geflohen sein. Abû Bakr

gab ihm ein Kommando im Heere und unter 'Omar hatte er den Oberbefehl über ein Viertel von Syrien. Schoraḥbyl soll an demselben Tage wie sein Waffengefährte Abû 'Obayda b. Ǵarrâḥ an der Pest gestorben sein. Er ist der Eroberer von Tiberias.

48. 'Othmân b. Raby'. Von seinem Leben ist nichts bekannt.

m) Sahmiten.

49. Chonays b. Ḥodzâfa I, 28.

50. 'Abd Allah b. Ḥârith b. Ḳays wird von Ibn Isḥâḳ und andern unter den Flüchtlingen nach Abessynien genannt. Ibn Kalby, welcher den Namen des So'ayd in seiner Genealogie ausläfst, führt ein Gedicht von ihm an, in welchem er die Moslime auffordert, nach Abessynien zu fliehen und ihnen die Vortheile, welche sie dort erwarten, beschreibt. Folgende Zeilen sind aus diesem Gedichte [und erinnern an damals geoffenbarte Ḳorânverse]:

O Reitender, ein Sendschreiben gelangt von mir an den, welcher einst vor Gott zu erscheinen hofft und ein Weltgericht erwartet.

Wir haben gefunden, dafs die Erde Gottes weit sei (Ḳ. 29, 56) und eine Zufluchtsstätte vor Erniedrigung, Schmach und Verfolgung biete.

Ertraget nicht ein erniedrigendes Leben und schmachvollen Tod und Tadel und Verachtung!

Wir sind Jünger des Gottgesandten, werfet daher seine Worte in die Wagschale und sie wird gewichtig.

Er soll bei Ṭâyif oder in Yamâma gefallen sein. Einige lassen ihn eines natürlichen Todes sterben.

51. Hischâm b. 'Âç Sahmy, ein Bruder des grofsen Feldherrn 'Amr. Seine Mutter war Ḥarmala bint Hischâm b. Moghyra. In der Içâba wird gesagt, dafs er früh den Islâm annahm und nach Abessynien floh. Zur Zeit der Flucht nach Madyna hatte er mit 'Omar und 'Ayyâsch b. Aby Raby'a eine Verabredung getroffen, mit ihnen Makka zu verlassen; er wurde aber von dem Stelldichein zurückgehalten, blieb in Makka und liefs sich endlich bewegen, den Glauben abzuschwören. Er kam jedoch schon vor der Einnahme von Makka zum Propheten und fiel in der Schlacht von Aǵnâdayn. Als er nämlich bemerkte, dafs einigen Moslimen der Muth fehlte und sie zurückwichen, nahm er das Visier vom Gesicht, begab sich vor die Linie gegen den Feind und rief: Zu mir! zu mir, Moslime! ich bin Hischâm, der Sohn des 'Âç. Wie, ihr fliehet vom Paradies? Er blieb in dieser Position, bis er fiel.

52. Ḳays b. Ḥodzâfa. Wâḳidy sagt: Er blieb nicht in Abessynien, sondern kam nach Makka und machte dann die Hiǵra nach Madyna.

53. Sein Bruder Abû Ḳays wird auch von Ibn ʿOḳba unter den Flüchtlingen genannt. Er focht bei Oḥod und soll in Yamâma gefallen sein.

54. ʿAbd Allah b. Ḥodzâfa Sahmy bekehrte sich früh und soll bei Badr gefochten haben. Er wird aber von keinem der Verfasser der Prophetengeschichte unter den Kriegern, welche an jener Schlacht betheiligt waren, genannt. Er focht in den Eroberungskriegen in Egypten, wo er auch unter ʿOthmân starb.

55. Ḥârith b. Ḥârith, ein Mitglied derselben Familie, soll bei Aǧnâdayn oder Yarmûḳ gefallen sein. Seine Flucht nach Abessynien, sagt Balâdzory, ist nicht erwiesen.

56. Maʿmar b. Ḥârith I, 38.

57. Bischr b. Ḥârith ist wahrscheinlich identisch mit Tamym, dem Halbbruder des Folgenden [1]).

58. Saʿyd b. ʿAmr, ein Tamymite und Verbündeter der Sahmiten. Abû Maʿschar heifst ihn Maʿbad. Auch Ibn ʿOḳba zählt ihn unter die Flüchtlinge und sagt, er und sein Halbbruder Tamym b. Ḥârith b. Ḳays seien bei Aǧnâdayn gefallen.

Auch dieser Tamym, welchen Wâḳidy Nomayr nennt, floh dem Abû Aswad zufolge, welcher den ʿOrwa als seine Auktorität anführt, nach Abessynien.

59. Saʿyd b. Ḥârith wird auch von Ibn ʿOḳba unter die Flüchtlinge gezählt. Er fiel bei Aǧnâdayn oder Yarmûḳ.

60. Sâyib b. Ḥârith Sahmy, ein Bruder des ʿAbd Allah, gehörte, dem Ibn Isḥâḳ und auch dem Ibn ʿOḳba zufolge, ebenfalls zu denen, welche nach Abessynien auswanderten. Er soll bei Ṭâyif gefallen sein, aber Zohry behauptet, dafs er im Jahre 13 am Jordan in der Schlacht von فحل getödtet wurde. Seine Mutter hiefs Omm Ḥaǧǧâǧ.

61. ʿOmayr b. Riyâb. Es ist ungewifs, ob er auch von andern Quellen unter den frühen Flüchtlingen genannt wird. Er fiel zu ʿAyn Tamr unter Abû Bakr.

62. Maḥmiya (Maǧmiya) b. Ġazâ, ein Verbündeter. Dem Ibn Kalby zufolge soll er bei Badr gefochten haben, Wâḳidy aber behauptet, dafs der Feldzug gegen Moraysyʿ der erste war, den er mitmachte; später kämpfte er in Egypten. Er stand in grofser Gunst bei dem Propheten und erhielt von diesem eine Sklavin, welche ihm (dem Propheten) geschenkt worden war. Einst ersuchten den Moḥammad seine nächsten zwei Verwandten Fadhl, ein Sohn des ʿAbbâs, und ʿAbd al-Moṭṭalib b. Rabyʿ b. Ḥârith b. ʿAbd al-Moṭṭalib,

---

[1]) Vergl. Içâba, Bd. 1 S. 373. Sohayly, S. 34, unterscheidet zwischen Bischr und Tamym.

um Anstellungen als Zehenteinnehmer. Er schlug ihnen dieselben ab mit der Bemerkung, dafs dies ein schmutziges Geschäft sei, den Maḥmiya aber ernannte er zum Commissarius im Erheben des Fünftels, welches von der Beute und andern, den Feinden abgenommenen Contributionen ihm zufiel; um seinen Neffen Fadhl zu entschädigen, befahl er dem Maḥmiya, ihm seine Tochter Çafyya zur Frau zu geben und bezahlte die Aussteuer der Töchter dieser beiden Verwandten.

n) Banû ʿAdyy.

63. Maʿmar b. ʿAbd Allah bat sich nach Ibn Saʿd zwar schon früh bekehrt, aber (لكن) er floh nach Abessynien, von wo er nach Makka zurückkehrte und daselbst blieb, bis er sich nach Madyna begab. Diese Nachricht scheint anzudeuten, dafs er selbst nach der Flucht des Propheten in Makka lebte, und wahrscheinlich in gutem Einverständnisse mit den Ḳorayschiten. Maʿmar mufs lange gelebt haben, denn Saʿyd b. Mosayyib hat Traditionen von ihm gehört, z. B. die Leute pflegten Getreide einzukaufen und aufzuspeichern, um es in unfruchtbaren Jahren für Wucherpreise zu verkaufen. Der Prophet sagte daher: Speichert zu solchen Zwecken das Getreide nicht auf.

64. ʿOrwa b. Othâtha (oder Abû Othâtha), ein Halbbruder des ʿAmr b. ʿÂç. In der Içâba wird gesagt: Er war einer der frühsten Gläubigen und gehörte zu Denen, welche nach Abessynien flohen: so berichten Ibn ʿOḳba und Andere, mit Ausnahme des Ibn Isḥâḳ. Dieser nennt ihn ʿOrwa b. ʿAbd ʿOzzà.

65. ʿAdyy b. Nadhla (oder Nodhayla). Er floh, dem Ibn Isḥâḳ zufolge, nach Abessynien. Ibn ʿOḳba nennt ihn ʿAdyy b. Asad und sagt, dafs er in Abessynien starb und der erste Moslim war, welcher beerbt wurde, nämlich von seinem Sohn Noʿmân. Ibn Isḥâḳ behauptet dies von Moṭṭalib b. Azhar, welchen sein Sohn ʿAbd Allah beerbte. Zobayr b. Bakkâr stimmt mit Ibn ʿOḳba überein.

ʿOmar ernannte Noʿmân, den Sohn des ʿAdyy, zum Statthalter von Maysân.

66. ʿÂmir b. Rabyʿa I, 29.

Seine Frau (16) Laylà, eine Tochter des Chaythama (sic) b. Ḥodzayfa, eine Schwester des Solaymân (sic). Ibn Saʿd erzählt: sie bekehrte sich früh, huldigte dem Propheten und machte beide Auswanderungen nach Abessynien mit. Sie flüchtete sich dann nach Madyna, und soll die erste gläubige Frau gewesen sein, welche daselbst ankam, nach Andern jedoch war Omm Salama schon vor ihr eingetroffen.

Ibn Isḥâḳ erzählt im Texte des Yûnos b. Bokayr, von ʿAbd Allah b. ʿAbd al-Raḥmân b. Ḥârith b. ʿAbd al-ʿAzyz b. ʿAbd

Allah b. ʻÂmir b. Rabyʻa, von seiner Mutter (sic) Laylà: ʻOmar war sehr heftig gegen uns ob unseres Glaubens. Als wir uns zur Abreise nach Abessynien fertig gemacht hatten und ich schon auf meinem Kameele safs, kam er zu mir und sagte: O Omm ʻAbd Allah, wohin? Ich antwortete: Ihr verfolgt uns wegen unserer Religion und wir ziehen daher in das Land Gottes hin. Er sagte: Möge euch Gott geleiten, und ging seines Weges. Darauf kam mein Mann, dem erzählte ich die Geschichte, und er sagte: Glaubst du, dafs ʻOmar sich bekehren wird?"

o) Banû ʻÂmir b. Lowayy.

67. Abû Sabra b. Aby Rohm. Seine Mutter war Barra bint ʻAbd al-Moṭṭalib. Er zeugte mit Omm Kolthûm bint Sohayl b. ʻAmr b. ʻAbd Schams b. ʻAbd Wodd ʻÂmiry den Moḥammad, ʻAbd Allah und Saʻd. Er floh beide Mal nach Abessynien und das zweite Mal begleitete ihn seine Frau. So berichten Ibn Ibn Isḥâḳ und Wâḳidy, aber Ibn ʻOḳba und Abû Maʻschar erwähnen ihn nicht unter den Flüchtlingen. Er focht in allen Schlachten, in welchen der Prophet kommandirte und kehrte nach dem Tode desselben nach Makka zurück. Die Moslime nahmen es ihm sehr übel, dafs er, nachdem er doch die Hiġra gemacht hatte, sich wieder in Makka ansiedelte. Er starb in Makka unter der Regierung des ʻOthmân.

Seine Frau (17) Omm Kolthûm bint Sohayl.

68. ʻAbd Allah b. Machrama. Er hinterliefs einen Sohn Mosâḥiḳ, welcher den Abû Nawfal zeugte, so hat Wâḳidy von ʻAbd Allah b. Aby ʻObayda vernommen. Nach Wâḳidy floh er beide Mal nach Abessynien, nach Ibn Isḥâḳ nur das zweite Mal, und nach Ibn ʻOḳba und Abû Maʻschar gar nicht. Er war 30 Jahre alt als er bei Badr focht, und fiel im Krieg in Yamâma.

69. ʻAbd Allah b. Sohayl. Seine Mutter war Fâchita bint ʻÂmir b. Nawfal b. ʻAbd Manâf. Dem Ibn Isḥâḳ und Wâḳidy [1]) zufolge, floh er das zweite Mal nach Abessynien; er wird aber von Ibn ʻOḳba und Abû Maʻschar nicht genannt. Er kehrte von Abessynien nach Makka zurück, wo ihn sein Vater in Banden legte und bewog, den Islâm abzuschwören. Als in Makka das Aufgebot erging, gegen die Moslime zu ziehen, ergriff auch ʻAbd Allah die Waffen und begleitete seinen Vater, welcher glaubte, er habe mit Ueberzeugung der Religion des Moḥammad entsagt; ehe es jedoch bei Badr zu einer Schlacht kam, entfloh er und kämpfte auf der Seite

---

[1]) So behauptet auch Ibn ʻAyidz und führt die Auktorität des Ibn ʻAbbâs an.

der Moslime. Er war damals 27 Jahre alt. Im Kriege gegen Yamâma fiel er in der Schlacht von Ġowâthiy [in Baḥrayn], 38 Jahre alt. Später bekehrte sich auch sein Vater. Dieser war während des Heidenthums der Wortführer und ein Mann von grofser Bedeutung unter den Ḳorayschiten. Er war einer von denen, welche auf Seiten der Heiden bei Ḥodaybiya die Friedensunterhandlungen leitete. Nach der Eroberung von Makka legte er das Glaubensbekenntnifs ab und versicherte den Moḥammad, dafs die Einwohner in ihrer neuen Lage ganz zufrieden seien; Moḥammad aber schenkte ihm, um ihn ganz für seine Partei zu gewinnen, hundert Kameele. Wie es mit der Aufrichtigkeit seines Glaubens stand, geht aus einer Geschichte hervor, womit er die frommen Moslime erbaute. In der Schlacht bei Badr, sagte er, habe ich weifse Männer auf Pferden zwischen Himmel und Erde schweben und für Moḥammad kämpfen gesehen. Nach dem Tode des Propheten trat er wieder als Redner auf und sprach: Wer dem Moḥammad gedient hat, der wisse dafs er todt ist, wer aber Allah dient, wisse dafs er lebe. Während der Regierung des Abû Bakr wohnte er noch in Makka und wurde vom Chalyfen, als dieser zum Pilgerfest dahin kam, seines Sohnes wegen mit grofser Freundlichkeit empfangen. Später begab er sich nach dem Sitz der Regierung, Madyna, und endlich focht er in den Eroberungskriegen und siedelte nach Syrien über, wo er A. H. 18 an der Pest starb. Nach einer andern Nachricht fiel er in der Schlacht von Yarmûk oder von Marġ alçafr.

70. Salyṭ b. ʻAmr I, 25.

71. Sikrân b. ʻAmr, ein Bruder des Sohayl. Ibn ʻOḳba sagt blos, dafs er sich nach Abessynien flüchtete. Ibn Isḥâḳ fügt hinzu, dafs er nach Makka zurück kam und dort starb. Abû ʻObayda glaubt, dafs er noch einmal nach Abessynien auswanderte und dort zum Christenthum überging und starb.

Seine Frau (18) Sawdâ bint Zamaʻa. Es heirathete sie später Moḥammad.

72. Mâlik b. Zamaʻa, ein Bruder der Frau des Propheten Sawdâ. Mûsâ b. ʻOḳba und nach ihm الدمياطي im Buche al-Dorar nennt ihn Mâlik b. Rabyʻa. Indessen Zobayr b. Bakkâr, welcher alle anderen Gelehrten in der Kunde der Genealogie der Ḳorayschiten übertrifft, berichtet in der Genealogie der Banû ʻÂmir wie folgt: „Und Sawdâ, die Tochter des Zamaʻa b. Ḳays b. ʻAbd Schams b. ʻAbd Wodd, war an Sikrân b. ʻAmr verheirathet. Er starb als Flüchtling in Abessynien und es heirathete sie der Prophet.“ Weiter unter sagt er: „und Mâlik b. Zamaʻa flüchtete sich nach Abessynien“; und noch weiter unten: „und Wafdân b. ʻAbd Schams zeugte den ʻAbd.“

Es scheint, daſs die Aehnlichkeit von زمعة mit ربيعة Veranlassung zu diesem Fehler gegeben habe.

Seine Frau (19) ʿAmra oder ʿOmayra bint Saʿdy.

73. [ʿAbd] Ḥâṭib b. ʿAmr I, 46.

74. Saʿd b. Chawla gehörte zu den yamanischen Stämmen, war aber persischen Ursprungs und ein Verbündeter der ʿÂmiriten oder ein Client des Abû Rohm. Dem Wâḳidy und Ibn Isḥâḳ zufolge floh er das zweite Mal nach Abessynien; er wird aber weder von Ibn ʿOḳba, noch Abû Maʿschar erwähnt. Als er bei Badr focht, soll er 25 Jahre alt gewesen sein. Er kämpfte auch in den späteren Feldzügen und war zugegen bei Ḥodaybiya, später aber kehrte er nach Makka zurück, obschon es der Prophet selbst nach der Einnahme von Makka sehr miſsbilligte, daſs die Flüchtlinge ihre Vaterstadt wieder zum Aufenthaltsort wählen sollten, und starb daselbst vor Moḥammad. Seine Wittwe, die Aslamitin Sobayʿa bint Ḥârith, gebar vierzehn Tage nach seinem Tode ein Kind, und heirathete unmittelbar nach ihrer Niederkunft, mit Genehmigung des Propheten, einen jungen Mann, Abû Sanâbil b. Baʿkak b. Ḥârith b. ʿAmla b. al-Sâḳ b. ʿAbd aldâr, welcher sich erst nach der Eroberung von Makka zum Glauben bekehrt hatte.

p) Balḥârith.

75. Abû ʿObayda b. Ġarrâḥ I, 10.

76. Sohayl [Abû Mûsà], der Sohn der Baydhâ; sein Vater hieſs Wahb b. Rabyʿa b. Hilâl b. Mâlik b. Dhabba b. Ḥârith. Baydhâ, die Weiſse, war nur ein Spitzname, sie hieſs Daʿd bint Ġaḥdam b. ʿAmr b. ʿÂyisch b. Tzarib b. Ḥârith. Dem Wâḳidy und Ibn Isḥâḳ zufolge, floh er beide Mal nach Abessynien. Er war 34 Jahre alt als er bei Badr focht, und starb im Jahre 9, bald nach der Rückkehr der Armee von Tabûk, 40 Jahre alt.

77. ʿAmr b. Abû Sarḥ. Ibn Saʿd berichtet: Ibn Isḥâḳ, Ibn ʿOḳba und Ibn Kalby geben ihm den Namen ʿAmr, hingegen Wâḳidy und Abû Maʿschar nennen ihn Maʿmar. Seine Mutter hieſs Zaynab bint Rabyʿa. Er ist einer der Badr-Helden und starb A. H. 30.

78. ʿIyâdh b. Zohayr. Seine Mutter war Salmâ, eine Tochter des ʿÂmir b. Rabyʿa b. Hilâl b. Mâlik b. Dhabba. Auch Ibn ʿOḳba nennt ihn unter den Flüchtlingen nach Abessynien und unter den Badr-Helden. Chalyfa b. Chayyâṭ nennt ihn ʿIyâdh b. Tamym b. Zohayr und sagt, er habe sich in den Kriegen in Syrien ausgezeichnet. So wird er auch von Zobayr und seinem Onkel Moçʿab genannt. Er starb zu Madyna im Jahre 30. Dem Zobayr b. Bakkâr zufolge, hieſs sein Vater Ghanm und der Groſsvater Zohayr.

79. ʿAmr b. Ḥârith. Ibn Saʿd fol. 262 sagt: ʿAmr b. Aby ʿAmr von der Familie Dhobba focht, dem Abû Maʿschar und Wâḳidy zufolge, bei Badr. Ibn ʿOḳba nennt ihn ʿAmr b. Ḥârith. Wir schliefsen daraus, dafs Ḥârith der Name des Abû ʿAmr war. Auch dieser Biograph zählt den ʿAmr b. Ḥârith unter die Badr Helden. Ibn Isḥâḳ nennt ihn in seinem Buche, aber wir finden seinen Namen nicht in demjenigen, welches wir von Ibn Kalby abgeschrieben haben. Dem Wâkidy zufolge war er 32 Jahre alt als er bei Badr focht und starb A. H. 36.

80. ʿOthmân b. Aby Ghanm b. Zohayr kehrte, dem Balâdzory zufolge, erst mit Ġaʿfar aus Abessynien zurück. Vielleicht ist er ein Bruder des ʿÂmir, von welchem Ibn Kalby behauptet, er sei nach Abessynien geflohen. Abû ʿAmr glaubt, dafs dies von ʿOthmân gelte.

81. Saʿd oder Saʿyd b. ʿAbd Ḳays.

Auch Ibn Kalby berichtet, dafs er sich nach Abessynien geflüchtet und vor Ġaʿfar nach Arabien zurückgekehrt sei. Nâfiʿ b. ʿAbd Ḳays soll sein Bruder gewesen sein. Die Mutter des Nafiʿ hat auch den ʿÂç b. Wâyil geboren. Ibn ʿAbd al-Ḥakam erzählt in den Eroberungen, dafs ihn ʿAmr (b. al-ʿÂç? oder ʿOmar?) nach Barḳa schickte. Er lebte bis zur Regierung des ʿOthmân.

82. Ḥârith b. ʿAbd Ḳays wird auch von Ibn Däb unter die Flüchtlinge nach Abessynien gezählt, aber, wie Balâdzory berichtet, nicht von Wâḳidy.

83. ʿAmmâr b. Yâsir I, 53.

Sohayly S. 34 trägt nach:

84. ʿAbd Allah (ursprünglich ʿAbd al-Ġann) b. Schihâb Zohry. Er kam von Abessynien nach Makka zurück, wo er vor der Hiġra starb. Der Içâba zufolge, hatte er einen Bruder, welcher ebenfalls ʿAbd Allah b. Schihâb b. ʿAbd Allah b. Ḥârith b. Zohra hiefs. Er focht bei Oḥod gegen den Propheten, und soll derjenige sein, welcher den Moḥammad eine Contusion im Gefechte beibrachte. Später bekehrte er sich und starb während des Chalyfates des ʿOthmân. Von diesem ʿAbd Allah soll der Vater und von seinem Bruder die Mutter des berühmten Traditionisten Zohry abgestammt haben.

85. Ṭolayb, welcher mit seinem Bruder Moṭṭalib b. ʿAbd ʿAwf nach Abessynien auswanderte, wo beide starben.

Aus einer Tradition bei Bochâry geht hervor, dafs auch Abû Mûsà sich einige Zeit in Abessynien aufgehalten habe.

Eilftes Kapitel.

Christlicher Einflufs auf Moḥammad.
(Herbst 616 bis 619.)

Unwiderstehlich, sagt man, ist die Macht der Wahrheit, und glühende Beredsamkeit hat oft Wunder gethan, aber noch mächtiger als Wahrheit und Beredsamkeit wirkt Fürstengunst auf die Ueberzeugung der Menschen. Es ist unrichtig, wenn man behauptet, Eigennutz mache den Menschen stets zum Heuchler: er wird unter seinem Einflusse eben so oft zum Fanatiker. Was Wind und Ballast in der Navigation, sind edle Gefühle und Selbstsucht in der Entwicklung der Menschheit. Sie sind nothwendig, nur soll das Steuerruder der Vernunft anvertraut werden. Ohne die Gunst des Königs von Abessynien wäre es den Ḳorayschiten gelungen, den Islâm im Keime zu ersticken. Es mufste also dem Verkünder desselben unendlich viel daran gelegen sein, sie zu erhalten, und es war ein menschliches Gefühl, wenn er Dankbarkeit, ja Bewunderung für den König und seine Religion fühlte; er läfst auch in Sûra 56, 13 und 38 die Christen haufenweise in das Paradies eingehen. Wie bereits im vorigen Kapitel gesagt worden ist, sandte er durch Ǵaʿfar einige Ḳorânstücke an den Naǵǵâschy, welche er speciell zu dessen Erbauung verfafst hatte. Ich schalte sie hier ein, mufs aber vorausschicken, dafs wir darin dreierlei Faktoren unterscheiden müssen: den abessynisch-christlichen Einflufs, die Quelle, durch die er das Christenthum hatte kennen lernen, und seine eigene Auffassung.

Da er zu jener Zeit sowohl das Judenthum als das Christenthum für geoffenbarte Religionen hielt und die Unterschiede ungefähr so auffafste, wie wir die Institutionen gleichberechtigter Staaten, so trug er kein Bedenken, sich den Glaubensformen seines Gönners — die Mifsbräuche abgerechnet — zu nähern. Es ist aber klar: er lernte sie durch eine Vermittlung kennen, welche nicht nur eine ganz eigenthümliche Färbung hatte, sondern einerseits mit seiner eigenen Gesinnungsart übereinstimmte, andererseits aber von absichtlichen Fälschungen nicht frei war. In Forschungen über das Alterthum stellen wir uns die Menschen gewöhnlich sehr wifsbegierig und gelehrig vor, und nehmen an, dafs sie dasjenige, was sie von fremden Völkern wissen konnten, auch wirklich wufsten. Dies ist der täglichen Erfahrung zuwider. Wir kommen häufig in Berührung mit den Juden und wissen doch blutwenig von ihren Glaubensgrundsätzen, und obschon der Islâm in so vielen Büchern beschrieben worden ist, haben es doch selbst gebildete Leute nicht viel weiter in ihrer Kenntnifs desselben gebracht, als dafs sie wissen, dafs bei den Türken Polygamie erlaubt ist. Geistliche, welche gegen die Ketzer predigen, geben sich eben so wenig Mühe, deren Lehre kennen zu lernen als ihre gläubige Heerde. Wenn man auch erweisen könnte, dafs Moḥammad Gelegenheit gehabt hatte, das Christenthum kennen zu lernen, so folgte doch noch nicht, dafs er es wirklich kannte. Für einen Träumer, wie er, giebt es nichts Ungeniefsbareres als Thatsachen; man glaube daher nicht, dafs seine Wifsbegierde ihn in dieser Beziehung über den Rest der Menschheit erhoben habe. Geleitet durch die Eindrücke, welche die in dieser Periode geoffenbarten Korânstellen auf mich machen, bin ich zu folgender Vorstellung des Entstehens der hier angeführten Inspirationen gekommen. Seine aus Abessynien zurückgekehrten Jünger,

welche gewifs viele Besprechungen über Religion mit Christen gehabt hatten, und auch die nach Makka gekommenen Christen legten ihm allerlei Fragen bezüglich der Lehre Christi vor, und er wurde dadurch in einen neuen Ideenkreis hineingezogen; sie hatten ihn mit Worten und Begriffen bereichert, welche wir in diesem und in den folgenden Kapiteln werden kennen lernen. Sein judenchristlicher Mentor stand ihm bei, aber nach seiner eigenen Art. Dem Moḥammad war es besonders darum zu thun, den Naggâschy zu überzeugen, dafs ihm Gott thatsächliche Aufschlüsse über das Christenthum gebe und er wagte sich daher auf den Boden der Geschichte; in einigen Einzelheiten, die er erzählt, erblicken wir nicht eine willkührliche Entstellung, sondern Fragmente eines alten Systems. Diese Fragmente bringen uns zur Ueberzeugung, dafs er manches unverändert von seinem Lehrer übernommen habe: denn sie passen nicht in den Islâm und sind auch dem Christenthume, wie es in Abessynien bekannt wurde, fremd. Die erhaltenen Inspirationen sind fragmentarisch und wir haben dokumentarische Beweise, dafs Moḥammad manche derselben unterdrückt habe; es ist daher denkbar, dafs Moḥammad dem Christenthume gröfsere Zugeständnisse gemacht hat, sie aber später zurücknahm. Sei dem wie ihm wolle, was noch übrig ist, bietet Stoff für interessante psychologische Studien über den Propheten. Die neunzehnte Sûra, welche die für den Naggâschy verfafsten Stücke enthält, lautet:

1. J. N. R. J. (d. h. Jesus Nazarenus Rex Judaeorum)[1]. Erzählung der Gnade deines Herrn gegen seinen Diener Zacharias.

[1]) Ich schreibe die mystischen Buchstaben كهيعص in V. 1 wie folgt:

ك ه

ي

ع ص

und lese sie wie arabische Siegel gelesen werden: von unten nach oben. Ferner nehme ich an, dafs wie in der Abkürzung الخ oder

2. Er rief zu seinem Herrn mit leiser Stimme:

3. Herr, die Gebeine in mir sind schwach und die Haare meines Hauptes sind gebleicht.

4. Unterdessen war ich in meinen Bitten zu dir, o Herr, nicht erfolglos.

5. Ich fürchte nur meine Angehörigen nach mir (d. h. sie werden das Amt, welches sie von mir ererben, mifsbrauchen). Da aber meine Frau unfruchtbar war, so schenke mir durch besondere Gnade einen Vertreter [1]),

6. der mein Amt erben soll und auch [das Priesterthum] im Stamme des Jakob erben soll, und mache ihn dir gefällig.

7. O Zacharias, wir verkünden dir einen Sohn, dessen Namen Johannes (Yaḥyà) sein soll.

8. Keinem haben wir bisher diesen Namen gegeben [2]).

9. Er erwiederte: Herr, wie kann mir noch ein Sohn werden? mein Weib hat sich unfruchtbar erwiesen und ich bin alt und abgelebt.

10. Die Stimme sprach: So wird es sein! Dein Herr sagt: Das ist mir ein Leichtes. Habe ich dich doch früher aus Nichts erschaffen.

11. Zacharias sprach: Mein Herr, gieb mir ein Zei-

صلعم u. dgl. m. nicht der erste, sondern ein oder zwei der hervorragendsten Buchstaben der abgekürzten Worte als Symbol gewählt worden seien, und ich lese:

عيسى النصرانى ملك اليهود

d. h. Jesus Nazarenus Rex Judaeorum.

[1]) Er bittet nicht um einen Sohn.

[2]) „Hier verräth Moḥammad wieder seine Unkunde der Bibel. Den Namen Johannes führten auch schon früher Mehrere. Vergl. 2. Buch der Könige 25, 23; 1. Chronik 3, 16; Esra 8, 12; Jerem. 40, 8. Vergl. auch Geiger a. a. O. Seite 26.“ [Ullmann.] — Wörtlich heifst der Vers: „Wir haben bisher keinen ihm Gleichbenannten gesetzt.“ Wahrscheinlich sagte der Informant des Moḥammad: „Dieses war der erste Johannes“, um ihn von Johannes dem Apostel zu unterscheiden, Moḥammad aber legte zuviel Nachdruck auf „erste“.

chen. Er antwortete: Dein Zeichen sei, dafs du, obschon gesund, drei Nächte mit Niemanden sprichst.

12. Darauf ging er aus dem Heiligthume zum Volke und bedeutete ihm, Gott des Morgens und Abends zu preisen.

13. »O Johannes, empfange das Buch [1]) mit Kraft!« Wir haben ihm schon als Knabe [2]) die geistliche Macht (d. h. das Prophetenthum) gegeben

14. und auf übernatürlichem Wege Milde und Reinheit [des Herzens] [3]). Er war gottesfürchtig, ehrfurchtsvoll gegen seine Eltern und weder gewaltthätig, noch hochmüthig.

15. Friede ihm am Tage, an dem er geboren wurde,

---

[1]) Die Stelle ist parallel mit Ḳ. 7, 142, wo Gott dem Moses die Tafeln mit denselben Worten übergiebt. Auch Jesus hat nach 19, 31 das Buch empfangen. Johannes steht also, auch bei Moḥammad, den Stiftern der zwei Hauptreligionen, als der angebliche Gründer des Çâbismus, gleich.

[2]) Da die Vokale, und darunter auch das Alif, erst später im Ḳorân angezeigt worden sind, so fragt es sich, ob nicht صابئًا als Täufer oder Çâbier die rechte Lesart ist, statt صبيا. Da im Syrischen die Çâbier ܨܒ̈ܐ genannt werden, konnte auch صبيا diese Bedeutung haben.

[3]) Zacharias sagte bei der Geburt seines Sohnes Luc. 1, 75—78: Und du, Kindlein, wirst ein Prophet des Höchsten heifsen durch die Eingeweide der Barmherzigkeit Gottes. In der syr. Uebersetzung werden die Eingeweide der Barmherzigkeit durch ܪ̈ܚܡܐ ܕܚܢܢܐ wiedergegeben, und im Arabischen weniger richtig durch تحنن الرحمن Beide Worte kommen von der Wurzel ḥnn und so auch der hier im Ḳorân gebrauchte Ausdruck ḥanân. Im Syrischen kommt diese Wurzel häufig in der Bedeutung von Barmherzigkeit, Gnade vor, das arabische Wort ḥanân aber wird vor Soyûṭy, Itḳân S. 275, unter die ungewöhnlichen Wörter gerechnet. Im Ḳorân finden wir es weiter nicht, aber es kommt in einer Bd. I S. 120 erwähnten Stelle vor. Ich glaube, dafs die judenchristliche Tradition die Weissagung in eine Thatsache verwandelt hat und das ungewöhnliche Ḥanân auf dem

am Tage, an dem er einst stirbt, und am Tage, an dem er wieder zum Leben erweckt wird.

16. Erwähne auch in dem Buche (Ḳorân) der Maria, wie sie sich von ihrer Familie nach einem Orte zurückzog, der gegen Osten lag,

17. und zwischen sich und ihnen eine Scheidewand setzte (sich von ihnen absonderte). Wir sandten unsern Geist zu ihr, und er erschien ihr als ein strammer Mann.

18. Sie sprach: Ich nehme meine Zuflucht zum Raḥmân, den doch auch du fürchtest.

19. Er erwiederte: Ich bin ein Bote deines Herrn, um dir einen reinen Sohn zu schenken.

20. Sie antwortete: Wie wird mir ein Sohn werden? Kein Mann hat mich berührt und ich war doch nie eine Sünderin!

21. Er sagte: So wird es sein! Dein Herr spricht: Das ist mir ein Leichtes. Wir machen ihn (diesen Sohn) zu einem Zeichen für die Menschen und zu einem Beweis unserer Barmherzigkeit. So war die Sache abgethan.

22. Sie war schwanger mit ihm, und zog sich an einen entlegenen Ort zurück.

23. Es befielen sie die Wehen der Geburt an dem Stamme eines Dattelbaumes, da sagte sie: O wäre ich doch längst gestorben, vergessen und verschollen.

24. Da rief er (d. h. Jesus) [1] unter ihr: Sei nicht betrübt, dein Herr hat zu deinen Füfsen ein Bächlein fliefsen lassen,

---

Wege çâbischer Ueberlieferung in den Ḳorân gekommen ist. Die Bd. I S. 125 übersetzte Stelle lautet bei Sohayly: لئن قتلتموه يعني بلالا وهو على هذه الحال لاتخذنه حنانا اى لاتخذن قبره منسكا ومسترحما والحنان الرحمة. Hier aber kann Ḥanân nicht statt Rahma, Barmherzigkeit, stehen, sondern statt شفاعة, Fürsprache, und es scheint, dafs ihm allmälig eine technische Bedeutung gegeben worden ist.

[1]) Auch im Evang. Infant. tröstet das Kind die Maria.

25. schüttele den Stamm des Dattelbaumes und es werden frische Datteln in Fülle auf dich herabfallen.

26. Ifs und trinke und sei guten Muthes. Und wenn du einen Menschen sehen solltest [der dich des Kindes wegen befragt],

27. so sage: Ich habe dem Raḥmân ein Fasten gelobt, und ich werde daher heute mit Niemanden sprechen.

28. Sie kam nun mit dem Kinde in den Armen zu ihrem Volke; diese sagten: O Maria, du hast eine sonderbare That begangen!

29. O Schwester Aarons, dein Vater war wahrlich kein schlechter Mann, und auch deine Mutter war keine Sünderin.

30. Sie verwies sie auf das Kind. Jene aber sagten: Wie sollen wir mit einem Knaben reden, der noch in der Wiege liegt?

31. Der Knabe sprach: Ich bin ein Knecht Allah's, er hat mir das Buch gegeben und hat mich zum Propheten auserkoren.

32. Er hat gewollt, dafs ich gesegnet sei, wo ich auch immer sein mag, und er hat mir das Gebet zu verrichten und das Almosen zu geben befohlen, so lange ich lebe,

33. auch Ehrfurcht gegen meine Zeugerin hat er mir geboten, und er hat mich weder gewaltthätig noch erbärmlich gemacht.

34. Friede mir an dem Tage, an dem ich geboren wurde, an dem Tage, an dem ich sterbe, und an dem Tage, an dem ich wieder zum Leben erweckt werde.

Bemerkung. Die nächsten sieben Verse haben einen andern Reim und sind wahrscheinlich ein späteres Einschiebsel, dessen Verfasser jedoch Moḥammad ist. In Vers 42 kehrt der frühere Reim zurück.

---

[1]) Man darf ḳawl alḥaḳḳ nicht etwa mit einigen Commentatoren durch „er ist das Wort der Wahrheit" übersetzen, und auch

35. Das ist Jesus, der Sohn der Maria, der wahren Lehre gemäfs, woran sie zweifeln (d. h. dies ist die richtige Erklärung der Natur und Geschichte Jesu) [1]).

36. Es ist Allah's nicht würdig, dafs er irgend ein Kind habe. Gelobt sei er (es sei ferne von ihm)! Wenn er eine Sache [zu erschaffen] beschlossen hat, so spricht er: Sie sei! und sie ist [aber er zeugt nicht].

37. Allah ist mein Herr und euer Herr: betet ihn an! — Dies ist die gerade Strafse.

38. Die Ethnoi waren uneinig unter sich [über die Natur Christi]. Weh den Ungläubigen [welche neben Gott Jesum anbeten] ob des Erscheinens jenes ernsten Tages.

39. Wie scharf wird das Gehör und Gesicht dieser Stumpfsinnigen an jenem Tage sein, an dem sie vor uns erscheinen! Aber diejenigen, die jetzt ungerecht sind, wandeln offenbar im Irrthume.

40. Warne sie ob des Tages der Verzweiflung, wenn die Sache abgethan ist (wenn es zu spät ist); denn sie sind sorglos und glauben nicht [1]).

---

nicht an das „am Anfang war das Wort" denken. Das hiefse: kalemat alḥaḳḳ. Vergl. Ḳorân 4, 169. Ḳawl hat hier die Bedeutung wie alḳawl ḳawlak, d. h. du hast Recht.

[1]) Bochâry S. 691, von al-A'masch [Solaymân b. Mehrân], von Abû Çâliḥ [Dzakwân, † 101], von Abû Sa'yd Chodry, vom Propheten:

Am Gerichtstage wird der Tod in Gestalt eines Widders vorgeführt werden, und ein Herold ruft aus: O Bewohner des Paradieses, erhebet euch und sehet; kennt ihr diesen? Sie antworten: Ja, es ist der Tod, wir haben ihn alle schon gesehen. Dann ruft der Herold: O Bewohner des Feuers, erhebt euch und sehet; kennt ihr diesen? Sie antworten: Ja, es ist der Tod; wir haben ihn alle schon gesehen. Darauf wird er geschlachtet und der Herold sagt: O Einwohner des Paradieses, es ist das ewige Leben, es giebt keinen Tod mehr! Auch zu den Einwohnern der Hölle wird er diese Worte sagen. Dann liest der Prophet die Worte vor: „Warne sie an dem Tage der Verzweiflung etc." Man sieht daraus, dafs der Vers anders aufgefafst worden ist als in meiner Uebersetzung.

41. Wir aber erben einst die Erde und Alles, was darauf ist, und vor uns müssen sie alle erscheinen.

---

42. Und erwähne im Buche des Abraham, denn er war ein Çiddyḳ und ein Prophet.

43. Er sprach ja zu seinem Vater: Väterchen, warum betest du ein Wesen an, welches nicht hört und nicht sieht und das dir von keinem Nutzen sein kann?

44. Väterchen, mir ist eine Kenntnifs zu Theil geworden, die dir nicht zu Theil geworden ist; folge mir, ich will dich eine gerade Strafse führen.

45. Väterchen, bete nicht den Satan an, denn der Satan war gegen den Raḥmân rebellisch.

46. Väterchen, ich fürchte, dafs dich eine Strafe vom Raḥmân befalle und dafs du zum Gefährten des Satans werdest.

47. Er antwortete: O Abraham, bist du abtrünnig von meinen Göttern? Wenn du nicht aufhörst, mifshandle ich dich, und du sollst mich auf lange verlassen.

48. Er sprach: Heil dir! ich will meinen Herrn um Vergebung deiner Sünden bitten, denn er nimmt sich meiner an.

49. Ich trenne mich von euch und von den Wesen, die ihr neben Allah anbetet, und ich flehe zu meinem Herrn in der Hoffnung, dafs ich in meinem Flehen nie getäuscht werde.

50. Und nachdem er sich von ihnen und ihren Götzen entfernt hatte, schenkten wir ihm den Ishaak und Jakob, und alle machten wir zu Propheten.

51. Wir schenkten ihnen Gnade und machten ihr Andenken hoch geehrt.

52. Erwähne in der Schrift (dem Ḳorân) des Moses. Er war nur Gott ergeben, ein Bote und Prophet.

53. Wir riefen ihm zu von der rechten Seite des Berges Sinai und wir brachten ihn uns bis zum Zwiegespräch nahe.

54. Und wir schenkten ihm in unserer Barmherzigkeit seinen Bruder Aaron, der auch ein Prophet war.

55. Und erwähne in der Schrift des Ismael; er war seinem Versprechen treu, ein Bote und Prophet.

56. Er befahl den Seinigen, das Gebet zu halten und das Almosen zu geben und war wohlgefällig vor seinem Herrn.

57. Und erwähne in der Schrift des Idrys (Enoch); er war ein Çiddyḳ und Prophet,

58. und wir haben ihn zu einem hohen Platz erhoben.

59. Die Genannten sind es unter den Propheten aus dem Saamen des Adam und aus der Zahl derer, die wir mit Noah [in der Arche] retteten [1]), und aus dem Saamen des Abraham und Ismael und aus der Zahl derer, welche wir geleitet und auserwählt haben, gegen welche Allah [besonders] gnädig war. Wenn man ihnen Zeichen des Raḥmân vorlas, beugten sie sich und warfen sich zu Boden.

60. Es folgte ihnen eine Nachkommenschaft, welche das Gebet verloren gehen liefs und ihren Gelüsten folgte. Sie werden gewifs bald ihren Irrthum entdecken,

61. mit Ausnahme derer, die sich bessern, glauben und Gutes thun; diese werden in das Paradies eingehen und nicht im Mindesten ungerecht behandelt werden.

62. In die Gärten Edens werden sie eingehen, welche der Raḥmân seinen Dienern geheim (d. h. bei sich selbst) versprochen hat; denn seine Verheifsung wird sich bewähren.

63. Dort werden sie kein eitles Geschwätz hören, sondern nur: Heil! Heil! Und Morgens und Abends wird ihnen ihr Unterhalt verabreicht.

64. Jenes ist der Garten (das Paradies), welchen wir jenen unserer Diener, die gottesfürchtig waren, zum Erbe geben.

---

[1]) Vergl. Ḳor. 11, 42.

[Ein Fragment.]

65. Wir steigen nur auf das Geheifs deines Herrn hinunter; denn ihm gehört, was vor uns, hinter uns und zwischen diesen zwei Extremen ist. Dein Herr war nie vergefslich [1]).

66. Denn er ist der Herr der Himmel und der Erde und dessen, was dazwischen ist; diene ihm daher und sei ausdauernd in seinem Dienste. Weifst du ein gleichnamiges Wesen (d. h. ein Wesen derselben Art)?

[Auferstehung und Vergeltung.]

67. Der Mensch sagt: Wie, wenn ich erstorben bin, werde ich wirklich [aus dem Grabe] hervorgerufen werden?

68. Will der Mensch nicht bedenken, dafs wir ihn früher aus Nichts erschaffen haben?

69. Und bei deinem Herrn [schwöre ich], wir werden sie wahrlich versammeln und auch die Satane [welche sie anbeten]; dann wollen wir sie um die Hölle (ġehannam) herumknieen machen,

70. dann wollen wir von jeder Sekte diejenigen auswählen, welche gegen den Raḥmân am feindseligsten waren.

71. Wir kennen diejenigen, welche am meisten darin zu braten verdienen.

---

[1]) Baghawy, Tafsyr 19, 65, Bochâry S. 691 und Wâḥidy, Asbâb 19, 65, alle drei durch verschiedene Isnâd von ʿAmr b. Dzarr [Hamdâny], von Saʿyd b. Ġobayr, von Ibn Abbâs:

Der Prophet sagte zu Gabriel: Warum besuchst du mich nicht öfter? Darauf wurde 29, 65 geoffenbart.

Später hat man diese zwecklose Tradition auf einen bestimmten Fall angepafst, den wir weiter unten erwähnen werden. Ich glaube, dafs „Gott war nie vergefslich" so viel bedeutet als: „er ist allwissend und achtet auf Alles", und ein Epithet Gottes ist, welches hier des Reimes wegen statt chabyr gebraucht wird. Der Vers würde sich demnach auf die Ġinn- oder Engelanbetung beziehen. Moḥammad erlaubte ihre Verehrung als Lenker des Schicksals und Fürsprecher bei Gott. Sie versichern ihn nun, dafs Gott auf Alles selbst achte und dafs sie nur seine Boten seien.

72. Sammt und sonders müfst ihr zugegen sein. So hat es dein Herr bestimmt und beschlossen.

73. Aber die Gottesfürchtigen werden wir dann erlösen, die Gottlosen aber lassen wir auf den Knien.

[Moḥammad's ursprüngliche Ansicht über Gnadenwahl].

74. Wenn ihnen unsere überzeugenden Zeichen vorgelesen werden, sagen die Ungläubigen zu den Gläubigen: Welche Partei ist besser daran und hat eine höhere, sociale Position [wir oder ihr]?

75. Aber wie viele Geschlechter haben wir vor ihnen vertilgt, welche schöner eingerichtet waren und mehr imponirten.

76. Sprich: Denen, welche im Irrthum sind, mag der Raḥmân die Frist verlängern,

77. bis sie, was ihnen gedroht worden, mit Augen sehen, nämlich entweder die Strafe oder die Stunde; dann werden sie wissen, wer die schlechteste Position inne hat und wessen Armee am schwächsten ist.

78. Allah vermehrt die Leitung (Gnade) dessen, der geleitet wird (die Gnade geniefst),

79. und die unvergänglichen, guten Handlungen sichern bei deinem Herrn den besten Lohn und den besten Platz.

[Gegen ʿÂç b. Wâyil [1]).]

80. Was denkst du von dem, welcher unsere Zei-

---

[1]) Bochâry, S. 691, und Andere, von Aʿmasch, von Abû-l-Dhohà [Moslim], von Masrûḳ [b. al-Açdaʿ], von Chabbâb:

Ich ging zu al-ʿÂç b. al-Wâyil Sahmy, um eine Schuld von ihm einzutreiben. Er sagte zu mir: Ich werde dich nicht eher bezahlen als bis du den Moḥammad verläugnet hast. Ich antwortete: Du wirst eher sterben und wieder auferstehen als ich dies thue. Er sagte: Wie, ich werde wieder auferweckt werden, wenn ich einmal todt bin? Ich antwortete: Ja. Er sagte darauf: Ich habe dort Vermögen und Kinder; ich werde dich dort bezahlen.

In einer andern Version erzählt Chabbâb, dafs er Schmied in Makka war und dafs ihm al-ʿAç das Geld für einen Säbel schuldig war.

chen läugnet und sagte: Mir wird jenseits Reichthum und Kinder bescheert werden.

81. Hat er etwa einen Blick in das Verborgene gethan, oder hat er mit dem Raḥmân ein Bündnifs abgeschlossen?

82. Ha! — wir schreiben seine Rede auf und bescheeren ihm eine Zugabe in der Strafe.

83. Wir werden was er genannt hat (d. h. Reichthum und Kinder) erben, und er wird von Allem entblöfst zu uns kommen.

[Gegen die Anbetung der Engel.]

84. Sie erkennen neben Allah Götter an, damit sie durch sie erhöht werden,

85. aber sie werden die ihnen gezollte Anbetung verläugnen und als ihre Feinde auftreten.

86. Siehst du denn nicht, dafs wir die Satane ausgeschickt haben, um sie [zur Abgötterei] anzufeuern?

87. Sei daher in keiner Eile gegen sie — wir zählen ihre Tage.

88. An jenem Tage, an dem wir die Gottesfürchtigen vor dem Raḥmân versammeln zur Audienz

89. und die Frevler in das Gehannam treiben, wie Vieh zum Wasser getrieben wird,

90. werden die Engel nicht im Stande sein, Fürbitte einzulegen, es sei denn, dafs sie ein Bündnifs mit Raḥmân eingegangen sind.

91. Sie sagen: Der Raḥmân hat sich Kinder angeschafft. — Ihr habt ein fürchterliches Wort gesprochen!

92. Fast zerreifsen sich die Himmel, spaltet sich die Erde und stürzen die Berge in Trümmer zusammen —

In der Version des Kalby und Moḳâtil, bei Wâḥidy 19, 80, und Ibn Isḥâḳ, S. 234, drückt al-'Âç kein Erstaunen darüber aus, dafs Moḥammad die Auferstehungslehre predige, sondern er macht ihn lächerlich, indem er sagt: Ihr glaubt ja, dafs im Paradiese Gold, Silber und Seide sei. Nun, so warte: ich will dich im Paradiese bezahlen.

93. darob dafs sie dem Raḥmân Kinder zuschreiben. Es pafst nicht für den Raḥmân, dafs er sich ein Kind anschaffe,

94. da doch alle [Wesen], die in den Himmeln und auf der Erde sind, sich ihm als Knechte unterwerfen Er umfafst Alles und zählt Alles.

95. Alle werden am Tage der Auferstehung entblöfst vor ihm erscheinen.

96. Diejenigen, welche glauben und Gutes thun, wird der Raḥmân mit Liebe umfassen.

Ich habe das Wort Çiddyḳ absichtlich unübersetzt gelassen, um die Aufmerksamkeit des Lesers anzuregen. Es kommt zwei Mal in dieser Sûra und sonst noch vier Mal im Ḳorân vor. Von arabischen Autoren wird es verschiedentlich erklärt; Abû-l-Baḳâ [1]) sagt: »Çiddyḳ wird der genannt, welcher die höchste Stufe der Heiligkeit erreicht hat, und diese kommt unter allen Stufen dem Prophetenthum am nächsten. Es giebt keinen Grad zwischen dem Çiddyḳthum und dem Prophetenthum, folglich, wer jenes überschreitet, tritt in dieses ein«. Diese Erklärung stimmt mit dem Ḳorân überein. Es heifst in Sûra 4:

71. Diejenigen, welche Allah und seinem Propheten (Moḥammad) gehorchen, werden mit denen wohnen, gegen welche Allah gnädig war, als: Propheten, Çiddyḳen, Martyrern und Gottseligen. Dies ist eine vortreffliche Gesellschaft!«

In Sûra 57 werden zwei von diesen vier Graden von Heiligen genannt:

16. Wisset, dafs Allah die Erde belebt, nachdem sie erstorben; wir haben euch bereits die Zeichen [Gottes in der Natur] erklärt, damit ihr zu Vernunft kommen möget [2]).

18. Wahrlich, diejenigen, welche an Allah und seine

---

[1]) Im Dict. of techn. terms of the Arab. lang. p. 850.

[2]) Die Verse 16 und 18 halte ich für makkanisch, dazwischen aber befindet sich ein madynischer Vers.

Boten glauben, sie sind die Çiddyḳe und Martyrer vor ihrem Herrn; sie werden ihren Lohn und ihr Licht erhalten etc.

Das Licht ist der Heiligen-Schein, welchen die christlichen Künstler im Mittelalter bildlich darstellten, während viele von ihren moslimischen Zeitgenossen ihn in ein Licht der Erkenntnifs vergeistiget haben. Als Moḥammad das Wort Martyr (Schahyd)[1]) von der christlichen Terminologie entlehnte, hat er es einige Zeit wörtlich genommen und auf Männer angewendet, welche Zeugnifs für ihn ablegten, zugleich aber über den gewöhnlichen Grad der Heiligkeit hinaus waren. Nach einer bekannten Tradition (Tirmidzy S. 624) soll er zum Berg Ḥirâ, als er unter seinen Füfsen bebte, gesagt haben: »Sei ruhig, denn es steht ein Prophet oder ein Çiddyḳ oder Martyr (Zeugen) auf dir«; es waren nämlich Abû Bakr[2]), ʿOmar und ʿOthmân bei ihm. Später hat Moḥammad Martyr richtiger angewendet und meistens auf Gläubige beschränkt, welche im Kampfe für den Glauben fielen.

Auch dem »Çiddyḳ«, obwohl er dies Wort als technischen Ausdruck gebraucht, schiebt er die der arabischen Etymologie entsprechende Bedeutung »für wahr erklärend«, »bestätigend« unter[3]). Und es scheint daher, dafs, wenn er den Ausdruck auch von den Christen entlehnte, ihm

---

[1]) Das arabische wie das griechische Wort bedeutet Zeuge.

[2]) Dem Abû Bakr wird allgemein der Titel „der Çiddyḳ“ zuerkannt, weil er die zweit wichtigste Persönlichkeit im Islâm ist. Ob ihn schon der Prophet so genannt habe, läfst sich nicht mit Gewifsheit bestimmen; jedenfalls aber ist der Titel sehr alt. Wahrscheinlich hat ihn sein Feldherr ʿAmr b. al-ʿÂç zuerst vorgeschlagen, wenigstens geht dies aus einer Tradition des Ibn Saʿd, fol. 211, von Ibn Syryn, von ʿOḳba b. Aws, von ʿAbd Allah b. ʿAmr b. al-ʿÂç hervor.

[3]) Solche Mifsverständnisse kommen in allen Sprachen häufig vor. Bei uns hat sich die technische Bedeutung von Martyr so sehr festgesetzt, dafs die ursprüngliche „Zeuge“ ganz in Vergessenheit gerathen und „martern“, „Marter“ daraus gebildet worden ist.

doch die biblische Wortbedeutung »der Gerechte«, weil diese ihn technisch gebrauchten, unbekannt blieb [1]). Auch

[1]) Im Arabischen hat die Wurzel çdḳ die Bedeutung „wahr", dann auch „treu" (Ḳor. 19, 55), „ehrlich" (Ḳor. 12, 82), und wohl auch „gerecht" (Ḳor. 46, 15. 6, 115), ja sogar „wohlwollend" (Ḳor. 17, 82. In dieser Stelle mag Moḥammad çidḳ unter ausländischem Einfluſs gebraucht und den Sinn gestreckt haben; denn es steckt ein hergebrachter theologischer, dem Heidenthum fremder Begriff darin). Im Hebräischen hat sie alle diese Bedeutungen; man gebraucht sie aber auch in Fällen, wo man im Arabischen ḥaḳḳ „das was sich geziemt und worauf man Anspruch hat", „Recht", und in späterer Zeit als man an eine Justizverwaltung gewöhnt war ʿadl „Gerechtigkeit" (ursprünglich die Gleichstellung der Last auf beiden Seiten des Rückens des Kameeles oder Esels) gesagt haben würde. Gesenius hält „Recht", „richtig" für die Urbedeutung der Wurzel.

Die nicht-nomadischen Nationen des Orients haben stets unter groſsem Druck gelebt, und während wir nach Selfgovernment streben, war ihnen ein gerechter Herrscher und Gerechtigkeit das höchste Ziel der Sehnsucht (vergl. Ibn Chaldûn Bd. 1 S. 65). Bei den Juden wurde lange vor Christus Çedeḳ, Gerechtigkeit, nicht nur als das Ideal politischer, sondern auch moralischer Vollkommenheit und höchstes ethisches Princip, und Ungerechtigkeit als die Wurzel alles Uebels angesehen. Auch im Ḳorân hat Ungerechtigkeit diese Bedeutung. So kommt es, daſs im Neutestamentlich-Syrischen (und die Verfasser sprachen eine dieser ähnliche Sprache und dachten darin, und die technischen Ausdrücke haben sich im Syrischen von ihrer Zeit bis zur Bibelübersetzung gewiſs unverändert erhalten) die ursprüngliche Bedeutung „Wahrheit" der Wurzel çdḳ ganz in den Hintergrund tritt, dafür aber die abgeleitete Bedeutung bis zum Begriff der Heiligkeit gesteigert wird (Rom. 16, 2), wie dies denn auch in Çiddyḳ der Fall ist, welches unter den arabischen Christen endlich gleichbedeutend mit Ḳissys, Priester, gebraucht wurde. Ferner wird çedaḳa im Aramäischen, weil Wohlthätigkeit im Orient die Haupttugend der Gottesfürchtigen ist, auch für Almosen gebraucht. Wenn çadaḳa in dieser Bedeutung auch im Ḳorân vorkommt, so ist es als ein fremdes Wort anzusehen; denn es werden nur gewisse von der Religion vorgeschriebene, dem Heidenthume fremde Entrichtungen so genannt, und es fehlen im Arabischen der Bedouinen, indem diese nie veranlaſst waren Gerechtigkeit höher zu stellen als Tapferkeit, die Mittelglieder, welche zu dieser Bedeutung führten, und wie gesagt, als sich später die Lebensansicht der Städte

in den ersten Jahrhunderten wurde die Wortbedeutung nach dem Vorbilde des Meisters mifsdeutet [1]).

Aufser dem Abraham und Idrys, welche oben (Sûra 19, 42 und 57) mit dem Titel Çiddyḳ ausgezeichnet werden [2]), wird im Ḳorân 5, 79 auch der Jungfrau Maria zuerkannt; auch titulirt der Mundschenk den Joseph damit (Ḳorân 12, 46). Sonst kommt dies Wort im Ḳorân nicht vor.

Dafs Çiddyḳ aus der christlichen Terminologie genommen sei, wird Niemand bezweifeln. Die Klassifikation der Heiligen war immer die werthvollste Wissenschaft, der Verkauf von Anweisungen auf den Himmel das einträglichste Geschäft, und die Schlüssel vorgeblich die einzige Waffe der Hierarchie von Konstantinopel und Rom. Noch jetzt ist die Taxe einer Seeligsprechung bedeutend geringer als die einer Heiligsprechung.

---

bewohnenden Araber änderte, gebrauchten sie 'adl, um das wohlthuendste Princip der Moral zu bezeichnen, und nicht çidḳ.

Im Ḳorân 37, 29 wird die Stelle aus den Psalmen angeführt: „Die Gerechten erben das Land.“ Im Urtexte steht çaddûḳ für Gerechte. Man hätte erwarten sollen, dafs, da das arabische çiddyḳ aus dem hebräischen çaddûḳ entstanden ist, „Gerechte“ auch durch çiddyḳ wiedergegeben werden würde; dies ist aber nicht der Fall: es wird durch çâliḥ, rechtschaffen, tugendhaft, ausgedrückt. Man sieht daraus, dafs çiddyḳ nur technisch für die Heiligen der zweiten Stufe gebraucht wurde, von diesen aber ist in dem Psalm nicht die Rede. Der Uebersetzer konnte auch, dem Gesagten gemäfs, keine andere Form der Wurzel çdḳ brauchen.

[1]) Diese Erklärung ist sehr alt. Abû Ma'schar (bei Ibn Sa'd fol. 221) berichtet auf die Auktorität des Abû Wahb, eines Clienten des Abû Horayra: „Der Prophet erzählte: In der Nacht, in der ich auf wunderbare Weise nach Jerusalem und wieder zurück nach Makka gebracht wurde, sprach ich zu Gabriel: Niemand wird mir dies glauben. Er antwortete: Abû Bakr wird es bewahrheiten (çaddaḳ), denn er ist der Çiddyḳ.“

[2]) Auch im Test. Dan. c. 5 bei Fabricius Cod. pseud. vet. Test. Bd. I S. 163 heifst Idrys Ἐνωχ ὁ δικαῖος. In der Hist. Jos. Lignarii wird Joseph Çiddyḳ und die Maria Çiddyḳa genannt.

Das Entstehen der vier im Ḳorân genannten Stufen der Heiligen können wir mit Sicherheit verfolgen. Die Gerechten — Çiddyḳe — haben schon in Matth. 10, 41 ihren Platz unmittelbar nach den Propheten, und wie es scheint waren dies damals die einzigen zwei Klassen von heiligen Männern [1]). Später kamen die Martyre hinzu, und da fromme Menschen, welche im Bette sterben, auch zum Himmel Zutritt haben mufsten, aber doch nicht denen, die sich schinden und verbrennen lassen, gleichgestellt werden konnten, so ist eine vierte Klasse von Heiligen, die Çâliḥe (Gottseligen) nothwendig geworden. Es leuchtet aber ein, dafs nicht alle, welche im alten Testament Çaddûḳe genannt werden, in die zweite Klasse versetzt werden konnten, und so mufste dieses Wort manchesmal mit Çâliḥ wiedergegeben werden [2]).

---

[1]) Vergl. den Weisheitsspruch Loḳmân's Bd. I S. 98.

[2]) Die Form von Çiddyḳ ist nicht ohne Interesse. Sie kommt allerdings in arabischen Wörtern vor, wie fichchyr (wofür im Ḳorân fachûr steht), Prahlhans; ḥiddyth, Neuigkeitskrämer; sittyr, schamhaft; ḥibbyb, Liebling; ʿirrydh widerspenstig, chirryt u. a. m. Arabische Grammatiker behaupten, dafs sie eine Intensivform sei, aber sie behaupten auch, dafs sifr ein grofses Buch bedeute, was rein aus der Luft gegriffen ist. Ich glaube, dafs sie ursprünglich jenem Dialekte eigen war, welchen Soyûṭy und in neuerer Zeit Dr. Levy den Nabaṭäischen nennen, welcher wahrscheinlich von dem Arabischen nicht weiter entfernt war als vom Hebräischen und von den Christen jener Gegenden, vielleicht auch von einigen, deren Muttersprache Arabisch war, als Schriftsprache benutzt wurde. Allmählig ging dann diese Form auch in die Sprache der benachbarten arabischen Stämme über, und als die Philologen die Wörter und Formen aller Stämme sammelten, erhielt sie in der moslimisch-arabischen Sprache das Bürgerrecht. Wortformen sind bisweilen Modesache und der Gebrauch ist lokal. So gebraucht man jetzt in Egypten die Diminutivformen für Adjektive, wie çoghayr etc., und wir im Süden Deutschlands sagen Häuslein, während man Häuschen sagen müfste. Bezeichnend für den Ursprung scheinen mir Wörter wie Mirrych, der Planet Mars. Diese Benennung läfst sich durch das Aramäische, wo sie kühn bedeutet, nicht aber durch das Arabische erklären. Oder wie Ḳissys Priester, Ḳiddys heilig (Hist. Jos. Lign. c. 1) und Mis-

Auch Raḥmân habe ich unübersetzt gelassen. Man hat dieses Wort, wie Raḥym [1]), welches von derselben Wurzel herkommt und »Milde« bedeutet, für ein Epithet Gottes gehalten. Diese Auffassung unterliegt aber Beschränkungen. Arabische Lexicographen sagen, dafs Raḥmân nur auf Gott anwendbar sei, während man auch, ohne sich einer Blasphemie schuldig zu machen, von einem Menschen sagen darf, dafs er Raḥym »milde« sei. Auch alle anderen Epithete Gottes, welche im Ḳorân vorkommen, wie weise, mächtig (es giebt kein Wort für allmächtig, es mufs umschrieben werden), sind auf Menschen anwendbar, nur Allah »Gott«, al-Rabb »der Herr« und Raḥmân und noch ein oder zwei andere nicht. Es steht also in derselben Kategorie mit diesen zwei Namen der Gottheit, und ist dem Sprachgebrauche zufolge wie ein Nomen proprium anzusehen [1]). Man wird auch im Ḳorân nicht viele Fälle finden, in welchen Moḥammad ein anderes Epithet Gottes auf eine absolute Art gebraucht, wie in obigen Stellen (Ḳorân 19, 18. 27. 45. 46 etc.) Raḥmân.

In Bezug auf den Ursprung ist zu bemerken, dafs Raḥmân, dem Soyûṭy zufolge, dem Dialekte, in welchem Mo-

---

syḥ Messias; man sagt nämlich für Antichrist häufiger al-Missyḥ aldaǧǧâl als al-Masyḥ aldaǧǧâl. Es kommen Personennamen dieser Form vor, besonders in Stämmen, welche zwischen Fayd und Baçra oder im nördlichen Arabien wohnten, wie Ribbyl von Godzâmstamme (ein anderer Ribbyl, nämlich der Sohn des Mâlik b. Ḥammâd, war ein Asadite), Schichchyr von Hawâzinstamme, Zibbyra u. d. m. Endlich finden wir auch Substantive dieser Form, wie Sikkyna Messer. Wahrscheinlich haben die Nabaṭäer die Benennung mit der Waare unter die Bedouinen eingeführt.

[1]) Im Scharḥ almawâkif ed. Sörensen, Leipz. 1848 S. 163 werden diese zwei Worte in Bezug auf Form mit Nadym und Nadmân verglichen.

„Einige behaupten Raḥmân und Raḥym seien gleichbedeutend, wie Nadmân und Nadym, Salmân und Salym, Lahfân und Lahyf. Andere betrachten Raḥmân als eine Intensivform, wie ghadhbân voll Zorn, sakrân voll Wein“ (Tha'laby, Tafs. S. 21).

ḥammad sprach, fremd ist. Er hält es für Hebräisch und sagt, daſs es in dieser Sprache Rachmân ausgesprochen wird. Es kommt im Chaldäischen vor und auch in ḥimyaritischen Inschriften, und zwar in diesen als ein Epithet heidnischer Götter [1]). Da in dem Dialekt des Moḥammad Raḥym und Râḥim für milde, barmherzig vorhanden waren, und da die erstere Form und unter gewissen Verhältnissen auch die zweite von ihm auf Gott angewendet wurde, lange ehe er Raḥmân einführte, so kann ihn nicht Armuth dazu genöthigt haben, Raḥmân aus einem fremden Dialekte zu borgen; sondern er muſs andere Gründe gehabt haben. Es ist noch zu bemerken, daſs der Raḥmân vor dem Jahre 616 im Ḳorân nicht genannt wird [2]).

Die Gegner des Propheten haben sich über keins der Epithete Gottes aufgelehnt als über Raḥmân, welches sie wohl nicht als einfaches Epithet ansahen:

25, 61. Als man ihnen sagte: Betet den Raḥmân an, antworteten sie: Was ist der Raḥmân? Sollen wir anbeten, was du uns befiehlst? Dieser Befehl hat ihren Widerwillen [gegen die neue Lehre] vermehrt.

Diese Stelle ist so deutlich, daſs die moslimischen Theologen es für nöthig hielten, Erklärungen zu geben. Ibn ʻAbbâs [bei Wâḥidy] sagt:

[1]) Osiander, in der Zeitschr. d. morg. Gesellsch. Bd. 10 S. 61.

[2]) Adjektive mit der Endsylbe ân kommen zwar in der arabischen Schriftsprache vor, wie ʻaṭschân durstig, sakrân berauscht, ghadbân zornig, aber sie sind besonders im modernen Arabisch (nach meiner Beobachtung am meisten zu Aleppo) beliebt, man sagt z. B. ǵawʻân oder ǵayʻân hungrig, taʻbân müde, zaʻlân miſsmuthig, bardân kalt, farḥân freudig. Man sieht, daſs sie alle nur vorübergehende Affekte bezeichnen, denn anâ bardân heiſst: es ist mir kalt, ich fühle die Kälte, während anâ bârid bedeutet: ich bin kalt, von kaltem Temperament. Daher sagte ʻIkrima: Gott ist der Raḥmân durch einen Akt der Barmherzigkeit, und der Raḥym durch hundert, الله الرحمان برحمة واحدة والرحيم بمائة رحمة. In Yaman und im Aramäischen scheint aber diese Adjektivform auch in andern Fällen und zwar ziemlich häufig gebraucht worden zu sein. Diese Form hat auch der Eigennamen Salmân.

»Der Prophet brachte ein Mal die Nacht bei der Ka'ba im Gebete zu, und so oft er sich auf die Erde warf, rief er aus: O Raḥym, o Raḥmân. Die Ungläubigen sagten: Moḥammad hat sonst bloſs einen Gott angerufen und jetzt ruft er zwei an, nämlich Allah und Raḥmân. Wir wissen von keinem Raḥmân auſser dem Raḥmân von Yamâma — Sie meinten unter diesem Namen den Mosaylima.« [1])

Die Traditionisten trauen dem Leser einen gröſsern Antheil von Dummheit zu als billig ist, indem sie ihm zumutheten, so etwas zu glauben; sie wollten aber zwei Vögel mit einem Steine tödten. Auch über dem ursprünglichen Verhältniſs des Moḥammad zu Mosaylima hängt ein Geheimniſs, auf welches wir später zu sprechen kommen werden. Mosaylima (d. h. der kleine Moslim) war, als Moḥammad den Raḥmân predigte, warscheinlich noch nicht als Nebenprophet aufgestanden, und wenn er, als er auftrat, den Namen Raḥmân annahm, so mag es wohl des-

---

[1]) Auch Ibn Isḥâḳ S. 189 erzählt: „Die Ungläubigen sagten zum Propheten: Wir wollen das, was du uns vorträgst, nicht annehmen. Wir haben gehört, daſs dich jener Mann von Yamâma unterrichte, welcher Raḥmân heiſst; wir werden aber nun und nimmermehr an den Raḥmân glauben.“ Sohayly (Ms. der As. Soc. Beng. S. 226) fügt zu dieser Stelle hinzu: „Mosaylima, welcher zu dem Stamme Dûl, einem Zweige des Stammes Ḥanyfa gehörte, wurde im Heidenthume Raḥmân genannt. Er war einer derjenigen, welche ein erstaunlich hohes Alter erreichten. Wathyma b. Mûsà versichert uns, daſs er, ehe noch der Vater des Moḥammad geboren wurde, schon den Namen Raḥmân hatte.“

Tha'laby, Tafs. 26, von Schorayḳ, von Sâlim Afṭas, von Sa'yd b. Ġobayr, von Ibn 'Abbâs:

„Der Prophet pflegte die Worte bismillah al-Raḥmân al-raḥym laut auszusprechen und zu dehnen. Die Ungläubigen verlachten ihn, pfiffen ihn aus, klatschten und sagten: Er nennt den Gott von Yamâma; sie meinten den Mosaylima, den sie al-Raḥmân nannten. Darauf offenbarte Gott: Sprich nicht zu laut im Gottesdienste, denn sonst hören es die Ungläubigen; sprich auch nicht zu still und unterdrücke die Stimme nicht zu sehr, sonst bist du unhörbar für deine Gefährten: wähle den mittleren Weg.“

wegen geschehen sein, weil er ihn für gleichbedeutend mit Messias und mit Moḥammad hielt.

Der Prophet mufste am Ende den Gegnern nachgeben und drei oder vier Jahre, nachdem er den Raḥmân zum ersten Male erwähnt hatte, erklärte er in Sûra 17 (A. D. 621):

110. Sag' ihnen: Heifset ihn Allah oder heifset ihn Raḥmân; wie ihr ihn auch heifsen möget, thut ihr Recht; denn auf ihn passen alle schönen Namen [1]). Sprich nicht zu laut in deinen Gebeten noch zu still, sondern wähle einen Mittelweg.

In den wenigen [2]) Stellen, in welchen nach oder kurz vor dieser Offenbarung Raḥmân vorkommt, ist es ein Epithet, in den frühern aber ist es in allen Fällen unverkennbar ein Eigenname.

Aber warum sollen die Heiden gegen die Anbetung des Raḥmân protestirt haben? Ich glaube, dafs das Wort

---

[1]) Vergl. Ḳor. 7, 179 und was Bd. I S. 79 über Omayya gesagt worden ist.

[2]) Raḥmân kommt nur zwei Mal in madynischen Sûren vor, nämlich in Ḳor. 2, 158 (vergl. oben S. 35), welchen ich für makkanisch halte, und in Ḳor. 59, 22, welcher eine Rechtfertigung des Gebrauches des Wortes enthält, auch makkanisch und eine Ausarbeitung der im obigen Verse (17, 110) ausgesprochenen Idee zu sein scheint. Das ganze Fragment lautet:

59, 22. Er ist Allah, aufser welchem es keinen Gott giebt, er ist der Wisser des Entfernten und Vorliegenden, er ist der milde Raḥmân,

23. er ist Allah, aufser welchem es keinen Gott giebt, der König, der Heilige, das Heil, der Gläubige, der Amensagende, der Erhabene, der Gewaltige, der Hochmüthige. Ferne sei von Allah, was sie ihm beigesellen!

24. Er ist Allah der Schöpfer, der Hervorbringer, der Bildner. Ihm gebühren alle schönen Namen; ihn lobpreiset, was in den Himmeln und was auf der Erde ist. Er ist der Erhabene, der Weise.

Auch blieb Raḥmân in der Formel: „Im Namen Allah's, des milden Raḥmân“.

von einer christlichen Sekte in Hinblick auf Bibelstellen, wie Hebr. 2, 17 auf den Gottessohn angewendet wurde, dafs Moḥammad es aber für die Benennung des Gottes der Christen ansah. Die letztere Ansicht gründet sich auf den Ḳorân 25, 64. Er spricht von frommen Christen (Raḥmânisten), welche glaubten, dafs er wirklich inspirirt sei, und nennt sie »Anbeter des Raḥmân«. Wenn er aber den von den Christen angebeteten Raḥmân predigte, so verstand er keinen National- oder Sektengott, sondern setzte voraus, dafs die Christen dieselben Begriffe von der Gottheit haben wie er, und vielleicht that er es mehr aus Gefälligkeit als aus Ueberzeugung, wenn er ihre Benennung für Gott adoptirte; jedenfalls fällt es auf, dafs sie so oft in der an den christlichen König von Abessynien gerichteten Sûra vorkommt [1]). Nach Ḳor. 20, 92 sagt schon Aaron zu den Israeliten: Euer Herr ist der Raḥmân. Wie der Islâm schon von den Patriarchen bekannt wurde, so wurde auch der Raḥmân schon von ihnen angebetet.

Dafs aber unter Rḥamân ursprünglich der Menschen Sohn verstanden wurde, scheint mir zwar nicht aus dem Geist, aber aus den unverdauten Brocken der Ḳorânstellen, in denen der Raḥmân genannt wird, hervorzugehen; denn diese sind christlich.

Jesus verkündete den Gerichtstag in Worten wie diese: Es erschallt die Posaune und kommt die Stunde, in welcher alle, die in den Gräbern sind, seine (Jesu) Stimme hören werden. — Wie der Vater die Todten erwecket und sie lebendig macht, also macht auch der Sohn lebendig wen er will, denn der Vater richtet Niemand, sondern alles Gericht hat er dem Sohne gegeben (Joh. 5, 21—22); und hat ihm Macht gegeben, das Gericht zu halten (Johannes 5, 27).

Dem Ḳorân zufolge ist es zwar Jesus, der bevorzugte

---

[1]) In Allem kommt Raḥmân 56 Mal im Ḳorân vor, darunter 16 Mal in dieser Sûra.

Prophet, welcher in das Geheimnifs, wann das Gericht gehalten wird, eingeweiht ist. Aber die göttlichen Funktionen beim Weltgericht werden alle dem Raḥmân zugetheilt [1]); auch die Ankündigung des kommenden Weltgerichtes bewirkt der Raḥmân durch den Mund der Propheten:

36, 51. Es ist in die Posaune gestofsen worden und siehe, sie eilen aus den Gräbern hervor ihrem Herrn zu.

52. Sie sagen: Weh uns, wer hat uns aus unsern Ruheplätzen auferweckt? — Das ist es, was der Raḥmân verheifsen hat, und die Boten haben die Wahrheit gesprochen,

53. denn nur Ein Ruf ist ergangen und sie standen alle vor uns.

Es heifst in Sûra 25, 28: Die Macht (mulk) ist an jenem Tage die Wahrheit, und es führt sie der Raḥmân.

Der Ausdruck: »die Macht ist die Wahrheit« bedeutet so viel als: es herrschet die Wahrheit und nicht Willkür (vergl. Ḳor. 38, 21) [2]), oder, wie es bei Johannes 5, 28 heifst: »Ich kann nichts von mir selbst thun, wie ich höre, so richte ich und mein Gericht ist recht.«

---

[1]) In der Tradition erscheint wieder Jesus, den die Moslime für einen Menschen halten, als ein Richter, welcher vor dem jüngsten Tage erscheint. Da Moḥammad um's J. 619—620 den Raḥmân aufgegeben hat, ist es möglich, dafs er später solche Traditionen selbst gelehrt hat. Jesus ist aber nicht der Richter des Weltgerichtes, sondern nur der Gründer einer Art von Millenium. Er reiniget das Christenthum von Mifsbräuchen, indem er die Kreuze zerbricht und die Schweine ausrottet, sich verheirathet und Kinder zeugt; er bringt so viel Ueberflufs, dafs Geld gar keinen Werth mehr hat; er lebt 54 Jahre, dann stirbt er und wird neben Moḥammad begraben (Mischkât S. 471 engl. Uebers. 2, S. 580). Die Hauptaufgabe Jesu ist mit dem Antichrist oder Daǧǧâl zu kämpfen, mit diesem aber ist Moḥammad erst in Madyna bekannt geworden, wo er mit ganz andern Menschen zusammenkam und andere Quellen als in Makka gehabt hat.

[2]) Nasafy erklärt den Vers: Die wahre (dauernde) Herrschaft ist an jenem Tage in den Händen des Raḥmân.

In der ersten Sûra des Ḳorâns wird der Raḥmân »Herrscher des Tages des Gerichtes« genannt.

19, 88. Die Gottesfürchtigen versammeln sich vor den Raḥmân.

20, 107. An jenem Tage werden sie dem Rufenden folgen, ohne rechts oder links zu gehen und alle werden ihre Stimme vor dem Raḥmân [aus Ehrerbietigkeit] dämpfen, und man wird nur leise Laute hören.

108. An jenem Tage wird keine Fürbitte nützen, aufser wenn der Raḥmân Jemanden fürzusprechen erlaubt, und an einem Satze [des Glaubensbekenntnisses] des Befürworteten Wohlgefallen hat [1]).

In Sûra 21, 29—30 spricht Moḥammad wieder von dem Raḥmân und führt die Idee, welche in dieser Stelle nur angedeutet worden ist, weiter aus. Im Hinblick auf die Irrlehre (Ḳorân 43, 16): »Sie machen die Engel, welche Knechte des Raḥmân sind, zu Mädchen (d. h. Töchter Allah's)« und auf den Wahn, dafs die Engel beim Weltgericht Fürsprache für ihre Verehrer einlegen, ja sogar ihre Stimme gegen den Raḥmân (den Sohn Gottes und ihren Bruder oder Vater) erheben würden, prediget er, dafs »kein Wesen vor dem Raḥmân das Wort ergreifen dürfe« und dafs sie (wohl die Engel) nur »geehrte Diener des Raḥ-

---

[1]) Diese Verse schliefsen sich an die Frage der Heiden über das Wegwannen der Berge (siehe Bd. I S. 545 ff.) an. Die Fortsetzung derselben lautet:

109. Er weifs was vor ihnen und hinter ihnen ist, und sie können ihn nicht mit ihrer Kenntnifs erfassen.

110. Die Gesichter demüthigen sich vor dem Lebendigen, dem Beständigen, und getäuscht ist der mit Ungerechtigkeit Beladene.

111. Der, welcher einiges Gute thut, vorausgesetzt, dafs er gläubig sei, hat weder Ungerechtigkeit, noch einen Abzug zu erwarten.

112. So haben wir dir das Buch in der Form eines arabischen Ḳorân geoffenbart etc. (Parallel mit Ḳ. 43, 1—4.)

Der arabische Ausdruck für den Beständigen ist al-Ḳayyûm; ich glaube nicht, dafs diese Form mit verdoppeltem y arabisch sei, sondern halte sie wie ḳaddûs für Aramäisch.

mân« seien. In der soeben angeführten Sûra, Verse 88—98 wird dieselbe Idee mit geringen Abweichungen wieder ausgesprochen und in Sûra 78 kommt sie das vierte Mal vor:

38. Eines Tages werden der [heilige] Geist und die Engel [ehrfurchtsvoll] in einer Reihe stehen und sie dürfen nicht sprechen, aufser wenn es der Raḥmân einem erlaubt.

Man übersehe nicht, dafs hier auch der heilige Geist dem Raḥmân untergeordnet ist.

Wollte man Raḥmân übersetzen, so müfste man es durch »Quell der Gnade« wiedergeben; denn zur Zeit, während welcher Moḥammad den Raḥmân predigte, brütete er auch über die Idee, dafs Glaube und Seeligkeit Folgen der Gnade Gottes seien. Die Lehre von der Raḥma, Gnade, und dem Raḥmân sind wohl gleichen Ursprungs. Die Begriffe, welche die reinen Semiten von dem Wesen der Gottheit hatten, machten ihnen das Verständnifs der Erlösungstheorie unmöglich. Christus blieb aber der Quell der Gnade — Raḥmân — und wurde auch zum Vorherbestimmer des Schicksals.

Wenn die Verse, welche Bd. I S. 84 dem Zayd in den Mund gelegt werden, echt sind, hatte zwar auch dieser Ḥanyf den Ausdruck Raḥmân gebraucht, allein die Invocationsformel: Bismillah al-Raḥmân alraḥym, im Namen Allah's, des milden Raḥmân! ist von einem Schüler des Moḥammad, mit aus Abessynien gebracht worden [1]). Moḥammad führte sie eventuel ein und sie wird bis auf den heutigen Tag von den Moslimen, wie einst von guten Christen das »in nomine Domini clementissimi«, am Anfang von jedem Buch und Aktenstück, jeder öffentlichen Rede und einer jeden Arbeit gebraucht. Ehe ein Schüler in der Ma-

[1]) Içâba Bd. 1 S. 835, aus Ibn Abû Dawûd's Maçâḥif, von Ibrâhym b. 'Oḳba, von Omm Châlid, welche eine Tochter des Châlid b. Sa'yd b. 'Âç war:

„Mein Vater war der erste, welcher die Formel bismillah al-Raḥmân al raḥym im Schreiben gebrauchte."

drasa seine Aufgabe hersagt, spricht er: Bismillah al-Raḥmân alraḥym, und selbst wenn der Moslim ein Verbrechen begeht, schickt er ein Bismillah voraus. Moḥammad wendet sie zum ersten Mal im Ḳorân 27, 30 an, und zwar läſst er einen Brief des Salomon an die Königin von Seba damit anfangen. Beim Eröffnen desselben erkennt die Königin daraus, daſs er von Salomon sei. Später, als der Prophet den Ḳorân in Kapitel eintheilte, setzte er die Formel an den Anfang jedes Kapitels, und in dem ersten bildet sie einen integrirenden Theil desselben, was bei den übrigen nicht der Fall ist [1]). Vielleicht lautete anfangs die Formel bloſs: »Im Namen des milden Raḥmân«, und schaltete Moḥammad das Wort Allah erst ein, als er Raḥmân als ein Epithet von Allah angesehen haben wollte.

Es giebt keine Stelle im Ḳorân, welche zur Vermuthung führen könnte, daſs Moḥammad etwas Anderes als den einen Gott unter Raḥmân verstand. Sein Raḥmân ist unser Herr, den wir um Beistand (seine Gnade) anrufen (Ḳor. 21, 112 und 1, 4); er ist der Schöpfer des Himmels und der Erde (Ḳor. 67, 3), und nachdem er in sechs Tagen das Schöpfungswerk vollendet hatte, ist er aufgestie-

[1]) „Es ist ein Streit unter den Moslimen, ob „Im Namen Allah's des gnädigen Raḥmân“ ein Vers der ersten Sûra des Ḳorâns sei oder nur eine Invocation. Die meisten Gelehrten entscheiden sich für die erste Ansicht. Ḥosayn b. al-Fadhl sagt: „Ich finde, daſs die Leute einstimmig erklären, diese Invocation gehöre in Sûra 27 zum Text. Es stellt sich heraus, daſs im Ḳorân Sätze, welche dem Wortlaute wie auch dem Sinne nach vollkommen gleichlautend sind, zum wiederholten Male vorkommen, z. B. فباى الا ربكم تكذبون und ويل يوميذ للمكذبون, und es ist kein Zweifel, daſs, wenn diese Sätze in einer Stelle zum Ḳorân gehören, sie auch in allen dazu gehören. So auch in Bezug auf bismillah al-Raḥmân al raḥym. Ich habe gehört, daſs der Prophet am Anfange, wie die Ḳorayschiten, bismik Allâhomm zu schreiben pflegte, bis Ḳ. 11, 43 geoffenbart wurde; dann schrieb er bismillâh und fuhr so fort bis Ḳ. 10, 110 geoffenbart wurde; dann schrieb er bismillâh al-Raḥmân. Als endlich Ḳ. 27, 30 geoffenbart wurde, schrieb er bismillâh al-Raḥmân al-raḥym.“ Tha'laby.

gen auf den Thron (Ḳor. 25. 60). Auch in einer andern Stelle hebt Moḥammad hervor, dafs er sich auf den Thron gesetzt habe, sagt aber nicht, wie die Christen, zur Rechten des Vaters — vielleicht war der Vater nicht blos von Moḥammad, sondern selbst von den Raḥmânisten schon vergessen. Die Stelle lautet:

20, 1. Ṭahi. Wir haben den Ḳorân nicht auf dich herabgesandt, auf dafs du unglücklich seiest,

2. sondern als eine Ermahnung für Diejenigen, welche [Gott] fürchten,

3. als eine Mittheilung von Dem, welcher die Erde und die erhabenen Himmel erschaffen hat,

4. dem Raḥmân [1]), der auf den Thron gestiegen ist.

5. Ihm gehört, was auf Erden und in den Himmeln, was zwischen beiden und was unter der Erde ist.

6. Wenn du laut sprichst [beim Beten, so weifst du wohl], dafs Ihm die Geheimnisse [des Herzens] bekannt sind, und auch etwas Verborgenes (nämlich Gedanken, die dir erst einfallen werden).

7. Es giebt keinen Gott aufser Ihm, auf Ihn (den Raḥmân) sind die schönsten Namen (Epithete) anwendbar [2]).

Ebenso deutlich spricht er sich in andern Offenbarungen aus, z. B. Ḳorân 13, 29: »Wir haben dich zu einem Volke gesandt, dem andere Völker vorausgegangen sind, auf dafs du ihm das, was wir dir offenbaren, vorlesest; denn sie glauben nicht an den Raḥmân. Sprich: Er ist

---

[1]) Ich weiche von Flügels Lesart ab im Rückblick auf Ḳorân 41, 1.

[2]) Mit den Versen 6—7 ist der bereits oben S. 201 angeführte Ḳorânvers 17, 110 parallel, wo ebenfalls der Raḥmân genannt und Moḥammad von ihm wegen des lauten Betens einen Verweis erhält. Wir haben gesehen, dafs auch am Gerichtstage der Raḥmân gute Ordnung und alles still hält, und die, welchen er zu sprechen erlaubt, müssen leise reden. Die Raḥmânisten eiferten also gegen das laute Sprechen.

mein Herr; es giebt keinen Gott aufser Ihm, auf Ihn setze ich mein Vertrauen und zu Ihm ziehe ich mich zurück.«

Wir wollen nun versuchen uns deutlich zu machen, wie die Lehrer des Moḥammad zum Raḥmân kamen und wie sie ihn bewogen haben, diese Benennung einzuführen. Wenn im Ḳorân 78, 38 gesagt wird, dafs auch der heilige Geist sich am Gerichtstage ruhig verhalten müsse, so erblicke ich in diesen Worten nicht eine Idee des Moḥammad, sondern seiner Lehrer; denn seinen Zuhörern galt der heilige Geist gar nichts und für ihn selbst war er immer nur ein Bote Gottes, ohne selbstständige Macht gewesen. Diese Worte konnten nur von Leuten herrühren, welche gegen die Göttlichkeit des heiligen Geistes protestirten. Der Raḥmân scheint durch die Ausbildung der Lehre des Elxai im monophysitischen Sinne entstanden zu sein. Bei ihm war Christus ein Demiurg, und der heilige Geist von seiner Gröfse und, dem Ursprunge nach, seines Gleichen. Christus aber wurde Mensch in Adam und in Jesus. Auch dem Ḳorân zufolge müssen zwar die Engel den Adam anbeten, und obschon kein Demiurg in ihm ist, enthält somit die Lehre der Raḥmânisten doch eine Erinnerung an die Christusnatur des Adam. Jesus wurde ihnen als Gottmensch gepredigt, und weil sie dieses Geheimnifs nicht verstehen konnten, sonderten sie die zwei Naturen und begnügten sich damit, auf Gott das Epithet Raḥmân, welches ursprünglich wohl Christo beigelegt wurde, als Eigenname zu übertragen, und auf den Namen kommt am Ende den Leuten doch alles an. Es ist übrigens wohl leicht möglich, dafs bei dieser Sekte der Raḥmân und Allah noch aus einander gehalten wurden [1]) und dafs sie erst von

[1]) Ich hatte erwartet, dafs der Raḥmân auch in der Geschichte des Sturzes der Engel vorkommen würde; dies ist aber nicht der Fall. Gott wird Allah oder Herr genannt. Es ist nicht wahrscheinlich, dafs Moḥammad hier die Terminologie geändert habe, und ich vermuthe daher, dafs, wenn auch — wenigstens bei Moḥammad — Gott-Vater im Raḥmân vollkommen aufging, und vielleicht zum Theil

Moḥammad vollends vereint worden sind; denn die Ḳorânstellen, in denen er von der Gottheit spricht, sind doch Inspirationen seines eigenen Geistes, wenn auch der Stoff von aufsen kam.

Ich höre, dafs die Juden in ihren Gebeten beständig den Raḥmân anrufen. Man könnte daraus folgern, der Raḥmân habe nicht in dem Evangelium seine Wurzel und sei nicht im Judenchristenthum, sondern im reinen Judenthum entstanden, denn die orthodoxen Juden werden sich doch gehütet haben, von ihren ketzerischen Brüdern etwas zu entlehnen. Die Ketzer hingegen können recht wohl den Raḥmân bei ihrer Secession von der rechtgläubigen Gemeinde mitgenommen haben. Die Entwicklungsgeschichte moslimischer Dogmen hat mich zur Ueberzeugung gebracht, dafs es sehr wahrscheinlich ist, dafs die orthodoxen Juden den Raḥmân und viele andere Lehren von ihren häretischen Brüdern entlehnt haben. Die Ansichten mancher Sekten von Çûfies sind radikal verschieden von denen der orthodoxen Moslime: Ġalâl aldyn weifs etwas zu Gunsten der Dreieinigkeitslehre zu sagen, Sanây findet den Parsismus gar nicht verwerflich, Darâ Schikôh vertheidigt das indische Heidenthum und Sahrawardy Maḳtûl rief sich selbst als Gott aus. Alle waren Pantheisten und dennoch sind gerade diese Leute die geachtetsten moslimischen Heiligen, die einzigen, deren Biographien mit Erbauung gelesen werden. Umsonst haben sich die Theologen bemüht, die auf den Ḳorân gegründete Lehre durch Dialektik zu verschanzen. Die Ansichten der Çûfies sind in das Volk gedrungen und ungeachtet der Mahnungen strenger Dogmatiker haben sie, soweit sie dem Volke verständlich sind, ein williges Ohr gefunden. Durch diese Leute ist der Islâm so verändert worden, dafs derjenige, welcher den Ḳorân stu-

auch bei seinen Lehrern, dennoch in Fällen, die nach der älteren Ansicht in den Wirkungskreis des Vaters gehörten, wie die Verdammung der Engel, Gott vorzugsweise Allah genannt wurde.

dirt hat und dann glaubt, er kenne die Glaubensansicht der jetzigen Moslime, fast ebenso weit von der Wahrheit entfernt ist, als wenn Jemand den Geist der römischen Curie im Evangelium finden wollte. Ascetiker haben überall einen unwiderstehlichen Einfluſs auf das Volk, und einen solchen Einfluſs haben ganz gewiſs die jüdischen Çûfies, ich meine die Ebioniten und Genossen, auf ihre orthodoxen Brüder geübt.

Zum Schluſs führe ich noch eine Korânstelle an, aus welcher deutlich hervorgeht, daſs die Raḥmânisten eine Sekte von Asceten und jene christliche Sekte oder Brüderschaft sei, von der Moḥammad die Vigilien entnommen hat und zwar schon zu Anfang seiner Laufbahn. Dieser Sekte gehörte Baḥyra, der Lehrer des Propheten, an. Den Raḥmân, welcher gar nicht in den Islâm paſst, anzuerkennen, mag er sich lange geweigert haben, er wurde aber aller Wahrscheinlichkeit nach durch den Einfluſs, den der König von Abessynien auf ihn übte, dazu bewogen, denn Baḥyra behauptete, daſs er der Gott der Christen, ja aller Schriftbesitzer sei; es beten ihn ja auch die Juden an.

Dem Verse, in welchem er die Gläubigen zuerst auffordert, den Raḥmân anzubeten, fügt er hinzu:

25, 62. Gesegnet sei Er (der Raḥmân), welcher das Firmament zu Burgen (die zwölf Zeichen des Thierkreises) eingerichtet hat und der darin eine Leuchte und den erhellenden Mond gesetzt hat!

63. Er ist es, welcher das Alterniren von Tag und Nacht [als Zeichen] angeordnet hat für solche, welche in sich gehen oder Dank fühlen wollen.

64. Die Anbeter des Raḥmân, welche demüthig auf Erden wandeln und, wenn sie von den Unwissenden angeredet werden: Friede! antworten,

65. und welche die Nacht in Wachen und Beten zubringen

66. und welche sagen: Herr, wende von uns ab die

Qual der Hölle; denn die Qual der Hölle ist anhaltend und sie ist ein böser Aufenthalts- und Wohnort!

67. und welche, wenn sie Ausgaben machen, weder verschwenderisch noch geizig sind, sondern die Mittelstrafse innehalten

68. und welche aufser Allah keinen andern Gott anrufen und keinen Menschen tödten, welchen zu tödten Gott verboten hat, aufser wenn er den Tod verdient hat, und welche nicht Unkeuschheit treiben; — denn wer dieses thut, dem geht es schlimm,

72. und welche für die Irrlehre (Vielgötterei) nicht Zeugnifs ablegen und, wenn ihnen Gemeinheiten vorkommen, mit Selbstachtung vorübergehen,

73. und welche, wenn man ihnen die Zeichen ihres Herrn zu Gemüthe führt, nicht wie Taube und Blinde niederfallen,

74. und welche sagen: Herr, lafs uns an unsern Frauen und Kindern Freude erleben, und mache uns zum Vorbild für die Gottesfürchtigen,

75. solche Anbeter des Raḥmân erhalten als Lohn für ihre Ausdauer die obern Regionen und werden dort mit dem Zuruf: »Langes Leben« und »Heil!« begrüfst;

76. und dort werden sie ewig bleiben. Das ist ein schöner Aufenthalts- und Wohnort!

Die Orientalen haben wie Kinder die Eigenthümlichkeit, indem sie einen Gedanken verfolgen, alles Andere darüber zu vergessen. Diese Gedankenlosigkeit tritt besonders an den Tag, wenn sie ältere Quellen benutzen. Sie ändern sie ohne Bedenken, aber nur so weit es eben für ihren Zweck pafst; andere Verbesserungen vorzunehmen, sind sie zu apathisch. Moḥammad machte keine Ausnahme von dieser Regel; während er in den Straflegenden den Beherrscher von Egypten immer Pharao und nie König nennt, heifst er ihn in der Geschichte des Joseph, Sûra 12, stets König und nie Pharao. Ich bin überzeugt, dafs er hier seinen Quellen blindlings folgte, er erzählte nach, wie ihm vorerzählt worden war, pafste aber die Geschichten seiner Lage an. Auf gleiche Weise erkläre ich mir, dafs in gewissen Stellen der Raḥmân genannt wird. Nicht nur Moḥammad, sondern auch die Sekten vor ihm scheinen Gott bei manchen Gelegenheiten, wie z. B. der Schöpfungsgeschichte, mit Vorliebe Raḥmân genannt zu haben, weil es vor ihnen geschehen war und sie sich daran gewöhnt hatten, bei andern Gelegenheiten aber Rabb oder Allah. Auch wir benehmen uns auf ähnliche Art; es fällt uns nicht ein, den heiligen Geist um Vergebung der Sünden anzuflehen, noch Gott den Sohn in Erzählungen des alten Testamentes zu erwähnen, obschon es als eine Vorbereitung zum Erlösungswerk angesehen wird.

Anhang zum eilften Kapitel.

I. Ḳorânstellen aus der Raḥmânperiode.

Nachdem ich über die Bedeutung und den Ursprung des Raḥmân meine Vermuthungen ausgesprochen habe, will ich die vorzüglichsten Ḳorânstellen, in denen er genannt wird, ausheben. Sie bilden eine abgeschlossene Gruppe, in der Lehren betont werden, welche in den Offenbarungen anderer Perioden gar nicht oder nur im Vorübergehen erwähnt werden. Da Moḥammad den Raḥmân nur eine beschränkte Zeit (vom Herbst 616 bis gegen Ende 620) predigte, dienen die betreffenden Stellen als Faden, der uns in dem Labyrinthe der Ḳorânerklärung leitet und durch dessen Hülfe wir die Entwicklung neuer Ideen und Lehren verfolgen können.

78, 37. Der Herr der Himmel und der Erde und was dazwischen ist, ist der Raḥmân [1] [und nicht die Engel]. Sie (die Engel) dürfen ihn nicht einmal anreden.

38. Eines Tages werden der [heilige] Geist und die Engel in einer Reihe stehen, und sie dürfen nicht sprechen (keine Fürsprache für ihre Anbeter einlegen), aufser wenn es der Raḥmân erlaubt und wenn sie das Richtige sagen [2].

39. Jener Tag ist eine Thatsache (d. h. er wird kommen) und wer will, nimmt zu seinem Herrn seine Zuflucht [und nicht zu Fürsprechern].

---

[1] Ich lese mit den ḥigâzischen Gemeinden rabbo und al-Raḥmâno, und halte dafür, dafs mit diesem Vers eine neue Inspiration anfange.

[2] Dies ist eine der Inspirationen, in welchen die Engel und Ġinn und selbst der heilige Geist als einem und demselben Geschlechte angehörig betrachtet werden.

40. Wir haben euch in der That vor einem nahen Strafgericht gewarnt; [denn]

41. ein Tag wird kommen, an dem jeder Mensch seine Werke sehen und an dem der Ungläubige sagen wird: O dafs ich Staub gewesen wäre (nie gelebt hätte)!

25, 24. Eines Tages werden sie die Engel sehen, dann aber giebt es keine frohe Botschaft für die Bösewichter; denn sie werden das Schlachtgeschrei erheben: Hinweg! fort mit euch!

25. Die guten Werke, die sie etwa gethan, haben wir gesichtet und wie Sonnenstäubchen zerstreut.

26. Die Genossen des Paradieses haben dann [wenn einmal die Engel erscheinen] den besten Aufenthalt und die schönste Ruhestätte.

27. Eines Tages nämlich wird das Firmament durch Wolken gespalten werden [1]), und wir werden [in den Wolken, welche durch das Firmament durchbrechen] die Engel in Schaaren hinabsenden.

28. Die Herrschaft (das Richteramt) ist an jenem Tage die Wahrheit (Gerechtigkeit, d. h. es wird mit Gerechtigkeit gerichtet), es führt sie der Raḥmân. Für die Ungläubigen wird es ein harter Tag sein.

29. Eines Tages wird der Ungerechte [2]) sich in die Finger beifsen und sagen: Hätte ich mich doch dem Boten angeschlossen!

30. Hätte ich doch diesen oder jenen nicht zum Freunde erkoren!

31. Er hat mich von der Ermahnung hinweg in den Irrthum geführt, nachdem sie an mich ergangen war. Der Satan hat sich wahrlich als Betrüger des Menschen erwiesen!

32. Der Bote (d. h. Moḥammad) sprach: Herr, mein Volk hat eine Abneigung gegen diesen Ḳorân.

33. Auf diese Art haben wir jedem Propheten einen Feind erweckt unter den Bösewichtern, allein dein Herr genüge [dir] als Wegweiser und Helfer.

---

[1]) Vergl. Ḳor. 2, 206.

[2]) Wâḥidy, 25, 29, von ʿAṭâ Chorâsâny, von Ibn ʿAbbâs:

„Obay b. Chalaf pflegte den Propheten anzuhören, nahm aber den Glauben nicht an, weil ihn ʿOḳba b. Aby Moʿayṭ davon zurückhielt. Auf ihn bezieht sich Ḳor. 25, 29.

Wâḥidy, ebend., von Schaʿby:

„ʿOḳba war ein Freund des Omayya. Jener nahm den Islâm an, dieser aber erklärte, dafs er ihn nie mehr als Freund betrachten könne, und ihm zu Liebe wurde ʿOḳba abtrünnig. Auf diesen Vorfall bezieht sich Ḳor. 25, 29."

Andere erzählen eine lange Geschichte, welcher zufolge ʿOḳba zum Islâm übertrat und dem Obayy zu Liebe abtrünnig wurde.

43, 1. Ḥam. Beim unverkennbaren Buche [schwören wir, dafs]

2. wir es wahrlich zum arabischen Ḳorân gemacht haben — auf dafs ihr es verstehen sollt,

3. und dafs es im Urtext bei uns aufbewahrt wird und erhaben und weise ist.

4. Sollen wir euch etwa die Ermahnung vorenthalten und uns von euch abwenden, weil ihr ein frevelhaftes Volk seid?

5. Wie viele Propheten haben wir nicht zu den Alten gesandt!

6. Und es kam kein Prophet zu ihnen, den sie nicht verspottet hätten.

7. Wir haben Völker vertilgt, welche heftiger waren im Angreifen und so liegt ihnen das Beispiel der Alten vor.

8. Wenn du sie fragst: Wer hat die Himmel und die Erde erschaffen? antworten sie: Es hat sie der Erhabene, der Wissende erschaffen.

9. [Ja, er ist es] welcher euch die Erde zur Wohnstätte erschaffen und darauf Wege gebahnt hat, auf dafs ihr euch leiten lasset;

10. welcher von dem Firmamente Wasser herabsendet in gehöriger Menge und damit belebten wir ein erstorbenes Land — so werdet auch ihr wieder erweckt werden —

11. welcher alle Paare (alles Lebende und Zeugende) erschaffen hat und euch das Schiff und die Lastthiere gegeben hat, die ihr besteiget.

12. Auf dafs ihr euch auf ihren Rücken setzet und beim Besteigen der Wohlthaten eures Herrn eingedenk, sprechet: „Lob sei ihm, der sie uns dienstbar gemacht hat. Wir wären nicht im Stande gewesen, sie zu unterwerfen;

13. dieses Leben ist eine Reise zurück zu unserm Herrn.“

14. Statt dessen erklären sie Wesen, welche seine Diener sind, für einen Theil von ihm — der Mensch ist doch recht undankbar!

15. Soll er wirklich aus seinen Geschöpfen für sich selbst Töchter, für euch aber Söhne auserlesen haben?

16. Wenn man einem von ihnen verkündet, was er dem Raḥmân zuschreibt (nämlich die Geburt einer Tochter), wird sein Gesicht dunkel und finster und er ist voll Betrübnifs.

17. Wesen, welche im Putz aufwachsen und sich in Streit einlassen, ohne dafs ihnen die Gründe klar wären, [sollen die Kinder des Raḥmân sein!]

18. Sie machen nämlich die Engel, welche Diener des Raḥmân sind, zu Mädchen! Kennen sie ihre Natur aus eigener Anschauung? — Ihr Zeugnifs wird aufgezeichnet werden, und man wird sie darüber zur Rede stellen.

19. Sie sagen: Wenn es des Raḥmâns Wille wäre, würden wir sie nicht anbeten. Sie haben durchaus kein Wissen in dieser Sache, sondern bloſse Dichtung.

20. Oder haben wir ihnen vor dieser Offenbarung [die du, o Moḥammad, überbringst] ein Buch mitgetheilt, an das sie sich halten?

21. Nein; sie sagen aber: Wir haben unsere Väter über gewisse Ansichten einstimmig gefunden und wir folgen ihren Fuſstapfen.

22. So war es auch vor Alters. Wir haben nie einen Warner in eine Stadt gesandt, ohne daſs die Wohlhabenden [1]) gesagt hätten: Wir haben unsere Väter über gewisse Ansichten einstimmig gefunden und wir folgen ihren Fuſstapfen.

23. [Gott sagte zu den Warnern:] Sprechet: Wenn ich euch aber eine Lehre überbringe, die euch besser leitet als die, welche ihr bei euren Vätern gefunden habt, was dann? Die Ungläubigen antworteten: Wir verwerfen die Lehre, mit der ihr gesandt worden seid.

24. Wir haben uns an ihnen gerächt und siehe, welches das Ende der Läugner war!

25. Es hat ja schon Abraham zu seinem Vater und seinem Volke gesagt: Ich sage mich los von dem, was ihr anbetet,

26. mit Ausnahme dessen, welcher mich erschaffen hat; denn er wird mich gewiſs leiten.

27. Diese Worte hat er für seine Nachkommen als bleibenden Wahlspruch hinterlassen. — Möchten sie (die Araber) doch umkehren!

28. Ich habe sie und ihre Väter ungestört gehen lassen, bis die Wahrheit und ein unverkennbarer Bote zu ihnen kam.

29. Da nun die Wahrheit zu ihnen gekommen ist, sagen sie: Dies ist eine Zauberei (Betrug), wir verwerfen sie.

30. Sie sagten ferner: Warum wird dieser Ḳorân nicht irgend einem Manne von Ansehen in den zwei Städten (Makka oder Ṭâyif) geoffenbart? etc.

67, 1. Gesegnet sei der, in dessen Händen die Herrschaft ist; — er ist allmächtig;

2. welcher den Tod und das Leben erschaffen hat, auf daſs er euch prüfe und sehe, wer die besten Werke gethan hat — er ist der Erhabene, der Vergebende;

3. welcher sieben Himmel in Schichten [concentrischen Sphären] erschaffen hat — du entdeckst in der Schöpfung des Raḥmân keine Disharmonie. Sieh dich noch einmal um, ob du einen Fehler entdecken kannst.

---

[1]) Man übersehe die Anspielung auf die Aristokraten nicht, denn sie ist bezeichnend für die Zeit der Offenbarung — August A. D. 617. Auch das Eifern gegen die Engelanbetung fällt in jene Zeit.

4. Sieh dich noch zweimal um, und dein Auge wird umsonst gesucht haben, obschon es sich erschöpft hat.

5. Den untersten Himmel haben wir mit Leuchten geziert. Wir verwenden sie zur Steinigung der Satane, für welche wir die Qual des Sa'yr [1]) vorbereitet haben.

6. Jene, welche undankbar waren gegen ihren Herrn, erwartet die Strafe des Ġahannam. — Das ist ein schlimmer Aufenthalt!

7. Wenn sie hineingeworfen werden, hören sie ein Brüllen, und es lodert die Flamme auf.

8. So oft eine Schaar hineingeworfen wird, zerspringt es fast vor Eifer, und die Wächter fragen sie: Ist kein Warner zu euch gekommen?

9. Sie antworten: Allerdings ist ein Warner zu uns gekommen, wir aber beschuldigten ihn der Lüge und behaupteten: Allah hat nichts geoffenbart, ihr [o Warner] seid in grofsem Irrthume.

10. Ferner sagen sie: Wenn wir zugehorcht hätten oder vernünftig gewesen wären, würden wir nicht unter den Genossen des Sa'yr sein.

---

[1]) Ich lasse Sa'yr unübersetzt, weil mir der Gebrauch ziemlich technisch vorkommt. Zu bemerken ist, dafs Anfangs von dem Sa'yr, in späteren Offenbarungen aber der Ausdruck verallgemeinert und von einem Sa'yr (mit dem unbestimmten Artikel) gesprochen wird. Die Moslime sagen, es bedeute Feuer und gebrauchen auch das Verbum für entzünden. Das Sa'yr (mit dem bestimmten Artikel) ist in allen Ḳorânstellen ein Eigenname für die Hölle oder vielleicht die Vorhölle. Es mag ein fremdes Wort sein, mit dem hebr. שׂער zusammenhängen und ursprünglich horrendum, horribile bedeutet haben. Diese Bedeutung jedoch war dem Moḥammad nicht ganz genau bekannt, sonst hätte er wohl ذعيم dafür gesetzt, welches ebenfalls horrendum heifst. Im Ḳor. 54, 24, wo die Ungläubigen sagen: Wenn wir dem Propheten (Çâliḥ) folgten, würden wir auf einem Abwege und in So'or sein, erklärt es Farrâ durch ġonûn und sagt, dafs ein leichtköpfiges Kameel mit betrübtem Gesicht Mas'ûra genannt wird. Er fafst es als nomen verbale auf und nicht wie andere als Plural. Insofern hat er Recht, aber die Bedeutung, die er angiebt, pafst nicht auf die Ḳorânstellen 4, 56. 76, 4. 17, 99. In letzterer Stelle heifst es: So oft das Feuer des Ġahannam verlischt, vermehren wir das Sa'yr der Verdammten. In dieser und auch in den andern beiden Stellen bedeutet es wohl Pein oder das Schreckliche. Den Kommentatoren zufolge bedeuten die Ḳorânverse 81, 12–13: Wenn das Ġaḥym (Hölle) entflammt und wenn das Paradies nahe gebracht worden ist. Ozlifat heifst allerdings nahebringen, aber mit dem Nebenbegriff angenehm darstellen, denn tazalluf heifst sich einschmeicheln, sich angenehm machen, und سعّرت so''irat mufs eine diesem entsprechende Bedeutung haben, also: unangenehm, abstofsend machen, und nicht „entflammen“. Wenn das Wort Arabisch wäre, so hätten die Exegeten nicht so viele Schwierigkeiten gehabt, die Grundbedeutung oder die Form von So'or zu erklären. Ich halte So'or und so''irat für von Moḥammed aus Sa'yr gebildete Wörter.

11. Sie erkennen nun ihre Schuld. Also hinweg mit den Genossen des Sa'yr!

12. Diejenigen, welche ihren Herrn im Geheimen fürchten, erwartet Vergebung und ein grofser Lohn [1]).

13. Verheimlicht eure Ueberzeugung oder veröffentlicht sie; Er weifs den Inhalt eurer Herzen.

14. Oder soll er die nicht kennen, welche er erschaffen hat? — Er ist der Feine, der Kundige.

15. Er hat die Erde nachgiebig gegen euch gemacht (euch unterworfen); gehet auf ihren Schultern und esset von ihrer Nahrung. Aber zu Ihm führt die Auferstehung [2]).

19. Haben sie nie die Vögel über sich betrachtet, wie sie ihre Flügel ausspannen und wieder an sich ziehen? Niemand erhält sie schwebend als der Raḥmân. — Er hat auf Alles Acht.

20. Wer ist jener, der selbst, wenn sein Name Legion wäre, euch gegen den Raḥmân beistehen könnte? — Die Ungläubigen sind in Illusionen versunken.

21. Wer ist jener, der euch nähren könnte, wenn Er euch den Unterhalt vorenthielte? — Aber sie bleiben verstockt in Uebermuth und Abneigung [gegen die Wahrheit].

22. Ist etwa der besser geleitet, welcher auf die Nase fällt, oder der stracks dahin wandelt auf einer geraden Strafse?

23. Sprich: Er ist es, der euch emporwachsen liefs und euch Gehör und Gesicht und Verstand gegeben hat. — Ihr seid wenig dankbar.

24. Sprich: Er ist es, der euch in die Erde aussäet und zu ihm werdet ihr versammelt werden.

25. Sie sagen: Wann wird diese Drohung erfüllt werden? — Berichtet uns, wenn ihr wahrhaftig seid.

26. Antworte: Die Kenntnifs ist bei Allah; ich bin blofs ein unverkennbarer Warner.

27. Wenn sie sie heranrücken sehen, werden die Mienen der

---

[1]) Wahrscheinlich sind dieser und die folgenden zwei Verse geoffenbart worden, um Jene zu trösten, welche den Glauben nicht offen bekennen durften.

[2]) Hier folgt ein Fragment aus der ersten Strafperiode (wir sind jetzt in der zweiten), welches den Sinn unterbricht und von den Sammlern des Ḳorâns der Gleichheit des Reimes und Stiles wegen hieher gesetzt worden ist:

16. Seid ihr sicher vor Dem, der im Himmel ist, dafs er euch nicht von der Erde verschlungen werden läfst? — Sieh, sie wogt schon!

17. Und seid ihr sicher vor Dem, der im Himmel ist, dafs er nicht einen Steinregen über euch sendet? — dann werdet ihr wissen wie mein Warnen ist.

18. Auch ihre Vorgänger haben meine Boten der Lüge beschuldiget, — aber wie war meine Mifsbilligung!

Ungläubigen düster, und es wird ihnen zugerufen: Das ist es, was ihr herbeigerufen habet.

28. Sprich: Gesetzt Allah läfst mich und meine Anhänger untergehen, oder er erbarmet sich unser (läfst uns eines natürlichen Todes sterben), wer wird dann nach eurer Meinung den Ungläubigen gegen eine peinliche Strafe Schutz gewähren?

29. Sprich: Er (unser Gott) ist der Raḥmân. An ihn glauben wir und auf ihn setzen wir unser Vertrauen. — Ihr werdet sehen, wer im offenbaren Irrthum ist.

30. Sprich: Gesetzt, dafs morgen eure Quellen versiegen, wer wird euch nach eurer Ansicht Trinkwasser geben?

Folgende Inspiration soll Moḥammad die Braut unter den Sûren des Ḳorâns geheifsen haben. Er verfafste sie in der Absicht, unter den Heiden Effekt zu machen und sie für die Anbetung des Raḥmân zu gewinnen. Ibn Mas'ûd unternahm es, sie den Ḳorayschiten vorzutragen. Er begab sich zu diesem Zwecke zur Ka'ba und recitirte einen Theil davon, wurde aber tüchtig durchgebläut [1]).

55, 1. Der Raḥmân lehrte den Ḳorân,

2. erschuf Weib und Mann

3. und lehrte den Menschen, wie er sich aussprechen kann.

4. Sonne und Mond, folgen seiner Berechnung in ihrer Bahn,

5. Pflanzen und Bäume beten ihn an.

6. Er ist es, der das Firmament wölbte und die Waage ersann,

7. auf dafs ihr euch haltet daran

8. Wäget mit Gerechtigkeit [2]); denn wehe dem, der durch schlechtes Wägen gewann!

9. Die Erde hat er bestimmt für Thier und Mann,

10. darauf wächst Obst und Palmenbäume mit Datteln daran

11. und Getreid' mit Hülsen und Thymian.

12. Wollt ihr noch läugnen, dafs euch euer Herr überall wohlgethan?

13. Er hat den Menschen erschaffen aus Lehm, trocken wie Porzellan,

14. und aus lichterloher Flamme den Ġân (Vater der Ġinn).

15. Wollt ihr noch läugnen, dafs euer Herr überall wohlgethan?

---

[1]) Von dieser Tradition ist noch eine Version vorhanden, welcher zufolge Ibn Mas'ûd der erste war, welcher den Ḳorayschiten ein Ḳorânstück votrug.

[2]) Im Original bil-ḳisṭ. Ḳisṭ oder Ḳasṭ oder Ḳisṭâs ist eigentlich der Name eines Maafses und kommt vom lateinischen Sextarius (Pocock. Porta Mosis p. 404). Figürlich wird es dann für Gerechtigkeit gebraucht. Dies ist einer der Ausdrücke, welche die römische Civilisation lange vor Moḥammad in Arabien zurückgelassen hat.

16. Die beiden Oriente erkennen ihn als Herrn an,
17. die beiden Occidente erkennen ihn als Herrn an.
18. Wollt ihr noch läugnen, daſs euer Herr überall wohlgethan?
19. Er hat die beiden Meere [1]) ausgegossen in dieselbe Wann',
20. doch ist eine Scheidewand zwischen beiden, über die keines kann.
21. Wollt ihr noch läugnen, daſs euer Herr überall wohlgethan?
22. Beide erzeugen Perlen und Marǵân (Korallen).
23. Wollt ihr noch läugnen, daſs euer Herr überall wohlgethan?
24. Ihm verdankt ihr das Schiff, hoch wie ein schwimmender Berg, und den Kahn.
25. Wollt ihr noch läugnen, daſs euer Herr überall wohlgethan?
26. Das Erdenleben ist ein Traum und ein Wahn,
27. aber ewiglich wird das Angesicht deines Herrn in Glorie bleiben und Verehrung empfahn.
28. Wollt ihr noch läugnen, daſs euer Herr überall wohlgethan?
29. Wer in den Himmeln und auf der Erde ist, ruft ihn an; und er ist jeden Tag schön angethan [2]).

---

[1]) Das heiſst das süſse und das salzige Wasser; vergl. Ḳor. 25, 55 und Kap. 14.

[2]) Vielleicht wäre es besser gewesen zu übersetzen: Für Gott ist jeder Tag ein Festtag. Im Original heiſst es: Er ist jeden Tag in einem Schân. Man sagt أن لكى لشانا اليوم dir ist heute ein Schân, d. h. du treibst es groſsartig, und للولد شان diesem Kinde steht ein Schân bevor, d. h. es ist zu etwas Groſsem bestimmmt. Spätere Commentatoren haben ihre alberne Metaphysik in diesem Verse gefunden; die Alten aber haben sich bemüht, durch Dichtungen das Schân (Groſsartigkeit) Gottes anschaulich zu machen. Einer erzählt: Der Prophet las uns diese Worte vor und wir fragten ihn, worin das Schân bestehe? Er antwortete: Er verzeiht täglich unsere Sünden, zerstreut unsern Schmerz, erhebt ein Volk und drückt ein anderes nieder. Ibn ʿAbbâs sagt: Er blickt jeden Tag 360 Mal in die Tafel des Schicksals und erschafft, ernährt, giebt Leben und Tod, erhebt und erniedriget, spricht und thut was ihm gefällt. Im Geiste der persischen Legende ist folgende Erzählung: Ein Fürst fragte seinen Wazyr um den Sinn dieser Worte. Dieser wuſste nicht was er antworten sollte und bat um Bedenkzeit bis auf den folgenden Tag. Er kehrte mit sorgenvollem Angesicht in seinen Palast zurück. Einer seiner schwarzen Sklaven trat vor ihn und sagt: Herr, was hat dich betroffen, daſs du so traurig bist? Erzähle es mir, vielleicht lenkt es Gott, daſs ich dir Trost gewähren kann. Er erklärte ihm die Ursache. Der Sklave sagte: Kehre zum Fürsten zurück und sage ihm: Ich habe einen Sklaven, welcher, wenn du ihn vorlassen willst, dir diesen Vers erklären wird. Der Fürst lieſs den Sklaven rufen und dieser sprach: das Schân Gottes besteht darin, daſs er den Tag in die Nacht und diese wieder in den Tag übergehen läſst (Ḳ. 57, 6), Dem was lebt Tod und Dem was todt ist Leben giebt, den Kranken gesund und den Gesunden krank macht, dem Sorgenfreien Kummer und dem Bekümmerten Freude bescheert, den Niedrigen erhöht und den Hohen erniedriget, den Armen reich und den Reichen arm macht. Du hast Recht, sprach der Fürst, und er machte den Sklaven zum Wazyr und dem Wazyr gab er seine Entlassung.

30. Wollt ihr noch läugnen, dafs euer Herr überall wohlgethan?
31. Einst werden wir uns bemüfsigt finden, euch zu hören an (euch richten), o Kinder des Adam und des Ġân.
32. Wollt ihr noch läugnen, dafs euer Herr überall wohlgethan?
33. O Menschen- und Ġinngeschlecht, wenn ihr im Stande seid, uns über die Grenzen der Himmel und der Erde zu entweichen, so thut es. Allein ohne unsere Vollmacht mifslingt ein solcher Plan.
34. Wollt ihr noch läugnen, dafs euer Herr überall wohlgethan?
35. Wir lassen Feuer und geschmolzenes Kupfer auf beide Geschlechter regnen, und keines von euch Beistand finden kann.
36. Wollt ihr noch läugnen, dafs euer Herr überall wohlgethan?
37. Das Firmament wird gespalten und roth sein wie Dihân [1]).
38. Wollt ihr noch läugnen, dafs euer Herr überall wohlgethan?
39. An jenem Tage wird weder ein Menschenkind vernommen noch ein Sohn des Ġân.
40. Wollt ihr noch läugnen, dafs euer Herr überall wohlgethan?
41. Denn die Bösewichter werden an ihren Zeichen erkannt werden und man packt sie beim Schopf und den Beinen an.
42. Wollt ihr noch läugnen, dafs euer Herr überall wohlgethan?
43. Dieses ist das Ġahannam, welches die Bösewichter hielten für Wahn.
44. Bald werden sie sich diesem (dem Ġahannam), bald stinkendem Eiter [2]) nah'n.
45. Wollt ihr noch läugnen, dafs euer Herr überall wohlgethan?
46. Wer die hohe Stellung seines Herrn fürchtet, wird zwei Paradiese empfahn.
47. Wollt ihr noch läugnen, dafs euer Herr überall wohlgethan?
48. In beiden ist gröfsere Mannigfaltigkeit, als die Augen je sah'n.
49. Wollt ihr noch läugnen, dafs euer Herr überall wohlgethan?
50. Und zwei sprudelnde Quellen.
51. Wollt ihr noch läugnen, dafs euer Herr überall wohlgethan?
52. Jeder Obstart schliefst sich eine ähnliche an.
53. Wollt ihr noch läugnen, dafs euer Herr überall wohlgethan?

---

[1]) Die Bedeutung ist ungewifs; vielleicht rothes Leder.

[2]) Ka'b al-'Aḥbâr, welcher die Hölle so genau kennt, dafs Pater Kochem bei ihm in die Schule gehen könnte, berichtet: In einem der Thäler der Hölle sammelt sich der Eiter der Verdammten. Die Sünder werden in Ketten zu diesem Thal geführt und in den Eiter versenkt bis sich die Glieder ablösen, dann werden sie herausgenommen und Gott erschafft sie neu, und nun werden sie in's Feuer geworfen.

Nach Einigen jedoch heifst çadyd nicht Eiter, sondern siedendes stinkendes Wasser.

54. Die Seligen ruhen auf Matrazzen mit Atlas gefüttert, und die Früchte hängen ihnen in den Mund und berühren den Zahn.

55. Wollt ihr noch läugnen, dafs euer Herr überall wohlgethan?

56. Es wandeln daselbst Frauen mit niedergeschlagenen Augen, die unberührt von Mann und Ġân.

57. Wollt ihr noch läugnen, dafs euer Herr überall wohlgethan?

58. So schön wie Rubin und Korall und so weifs wie ein Schwan.

59. Wollt ihr noch läugnen, dafs euer Herr überall wohlgethan?

60. Soll auch das Gute Anderes als Gutes zur Vergeltung empfahn?

61. Wollt ihr noch läugnen, dafs euer Herr überall wohlgethan?

62. An diese stofsen zwei andere Gärten an.

63. Wollt ihr noch läugnen, dafs euer Herr überall wohlgethan?

64. Sie sind dunkelgrün.

65. Wollt ihr noch läugnen, dafs euer Herr überall wohlgethan?

66. Es sprudeln zwei Quellen hervor.

67. Wollt ihr noch läugnen, dafs euer Herr überall wohlgethan?

68. Darin wächst Obst, Datteln und Granatäpfel.

69. Wollt ihr noch läugnen, dafs euer Herr überall wohlgethan?

70. Es wandeln auserwählte liebliche Frauen umher.

71. Wollt ihr noch läugnen, dafs euer Herr überall wohlgethan?

72. Keusche Ḥûries [1]) in Zelten.

73. Wollt ihr noch läugnen, dafs euer Herr überall wohlgethan?

74. Unberührt von Mann und Ġân.

75. Wollt ihr noch läugnen, dafs euer Herr überall wohlgethan?

76. Die Seligen sitzen auf grünen Polstern und schönen ʿAbḳarischen [2]) [Teppichen].

---

[1]) Alle Commentatoren stimmen darin überein, dafs die Ḥûries über alle Begriffe schön sind. Ueber die Etymologie und Wortbedeutung herrscht einige Meinungsverschiedenheit. Ḥawwâra heifst in Syrien, wo bei Maʿraba, in der Nähe von Damascus, schöne Kreide gefunden wird, Kreide, und hat dort wohl schon vor Einführung der arabischen Sprache so geheifsen. Das Wort ist Aramäisch; ich glaube aber, ich habe es im Arabischen in der Bedeutung von Mehl gelesen. Ḥawrâ ist der Name eines ʿâditischen (nabathäischen?) Seehafens am Rothen Meere, der von den Griechen Leucceome, das weifse Dorf, genannt wurde. Ḥûr ist der Plural von Aḥwar, fem. ḥawrâ, und bedeutet weifs. Es wird aber meines Wissens nicht wie abyadh, welches das gewöhnliche arabische Wort für weifs ist, adjektivisch gebraucht, sondern nur zur Bezeichnung dieser Paradiesnymphen, und wenn auch die arabischen Lexicographen der Wurzel ḥwr, welche zurückkehren bedeutet, die Bedeutung von weifs geben, so glaube ich doch, dafs die Benennung und vielleicht auch der Begriff der Ḥûries aus dem nördlichen Arabien, von den Nabathäern nach Makka gekommen, woher auch die Benennung der Ḥawwâryyûn, Weifswäscher (die Jünger Christi) dahin verpflanzt worden ist.

[2]) ʿAbḳar ist eine Stadt in Mesopotamien, wo vielfarbige Teppiche und andere Stoffe verfertigt wurden.

77. Wollt ihr noch läugnen, daſs euer Herr überall wohlgethan?

78. Gesegnet sei der Name deines Herrn voll Glorie, er soll stets Verehrung empfah'n.

Wie geschmacklos diese Sûra sich in meiner Uebersetzung auch ausnehmen mag, so würde mir der Leser doch sehr Unrecht thun, wenn er mir die ganze Schuld zuschriebe. Es ist ein schlechtes Verdienst, den Gedanken in der Uebertragung zu veredeln. Wir wünschen den Geist des Moḥammad und seiner Zeit kennen zu lernen, und diese Inspiration, ob man sie im Original oder in Uebersetzung liest, stellt ihn uns in einem nicht sehr günstigen Lichte dar. Allmählich wurden des Propheten Beschreibungen des Paradieses etwas geistiger und geistreicher, und zwar wie es scheint, unter äuſseren Einflüssen; aber längere Kompositionen sind ihm nie gelungen, seine poetische Kraft zeigte sich in kurzen abgerissenen Stücken, aber auch hier kann man ihm vorwerfen, daſs er denselben Gedanken dutzendmale wiederholt und somit ein Zeugniſs seiner Armuth des Geistes ablegt.

41,1. Ḥam. [Dies ist] ein Erlaſs von dem milden Raḥmân,

2. eine Bibel, deren Zeichen (Verse) der Deutlichkeit wegen in einem *arabischen* Psalter bestehen für unterrichtete Leute,

3. zur frohen Botschaft und Warnung. Doch die meisten von ihnen wenden sich davon weg; sie hören nicht.

4. Sie haben gesagt: Unsere Herzen sind verschlossen gegen das, was du uns predigest; in unseren Ohren ist ein Gewicht und zwischen uns und dir ist eine Scheidewand: handle [nach deiner Ueberzeugung], auch wir wollen [nach unserer Ueberzeugung] handeln.

5. Antworte: Ich bin ein Mensch wie ihr; es ist mir geoffenbart worden, daſs euer Gott nur *ein* Gott ist; macht euch auf, ihm entgegen und bittet ihn um Verzeihung. Denn wehe den Götzendienern,

6. welche das [vorgeschriebene] Almosen nicht entrichten. Sie sind es, die das Jenseits läugnen.

7. Wahrlich, denjenigen, so da glauben und rechtschaffen handeln, wird Belohnung ohne Kargheit bescheert.

8. Sprich: Wie, ihr verkennt wirklich Den, welcher die Erde in zwei Tagen erschaffen hat, und nehmet Wesen seines Gleichen an? Dieser ist der Herr der Welten.

9. Er hat hohe Berge obendrauf gesetzt, hat sie gesegnet und hat in vier Tagen ihre Erzeugnisse für die Bittenden gleichmäſsig geordnet.

10. Dann erhob er sich zum Himmel, der noch Rauch war, und sagte zu ihm und der Erde: Kommet, ob ihr wollet oder nicht. Sie antworteten: Wir kommen freiwillig.

11. Und er bildete jenen in zwei Tagen zu sieben Himmeln und offenbarte in jedem Himmel seinen Befehl. Den untersten Himmel haben wir mit Leuchten versehen zur Zierde und Vorsicht (vergl. Ḳor. 67, 5: oben S. 216). — So ist die Anordnung des Erhabenen und Weisen.

18. Eines Tages werden die Feinde Allah's in Reih' und Glied gegen das Höllenfeuer getrieben.

19. Dort angelangt, legen selbst ihr Gehör, ihr Gesicht und ihre Haut Zeugniſs ab über ihre Werke.

20. Sie sagen zur Haut: Warum zeugst du gegen uns? Sie antwortet: „Allah, welcher andern Wesen Sprache verliehen, hat sie auch mir gegeben.“ Er hat euch das erste Mal erschaffen und vor ihm müſst ihr erscheinen.

21. Ihr habet vergessen, euch so zu verbergen, daſs euer Gehör, euer Gesicht und eure Haut nicht Zeugen sein sollen. Ihr glaubtet, daſs Allah Vieles von dem, was ihr thatet, nicht wisse.

22. Dies ist die Vorstellung, die ihr euch von eurem Herrn machtet, und sie hat euch in's Verderben gestürzt; jetzt seid ihr im Nachtheile.

23. Wenn sie trotzen, so ist das Feuer ihr Wohnort, und wenn sie bettelnd an unsere Schwelle kommen, finden sie kein Gehör.

24. Wir haben es so gefügt, daſs sich ihnen Gefährten anschlossen, und diese haben ihnen die Gegenwart und was vor ihnen war (das Jenseits) als schön vorgespiegelt. Sie haben also den Urtheilspruch verdient wie andere Völker von Menschen und Ġinn, welche vor ihnen waren — sie alle sind verloren [1]).

Einige der in diesen Inspirationen enthaltenen Momente verdienen hervorgehoben zu werden. Sein Eifern gegen die Engelverehrung fing, wie wir im folgenden Kapitel zeigen werden, nach Widerrufung seines Zugeständnisses (616) an und dauerte nur kurze Zeit. Der Umstand, daſs die Anbetung des Raḥmân gerade um diese Zeit und unter diesen Verhältnissen anfing, ist einer der Gründe, welche mich bewogen haben, sein Zurückkommen von der Anerkennung heidnischer Götzen christlichem Einflusse zuzuschreiben.

Da er in Abrede stellt, daſs die Engel Kinder Allah's seien oder daſs Gott überhaupt gezeugt habe, wurde es ihm zur Aufgabe,

---

[1]) Dieselbe Idee wird in 43, 35 ausgesprochen: „Wenn Jemand gegen die Erwähnung des Raḥmân blind ist, fügen wir es so, daſs sich ihm ein Satan anschlieſst, welcher sein Gefährte ist.“ Obwohl oben Gott Allah genannt wird, gehört also die Stelle doch in die Raḥmânperiode.

Im Original ist Omam, Völker, das Wort für Heide. Auch im christlichen Sprachgebrauch hat es diese engere Bedeutung (vergl. Evang. de Inf. c. 6), daher ummy gentilis.

reinere Begriffe über das Wesen Gottes zu predigen. In dieser Periode weist er Gottes Gröſse in seinen Werken nach. Er stellt seine Anschauungen, die einige Zeit sein ganzes Gemüth in Anspruch genommen zu haben scheinen, in so mannigfaltiger Form dar, als ihm möglich war; später als er den Raḥmân schon zu vergessen angefangen hatte, benutzte er den Juden entlehnte Legenden von Abraham (siehe das folgende Kapitel), um den Gegenstand recht anschaulich zu machen.

Wenn der Raḥmân als der Schöpfer der Himmel und der Erde bezeichnet wird, so würden wir darin nur einen Versuch erblicken, seine Gröſse und Macht recht anschaulich zu machen; indem aber Moḥammad in die Schöpfungsgeschichte eingeht (vergl. Ḳ. 41, 8—11 mit 67, 3), läſst er uns äuſsere Einflüsse auf seine Inspirationen vermuthen, und wir erkennen im Raḥmân den Demiurg (Christus) der Judenchristen.

Es fällt uns auf, daſs er unter allen Eigenschaften Gottes um diese Zeit am meisten seine Allwissenheit hervorhebt. Es erhellt aus der Tradition, daſs die Rohheit der Begriffe seiner Widersacher die Veranlassung dazu war [1]).

Ein anderes Moment bildet das allmälige Verstummen der Drohungen einer zeitlichen Strafe. Es ist kein Zweifel, daſs seine Feinde fortfuhren, ihn wegen der Nichterfüllung seiner Weissagungen zu necken, besonders da, wie wir sehen werden, gerade ungewönlich

---

[1]) Bochâry, S. 712, von al-Çalt b. Moḥammad, von Yazyd b. Zorayʿ, von Rawḥ b. Ḳâsim, von Mançûr [b. Moʿatimir], von Mogâhid, von Abû Maʿmar [Abd ʿAllah b. Sachbara], von Ibn Masʿûd:

„Es waren zwei Ḳorayschiten mit einem Thaḳyfiten, der durch Heirath mit ihnen verwandt war, oder zwei Thaḳyfiten mit einem Ḳorayschiten, der durch Heirath mit ihnen verwandt war, beisammen in einem Hause und es bemerkte einer: Glaubt ihr, Allah hört was wir reden? Der andere antwortete: Einiges mag er hören. Der andere versetzte: Wenn er Einiges hört, so hört er Alles. Dies veranlaſste die Offenbarung des Verses 41, 21."

Die Commentatoren des Bochâry behaupten, daſs der Thaḳyfite ʿAbd Yâlûl b. ʿAmr oder Ḥabyb b. ʿAmr oder Achnas b. Scharyḳ gewesen sei.

Von derselben Geschichte hat uns Bochâry, S. 713, auch eine andere, wahrscheinlichere Version aufbewahrt, welche Ḥomaydy [ʿAbd Allah b. al-Zobayr], von Sofyân [b. ʿOyayna], von demselben Mançûr erhalten hatte:

„Beim Tempel saſsen zwei Ḳorayschiten und ein Thaḳyfite, oder zwei Thaḳyfiten und ein Ḳorayschite beisammen. Sie waren sehr fett, hatten aber nicht viel Verstand in ihrem Herzen. Einer von ihnen sagte: Glaubt ihr, Allah hört was wir reden? Ein anderer antwortete: Er hört was wir laut sagen, aber nicht was wir heimlich sprechen. Darauf sagte der erstere: Wenn er hört, was wir laut sagen, so hört er alles. Dies veranlaſste die Offenbarung von Ḳ. 41. 21."

In der vorhergehenden Version sind sie in einem Hause versammelt, um anzudeuten, daſs sie sich recht geheim hielten. Es ist aber möglich, daſs fy baytin „in einem Hause" aus ʿind albayti „beim Tempel" entstanden ist.

gesegnete Jahre eintraten. Er aber beschränkte sich darauf zu sagen: Wenn es Gott wollte, so wäre es in seiner Macht euch zu strafen, und geht dann gleich auf sein neues Thema, den Gerichtstag, über und macht die Hölle so heifs, als er mit seiner Beredsamkeit es vermag. Wir befinden uns also schon in der dritten Strafperiode. Die Nachklänge der ersten beiden sind verklungen. Wie wir sehen werden, haben die Beschreibungen des jüngsten Tages ihre volle Ausbildung erst nach der Raḥmânperiode erhalten, und sie bilden eine eigene Gruppe von Ispirationen. Ich schalte noch eine Offenbarung ein, welche diese Gruppe mit der im letzten Kapitel des vorigen Bandes befindlichen verbindet. Auf den Gegenstand, der uns hier beschäftiget, kommt er erst in Vers 36. In den vorhergehenden Versen spricht er Ideen aus, wovon wir die meisten schon aus mehreren Darstellungen kennen:

21, 16. Wir haben den Himmel und die Erde und was dazwischen ist nicht im Scherze erschaffen.

Bemerk. Himmel im Singular bedeutet sonst im Ḳorân das Firmament, in dieser oft wiederkehrenden Phrase aber wird stets die Himmel, d. h. die sieben himmlischen Sphären, gesagt. Die Abweichung vom gewöhnlichen Sprachgebrauch findet im Ḳor. 41, 10—11 ihre Erklärung. Die dort gegebene Schöpfungsgeschichte hat er aber, als unstatthaft, bald wieder aufgegeben, und deswegen läſst er später Gott wieder die Himmel erschaffen.

17. Wenn wir uns mit einem Spiel ergötzen wollten, so würden wir es bei uns selbst finden, vorausgesetzt, wir wären dazu fähig.

18. Wir schleudern vielmehr das Wahre auf die Nichtigkeit; sie wird zermalmt und ist im Verschwinden (d. h. wir zerstören den Götzendienst, vergl. Ḳ. 17, 83). Aber wehe euch ob dem, was ihr von Gott behauptet.

19. Alle Wesen, die in den Himmeln und auf der Erde wohnen und die, welche in seiner Nähe sind (die Cherubim), stehen in seiner Gewalt. Sie sind aber nicht zu stolz, Ihm zu dienen, noch macht es sie unglücklich.

20. Sie lobpreisen Ihn Tag und Nacht ohne Unterlaſs [und sind daher nicht Gott gleich].

21. Oder haben sie irdische Götter anerkannt [und nicht die Engel]? Können diese auch zum Leben erwecken?

22. Gäbe es auſser Allah Götter im Himmel [oder auf der Erde], so würde die Weltordnung zerstört werden. Fern sei von Allah, dem Herrn des Thrones, was sie von ihm sagen.

23. Er wird nicht zu Rede gestellt über Seine Handlungen; sie (die Ġinn und Engel) aber werden zu Rede gestellt.

24. Erkennen sie dennoch aufser Ihm Götter an? Sprich: Heraus mit euren Beweisen! Dies ist die Lehre derer, die es mit mir halten und die Lehre meiner Vorgänger. Aber die Meisten von ihnen (den Makkanern) kennen die Wahrheit nicht, weil sie sich davon abwenden.

25. Es ist kein Bote vor dir gesandt worden, dem nicht geoffenbart worden wäre: „Es giebt keinen Gott aufser Mir; betet mich also an!"

26. Sie sagten: „Der Raḥmân hat Kinder", — das sei fern von ihm. Nein! diese (die Engel, vergl. Ḳ. 43, 18) sind seine geehrten Diener.

27. Sie wagen es nicht vor Ihm das Wort zu nehmen und handeln nach seinem Befehl.

28. Er weifs was vor und hinter ihnen ist, und sie können nicht fürsprechen bei Ihm.

Bemerk. Fürsprache besteht darin, dafs man Jemand auf die Verdienste des Schützlings aufmerksam macht. Moḥammad zeigt in diesem Verse, wie lächerlich es ist zu glauben, dafs man bei dem Allwissenden Fürsprache einlegen könne. Wie vernünftig diese Lehre auch ist, so unpassend ist sie doch für einen Theokraten. Was wäre die katholische Geistlichkeit ohne die Macht zu binden und zu lösen? Weil sie so unpraktisch ist, hat sie Moḥammad auch in folgendem Verse beschränkt und später faktisch widerrufen:

29. Aufser für Jemanden, an dem er Wohlgefallen hat. Sie sind mit Ehrfurcht erfüllt für seine Gröfse.

30. Sollte einer von ihnen (den Engeln) sagen, ich bin ein Gott neben Allah, so vergelten wir es ihm mit der Hölle. — So bestrafen wir die Frevler.

31. Wissen die Ungläubigen nicht, dafs die Himmel und die Erde ein Chaos waren? Wir haben sie geschieden und aus dem Wasser alles Lebendige erschaffen. — Wollen sie denn nicht glauben?

32. Und wir haben in die Erde Berge gesetzt, damit sie nicht wanke, und die Berge haben wir mit Thälern durchschnitten, welche als Strafsen dienen, damit sie den Weg finden,

33. und das Firmament haben wir zum wohlverwahrten Dach gemacht — dennoch wenden sie sich ab von unseren Zeichen.

34. Er ist es, der die Nacht, den Tag, die Sonne und den Mond, wovon jedes in seiner eigenen Himmelssphäre schwimmt, erschaffen hat.

35. Auch vor dir haben wir keinem Menschen Unsterblichkeit gewährt. Wenn du also stirbst, werden sie übrig bleiben?

36. Jeder Mensch kostet den Tod. Wir lassen ihnen, um sie

zu versuchen, Glück und Unglück widerfahren; sie müssen uns aber doch kommen.

Bemerk. Diese drei Verse sind eine so milde Wiederholung der Drohung, Makka würde untergeben, wenn er die Stadt verliefse oder stürbe, dafs sie einem Widerrufe gleichkommt. Es scheint, dafs sie ihn auch wegen ihrer Wohlfahrt und der Bedrängnisse, welche er und die Seinen in der Schi'b zu dulden hatten, verlachten.

37. Wenn dich die Ungläubigen sehen, machen sie dich nur zum Spott [und sagen]: „Ist er es, welcher sich über eure Götter ausspricht?" Sie sind es, welche die Lehre vom Raḥmân mit Undank von sich weisen.

38. Der Mensch ist aus Uebereilung zusammengesetzt (d. h. du hast dich in der Weissagung übereilt). Ich werde euch meine Zeichen schon zeigen, seid nur nicht in zu grofser Hast (d. h. das Strafgericht wird schon eintreten, ihr braucht mich nicht herauszufordern).

39. Sie sagen nämlich: Wann wird diese Drohung in Erfüllung gehen? Sagt es uns, wenn ihr die Wahrheit sprecht.

40. Wenn nur die Ungläubigen die Zeit wüfsten, zu der sie das Feuer weder von ihrem Gesicht noch von ihrem Rücken abzuhalten vermögen und wenn sie keinen Beistand finden [dann würden sie nicht so frevelhaft reden].

41. Sie kommt plötzlich und überrascht sie, und sie werden nicht im Stande sein, das Uebel abzuwenden; es wird ihnen kein Verschub gestattet.

42. Schon vor dir wurden die Boten verlacht; allein das, worüber sie gespottet hatten, hat die Frevler umzüngelt.

---

43. Sprich: „Wer kann euch bei Tag und Nacht gegen den Raḥmân schützen? Dennoch kehren sie, wenn ihr Herr erwähnt wird, den Rücken.

44. Haben sie vielleicht Götter, welche sie gegen uns schützen können? Nein, diese können sich selbst nicht helfen, noch werden sie bei uns Beistand finden.

45. Allein, wir haben ihnen und ihren Vätern ungestörten Genufs gewährt und sogar lange Lebensdauer gegeben. Aber sehen sie nicht, dafs wir gegen das Land anrücken und seine Endpunkte verengen? Werden sie siegreich sein?

46. Sprich: Ich warne euch in Folge von Inspirationen. Allein der Taube hört den Ruf nicht, wenn er auch gewarnt wird.

47. Wenn sie aber dereinst nur ein Hauch der Strafe deines Herrn berührt, werden sie sagen: O weh, wir sind wahrlich ungerecht gewesen.

48. Wir werden uns am Tage der Auferstehung genauer Waagen bedienen und Niemandem wird Unrecht geschehen, wenn er nur das Gewicht eines Senfkörnchens guter Werke aufzuweisen hat. Wir sind hinlänglich gute Rechner.

II. Der heilige Geist.

Im Ḳorân kommt einige Mal der Ausdruck Rûḥ alḳodos, „der Geist der Heiligkeit“ vor. In der christlichen Terminologie, aus der ihn Moḥammad entlehnt hat, ist er gleichbedeutend mit „heiliger Geist“, und es frägt sich, was er darunter verstanden habe. Soyûṭy, Itḳân S. 330, giebt nicht weniger als acht Bedeutungen für al-Rûḥ, fast für jede Ḳorânstelle, in der es vorkommt, eine andere. Er geht zu weit, aber es unterliegt keinem Zweifel, daſs Moḥammad seine Ansicht in Bezug auf den heiligen Geist geändert habe.

Nach Ḳor. 97, 4 und 70, 4 steigen die Engel und der Rûḥ (Geist) in der Nacht des Fatums, in der Gott seine Rathschlüsse faſst, zwischen Himmel und Erde auf und nieder, und nach 78, 38 steht der Rûḥ und die Engel am Gerichtstage in einer Reihe, und sie dürfen nicht sprechen, auſser wenn es der Raḥmân erlaubt.

In diesen Stellen besitzt der Geist Individualität und Persönlichkeit. In demselben Sinne ist das Wort in Ḳor. 16, 103—104 aufzufassen: „Wenn wir einen Ḳorânvers statt eines andern setzen — und Gott weiſs doch am besten, was er offenbaren will — sagen sie: Er ist ein Lügner. Sprich: Der heilige Geist hat die Offenbarung herabkommen machen (herabgebracht) von deinem Herrn, und sie ist lautere Wahrheit“, und in Ḳor. 26, 193: „Der treue Geist ist mit der Offenbarung herabgestiegen auf dein Herz.“

Die Ueberzeugung, daſs der heilige Geist des Moḥammad ein persönliches Wesen, aber doch nicht ein Engel sei, hat zu extravaganten Dichtungen, wie folgende, Anlaſs gegeben:

„Das gröſste Geschöpf, welches Gott erschaffen hat, ist, mit Ausnahme des Thrones, der Rûḥ; er könnte die sieben Himmel und sieben Erden mit einem Schluck verschlingen. Seine Gestalt ist die eines Engels, aber er hat ein menschliches Gesicht. Am Gerichtstage wird er zur Rechten des Thrones stehen. Er steht gegenwärtig unter allen Geschöpfen Gott am nächsten, denn sein Platz ist ganz nahe an den 70 Vorhängen. Auch am Gerichtstage wird er Gott am nächsten stehen und Fürbitte einlegen für die, welche an den alleinigen Gott glaubten. Er wird durch einen Vorhang von den Engeln getrennt. Diese Vorkehrung ist nothwendig, denn sonst würde sein Licht die Bewohner der Himmel in Asche verwandeln.“

Dem 'Alyy wird eine Tradition zugeschrieben, der zufolge der Rûḥ ein Engel mit 70000 Zungen ist, die alle beständig Gott loben. Moǵâhid glaubt, dafs der Rûḥ menschliche Gestalt habe (denn nach seiner Ansicht steht der Mensch höher als die Engel) und der Speise bedürfe, aber doch weder Mensch noch Engel sei. Die späteren Commentatoren glaubten, dafs unter Rûḥ der Ḳorân oder Christus oder die Thierseele oder das Blut oder der Aether (d. h. der schaffende Demiurg) zu verstehen sei [1]).

Gegenwärtig behaupten die Moslime allgemein, dafs der heilige Geist des Ḳorâns ein anderer Name für den Engel Gabriel sei. Diese Ansicht wurde schon im zweiten Jahrhundert vertheidigt [2]). Von dem Standpunkt der moslimischen Theologie, welcher zufolge der Prophet vom Anfange bis zum Ende seiner Laufbahn dieselbe Lehre vortrug, haben sie auch ganz Recht. Uns aber treibt die Ueberzeugung, dafs seine Ansichten Veränderungen unterworfen gewesen, zur Forschung.

Da Moḥammad in Sûra 16 behauptet, dafs der heilige Geist ihm die Befehle Gottes hinterbracht habe, müssen wir diese Frage etwas näher betrachten. Wir lesen schon im Buche Samuel 16, 14, der Geist (Rûḥ) des Herrn habe den Saul verlassen und ein böser Geist habe ihn geplagt. Die Juden verstanden gewifs sowohl unter dem guten als unter dem bösen Geist etwas Persönliches, eine Art Ǵinn. Die Begriffe von einem guten Geist sind im Verlaufe der Zeit unter dem Einflusse jener orientalischen Philosophie, wovon wir Spuren unter den Ebioniten und selbst im Ḳorân finden und welche noch unter den Moslimen in voller Blüthe ist, ausgebildet worden. Nach dieser Philosophie konnte Gott die Welt nicht erschaffen, noch regieren; er rief zu diesem Zweck einen Demiurg in's Dasein. Die Ebioniten wendeten auf diesen Demiurg die Benennung Christus an, stellten ihm aber, damit die Theorie von einer Schöpfung in Paaren vollständig sei, den heiligen Geist als weibliches Wesen zur Seite. Ich glaube nun, dafs so lange Moḥammad

---

[1]) Baghawy, Tafsyr 17, 87, von Sa'yd b. Ǵobayr.

Den Juden-Christen zufolge war Christus 96 Meilen hoch, gröfser als die höchsten Berge: denn da er diese aufgebaut hat, mufste er doch höher sein, und der heilige Geist ist eben so grofs. Ibn Mas'ûd, bei Baghawy, Tafsyr 78, 38, sagt: Der Geist ist ein Engel, gröfser als die Berge und die Himmel (vielleicht soll es heifsen der Himmel, d. h. das Firmament), er hat seinen Wohnsitz im vierten Himmel [bei den Astrologen und bei Pseudo-Apollonius — und diese Sekten haben allerlei Aberglauben zusammengemischt — ist dies der Himmel der Sonne, d. h. der schöpferischen Kraft]. Er ruft täglich 12000 Mal Subḥân Allah, und bei jedem Ausruf entsteht ein Engel.

[2]) Von Ḳatada und Ḥasan Baçry, bei Ibn Sa'd fol. 37 recto.

seine Offenbarungen durch die Vermittlung eines „Treuen“ (81, 21)[1]), „Eines von grofser Macht“ (53, 5), „des treuen Geistes“ (26, 193) empfing, er irgend eine populäre Metamorphose dieses Demiurgs im Auge hatte. Wenn er dann im Ḳor. 16, 104 von dem „heiligen Geist“ inspirirt wird und in Ḳ. 19, 17 die Jungfrau Maria von dem „heiligen Geist“ Jesum empfangen läfst, so identificirt er diesen Demiurg mit der dritten Person der christlichen Dreieinigkeit. Vielleicht that er es aus Gefälligkeit gegen die Christen, welche ihm arg zugesetzt zu haben scheinen (vergl. Ḳor. 13, 26—27) und von der Bereitwilligkeit des Propheten, Concessionen zu machen, haben wir Beispiele genug. Wie dem immer sein mag, die Anerkennung des heiligen Geistes der Christen brachte ihm Schwierigkeit. Er predigte einen strengen Monotheismus, verwarf die Menschwerdung und die Dreieinigkeitslehre, und nun sprach er doch von der dritten Person Gottes. Seine Gegner fanden es um's Jahr 619 auf den Rath der Juden passend, ihn darüber zu Rede zu stellen [2]). Sie fragten ihn (Ḳor. 17, 87): „Was ist der Rûḥ (Geist)?“ Er antwortete: „Der Rûḥ ist [ein Ausflufs] von dem Amr meines Herrn; und das Wissen, welches ihr besitzet, ist gar gering.“

Ehe ich auf die Erklärung dieser Antwort eingehe, will ich blofs bemerken, dafs, wenn Moḥammad damals schon vom Engel Gabriel gewufst hätte, seine Antwort ganz anders gelautet hätte.

Das Ungenügende dieser orakulösen Antwort ist schon den moslimischen Exegeten aufgefallen. Sie fabeln daher: „Die Ḳorayschiten befragten die Juden über die Ansprüche, welche Moḥammad mache. Sie antworteten: Um ihn zu prüfen legt ihm drei Fragen vor; wenn er sie alle drei beantwortet, so ist er kein Prophet, wenn er aber einige beantwortet und andern ausweicht, so ist er

---

[1]) Man könnte einwenden, dafs wenn Moḥammad den Demiurg meinte, er gesagt haben würde der Treue, mit dem bestimmten Artikel. Indessen die bei uns für kindisch geachtete Ausdruckweise, von Jemandem, den man auszeichnen will, unbestimmt zu reden, ist im Arabischen, und besonders im Ḳorân sehr beliebt. So z. B. statt zu seiner Geliebten zu sagen: Ich habe dich gestern gesehen, würde Einer sagen: Ich habe Jemanden gesehen mit blauen Augen und schwarzen Haaren.

[2]) Ueber die Zeit dieser Offenbarung hat uns Aʿmasch († 147) eine Tradition überliefert (bei Moslim Bd. 2 S. 641 und Bochâry, und bei Baghawy, Tafsyr 17, 89), welcher zufolge diese Frage erst in Madyna an den Propheten gestellt worden wäre. Obwohl Aʿmasch diese Tradition durch Ibrâhym († 96), von ʿAlḳama († 62), von Ibn Masʿûd, und auch von ʿAbd Allah b. Morra, von Masrûḳ, gehört haben will, so verdient sie doch durchaus keinen Glauben.

Ich pflichte vielmehr dem Wâḥidy (Asbâb 17, 87, von ʿIkrima, von Ibn ʿAbbâs) bei, welcher sagt: Die Ḳorayschiten baten die Juden um eine verfängliche Frage, und diese sagten: Fraget ihn, was der Geist sei? Den Vorfall setze ich in das Jahr 619.

ein Prophet. Die drei Fragen sind: Wer waren die jungen Leute (Siebenschläfer), welche in alten Zeiten vermifst wurden? Wer ist der Mann, welcher den Osten der Erde erreicht hat und den Westen? und was ist der Geist? Die ersten beiden sind in Sûra 18 beantwortet, die dritte in Ḳor. 17, 87 [aber ausweichend und ungenügend]."

Der Sinn der Erklärung von Rûḥ hängt von der Bedeutung von „Amr" ab. Es ist schwer, im Deutschen einen entsprechenden Ausdruck zu finden. Am nächsten kommt ihm wohl unser Schaffen oder Walten, denn auch Amr bedeutet Walten, Befehl, Geschäft (affaire) und Sache (d. i. etwas Geschaffenes [1]); so z. B. im Ḳorân 2, 111: „Wenn Gott ein Amr beschlossen hat, so spricht er: Sei! und es ist." Sowohl in dieser als auch in obiger Inspiration würde Geschäft am besten die Idee des Originals ausdrücken.

Die Antwort des Moḥammad bedeutet also so viel als: Der [heilige] Geist besteht in einem Walten Gottes, er ist eine seiner Kraftäufserungen. In der Voraussetzung, dafs er diese Ansicht seinen christlichen Lehrern verdanke, fragte ich den Herrn v. Bunsen, wie sich unitarische christliche Sekten vor Moḥammad den heiligen Geist vorstellten, und er verwies mich auf sein Christianity and Mankind Vol. I, p. 193, wo er die Ansichten des Hermas darüber erörtert. Ihm zufolge „kommt der Geist von Gott und hat Macht". Dies pafst vollkommen auf die bisher angeführten und noch anzuführenden Ḳorânstellen. Von Anfang an hat ihn Moḥammad den Mächtigen vor dem Throne Gottes genannt. Noch enger ist der heilige Geist des Ḳorâns mit dem Logos des Philo verwandt. Dieser ist einerseits die Idee Gottes, deren objektiver Ausdruck die sichtbare Welt ist, andererseits aber besitzt er persönliche Existenz und ist der Sohn Gottes, aber der Gottheit untergeordnet. Er ist der Demiurg, welcher die Welt erschaffen hat, sie regiert, den Menschen inspirirt und leitet und ein Vermittler zwischen der Gottheit und den Menschen ist. Philo war kein sehr klarer Kopf und daher hat sein Logos bald Persönlichkeit, bald aber nicht. Obwohl wir auch bei Elxai eine solche Begriffsverwirrung finden, so ist doch ziemlich klar, dafs „der Geist" des Moḥammad nicht ein solcher Zwitter ist, er ist nicht zu gleicher Zeit ein blofser Begriff und ein persönliches Wesen, sondern im Jahre 619 hat er seine Persönlichkeit auf immer ausgezogen, die er bis dahin stets behauptet, weil sie Anstofs gegeben hatte. Ich schalte noch andere Stellen ein, um den Wechsel der Ansichten deutlicher zu machen.

---

[1]) Auch Schay bedeutet Sache; es ist aber allgemeiner als Amr; Gott ist ein Schay, aber nicht ein Amr.

In der im Jahre 616—617 verfafsten Sûra 19, 17 wird gesagt: „Wir sandten zu der Maria unsern Geist, welcher die Gestalt eines schönen Mannes annahm". Hier ist nicht von einem Geiste, sondern von dem Geiste Gottes die Rede. In der madynischen (d. h. viel spätern) Sûra 66, 12 aber sagte er: „Wir hauchten Etwas von unserm Geist in die Maria" [1]), und in Sûra 4, 169, welche ebenfalls madynisch ist, heifst es: „Gott liefs etwas von seinem Geiste in sie eindringen". Diese zwei Stellen sind also analog mit den auf die Belebungsgeschichte Adams bezüglichen Stellen Ḳor. 38, 72. 15, 29. 32, 8, welchen zufolge Gott der Form von Thon etwas von seinem Geiste eingeblasen hat. In Ḳor. 16, 1—2 heifst es:

„Das Amr (Walten) Gottes wird augenblicklich eintreten (d. h. die Strafe wird bald kommen), beschleunigt es nicht! Erhaben ist er und weit entfernt ist er [über die Wesen], die sie ihm zugesellen. Er sendet seine Engel mit dem Rûḥ von seinem Amr (d. h. welcher eine von seinen Kraftäufserungen ist) zu wem er will von seinen Dienern, auf dafs sie (die auf diese Art Inspirirten) die Menschen darauf aufmerksam machen, dafs es keinen Gott gebe aufser Ihm."

Hier kann der Geist nichts anderes sein als eine Inspiration, welche durch den Einflufs der Engel wie Wahnsinn durch den Einflufs der Ǵinn vermittelt wird; die Vorstellung unterscheidet sich daher von der ursprünglichen, welcher zufolge er den treuen Geist gesehen hatte.

Auch in der folgenden Stelle (Ḳ. 40, 15) bedeutet Rûḥ eine Inspiration; denn der Ausdruck „einflöfsen" wird nur von einer Inspiration gebraucht:

40, 15. „Allah, der Herr der Stufen (der Hochstehende) und Besitzer des Thrones flöfst den Geist (Rûḥ) [welcher eine Manifestation) von seinem Walten (Amr) ist, wem er will von seinen Dienern ein, auf dafs er (der inspirirte Diener) die Menschen auf den Tag des Zusammentreffens (der Auferstehung) aufmerksam mache."

In demselben Sinne, aber noch deutlicher, spricht sich Mohammad in Ḳ. 42, 50 aus: „Ein menschliches Wesen kann nicht erwarten, dafs Gott mit ihm auf andere Weise rede, als durch Inspiration oder hinter einem Schleier (ungesehen), oder indem er einen Boten zu ihm sendet, welcher ihm eingiebt was Gott gefällt. Auf diese Art haben wir dir einen Rûḥ von unserem Walten (Amr) eingegeben, zu einer Zeit als du noch nicht wufstest, was das Buch (wel-

[1]) Auch im Ḳ. 21, 91 kommt dieser Ausdruck vor. Wir müssen entweder annehmen, dafs „Etwas von" erst später eingeschoben, oder diese Stelle erst spät geoffenbart worden sei.

ches im Himmel aufbewahrt wird) und der Glaube (Ymân) sei.“ Hier ist der Bote, den er mit Augen gesehen hat, ganz verschieden von dem Geiste (Walten Gottes), welcher ihn beseelte.

Man kann nicht umhin die Geschicklichkeit zu bewundern, mit welcher Moḥammad seine Meinungsänderung über den heiligen Geist ausdrückt.

Nachdem nun der Unterschied zwischen einem Geist und dem Geist, den Moḥammad früher festgehalten hatte, durch die Verflüchtigung des heiligen Geistes verschwunden war, konnte er sich, wo er von Christus spricht, ohne sich zu kompromittiren, des christlichen Ausdruckes bedienen und Ḳ. 2, 81. 254; 5, 109 sagen, Jesus sei vom heiligen Geist [1]) gestärkt worden. Und so wird auch in den madynischen Sûren der Geist eine bloſse Phrase. Er läſst seine Stärkung irgend Jemandem zu Theil werden, z. B. Ḳ. 58, 22: „Gott unterstützt die Frommen durch einen Geist und führt sie in's Paradies ein.“ In der Tradition (im Kitâb alaghâniy) behauptete er sogar, Gott stärke den Dichter Ḥassân in seinen poetischen Arbeiten durch den heiligen Geist.

Nachdem der Geist seine Persönlichkeit verloren hatte, war Moḥammad ohne sichtbares Dämonion. In Madyna vermehrten sich seine Anhänger; die meisten besaſsen viel mehr Glauben als Vernunft, und diese wollten betrogen sein. Es hätte diesen Leuten wenig Befriedigung gewährt, wenn ihr Prophet bloſse Inspirationen erhalten hätte. Ehrliche Erklärungen, wie die so eben angeführten (Ḳorân 40, 15 und 42, 52), waren an solchen Menschen verloren. Er kam also auf den „Geist ausgerüstet mit Macht“ zurück, den er so oft es ihm beliebte zu sich beschied und ihn mit dem Engel Gabriel (d. h. die Kraft Gottes) identificirte, dessen Namen er von den orthodoxen Juden in Madyna gehört hatte. In madynischen Offenbarungen kommt auch der Name des Gabriel vor, aber nicht in makkanischen.

Auf diese Art erhielt die Frage über den Geist eine vollends befriedigende Lösung. Der psychologische Proceſs, der allen diesen Metamorphosen des Geistes zu Grunde liegt, können wir mit Sicherheit verfolgen und er zeigt von bedeutender Tiefe. Untersucht man die Sache näher, so sind der ebionitische Demiurg, der heilige Geist der Christen und der Engel Gabriel verwandte Wesen. Moḥammad reducirte sie alle nach einander zu demselben Begriff, be-

---

[1]) Hier kam dem Moḥammad die Unbestimmtheit der arabischen Sprache zu Statten; denn Ruḥ alḳodos „Geist der Heiligkeit“, welches die christliche Benennung für den heiligen Geist ist, kann bedeuten ein oder der Geist der Heiligkeit.

harrte aber am Ende bei der jüdischen Ausstattung dieses Begriffes, weil für sein System die ebionitische zu phantastisch und die christliche zu heidnisch war. Ein Oberengel aber, der wie Millionen andere dazu erschaffen ist, dafs er Gott preise, pafste für seinen nüchternen Monotheismus.

Die moslimischen Philosophen gehen etwas tiefer in die Frage über den heiligen Geist und die im Ḳorân 17, 87 enthaltene Definition ein, freilich nach ihrer eigenen Weise. Der Imâm Fachr aldyn Râzy sagt (im Mawâhib S. 63):

„Sie fragten ihn über den Geist, welcher die Ursache des Lebens ist. Die Antwort auf ihre Frage konnte nicht besser sein. Aus der Erklärung geht hervor, dafs sich die Frage blofs auf das Wesen des Geistes bezog, aber nicht auf Propositionen, wie: ob er räumlich sei oder nicht? ob er in dem Räumlichen weile oder nicht? ob er von Ewigkeit her existire oder zeitlich sei? ob er nach seiner Trennung vom Körper fortdaure oder in's Nichts zurückkehre? ob und in wiefern er der Belohnung und Bestrafung unterworfen sei? und auf ähnliche mit dem Geiste in Verbindung stehende Propositionen. Auf keine von diesen wurde in der Antwort eingegangen. Es ist daher klar, dafs sie ihn blos über die Wesenheit des Geistes befragten und ob er von Ewigkeit her oder zeitlich sei? Die Antwort zeigt, dafs er ein mit Existenz begabtes Wesen (schay mawǵûd) sei, welches aber [in der Erscheinung] verschieden ist, je nach den Naturen und Mischungsverhältnissen [der Körper die es belebt] und ihrer Organisation. Er ist also eine einfache absolute Materie, welche einen Schöpfer voraussetzt. Darum heifst es im Ḳorân: „Sei! und er war". Er verdankt sein Dasein dem Walten (Amr) und der Schöpfung (Takwyn) Gottes. Er äufsert sich als der Quell des Lebens der Körper. Wenn wir keine nähere Kenntnifs seiner Beschaffenheit besitzen, so ist doch kein Grund vorhanden, seine Existenz zu läugnen. Es ist anzunehmen, dafs Amr im Ḳorânverse dieselbe Bedeutung habe wie fa'l (thun, handeln). Es hat diese Bedeutung auch im Ḳ. 11, 99: „Das Amr des Pharao ist nicht geleitet (gerecht)", d. h. sein Handeln. Aus dem Ḳorân geht also hervor, dafs der Geist zeitlich (nicht von Ewigkeit) sei. Die Alten haben diese Frage nicht untersucht."

III. Der Thron Gottes.

Der Thron Gottes spielt eine grofse Rolle im Ḳorân; das arabische Wort dafür ist ʿarsch. Es wird auch von einem irdischen Thron oder Ehrensitz gebraucht (Ḳor. 12, 101; 27, 23. 38. 41. 42). Die Form eines orientalischen Thrones ist die eines einen Fufs hohen Tisches, etwa sechs Fufs lang und fünf breit, mit einem niedrigen Geländer auf drei Seiten. Darauf liegt eine mit Sammet oder Atlas überzogene und reichlich mit Gold verzierte Matratze und mehrere grofse Polster. Er steht fast in der Mitte des Zimmers, an dessen Wänden Diwane sind. Wahrscheinlich schwebte über dem Throne grofser Fürsten ein prachtvoller Baldachin.

Wenn auch im Ḳorân ʿarsch auf einen irdischen Thron angewendet wird, so wird der Thron der Chalyfen doch gewöhnlich saryr genannt und ʿarsch zur Benennung des Thrones Gottes reservirt.

Schon in dem arabischen Buch des Enoch, welches aus dem Griechischen übersetzt und wahrscheinlich ein christliches Fabrikat ist, wird Gott der Besitzer oder König der Throne genannt. Aber das Wort für Throne ist sarâyir (Plur. von saryr). In der Apokalypse kommt der Thron Gottes oft vor. Auch den Juden war er bekannt, und nach dem Buche Hiob 26, 9 hält Gott den Thron auf den Wolken.

Es scheint auch die Idee der heidnischen Araber gewesen zu sein, dafs Allah als König der himmlischen Heerschaaren im Himmel auf einem Thron sitze. Im Ḳorân 23, 88 heifst es: „Frage die Heiden: Wer ist der Herr der sieben Himmel und der Herr des erhabenen Thrones? und sie werden antworten: Diese Dinge sind in Allah's Macht.“ — Gott wird daher in vielen Stellen der Herr des erhabenen Thrones geheifsen (Ḳor. 81, 20. 85, 15. 43, 82. 40, 15. 27, 26. 23, 117. 21, 22. 17, 44). Der Thron wird von Engeln getragen und sie umgeben ihn lobpreisend (Ḳor. 40, 7. 39, 75. 69, 17). Vor der Schöpfung schwebte der Thron Gottes (nicht der Geist Gottes, wie Gen. 1, 2) auf dem Wasser (Ḳor. 11, 9), und nachdem Gott in sechs Tagen die Schöpfung vollendet hatte, schwang er sich auf den Thron (Ḳor. 7, 52. 10, 3. 25, 60. 32, 3. 57, 4). Während der kurzen Zeit, in welcher Moḥammad den Raḥmân predigte, safs der Raḥmân auf dem Thron. Unter den Theologen sind fabelhafte Beschreibungen des Thrones entstanden, und viele haben ihn als ein vernünftiges Wesen dargestellt. Ich zweifle, dafs Moḥammad je an so etwas dachte.

Ich glaube, dafs ein Unterschied ist zwischen ʿArsch und Saryr und dafs letzteres blofs Thron, ersteres aber Thron mit Einschlufs des Baldachins bedeute, denn 'Arysch wird jetzt noch gebraucht für Reben, welche an einem Geländer emporgezogen werden und gleichsam einen Baldachin bilden. Der Baldachin und selbst der Sonnenschirm, in Indien Tschattar genannt, spielen im ganzen Orient eine grofse Rolle im Hofceremoniel. Im Hofraume und selbst in der Nähe eines königlichen Palastes darf Niemand anders als königliche Prinzen einen Chhattar über dem Kopfe tragen. Auch in persischen Gemälden sind Fürsten immer durch den Chhattar ausgezeichnet, ja schon in den Denkmälern von Niniveh erkennen wir am Sonnenschirm den König (vergl. Vaux, Ninive and Pers. London 1850. S. 274). Von den Persern scheint er auf die Griechen und dann auf den katholischen Gottesdienst — bei Processionen — übergegangen zu sein.

Zwölftes Kapitel.

Periode fremder Einflüsse.

Die Zeit von 616 bis 619 war sehr stürmisch und Moḥammad hatte nicht nur gegen seine Feinde zu kämpfen, sondern auch gegen die wohlgemeinten Zumuthungen von Leuten, welche die Kunde von seinem Auftreten aus der Ferne herbeigezogen hatte und die nun erwarteten, dafs er, der Seher, gerade das verkünde, was sie als wahr und ausgemacht anzusehen gewohnt waren. Er hat sich wirklich verleiten lassen, Dinge zu lehren, die nicht in seinem Geiste waren, und lief Gefahr, seinen Inspirationen untreu zu werden. Wir wollen nun in diesem Kapitel in Ermangelung von Berichten über diese Gegenstände den Entwicklungsgang einiger im Ḳorân ausgesprochenen Ideen verfolgen, im vierzehnten Kapitel aber wollen wir in die Controversen eingehen, zu welchen seine Lehren Anlafs gaben.

I. Die Ġinn und Engel.

Moḥammad verwahrte sich in mehreren Ḳorânstellen gegen die Imputation, dafs er von Ġinn besessen sei, und der Tradition zufolge war ihm der Gedanke, dafs die Ġinn ihr Spiel mit ihm treiben, so schrecklich, dafs er einen Selbstmord begehen wollte. Die Ġinn standen also zu Anfang seiner Mission nicht hoch in seiner Meinung. Es ist ungewifs, ob er damals die Engel dem Ġinngeschlechte beizählte. Der Umstand, dafs ihn die Erscheinung des Wesens von grofser Macht von dem peinlichen Gedanken, er sei von Ġinn besessen, befreite, würde uns zum Schlufs führen, dafs er einen grofsen Unterschied zwischen Engel und Ġinn machte, wenn es nur auch feststünde, dafs er darunter einen Engel meinte. In Madyna sprach er allerdings von dem Engel Gabriel, aber in Makka war es der heilige Geist, welcher die Offenbarungen seinem Herzen überbrachte, und dieser heilige Geist war, so lange er Körperlichkeit besafs, wahrscheinlich ein Demiurg, wie der Christus des Elxai, und nicht ein Engel. Es läfst sich also nicht ermitteln, was Moḥammad anfangs von den Engeln hielt.

Im Jahre 616 erkannte er drei heidnische Penaten als Fürsprecher vor Allah an, und es unterliegt keinem Zweifel, dafs er dies unter der Voraussetzung that, dafs sie Repräsentanten von Engeln, biblischen Geistern, seien. Er identificirte somit die Ġinn und Engel, und es ist wahrscheinlich, dafs auch die Heiden keinen Unterschied machten; von den Banû Molayḥ wird geradezu behauptet, dafs sie die Engel anbeteten, und wenn das Bd. I S. 130 angeführte Dokument echt ist, war auch den Ḳorayschiten die Engelanbetung nicht fremd. Die Heiden mochten wenig Gewicht auf diese Identität legen, aber für ihn, den Propheten Gottes, konnte es keinen andern Vorwand für die Götzenverehrung geben, als dafs in den Götzen Engel und Töchter Gottes angebetet werden und dafs es auch schriftbesitzende çâbische Sekten gebe, welche an eine Engelhierarchie glaubten. Wir haben keine Aussprüche, in denen er die Engelanbetung erlaubte, aber die Ḳorânstellen, welche er veröffentlichte, nachdem er von seinem Irrwege zurückgekommen war, zeigen deutlich, worin seine den Heiden gefällige Lehre über Lât und 'Ozzà, die er nun verdammte, bestanden habe:

53, 28. Diejenigen, welche nicht an das Jenseits glauben, geben den Engeln Frauennamen (vergl. Kor. 12, 40. 7, 69).

43, 18. Sie machen aus den Engeln, welche Knechte des Raḥmân sind, weibliche Wesen.

19. Sie sagen: Wenn es des Raḥmân Wille wäre, würden wir sie nicht anbeten.

17, 42. Euer Herr soll euch bevorzugt haben, indem er euch Söhne giebt, für sich selbst aber aus den Engeln Mädchen angeschafft hat.

37, 149. Frage sie: Hat dein Herr Töchter und sie Söhne?

150. Haben wir etwa die Engel als Mädchen erschaffen? und waret ihr zugegen [dafs ihr es wisset]?

Er ging nun immer weiter in der Verdammung der Engelanbetung, und um die Ungereimtheit derselben recht anschaulich zu machen, erzählte er im Sommer oder Herbst 617 folgenden Mythus:

38, 65. Sprich: Ich bin ein Warner und es giebt keinen Gott aufser Allah, dem Einigen, dem Mächtigen,

66. dem Herrn der Himmel und der Erde und dessen, was dazwischen ist, dem Erhabenen, dem Erbarmer.

67. Sprich: [Dieses] ist eine wichtige Mittheilung [1]):

71. Dein Herr sprach bekanntlich zu den Engeln: Ich will einen Menschen aus Lehm erschaffen,

72. und wenn ich ihn gestaltet und etwas von meinem Geist in ihn gehaucht habe, so werfet euch anbetend nieder vor ihm.

73. Alle Engel warfen sich nieder,

74. Ausgenommen Iblys. — Er war zu hochmüthig und gehörte zu den Frevlern

---

1) Die Verse 68, 69 und 70, welche den Sinn unterbrechen, halte ich für ein späteres Einschiebsel, welches Moḥammad wahrscheinlich erst dann machte, als der Informant (vorausgesetzt dafs die Erzählung nicht von seinem Mentor kam) verschwunden war. Sie finden im folgenden Kapitel einen Platz.

75. Gott sprach: O Iblys, warum fällst du nicht nieder vor dem, was ich mit meinen Händen erschaffen habe,

76. bist du zu hochmüthig oder zu hochgestellt?

77. Er antwortete: Ich bin besser als er: Du hast mich aus Feuer erschaffen und ihn aus Lehm.

78. Gott sprach: Hinaus mit dir von hinnen, denn du bist verdammt.

79. Mein Fluch ruht auf dir bis auf den Gerichtstag[1]).

80. Iblys sagte: Herr, gewähre mir Aufschub bis an den Tag, an dem sie auferweckt werden.

81. Gott antwortete: Es soll dir Aufschub gewährt werden

82. bis auf den Tag des gewissen Zeitpunktes (den Tag der Auferstehung).

83. Iblys versetzte: [Ich schwöre] bei deiner Gröfse, ich werde sie (die Menschen) alle irre führen,

84. aufser jenen von ihnen, so deine auserwählten Diener sind.

85. Gott antwortete: Was sich geziemt, soll geschehen und ich spreche es aus, ich will die Hölle füllen mit dir und mit denen von ihnen, welche dir folgen, insgesammt.

Iblys hätte sogleich in die Hölle geworfen werden sollen, aber der Zweck des Mythus ist, den Ursprung des Uebels auf Erden zu erklären und den Iblys zum Sündenbock zu machen. Nicht zu übersehen ist, dafs Iblys hier ein gefallener Engel und nicht dem Ġinngeschlechte entsprossen ist. Moḥammad hat wohl wie in den soeben angeführten Offenbarungen keinen Unterschied gemacht zwischen Engeln und Ġinn. Weil es aber doch zu viel gefordert wäre, wenn Iblys allein alles Unheil anstiften müfste, so werden ihm in Ḳor. 26, 95 Legionen beigegeben.

Der Unterschied des ḳorânischen Mythus von der bi-

[1]) Das hier gebrauchte Wort für Gerichtstag — yawm aldyn — ist, wie wir gesehen haben, aus der christlichen Terminologie entnommen. Vers 84 enthält eine Anspielung auf die Gnadenlehre.

blischen Erzählung besteht darin, dafs die Engel aufgefordert werden, sich vor Adam zu prosterniren. Es ist nicht schwer, aus dieser Abweichung die Moral herauszulesen: Adam, der Vater des Menschengeschlechtes, steht viel höher als die Engel, es ist also sehr thöricht, wenn die Menschen dieselben anbeten. Bis auf den heutigen Tag stellen die Moslime die Menschheit über die Engel, weil Moḥammad ihr angehörte.

Schon Geiger hat S. 100 die Ueberzeugung ausgesprochen, dafs diese Erzählung christlichen Ursprungs sei; er zeigt, dafs Iblys aus Diabolos entstanden ist [1]), wovon es nicht weiter entfernt ist als unser Teufel, der denselben Ursprung hat. Die Erzählung des Engelfalles wird sechs Mal im Ḳorân wiederholt, und in echt orientalischem Geist behält der Verfasser den Ausdruck Iblys immer bei, der aufserdem nur noch zwei Mal (Ḳor. 34, 19. 26, 95) und zwar in christlichen Inspirationen vorkommt. In allen andern siebenundachtzig Stellen, in denen der Teufel im Ḳorân genannt wird, hat er den echt semitischen Titel Schayṭân (Satan) [2]). Man mufs nicht etwa denken, dafs Moḥammad neben dem semitischen Satan seine Religion mit noch einem Teufel, dem Iblys, bereichert hat. Ein Vergleich zwischen Ḳor. 20, 115 und 2, 118 beweist, dafs beide Namen dieselbe Persönlichkeit bezeichnen.

---

[1]) Die Form von Iblys ist im Arabischen sehr selten. Sie kommt in Idrys d. h. Enoch, Iḳlym Clima, Iklyl Krone, Iḳlyd (pers. Kilyd, griech. κλεις, κλειδος) Schlüssel, Iksyr Elixir. Alle diese Wörter scheinen fremd und mittelbar durch einen andern Dialekt in die arabische Schriftsprache übergegangen zu sein.

[2]) Arabische Philologen behaupten, dafs Schayṭân ursprünglich Schlange bedeute und dann auf alle verworfenen Wesen, Menschen, Ġinn und Thiere, angewendet werde. Das Verbum שׂטן, welches im Hebräischen „widerstreben" bedeutet, wäre demnach von dem Substantif abgeleitet. Die Verwandtschaft der Begriffe „verflucht" und „Schlange" geht daraus hervor, dafs die Schlange auch Thoʿbân „die Verfluchte" genannt wird. Im Ḳorân und in der Ḥadyth werden auch Menschen Schayṭân genannt, aber man heifst sie nicht Iblys.

Es ist, wie Geiger bemerkt, besonders beweisend für den christlichen Ursprung der Geschichte des Falles der Engel, dafs in Sûra. 20, 114—127, wo ihr die Erzählung der Sünde der ersten Eltern angehängt wird, der Teufel in Vers 115, welcher den Engelsturz enthält, Iblys, in den folgenden Versen aber, welche Adams Sündenfall enthalten, Schayṭân [1]) heifst. Die Legende von der ersten Sünde ist nämlich durch jüdische Ueberlieferung aufbewahrt worden, die des Ungehorsams der Engel aber kennzeichnet sich als die Erfindung einer ältern Sekte.

Der Mythus ist also nicht von Moḥammad erdacht worden, sondern von einer judenchristlichen Sekte, welche gegen den Glauben an eine Engelhierarchie verwandter Sekten eiferte, oder was noch wahrscheinlicher ist, von Reformern, welche die unter ihren Mitbrüdern übliche Engelanbetung verdammten. So lange der Prophet gegen die Engelanbetung predigte, wie in obigen Versen, pafste er ganz für seine Zwecke; er kam aber bald von der Ansicht, dafs in den Götzen Engel verehrt werden, zurück, behauptete, dafs Ġinn unter diesen Symbolen Anbetung empfingen und nun machte er den Iblys zu einem Ġinn und zum Vater einer zahlreichen Brut von Geistern der Verführung, und wie es scheint, verdammte er einige Zeit das Ġinngeschlecht sammt und sonders.

18, 48. Wir sagten ja zu den Engeln: Werft euch nieder vor Adam. Sie warfen sich nieder, ausgenommen Iblys; er war einer der Ġinn und widerstrebte dem Befehle Gottes. Wollt ihr also ihn und seine Brut als eure Götter anerkennen statt meiner? Sie sind eure Feinde und die Ungerechten machen einen schlechten Tausch.

15, 26. Wir haben den Menschen aus abgestandenem, hartem Lehm gebildet, welcher gegossen worden war.

---

[1]) Auch in Ḳor. 2, 32 und 17, 66, in einem zum Theil originellen Zusatze, gebraucht Moḥammad Schayṭân, in den vorhergehenden und folgenden Versen aber Iblys.

27. Den Ġân (Vater der Ġinn) aber hatten wir schon früher aus verzehrendem Feuer erschaffen.

28. Es sprach ja dein Herr zu den Engeln: Ich erschaffe nun einen Menschen aus abgestandenem, harten Lehm, welcher gegossen worden war.

29. Und sobald ich ihn zurecht gemacht und etwas von meinem Geiste hineingehaucht habe, werfet euch anbetend vor ihm nieder.

30. Die Engel warfen sich insgesammt nieder,

31. mit Ausnahme des Iblys; er weigerte sich, den sich Niederwerfenden anzugehören etc.

Ich führe nun eine Stelle an, in welcher die Ġinn von den Engeln getrennt, diese zu Ehren gebracht und jene verdammt werden. Während er früher die Engelanbetung sanctionirte und dann dagegen eiferte, stellt er jetzt die Möglichkeit derselben in Abrede und erklärt, daſs alles nur Ġinnanbetung sei:

34, 39. Eines Tages wird sie Gott Alle (Menschen, Engel und Ġinn) versammeln; dann wird er die Engel fragen: Haben diese (die Menschen) euch angebetet?

40. Sie antworten: Bewahre, du bist unser Verbündeter und nicht sie. Nein, sie beteten die Ġinn an und die meisten von ihnen glaubten an sie.

Es kam dem Moḥammad gar nicht in den Sinn, den Kâhinen eine Art von Inspiration abzusprechen. Er behauptete aber, daſs diese von den Ġinn, welche sie anbeteten und mit denen sie daher auf vertrautem Fuſse standen, bisweilen in den Geheimnissen des Himmels unterrichtet werden. Die Ġinn aber erlauschen die Geheimnisse an den Thoren des Himmels, und weil sie selbe weder deutlich vernehmen, noch ihren Verehrern deutlich mittheilen, so sind die Orakelsprüche der Kâhine immer verwirrt und nur theilweise richtig. Um nun den Verdacht zu beseitigen, daſs er seine Lehre — wohl die Prophetengeschichten — von den Ġinn erhalte, sagte er, daſs Gott diesem Lauschen ein Ende gemacht habe, indem er, wenn sich ein Ġinn oder

Satan den Thoren des Himmels nähert, einen Stern auf ihn schleudere. Uns erscheinen diese Sterne als Sternschnuppen, und die Tradition erzählt, dafs während der Lebzeiten des Propheten die Sternschnuppen aufserordentlich häufig waren. Die moslimischen Philosophen hingegen suchen die Sternschnuppen auf natürliche Weise, als entzündete Gase, zu erklären. Folgende Inspiration, in welcher der Beruf der Engel näher erläutert wird, bezieht sich auf diesen Gegenstand:

37, 1. [Ich schwöre] bei den Engeln, welche in Reihen [anbetend sich niederwerfen],

2. deren Geschäft es ist, den erschreckenden Strafruf ergehen zu lassen [über die Ungläubigen] [1])

3. und [dem Propheten] die Erinnerung (Offenbarungen) vorzutragen,

4. dafs eure Götter nur ein Gott seien:

5. nämlich der Herr der Himmel und der Erde und was dazwischen ist, und der Herr der Oriente.

6. Wir haben den untersten Himmel mit Sternen geschmückt zur Zierde

7. und zum Schutze gegen die widerspenstigen Satane.

8. Sie können die Gespräche der höchsten Malâ (himmlischen Aristokratie) nicht hören, indem von allen Seiten auf sie geworfen wird (d. h. die Engel nehmen die Sterne und werfen sie auf die Satane),

9. um sie zu vertreiben; und es harrt für sie eine dauernde Strafe.

10. Einige jedoch erhaschen einige Worte, während eine durchdringende Sternschnuppe auf sie zufliegt [die von den Engeln auf die Teufel geschleuderten Sterne erscheinen uns als Sternschnuppen].

11. Frage nun die Ungläubigen, ob sie stärker gebaut sind oder die Wesen (Ġinn), welche wir erschaffen haben. Jene haben wir blofs aus zähem Lehm gemacht.

---

[1]) Vergl. V. 19 dieser Sûra.

Auch die Juden geben diese Erklärung von dem Erscheinen der Sternschnuppen. Die Theorie hängt aber so eng mit dem arabischen Götzendienst zusammen, daſs ich glaube, sie sei ursprünglich um ihn zu widerlegen erfunden worden.

Später hat er die Ġinn ebenfalls wieder in Gnaden aufgenommen und nun behauptete er, daſs es nicht ihrer Verführung, sondern der Thorheit und Unwissenheit der Menschen zuzuschreiben sei, wenn sie selbe anbeten. Dieses gelinde Urtheil war wohl eine Folge des Druckes von Auſsen. Die Acht war, wie wir gesehen haben, so drückend für seinen Beschützer, daſs er eine verträglichere Sprache gegen die Heiden und ihre Religion führen muſste als früher, um eine Aussöhnung zu ermöglichen. Folgende Offenbarung fiele demnach in das Jahr 619. Später hat er einen Unterschied zwischen guten und bösen Ġinn gemacht:

25, 18. Eines Tages werden wir sie und die Wesen, welche sie auſser Allah anbeteten, versammeln und diese fragen: Habt ihr jene unsere Diener irre geführt oder haben sie selbst den Weg verloren?

19. Sie werden antworten: Deine Glorie! Wir durften mit Niemandem in Wechselverhältniſs treten auſser dir. Aber du hast ihnen und ihren Vätern so viel Genuſs verschafft, daſs sie das Andenken an dich verloren haben und verworfene Menschen wurden [dieses ist die Ursache, warum sie uns anbeteten und nicht dich].

20. Ihr seht, o Menschen, daſs eure Abgötter eure Behauptungen als Lügen erklären, auch ist ihnen weder eine Diversion [1]) zu euren Gunsten, noch offene Hülfe möglich.

21. Folglich, wer von euch ungerecht ist, den wollen wir eine groſse Strafe kosten lassen.

Nach Aufhebung der Acht hat er noch im Jahre 619 eine Reise nach Ṭâyif unternommen. Auf der Rückkehr von Ṭâyif nach Makka, als er zu Nachla übernachtete, hatte

[1]) Çarf, wörtlich wenden, wird auch mit Ḥyla, Kriegslist erklärt.

er einen trefflichen Einfall: Die bösen Ġinn, welche sich allenfalls doch anbeten lassen, gehen nach wie vor mit ihren Verehrern in die Hölle, die guten aber erkennen ihn als Propheten an und bekehren sich zum Islâm! Jetzt hätten die Ġinn-anbetenden Makkaner ihn doch auch anerkennen sollen [1]). Da Schayṭân, Teufel, ein sehr allgemeiner Begriff und auch auf Menschen anwendbar ist, konnte er immer noch die bösen Ġinn Schayṭâne heifsen.

72, 1, Sage: Es ist mir geoffenbart worden, dafs einige Ġinn [dem Vortrage des Ḳorâns] zugehört und erklärt haben: Wir haben einen wunderbaren Psalter vernommen [2]),

---

[1]) In einer Tradition bei Bochâry, S. 687, wird sehr naiv gesagt, dafs, obschon die Menschen gewisse Persönlichkeiten aus dem Ġinngeschlechte anbeteten, sie dennoch ihrem Beispiele nicht folgten. Ṭabary, welcher dieselbe Tradition anführt, setzt hinzu, dafs die Menschen es nicht wufsten, dafs die Ġinn, welche sie anbeteten, Moslime geworden seien.

[2]) Die Wahrheit dieser Geschichte ist später für die Gläubigen aufser allem Zweifel gesetzt worden. „Als ich nach Ṭarsûs kam, erzählt ʿAbd Allah b. Ḥosayn b. Ġâbir Maçyçy, hörte ich, dafs sich eine Frau daselbst befinde, welcher dieselben Ġinn, die dem Propheten ihre Aufwartung gemacht hatten, erschienen sind. Ich besuchte sie. Sie lag auf dem Rücken, und es waren viele Menschen bei ihr. Ich fragte: Wie heifst du? Sie antwortete: Manûsa. Ich fragte weiter: Hast du wirklich die Ġinn gesehen, welche den Propheten besucht haben? Sie erwiderte: Ja, und es spricht mit mir Samḥaġ, dessen Name ʿAbd Allah ist. Ja, sagte ich, der Prophet hat ihn so genannt. Sag' mir, wo war der Herr, ehe er die Himmel erschaffen hat. Sie antwortete: Auf einem Fische von Licht, welcher im Lichte schwamm."

Dieser Samḥaġ (auch Samḥâġ) spielt in Zauberbüchern eine grofse Rolle und wird, wenn mich das Gedächtnifs nicht trügt, auch in des Doctor Faust Taschenbuche, welches in Dresden aufbewahrt wird und wovon sich vor zwanzig Jahren auch ein Exemplar bei einem Raritätenhändler in Prag befand, genannt. Sein Ursprung ist folgender: In Makka wurde das Gerücht ausgesprengt, dafs ein Hâtif die Einwohner von der Höhe eines benachbarten Berges zum Kampf gegen die neue Sekte ermuntert habe. Als Moḥammad dies hörte, sagte er: Es war ein Teufel (ein böser Ġinn), es hat ihn aber bereits ein ʿIfryt vom Ġinngeschlechte getödtet, welcher Samḥaġ heifst

2. er führt zur Leitung und wir glauben daran; wir wollen kein Wesen unserm Herrn gleichstellen,

3. und, fuhren sie fort, er, der Allerhöchste, hat wahrlich keine Gefährtin noch hat er ein Kind,

4. unsere Thoren sagen Dinge von Allah, die seiner nicht würdig sind.

5. Bisher sind wir der Meinung gewesen, dafs weder die Menschen noch die Ġinn in Bezug auf Gott Lügen sagen werden [und deswegen haben wir geglaubt, dafs Gott Töchter habe].

6. Es hat Menschenkinder gegeben, die zu Ġinn ihre Zuflucht nahmen, aber sie sind dadurch nur noch schlechter geworden,

7. denn sie theilten eure Ansicht (o Makkaner), dafs Gott Niemand nach dem Tode auferwecke [1]).

8. Wir haben den Himmel ausgekundschaftet und gefunden, dafs er mit starken Wachen und Sternschnuppen gefüllt ist.

9. Früher pflegten wir uns dort in einen Winkel zu setzen, um zu horchen. Aber wenn jetzt einer horcht, so wird ihm eine Sternschnuppe auf den Kopf geschleudert.

10. Wir wissen in der That nicht, ob Gott Böses oder Gutes mit der Erde vorhat.

11. Unter uns giebt es Gute und Böse, denn wir wandeln auf verschiedenen Wegen.

und welchen ich 'Abd Allah nenne. Es ist wohl ein späterer Zusatz, wenn behauptet wird, dafs darauf ein Hâtif rief:

Wir haben den Mos'ar getödtet, welcher sündhaft und übermüthig war, die Wahrheit verkleinerte und den Trug erhob, indem er über unsern siegreichen Propheten schimpfte.

Mos'ar, d. h. der Verbrannte, soll der Name des bösen Ġinn gewesen sein, welchen Samḥaġ tödtete.

[1]) Nach Baghawy gehört dieser Vers nicht zur Rede der Ġinn, sondern ist eine Parenthese. Ich glaube, dafs Moḥammad, wie es ihm auch sonst begegnete, aus seiner Rolle gefallen ist, und ich schliefse den Vers in die erbauliche Predigt der Ġinn ein, welche ganz an die Makkaner gerichtet ist.

12. Wir wissen wohl, dafs wir dem Allah auf Erden nicht zu widerstehen im Stande sind, noch uns von ihm durch die Flucht entziehen können,

13. und daher, seitdem wir die Leitung (den Ḳorân) gehört haben, glauben wir daran und der, welcher an seinen Herrn glaubt, braucht sich weder vor Schaden noch vor Unheil zu fürchten.

14. Es giebt Moslime und Irrende unter uns. Die erstern wählen das Rechte,

15. Die Irrenden aber sind Brennmaterial für die Hölle.

Wenn man nachliest, was Bd. I S. 216 über den Ragl gesagt worden ist, wird man finden, dafs es zum Vortheil des Moḥammad ist, dafs er diese Vision auf der Reise hatte [1]. Allein wenn dieser Inspiration wirklich eine Illusion zu Grunde gelegen hätte, so würde er sie besser abgefafst haben.

Er bezieht sich in einer andern Offenbarung auf die vorgebliche Vision.

[Ein Fragment.]

46, 28. Wir wendeten dir ja einige Individuen von den Ġinn zu, damit sie dem Ḳorân zuhorchten und als sie zugegen waren, sagten sie zu einander: Still! und nachdem

---

[1]) Die Tradition hat es nöthig erachtet für die Bekehrung der Ġinn einen Zeugen zu schaffen, und so läfst sie den ʿAbd Allah b. Masʿûd erzählen, dafs er vor der Hiġra mit dem Propheten in der Umgebung von Makka umherwanderte und bei dieser Gelegenheit beobachtet hat, wie sich die Ġinn in der Gestalt von Männern des schwarzen, aber kräftigen Volkes der Zoṭṭ um den Propheten drängten. Interessant ist in den Traditionen des Ibn Masʿûd, dafs Moḥammad, wie die Teufelsbeschwörer im Mittelalter, einen Kreis um ihn zieht, welchen er nicht überschreiten darf; denn sonst würsie (der Prophet und Ibn Masʿûd) einander nicht mehr sehen bis an den Tag der Auferstehung.

Dafs diese Tradition neu ist, beweist eine ältere bei Bochâry, wo die Frage: wie wufste Moḥammad dafs Ġinn ihm zuhören? beantwortet wird: — Ein Baum meldete ihm ihren Besuch. Dem Ḳorân zufolge wurde es ihm erst später geoffenbart.

der Vortrag vorüber war, kehrten sie zu ihrem Volke zurück, um es zu warnen.

28. Sie sagten: O unser Volk, wir haben ein Buch gehört, welches nach Moses vom Himmel herabgesandt worden ist und, indem es die frühern Offenbarungen bestätigt, führt es zum Wahren und zu einem geraden Weg.

30. O unser Volk, schliefst euch dem Prediger Allah's an und glaubet an ihn (den Allah), er wird euch einige Sünden verzeihen und von peinlicher Strafe wegführen.

31. Wer sich an den zu Allah Rufenden nicht anschliefst, der wird nicht im Stande sein, die Pläne Gottes auf Erden zu vereiteln, und wird gegen Ihn keine Bundesgenosssen finden. — Solche Wesen sind offenbar im Irrthum.

Ueber die Verwandtschaft der Teufel und Ġinn giebt uns der Ḳorân aufser den beiden erwähnten Stellen keinen ferneren Aufschlufs. Es scheint, dafs Moḥammad von dieser Anschauung zurückgekommen sei, denn in Madyna sagte er wie Anfangs, dafs alle Engel mit Ausnahme des Iblys (welcher also wieder zum gefallenen Engel wurde) sich vor Adam niederwarfen (Ḳor. 2, 32—34). Die Ġinn, wie wir gesehen haben, sind halb physische Wesen, welche sich fortpflanzen. Von den Engeln lehren die Moslime: »Es giebt Diener Gottes, welche Engel genannt werden. Sie sind frei von Sünde und stehen in Gnade bei Gott, gehorchen seinen Befehlen, ohne sich ihm je zu widersetzen. Sie haben feine, reine Körper, sind aus Licht erschaffen, bedürfen weder Speise noch Trank noch Schlaf, sind weder weiblich noch männlich, ohne fleischliche Begierden und weder Vater noch Mutter, haben aber verschiedene Gestalten und verschiedene Obliegenheiten: einige verrichten die Ceremonien des Gebetes, andere rufen beständig aus: Lob sei Gott! Gott ist der gröfste! verzeihe unsere Sünden u. dergl. m. (d. h. sie beschäftigen sich mit dem Dzikr); andere schreiben, andere schützen, andere tragen den Thron und andere gehen um denselben herum (wie man um die Ka'ba herumgeht). Aufserdem haben sie auch andere Beschäftigungen, die ihnen Gott auferlegt.« [1])

II. Die Propheten und das Prophetenthum.

Es gab eine Periode in dem Leben des Mohammad (ungefähr A. D. 617), während welcher ihn in Folge äufserer Anregung besonders die Theorie des Prophetenthums beschäftigte, und sie bildet auch einen der wichtigsten Punkte nicht blofs in der Geschichte seiner Entwicklung, sondern auch in seiner Religion. Vor dem Jahre 616 erwähnt er eine sehr beschränkte Serie von Männern Gottes, die wir bereits kennen, gebraucht aber niemals den Ausdruck Nabyy [2]), Prophet, sondern nennt sie Boten. Er ging nämlich von der Ansicht aus, dafs, ehe eine Nation vertilgt werde, Gott einen Boten erwecke, welcher sie warne.

Das Wort Prophet (Nabyy) wird vielleicht das erste Mal, jedenfalls mit Vorliebe, in der 19. Sûra gebraucht [3]). In derselben Sûra erscheint auch zum ersten Male eine ganz neue Serie von Gottgesandten und jedem wird sein Titel beigelegt wie folgt:

Zakariyâ (Zacharias), ein Knecht Gottes.

Yaḥyâ, der erste dieses Namens (d. h. Johannes der Täufer, zum Unterschied von dem Apostel). Sein Titel wird nicht erwähnt, wahrscheinlich ist ein Vers verloren gegangen; in Ḳor. 3, 34 wird er aber ein Prophet genannt.

---

[1]) Reland, Rel. Moh. 2. Ausg. Utrecht 1717. S. 13.

[2]) Wenn auch das Verbum in der Bedeutung von „benachrichtigen“ im Arabischen vorkommt, so war doch Nabyy den Makkanern nicht bekannt; es ist Hebräisch.

[3]) Nabyy, Prophet, und Nobûwa, Prophetenthum, kommen in Sûra 19 achtmal und in allen übrigen makkanischen Sûren zehnmal vor. In madynischen Offenbarungen aber erscheinen beide Wörter sehr oft.

Maryam (Maria), welche in einer andern Stelle Çiddyḳa, die Gerechte, genannt wird.

Ihr Bruder Harûn.

'Ysà (Jesus), welcher Prophet genannt wird.

Ibrâhym (Abraham), ein Çiddyḳ, Gerechter und Prophet.

Isḥâḳ (Isaak) und Ya'ḳûb (Jakob), ebenfalls Propheten. Ueberhaupt wird die Familie (âl) oder die Nachkommen des Jakob hier zum ersten Male wegen ihres hohen Berufes hervorgehoben.

Mûsà (Moses), ein Prophet und Bote Gottes an die Menschheit.

Harûn (Aaron) sein Bruder, ein Prophet.

Idrys (Enoch). Er war wie Abraham ein Gerechter und ein Prophet.

Isma'yl (Ismael), ein Bote Gottes und Prophet.

Nach dieser Aufzählung folgt ein Vers, der schwülstig und absichtlich dunkel ist, denn Moḥammad, welcher den Gegenstand gern hätte erschöpfen mögen, besaſs nicht die nöthige Sachkenntniſs, und da Unwissenheit als Mangel an Offenbarung angesehen wurde, wollte er sie verbergen. Der Vers lautet:

19, 59. Die Genannten sind es unter den Propheten aus den Nachkommen [1]) des Adam und aus der Zahl derer, die

---

[1]) Das Wort für Nachkommen ist Dzarryya (es kommt auch der Plur. Dzarryyât im Ḳorân vor). Ich glaube, daſs es aus dem hebräischen Zar'iyôt, ursprünglich Semina, entstanden sei. Wie die Juden, so spricht auch Moḥammad im Ḳorân von dem Saamen des Abraham etc. (Ueber den Gebrauch von Zar'iyôt im Hebr. vergl. Geiger, Zeitschr. d. d. m. Ges. Bd. 12 S. 307.) Zara' (זרע زرع) bedeutet in allen semitischen Sprachen ſäen, ausstreuen. Die Araber scheinen das 'Ayn sehr schwach ausgesprochen zu haben und deswegen kommt im Ḳorân wohl nur aus Unwissenheit oder vielmehr Inkonsequenz der Sammler des Ḳorâns neben zara' زرع auch dzara.. ذرأ in der Bedeutung von säen vor. Im Ḳor. 16, 12—13 erinnert Gott die Menschen an seine Wohlthaten gegen sie und sagt, daſs er ihnen

wir mit Noah [in der Arche] retteten und aus dem Saamen des Abraham und Israel und aus der Zahl derer, welche wir geleitet und auserwählt haben, gegen welche Allah [besonders] gnädig war. Wenn man ihnen Zeichen des Raḥmân vorlas, beugten sie sich und warfen sich zu Boden.

Wenn wir die Korânstellen, welche dem Moḥammad während dieser Periode über das Prophetenthum geoffenbart wurden, für sich betrachten, so kommen wir zur Ueberzeugung, dafs sie unvollständig verdaute Bruchstücke

---

Sonne und Mond und „was er für sie in die Erde säet (ذرأ dzara..)“ unterthänig gemacht hat. Im Ḳor. 6, 137 heifst es: „Sie setzen für Allah von dem was er von Saaten und Thieren säet (ذرأ dzara..) einen Antheil fest.“ Schon in dieser Stelle hat dzara.. viel mehr den Begriff von hervorbringen, wachsen lassen, als von ausstreuen, und dieser Begriff tritt in Ḳor. 7, 178 noch deutlicher hervor. Indessen hat auch زرع zara' in Ḳor. 56, 64 diese Bedeutung, so dafs زرع und ذرأ nur verschiedene Orthographien für ein und dasselbe Wort sind. Da sie beide durch den Ḳorân sanctionirt werden, gingen sie auch beide in die Wörterbücher über. Es kommt noch eine andere Form derselben Wurzel im Arabischen vor, nämlich dzarâ ذرا ohne Hamza; dieser wohnt der Begriff von zerstreuen, nicht aber von säen inne.

Man könnte sagen dzoryyât kann ja ursprünglich Arabisch sein, da doch die genannten arabischen Wurzeln säen bedeuten. Allein dzoryyât mufs auf die Wurzel dzarâ zurückgeführt werden, während ein anderer Plural desselben Wortes, nämlich dzarâriy, von der Wurzel dzarr herkommt. Dzarra heifst der allerkleinste Gegenstand, die ursprüngliche Bedeutung ist aber Sonnenstäubchen. Den Lexicographen zufolge hat das Verbum Dzarr allerdings die Bedeutung zerstreuen, aber wie dzarâ nicht die von säen. Dem Araber kann also keine von den zwei Wurzeln vorgeschwebt haben, als er dzoryyât oder dzarâriy gebrauchte. Aufserdem kann der Umstand, dafs man das Wort auf zwei Wurzeln zurückführen kann als Beweis seines fremden Ursprunges angesehen werden. Auch in der Aussprache herrscht nach Tha'laby 2, 118 Verschiedenheit, die man auch dem fremden Ursprunge zuschreiben mufs. Man spricht, sagt er, dzirrya, dzorryya und dzarryya. Das 'Ayn von Zar'iyôt wurde wie in ذرأ abgeschwächt und hat sich endlich mit dem ihm verwandten R verbunden, welches dadurch verdoppelt wurde.

einer Theorie sind, welche er von den Raḥmânisten erhorcht hatte. Der Prophet ist dieser Theorie zufolge eine Persönlichkeit, welche die Gnade Gottes in einem höhern Grade besitzt als die übrigen Menschen und die höchste Stelle in der himmlischen Rangordnung einnimmt [1]). Er ist jedoch nicht wie bei den Ebioniten (vergl. Bd. I S. 29) eine Inkarnation Christi, sondern es besteht sein Privilegium, indem nicht länger ein lebendiger Geist, sondern ein im Himmel aufbewahrtes Buch als der Urquell der Wahrheit angesehen wird, darin, dafs ihm der Inhalt dieses Buches durch göttliche Erleuchtung bekannt ist. Dafs die Erfinder dieser Theorie der jüdischen Nationalität angehörten, geht daraus hervor, dafs das Prophetenthum ein in der Familie Noah-Abraham erblicher Adel ist [2]). Die arabischen Boten Çâliḥ, Hûd und Scho'ayb werden im Ḳorân nirgends unter die Propheten gezählt. Dafs sich aber die Bekenner dieser Ansicht dem Christenthume zuneigten, beweist der Umstand, dafs sie Jesu eine ganz besondere Auszeichnung zuerkannten. Durch ein Wunder verlieh ihm Gott bald nach seiner Geburt Sprache und er rief aus: Ich habe das Buch erhalten und bin zum Propheten ernannt worden! (Ḳor. 19, 30—31.)

Nicht zu übersehen ist, dafs Ḳor. 19, 59 die Propheten alle den Raḥmân anbeteten. Auch in Ḳ. 43, 44 sagt Gott zu Moḥammad: Frage die Boten, welche wir vor dir gesandt haben, ob wir ihnen aufser dem Raḥmân einen Gott zur Anbetung bestimmt haben. Die Raḥmânisten, welche diese Theorien lehrten, waren also wohl Nachkommen jener Abart von Ebioniten, welche ich Bd. I S. 29 die christlichen Ebioniten nannte. Wie es scheint, wurden sie von den Arabern, und wohl auch von sich selbst, zu den Na-

---

[1]) Selbst die Propheten stehen nicht alle auf derselben Stufe, sondern Gott hat einige vor andern ausgezeichnet Ḳor. 2, 254.

[2]) Siehe aufser den angeführten Stellen auch Ḳor. 29, 26 und Ḳor. 45, 15.

çârà [1]), Christen, gezählt, während die andern, welche Jesum für den Sohn des Joseph hielten, zu den Juden gerechnet werden mochten und sich mit den durch Elxai reformirten Essäern vermischten. Es bleibt noch übrig zu zeigen, dafs sie identisch oder wenigstens verwandt waren mit den Rakûsiern. Von dieser Sekte wissen wir blofs, dafs sie ein Mittelding zwischen dem Christenthum und dem Çâbismus war. Als Stifter des Çâbismus, d. h. der Täuferei, wurde Johannes der Täufer verehrt. Dieser geniefst in Moḥammad's Prophetenlehre nach Jesus die gröfste Auszeichnung, denn auch ihm wurde das Buch in der Kindheit gegeben (Ḳor. 19, 13).

Um die Lehre von einem erblichen Prophetenthume seinem Zwecke anzupassen, hätte Moḥammad in die Religionsgeschichte eingehen und zeigen sollen, wie die Juden

---

[1]) Schon zu Zeit des Epiphanius hatten die Nazaräer, unter welchen wir wohl die in Arabien lebenden christlich-ebionitischen Sekten zu verstehen haben, ähnliche Ansichten über die Propheten. Er sagt: „Sie erkennen den Abraham, Isaak, Jakob, Moses und Aaron, wie auch Jesum, als Propheten an. Den letztern halten sie nur für den Nachfolger des Moses und nichts weiter. Diese zwei sind die Propheten der Wahrheit, *ἀληθειας*, die übrigen die der Intelligenz, *συνεσεως*. Die andern Propheten, nämlich den David, Salomon, Jesaias, Jeremias, Daniel und Ezechiel, wie auch den Isaias und Elisaeus, läugnen und proscribiren sie."

Diese Prophetenliste weicht von der obigen, den Raḥmânisten entnommenen nicht wesentlich ab. Moḥammad war jedoch während dieser Periode zugleich unter andern Einflüssen, und wenn er später den Elisaeus, David etc. nennt, mag es diesen Einflüssen zuzuschreiben sein.

Ueber das Prophetenthum des David scheint sich später, etwa im J. 620, ein Streit entsponnen zu haben. Wir lesen im Ḳor. 17, 57: „Gott [der aus Moḥammad spricht] kennt am besten diejenigen, welche in den Himmeln und auf der Erde sind. Wir haben in der That einige Propheten vor andern ausgezeichnet, und dem David haben wir Zabûre (Psalmen) gegeben." Mir scheint, dafs dies eine Antwort auf den Vorwurf sei, er habe den David von der Prophetenliste ausgeschlossen. Er spricht ihm hier nicht die Kenntnifs des Buches zu, es wurden ihm blos Zabûre, Bruchstücke, geoffenbart.

dieses Privilegiums verlustig und die Heiden berufen worden sind [1]), oder er hätte sogleich auf seiner vermeintlichen Abkunft von Ismael bestehen sollen. In Madyna that er beides; er verdammte die Juden und behauptete, Abraham und Ismael haben das Pilgerfest eingesetzt. Aber zur Zeit als er die Prophetentheorie vorzutragen anfing, scheint er auf die Folgerungen wenig reflektirt und in grofser Abhängigkeit von seinem Lehrer, welcher der jüdischen Nationalität angehörte, gestanden zu haben. Entweder wufste er nicht dafs die Christen die Juden verdammen, oder er wagte es nicht, ihnen das Verdammungsurtheil nachzusprechen; jedenfalls drückt er sich auf eine Weise aus, in welcher selbst ein häretischer Jude sprechen könnte:

19, 60. Es folgte nach ihnen eine Nachkommenschaft, welche das Gebet verloren gehen liefs und ihren Gelüsten folgte. Sie werden gewifs bald ihren Irrthum entdecken,
61. mit Ausnahme derer, die sich bessern, glauben und Gutes thun; diese werden in das Paradies eingehen und nicht im Mindesten ungerecht behandelt werden [2]).

Es erscheint zwar auch Ismael, der angebliche Stammvater der Araber, unter den Propheten, dennoch hat Moḥammad sich selbst nicht in die Familie Noah-Abraham eingeschlossen, sondern er fährt fort, seine Ehrfurcht für die Kinder Israel auszusprechen, und wenn er auch die Lehre von Ismael ausbildete, so geschah dies erst später in einem andern Sinne und zu einem andern Zwecke. Wir müssen daher auch die Behauptung, dafs Ismael ein Prophet war, für von aufsen her gekommen ansehen.

Moḥammad verliefs übrigens die ursprüngliche Idee dieser Prophetentheorie gar bald und, seinem eigenen Ge-

---

[1]) In diesem Sinne ist unter den makkanischen Offenbarungen am stärksten Ḳor. 6, 88—90.

[2]) In dem später geoffenbarten Duplikat dieser zwei Verse, nämlich in Ḳor. 6, 89, neigt sich Moḥammad vielmehr zu der christlichen Anschauung hin.

nius folgend, wandte er einerseits die Lehre von der Bevorzugung der Propheten auf seine eigene Lage an und bewies seinen Feinden, dafs, obschon er nicht zum hohen Adel von Makka gehöre, er doch höher stehe als alle seine Stammgenossen; andrerseits aber drückte er sich heftiger gegen die Juden aus und nahm mit Vorliebe jene Prophetenlegenden in den Ḳorân auf, welche die Erkenntnifs des wahren Gottes fördern konnten, wie in folgender Offenbarung, aus welcher nächst der vorhergehenden die Prophetenlehre am deutlichsten hervorleuchtet [1]). Man findet darin aber eher ein Bemühen, mit seinen Kenntnissen zu überraschen, als an einer Theorie festzuhalten.

6, 74. Es hat ja schon Abraham zu seinem Vater Âzar gesagt: Wie, du erkennst Götzen als Götter an? Meines Erachtens bist du und deine Stammgenossen im handgreiflichen Irrthum.

75. Aus dieser Ursache und damit er zu fester Ueberzeugung gelange, zeigten wir ihm die Regierung [2]) der Himmel und der Erde.

76. Als nämlich die Nacht über ihn hereingebrochen war, erblickte er einen Stern, und er rief aus: Dies ist mein Herr! Als er aber unterging, sagte er: Ich liebe die Untergehenden nicht.

77. Als er den sich erhebenden Mond erblickte, rief

---

[1]) Man wird sehen, dafs Ḳor. 6, 87 mit dem so eben angeführten Ḳor. 19, 59 parallel ist.

[2]) Im Arabischen Malakût. Aehnliche Form haben Nâsût die Menschheit (Christi), Lâhût die Gottheit (Christi), Raḥmût die Barmherzigkeit, Ǧabrût Allmacht, Herrlichkeit, Rahbût das Mönchthum (?), Tâbût Kasten. Auch Ṭâghût mag hieher gehören.

Geiger sagt, dafs „Regierung der Himmel" auch im Rabbinischen oft vorkomme. Im Ḳorân finden wir diesen Ausdruck zwei Mal, und ebenso oft den gleichbedeutenden: „die Regierung von allen Dingen". Sonst gebraucht Moḥammad den Ausdruck Malakût nicht; selbst in der Phrase: „ihm gehört die Regierung der Himmel und der Erde" gebraucht er das arabische Wort mulk, z. B. Ḳ. 7, 158.

er aus: Dies ist mein Herr! Da er aber unterging, sagte er: Wenn mich mein Herr nicht leitet, gehöre ich wahrlich zum Volke der Irrenden.

78. Als er die hervorbrechende Sonne erblickte, rief er aus: Dies ist mein Herr! sie übertrifft ja die andern an Gröſse. Da sie aber unterging, sagte er: O mein Volk, ich halte mich rein von dem, was ihr neben Gott anbetet.

79. Ich meinerseits wende mich als Ḥanyf Dem zu, welcher die Himmel und die Erde erschaffen hat, und will nicht zu denen gehören, die andere Wesen neben ihm verehren.

80. Seine Stammgenossen disputirten mit ihm, er aber sprach: Wie, ihr wollt mich von Allah abwendig machen, nachdem er mich auf den rechten Weg geleitet hat? Ich fürchte mich nicht vor euren Abgöttern. [Sie können mir nichts anhaben], es sei denn, daſs mein Herr es will; denn das Wissen meines Herrn umfaſst alle Dinge. — Nehmet ihr dies denn nicht zu Herzen?

81. Wie soll ich eure Abgötter fürchten, da doch ihr ohne Furcht seid, ungeachtet eurer Sündhaftigkeit, dem Allah Abgötter gleichzustellen, ohne daſs er euch dazu ermächtigt hätte. Welche von beiden Parteien kann auf gröſsere Sicherheit rechnen? Beantwortet diese Frage, wenn ihr unterrichtet seid.

82. Diejenigen, welche glauben und ihren Glauben nicht mit Ungerechtigkeit (Abgötterei) beflecken, sie wohnen in Sicherheit und sie werden geleitet.

83. Dies sind die Beweise, mit welchen wir den Abraham gegen sein Volk ausgerüstet haben. Du siehst, wir erhöhen, wen wir wollen um viele Stufen, denn dein Herr (o Moḥammad) ist weise und allwissend.

84. Und wir schenkten dem Abraham den Isaak und den Jakob und beide haben wir geleitet, und den Noah haben wir schon früher geleitet und unter seinem Saamen den David (Dâwûd), Salomo (Solaymân), Job (Ayyûb),

Joseph (Yûsof), Moses und Aaron — so belohnen wir die Guten —

85. und den Zacharias, Johannes und Jesus, — Alle gehören in die Zahl der Gottseligen —

86. und den Ismael, Elisa' (al-Yasa') [1]), Jonas (Yûnos) und Lot: — wir haben sie vor dem Rest der Menschheit bevorzugt;

87. auch einige von ihren Vätern, Saamen und Brüdern [leiteten wir]. Wir haben sie auserwählt und ihnen die Leitung auf die gerade Strafse angedeihen lassen.

88. Dies ist die Leitung (Gnade) Allah's; er läfst sie angedeihen, wem er will von seinen Dienern. — Wenn sie Abgötter anerkannt hätten, wären ihre guten Werke fruchtlos gewesen.

89. Die Genannten sind es, denen wir das Buch, die [geistliche] Herrschaft und das Prophetenthum verliehen haben; und wenn diese (d. h. die Makkaner) undankbar sind (das Prophetenthum läugnen), nun so haben wir ja Leute berufen, welche nicht undankbar sind.

90. Die Genannten sind es, welche Allah geleitet hat, und dieser ihrer Leitung folge du [o Moḥammad]! Sage: Ich verlange keinen Lohn dafür, denn dies ist nichts Anderes als eine Ermahnung für die Menschheit.

Diese den Juden entlehnte [2]) Legende ist uns schon aus Herder's Werken bekannt.

In Vers 89 und in vielen anderen Ḳorânstellen spricht Moḥammad von der geistlichen Herrschaft der Propheten,

---

[1]) Die festen Theile dieses Namens sind dieselben wie im Hebräischen. Die kurzen Vokale sind im Ḳorân erst spät hinzugefügt worden. Es ist daher wohl der Unwissenheit und dem Dünkel der Vokalisatoren zuzuschreiben, dafs sie nicht, wie die Juden, Elysa' lesen, sondern die erste Sylbe für den arabischen Artikel ansehen und auch den Rest des Namens zu einem arabischen Wort machen, denn yasa' heifst „er wird erweitern“, oder „Erweitérer“.

[2]) Vergl. Beer's „Leben Abraham's“. Leipz. 1859. S. 3.

auch dem Volke Israel wird sie zugesprochen (Ḳor. 45, 15). Die Wörter im Original dafür sind Ḥokm und das gleichbedeutende aber aramäische Sulṭân. Manches Mal müssen sie im Deutschen durch Vollmacht wiedergegeben werden. Den Clementinen zufolge bedarf die Offenbarung keiner äufsern Beweise. Sie mufs sich dadurch bewähren, dafs sie mit dem Gottesbewufstsein der Gläubigen übereinstimmt und ihren Bedürfnissen entspricht. In Einzelheiten mufsten diese verschiedener Meinung sein. Um solche Streitigkeiten zu schlichten, mufsten die Lehren der Propheten als Machtsprüche angesehen und diesen die geistliche Herrschaft zugesprochen werden. Im folgenden Kapitel werden wir einen Fall finden, in welchem Moḥammad, als Träger des geistlichen Schiedsrichteramtes, durch einen Machtspruch den Streit zwischen den Schriftbesitzern über gewisse Punkte seiner Lehre entschied. Die betreffende Ḳorânstelle (13, 37) ist auch diejenige, aus welcher der Begriff, den er mit der geistlichen Herrschaft verband, am deutlichsten hervorleuchtet [1]).

---

[1]) Die Identität der Bedeutung von Ḥokm und Sulṭân ergiebt sich aus der Vergleichung von Ḳor. 11, 99. 23, 47. 28, 35. 40, 24. 44, 18. 51, 38 mit Ḳor. 26, 20. 28, 13. In Act. Apost. 8, 19, wo von der durch Handauflegung mitgetheilten Exusia die Rede ist, wird dieses Wort im Syrischen und Arabischen durch Sulṭân übersetzt, und es kommen auch Ḳorânstellen vor, in denen es die mit Exusia verwandte Bedeutung, „amtliche Befugnifs" hat, z. B. Ḳor. 37, 29. Die Macht kommt nur Gott zu, während seine Gesandten nur eine Macht (einen Theil derselben) besitzen. Vor Sulṭân steht in dieser Anwendung „ein", vor Ḥokm nur in wenigen Fällen der bestimmte Artikel wie 19, 13. 6, 89. 45, 15. 3, 73. Begreiflicher Weise sind die Heiden ohne alle Befugnifs, wie Ḳ. 12, 40. 7, 69. 10, 69. 53, 23. 18, 14. 52, 38. 6, 81, und Moḥammad hält es daher für höchst unbescheiden, dafs sie dennoch mit ihm disputiren, Ḳ. 40, 37. Wenn er in Ḳ. 37, 157 eine Schrift verlangt als Beweis ihrer Befugnifs, so ist nicht ein Beglaubigungsschreiben, sondern eine Offenbarung zu verstehen, vergl. Ḳ. 13, 37. Auch hier nehmen wir die psychologi-

In Sûra 37 bearbeitet er die Prophetentheorie noch einmal. Er betont mehr die aus der Gnade Gottes fliefsende hohe Würde, als den angeborenen Adel derselben und entfernt sich somit von der ursprünglichen Lehre zum Behufe der Nutzanwendung auf seine eigenen Verhältnisse.

37, 67. Wahrlich, irrend folgen sie ihren Vätern
68. und eilig treten sie in ihre Fufstapfen.
69. Es sind aber vor ihnen die meisten unter den Alten irre gegangen,
70. und wir haben Warner zu ihnen gesandt,
71. und sieh, was die Gewarnten für ein Ende nahmen,
72. mit Ausnahme der ausschliefslich dem Allah ergebenen Diener.
73. Schon Noah hat uns angerufen — wir sind auch die besten Erhörer,
74. und wir retteten ihn und die Seinen aus dem schweren Drangsal [1])

---

sche Erscheinung wahr, dafs Moḥammad und die judenchristlichen Schwärmer vor ihm alle Attribute des Prophetenthums, wie Forḳân Erlösung, Sulṭân Exusia, weil sie ihrem Ideale desselben, insofern es auch Wundergabe mit inbegriff, nicht ganz ansprechen konnten, in der inneren Erleuchtung, d. h. Schwärmerei, fanden. Die Juden, wie es scheint, sagten es den Makkanern, dafs die Exusia sich auch in der Wundergabe äufsere, wie dies Moḥammad in Bezug auf Moses, dem sie besonders zugesprochen wurde, selbst anerkannt hatte. Er legt seine Antwort dem Moses in den Mund, und dieser sagt in Ḳorân 14, 1—20 zu den Juden, dafs auch Propheten vor ihm diese Exusia nicht besafsen, sondern nur die Kenntnifs des wahren Gottes. Weil er dieser Anforderung nicht entsprechen konnte, sprach er in Zukunft wenig von der Exusia. Es ist dies ein Glück für seine Religion, denn sonst wäre ein geweihtes Priesterthum entstanden wie dies bei den Schy'iten in einem gewissen Sinne der Fall war und noch ist.

[1]) Vergl. Ḳor. 21, 76.

75. und fügten es, dafs sie, seine Nachkommen (wörtlich sein Saame), noch Uebrige seien,

76. und wir bewahrten bei der Nachwelt den Segensruf:

77. Heil dem Noah vor den übrigen Menschen!

78. — So belohnen wir die Guten —

79. denn er war einer unserer gläubigen Diener.

80. Dann ertränkten wir die Uebrigen.

81. Von seiner Sekte war in der That Abraham;

82. bekanntlich brachte er seinem Herrn ein reines Herz dar

83. und sagte zu seinem Vater und zu seinem Volke: Was betet ihr denn an?

84. Wie, eine Fiktion, [nämlich] Götter aufser Allah wählet ihr!

85. Was ist eure Vorstellung vom Herrn der Welten!

86. Er warf einen Blick zu den Sternen

87. und sprach: Mir wird übel (d. h. der Sterndienst ist mir unerträglich)[2]).

88. Sie wendeten ihm den Rücken und gingen fort.

89. Er schlich zu ihren Göttern und sprach: Esset ihr nicht?

90. was ist euch, dafs ihr nicht sprechet?

91. Darauf schlich er an sie heran, mit seiner Rechten einen Schlag führend.

92. Eilend kamen die Leute auf ihn zu.

93. Er aber sprach: Wie, ihr betet an, was ihr geschnitzt habet?

94. während es doch Allah ist, der euch und das Werk eurer Hände (die Götzen) erschaffen hat.

---

[2]) Bei Suidas in der lateinischen Uebersetzung sagt Abraham: molestia afficior animo dubitans. Aus einer wohlverbürgten Tradition bei Moslim, Bd. 2 S. 445, geht hervor, dafs Abû Horayra die Ḳorânstelle so verstand, als hätte Abraham vorgegeben, dafs er krank sei.

95. Sie sagten: Errichtet einen Thurm für ihn und
werfet ihn in die Flamme.
96. So schmiedeten sie Pläne gegen ihn, wir aber
liefsen sie zu Schanden werden.
97. Abraham sprach: Ich ziehe zu meinem Herrn hin,
er wird mich leiten.
98. Herr, schenke mir einen frommen [Sohn]!
99. Wir verkündeten ihm auch einen vernünftigen
Knaben.
100. Als er alt genug war, mit ihm zu schaffen,
101. sprach er: O mein Söhnchen, in einem Traumgesicht habe ich gesehen, dafs ich dich schlachten soll,
überlege, was zu thun ist?
102. Er antwortete: O mein Vater, thue, was dir befohlen wird, und so Gott will, wirst du mich geduldig finden.
103. Nachdem sie sich beide [dem Willen Gottes] unterworfen und er ihn auf das Angesicht gelegt hatte,
104. riefen wir ihm zu: O Abraham,
105. du hast schon bewiesen, dafs du das Traumgesicht für wahr hieltest. — So belohnen wir die Guten.
106. Dies war offenbar nur eine Prüfung.
107. Wir kauften ihn durch ein edles Opfer los
108. und bewahrten bei der Nachwelt den Segensruf:
109. Heil dem Abraham! [1])
110. — So belohnen wir die Guten. —
111. Er war einer unserer gläubigen Diener.
112. Dem Abraham haben wir den Isaak, einen Propheten von den Gottseligen verheifsen.
113. Wir haben ihn und den Isaak gesegnet, und unter seinem Saamen giebt es einen Guten und einen, welcher offenbar zu seinem Nachtheil ungerecht ist.

[1]) So oft die Moslime den Namen des Moḥammad oder eines andern Propheten aussprechen fügen sie hinzu „welchem Heil sei!“ Aus dieser Sûra scheint hervorzugehen, dafs sie diese Sitte ihren Vorgängern entlehnt haben.

114. Auch haben wir uns schon gegen den Moses und Aaron gnädig bewiesen,

115. und haben sie und ihr Volk von dem grofsen Drangsal gerettet,

116. ihnen unsern Beistand angedeihen lassen — sie sind es nämlich, welche siegreich waren —

117. ihnen das deutliche Buch gegeben,

118. sie auf die gerade Strafse geleitet

119. und in der Nachwelt den Segensruf bewahrt.

120. Heil dem Moses und Aaron!

121. — So belohnen wir die Guten —

122. denn sie gehörten zu unsern gläubigen Dienern.

123. Auch Elias gehörte in der That zu den Gesandten.

124. Er sprach ja zu seinem Volke: Seid ihr nicht mit Furcht erfüllt?

125. Wie, ihr ruft Baal an und verläfst den besten unter den Schöpfern.

126. Allah ist euer Gott und der Gott eurer Voreltern.

127. Sie erklärten, er sei ein Lügner; sie sollen aber [vor Gottes Richterstuhl] zu erscheinen haben,

128. ausgenommen die ausschliefslich dem Allah ergebenen Diener.

129. Wir haben in der Nachwelt den Segensruf bewahrt:

130. Heil den Eliasen!

131. — So belohnen wir die Guten —

132. denn er war wahrlich einer unserer gläubigen Diener.

133. Lot war einer der Gesandten.

134. Wir retteten ihn und alle die Seinen,

135. ausgenommen eine alte Frau, eine der Ghâbiryn (Uebertreter des Gesetzes);

136. dann vertilgten wir die Uebrigen.

137. Ihr [o Ḳorayschiten] zieht ja bei der Stätte vorüber am Morgen

138. oder in der Nacht; kommt ihr denn nicht zur Besinnung?

Hier folgt die Geschichte des Jonas, die wir bereits kennen (oben S. 30). Auch diese Stelle und die daran angeknüpften Bemerkungen mufs man nachlesen, um die Tendenz der Inspiration ganz zu begreifen. Sie ist zum Theil die letzte Redaktion der Straflegenden. Der Verfasser läfst den Çâliḥ, Hûd und Scho'ayb, weil sie keine Propheten waren, fallen und nimmt blofs dasjenige auf, was sich in dem Controverse mit den Christen als richtig erwiesen hatte, fügt die Namen und Geschichten von Propheten hinzu, welche ihm unterdessen bekannt geworden waren und zieht eine neue Moral aus der Erzählung. Die Thatsache, dafs frühere Generationen wegen ihres Unglaubens vertilgt und die Gläubigen gerettet worden waren, steht fest, aber er droht den Makkanern nicht länger ein ähnliches Schicksal [1]), sondern zeigt, wie hoch die Gottgesandten stehen, und zwar als Belohnung für ihren Glauben und in Folge göttlicher Gnade. Des Erbadels der Familie Noah-Abraham wird nicht mehr erwähnt, denn Moḥammad steht wieder auf seinem eigenen Boden, und wenn er auch den Stoff als bekannt voraussetzt und gewissermafsen zugiebt, dafs er ihn von aufsen erhalten habe, so hält er doch die Auffassung desselben für eine Offenbarung.

Um die Macht des Geistes würdigen zu können, der den Moḥammad beseelte, mufs man sich in seine Lage versetzen. Er war umgeben von Feinden, die ihn verachteten; die aus fernen Landen herbeigeeilten Freunde setzten ihm zu, um ihn, den Wundermann, zu ihrer Ueberzeugung zu bringen, und seinen Anhängern durfte er das, was seine Seele am meisten bewegte, nicht mittheilen. Er

---

[1]) Ein Grund, warum er gerade die Geschichte des Jonas weitläufiger als die der übrigen Propheten erzählt, ist bereits hervorgehoben worden; der andere ist wohl der, dafs die Stadt Ninive nach Vers 148 dennoch nicht unterging, also hatte auch Makka nicht länger zu fürchten.

stand also ganz allein, und sein einziger Trost war, dafs auch seine Vorgänger grofsen Drangsalen ausgesetzt waren, dafs sie aber Gott daraus gerettet hat. Der Gedanke an die hohe Würde des Prophetenthums gab ihm Kraft, sich selbst zu genügen; wenn wir aber seine Lage betrachten, kommt uns dieser Gedanke wie eine Monomanie vor. Allein so grofs ist die Verblendung dieser Leute — aber kann man Erwartungen, die sich am Ende doch verwirklicht haben, Verblendung heifsen? — dafs Swedenborg bis auf den letzten Augenblick seines Lebens an die Wahrheit und den endlichen Sieg seiner Träumereien glaubte. Ich wiederhole es: auch die Vision, Narrheit, Verblendung und Lüge (werden doch in unserer Zeit grofse Ereignisse von Diplomaten geleitet) haben ihre Bestimmung in der Weltgeschichte, denn sie ist einmal eine Geschichte der Menschheit.

Folgende Offenbarung schliefst sich an die vorige an. Während jene mit der Geschichte eines reumüthigen Propheten, der wieder zu Ehren kommt, aufhört, fängt diese damit an, und sie mag daher sogar älter sein; denn das »er bekehrte sich zu Gott» oder »er war reumüthig«, welches in einem Theile der Inspiration den Refrain bildet (selbst wo er nicht an seinem Orte ist), scheint anzudeuten, dafs sie Moḥammad nicht lange nach seinem Vergehen, also etwa gegen Ende 616, vorgetragen habe. Er zeigt den Aristokraten, dafs Gott seinen Propheten auch irdische Gaben zu Theil werden lasse, denn der reumüthige Prophet ist ein König, wie wenn er geahnt hätte, welche Höhe ihm und seiner Schöpfung bevorstehe:

38, 16. Ertrage geduldig, was sie sagen und erwähne unsern Diener David, dem wir Macht verliehen, weil er war ein Sich-Bekehrender [1]).

---

[1]) Dies ist die Bedeutung von Awwâb den meisten Commentatoren zufolge; Sa'yd b. Ġobayr hingegen behauptet, es sei ein abessynisches Wort und bedeute Subḥân-Rufer (Lobpreiser des Herrn). Diese Bezeichnung würde auf den Psalmisten gut passen.

17. Wir zwangen die Berge, mit ihm das Subḥân Abends und Morgens anzustimmen.

18. Auch die Vögel, welche wir um ihn versammelten: beide (Berge und Vögel) waren durch ihn Sich-Bekehrende.

19. Wir befestigten seine Herrschaft und gaben ihm Weisheit und Geschick, Streitigkeiten zu entscheiden.

20. Hast du nicht [durch äufsere Mittheilung] die Geschichte des Streites vernommen? Wie sie über die Mauer in das Gemach stiegen

21. und vor David traten. Er erschrak, sie aber sprachen: Fürchte dich nicht, wir haben einen Streit, einer hat sich gegen den andern vergangen. Entscheide zwischen uns mit Gerechtigkeit, sei nicht unbillig und führe uns auf die gerade Strafse.

22. Hier ist mein Bruder; er hat neunundneunzig Lämmer und ich habe ein einziges Lamm. Er sprach zu mir: Ueberlafs es mir [zur Pflege]! und er besiegte mich im Wortstreit.

23. David sprach: Er war ungerecht gegen dich, indem er dein Lamm zu seinen Lämmern verlangte. Unternehmer vergehen sich gar oft gegen Andere [1]). David merkte,

---

[1]) Hier ist eingeschaltet: „ausgenommen diejenigen, welche glauben und das Gute thun; diese sind aber selten.“ Ich halte dies für einen madynischen, durch die Aengstlichkeit der Gläubigen hervorgerufenen Zusatz. Das Wort, welches ich durch Unternehmer übersetze, bedeutet wörtlich Mischer, d. h. Leute, welche Geld von Pflegekindern oder von Kapitalisten nehmen, es mit dem ihrigen mischen, damit Geschäfte treiben und dann den Eigenthümern einen Theil des Profites geben. Auf diesen Gegenstand bezügliche Rechtsfragen kamen in Madyna, wie wir sehen werden, zur Sprache. Moḥammad gab ein sehr einseitiges Gutachten ab und verdammte Vormünder [und Unternehmer] sammt und sonders, mufste aber bald darauf den bis dahin beobachteten Usus bestätigen. Die Gläubigen mochten nun in obiger Stelle einen Widerspruch mit dem bestätigten Usus finden; um ihre Skrupel zu beseitigen, schaltete er die in Madyna beliebte Phrase „ausgenommen diejenigen etc.“ ein.

dafs wir ihn versuchten; er bat seinen Herrn um Verzeihung, warf sich anbetend auf die Erde und bekehrte sich.

24. Wir verziehen ihm. Er stand bei uns in Gnaden und es erwartet ihn [jenseits] eine schöne Zukunft.

25. [Wir sprachen zu ihm:] O David, wir haben dich zum Statthalter auf Erden eingesetzt; entscheide zwischen den Menschen mit Gerechtigkeit und folge nicht deiner Lust, sonst wird sie dich von dem Wege Allah's in den Irrthum führen; und Jener, welche sich von dem Wege Allah's entfernen, wartet eine arge Strafe, weil sie den Tag der Abrechnung vergessen.

26. Wir haben den Himmel und die Erde und was dazwischen ist, nicht zum eiteln Spiel bestimmt, wie die Ungläubigen meinen; aber weh den Ungläubigen ob des Höllenfeuers!

27. Werden wir also die Gläubigen und Gutesthuenden den Missethätern oder die Gottesfürchtigen den Ausschweifenden gleichstellen? [1])

28. Ein gewisses Buch, welches wir dir geoffenbart haben, ist gesegnet, auf dafs sie seine Zeichen überlegen und auf dafs die Vernünftigen diese zu Herzen nehmen [2]).

29. Dem David haben wir den Salomo geschenkt. Er war ein vortrefflicher Diener, denn er war ein Sich-Bekehrender.

30. Bekanntlich wurden ihm eines Abends die schnelllaufenden edlen Pferde vorgeführt,

31. und er sprach: Bisher habe ich mich durch die

---

[1]) Vergl. Ḳor. 68, 35.

[2]) Digressionen wie diese sind sehr charakteristisch. Wir sehen, dafs, als Mohammad die Geschichte erzählte, er von dem Ernste des Lebens und unserer Verantwortlichkeit ganz erfüllt war, und dafs er die Ueberzeugung hegte, seine Offenbarungen würden auch Andern dieselben Gefühle einflöfsen. Die geringste Veranlassung genügte daher, ihn zu bewegen, den Gegenstand zu unterbrechen und seinen frommen Gefühlen Luft zu machen.

Leidenschaft für diesen Luxus von dem Gedanken an meinen Herrn hinwegziehen lassen [1]). Indessen ging die Sonne unter.

32. [Er sprach:] Führt die Pferde wieder vor! und er bestrich ihre Schenkel und Nacken [2]).

33. Früher aber hatten wir den Salomo auch geprüft und auf seinen Thron einen Körper gesetzt. Darauf bekehrte er sich [3]).

34. Er sprach: Herr, vergieb mir und schenke mir ein solches Reich, dafs keiner nach mir mich erreichen kann.

35. Wir unterwarfen ihm nun [seiner Reue wegen] den Wind, welcher auf seinen Befehl sanft hinwehte, wo er wollte

36. und die Satane, sowohl die aufbauenden als auch die untertauchenden [um Perlen zu fischen].

37. Auch andere, die in Banden geschlagen sind [unterwarfen wir ihm mit den Worten:]

38. »Dies sind unsere Geschenke, du kannst gewähren oder vorenthalten, ohne Rechnung zu geben.«

39. Er stand bei uns in Gnaden und es erwartete ihn eine schöne Zukunft.

40. Erwähne auch unseres Dieners Job. Er rief zu

---

[1]) Der Pferdeluxus des Salomon findet sich auch 1. Buch der Könige 5, 6 und 10, 26, und hierdurch übertrat er das Verbot im 5. Buch Mosis 16, 16. Er liefs daher, als er Bufse that, seine Pferde untauglich machen. Vergl. auch Tr. Sanhedrin fol. 21 b und Geiger a. a. O. S. 188. [Ullmann.]

[2]) Nach einigen heifst es, dafs er mit dem Schwert die Schenkel und den Nacken bestrich, d. h. sie abhieb; nach Andern, dafs er sie mit der Hand aus Liebe bestrich.

[3]) Er wurde nämlich durch seine Sünden gezwungen, seinen Thron zu verlassen, welchen bis zu seiner Bekehrung ein Geist in seiner Gestalt einnahm. Vergl. Tr. Sanhedrin fol. 29 b, und Midr. Jalkut zu 1. Buch der Könige, Kap. 6 §. 182, und Geiger a. a. O. [Ullmann.]

seinem Herrn: Der Satan hat Elend und Pein über mich gebracht.

41. »Stampfe mit deinem Fuſse! Hier hast du ein kaltes Bad und Trank.« [Auf das Stampfen kam nämlich Wasser hervor.]

42. Und wir gaben ihm seine Leute zurück und noch einmal so viel dazu. Wir thaten dies aus Barmherzigkeit und zur Beherzigung der Einsichtsvollen.

43. »Ferner nimm eine Ruthe, schlage [dein Weib] damit und verletze deinen Eid nicht« [er hatte nämlich geschworen, sie zu züchtigen]. Wir handelten so an ihm, denn er hatte sich geduldig erwiesen.

44. Ein vortrefflicher Diener war Job; denn er war ein Sich-Bekehrender.

45. Erwähne auch unserer Diener Abraham, Isaak und Jakob — Leute mit Händen und Augen.

46. Wir haben sie ausschlieſslich auserkoren. — Dies ist die [Folge der] Beherzigung des Jenseits!

47. Wir zählen sie unter die Auserwählten und Besten.

48. Erwähne auch des Ismael, Elisa, Dzû-lkifl [1]). — Alle gehörten zu den Besten.

---

[1]) Die Namen, welche mit Dzû anfangen, gehören meistens dem Dialekte von Yaman an. Dieses Land war, als Moḥammad auftrat, in Grafschaften getheilt, und die Besitzer wurden darnach genannt, z. B. Dzû Roʿayn d. h. der Herr der Grafschaft Roʿayn. Wie wir von „Baron von Habenichts" sprechen, so wurde Dzû (wörtlich: Eigenthümer) auch häufig in Fällen gebraucht, wo von keinem Landbesitz die Rede war, wie Dzû-lschanâṭyr, der Herr der Ohrringe, ein Spitzname des Lachnyʿa, Dzû-laktâf, Herr der Schultern und dgl. m. In dem Dialecte von Makka würde man solche Spitznamen durch Abû, Vater, gebildet haben; so nannte man z. B. den ʿAlyy, weil er ein Mal ganz mit Staub bedeckt war, Abû-ltorâb. Wenn man solche yamanische Namen wörtlich in's Ḳorân-Arabische übersetzt hätte, so würde man (obwohl Dzû in Makka bekannt war) Çâḥib gesagt haben. So kommt im Ḳorân neben Dzû-lnûn, Herr von Fisch, auch Çâḥib alḥûṭ, Fischmann, als Benennung von Jonas vor. Der Gebrauch von Dzû war in solchen Fällen nicht auf die

In Sûra 21 nennt er wieder die Propheten und Boten Gottes und trägt einige Legenden nach. Am Ende setzt er hinzu, dafs sie alle zu einer Kirche gehörten und denselben Gott predigten (V. 92 ff.). Der gesunde Menschenverstand hat somit über die Theorie des Erbadels der Propheten den Sieg davongetragen. Indessen Abraham blieb ihm auch später noch eine wichtige Persönlichkeit. Die Idee der Einheit der geoffenbarten Religionen hat er zwar schon seinen nach Abessynien auswandernden Schülern, ungefähr im Winter 617—618 eingeprägt, diese Inspiration ist jedoch viel spätern Datums; der Geist Gottes erscheint darin schon als eine Kraftäufserung, und die Lehre von den Propheten ist vollständig verarbeitet:

21, 49. Wir haben schon dem Moses und Aaron den Forḳân (Erlösung), ein Licht und eine Ermahnung gegeben für die Gottesfürchtigen,

50. welche ihren Herrn fürchten, obschon sie ihn nicht sehen. — Diese sind es, welche vor der Stunde zittern.

51. Auch dies ist eine Ermahnung; sie ist gesegnet und kommt von uns. Wollt ihr sie dennoch verläugnen?

52. Und wir haben schon vorher dem Abraham seine Leitung gegeben, denn wir kannten ihn.

53. Er sprach ja zu seinem Vater und zu seinem Volke: Was sind dies für Bilder, die ihr anbetet?

54. Sie antworteten: Wir fanden, dafs unsere Väter ihnen dienten.

55. Er sprach: Ihr und eure Väter seid offenbar im Irrthum gewesen.

56. Sie sagten: Verkündest du uns die Wahrheit oder scherzest du?

Landschaft von Yaman beschränkt, sondern es war wohl auch unter den im Norden wohnenden yamanischen Stämmen, also in dem von Dr. Blau ḳodhâ'isch genannten Dialekt üblich. Im Aramäischen bildet man damit den Genetiv. Dzû-lḳifl scheint eine populäre Benennung eines Propheten zu sein; es läfst sich aber nicht mit Sicherheit ermitteln, welcher darunter gemeint sei.

57. Er antwortete: Euer Herr ist der Herr der Himmel und der Erde, derjenige, welcher sie erschaffen hat, und ich bin einer derjenigen, die dafür Zeugnifs ablegen.

58. Bei Gott, ich will euren Götzen nachstellen, sobald ihr ihnen den Rücken wendet und fort seid.

59. Er zertrümmerte sie, mit Ausnahme eines ihrer grofsen Götzen, damit sie sich an denselben wenden sollten.

60. Einige fragten: Wer hat dies unsern Göttern gethan? Er gehört wahrlich in die Zahl der Ungerechten.

61. Andere antworteten: Wir hörten einen jungen Mann Namens Abraham über die Götter disputiren.

62. Sie sagten: Bringt ihn vor die Augen der Leute, damit sie Zeugen seien [von dem, was geschieht].

63. Dann fragten sie ihn: Hast du das unsern Göttern gethan, o Abraham?

64. Er antwortete: Nein, dieser Grofse da hat es gethan; fragt sie, wenn sie sprechen können.

65. Sie kamen zur Besinnung und sagten: Wahrlich ihr, ihr seid die Ungerechten.

66. Bald darauf aber stellten sie sich wieder auf ihre Köpfe [1]) [und sagten]: Du weifst, dafs sie nicht reden.

67. Er sprach: Ihr betet also neben Allah etwas an, was euch nichts nützt und nichts schadet? Schande euch und dem, was ihr aufser Allah anbetet! — Kommt ihr nicht zur Vernunft? [2])

68. Sie sagten: Verbrennet ihn und steht euren Göttern bei! Thut es ja!

69. Wir sprachen: O Feuer, sei Kühlung und Heil für Abraham!

---

[1]) Man sagt nokisa almarydh, der Kranke hatte einen Rückfall; der Satz bedeutet also: sie kehrten zu ihrer früheren Verstocktheit zurück.

[2]) Eine viel weniger poetische Version dieser Geschichte ist in Beer's „Leben Abraham's" S. 12.

70. Sie wollten ihm Böses anthun; wir fügten es, dafs den gröfsten Schaden sie erlitten.

71. Ihn aber und den Lot retteten wir in das Land, über das wir unsern Segen ergossen haben, zum Heil der Menschheit.

72. Und wir schenkten ihm den Isaak und obendrein den Jakob und wir machten sie alle rechtschaffen.

73. Wir stellten sie als Vorbilder auf, welche [die Menschen] auf unsern Befehl leiten, und wir offenbarten ihnen, das Gute zu thun, das Gebet zu verrichten und das [vorgeschriebene] Almosen zu geben. — Und sie waren uns unterthänig.

74. Und Lot. Wir rüsteten ihn mit Vollmacht und Wissen aus und retteten ihn von der Stadt, welche Schändlichkeiten zu verüben pflegte, denn die Einwohner waren ein böses verdorbenes Volk;

75. und wir führten ihn in unsere Gnade (raḫma) ein, weil er zu den Rechtschaffenen gehörte.

76. Und Noah. Er hat uns ja schon vor den Genannten angerufen und wir haben ihn erhört und ihn und die Seinen aus dem grofsen Drangsal gerettet,

77. und wir standen ihm bei gegen das Volk, welches unsere Zeichen als Trug erklärte, weil es ein böses Volk war, und wir ersäuften es sammt und sonders.

78. Und David und Salomo. Sie sprachen ja (d. h. wie bekannt ist) ein Urtheil aus über den Acker, weil Nachts die Schaafe der Nachbarn hineingerathen waren. Wir waren zugegen bei der Schlichtung

79. und gaben dem Salomo Einsicht in den Streit und beiden verliehen wir Vollmacht und Kenntnifs. Und wir zwangen die Berge, mit David unser Lob anzustimmen, und auch die Vögel. Ja, wir haben es gethan.

80. Wir haben ihm die Kunst, ein gewisses Kleid (Panzer) für euch zu machen gelehrt, damit es euch gegen eure Angriffe schütze. — Seid ihr auch dankbar?

81. Dem Salomo haben wir den Wind unterworfen mit seiner Schnelligkeit, welcher auf seinen Befehl hineilte in das Land, über das wir unsern Segen ergossen haben. — Wir waren über alles unterrichtet..

82. Auch einige Satane unterwarfen wir ihm, welche für ihn tauchten und andere Geschäfte verrichteten — und wir bewachten sie.

83. Und Job. Bekanntlich rief er zu seinem Herrn: Das Elend hat mich betroffen, aber du bist der Gnädigste der Gnädigen!

84. Wir erhörten ihn und wandten das Elend, das auf ihm lastete, von ihm ab und gaben ihm seine Leute zurück und noch einmal so viel dazu. Wir thaten dies aus Barmherzigkeit und zur Beherzigung derer, die uns dienen.

85. Und Ismael, Idrys und Dzû-lkifl — alle gehörten sie zu den Ausdauernden —

86. und wir führten sie in unsere Gnade ein, denn sie gehörten zu den Rechtschaffenen.

87. Und Dzû-lnûn (Jonas). Bekanntlich ging er zornig davon; denn er glaubte, wir können ihn nicht erreichen. Dann rief er aus den Finsternissen: Es giebt keinen Gott aufser dir. Lob sei dir! Ich gehörte wahrlich zu den Ungerechten.

88. Wir erhörten ihn und retteten ihn aus der Betrübnifs. — So retten wir die Gläubigen.

89. Und Zacharias. Er rief ja zu seinem Herrn: Herr, lafs mich nicht allein (d. h. ohne Sohn) — jedoch du bist der beste Erbe.

90. Wir erhörten ihn und schenkten ihm den Johannes und machten sein Weib fruchtbar. — Sie (die genannten Propheten) pflegten im Guten zu wetteifern und uns voll Eifer anzurufen und sich uns demüthig zu unterwerfen.

91. Und das Weib (Maria), welche ihre Keuschheit bewahrte. Wir hauchten etwas von unserm Rûḥ (Odem)

in sie [1]) und machten sie und ihren Sohn zu einem Zeichen für die Menschheit.

92. Seht, dies ist eure Kirche; es ist nur eine Kirche, und ich bin euer Herr. Betet mich an!

93. Sie haben die Glaubenseinheit unter sich aufgelöst (sich in Sekten getrennt). Aber alle müssen einst vor uns erscheinen.

94. Das Streben desjenigen, welcher gute Werke gethan hat, wird, vorausgesetzt dafs er ein Gläubiger sei, nicht verkannt werden; wir schreiben es ihm zu Gute [welchem Propheten er auch folgte].

Wir haben nun alle im Korân erwähnten Propheten und, mit wenigen Ausnahmen, ihre Geschichte, soweit sie dem Moḥammad in Makka bekannt wurde, aufgeführt. In Madyna, wo er unter Juden lebte und Christen unter seinen Unterthanen zählte, standen ihm ganz andere Quellen offen; aber gerade deswegen befafste er sich nicht mit diesem Gegenstand, aufser insofern es die Polemik unausweichbar machte, und dann hielt er sich begreiflicher Weise so weit es möglich war an seine früheren Offenbarungen. Wir finden nur in Einer madynischen Inspiration, welche er bald nach seiner Ankunft daselbst an die Juden gerichtet hat, einen neuen Namen, nämlich Asbâṭ, den er aber, weil er damals nicht wufste was er bedeute, besser ausgelassen hätte:

4, 161. Wir haben dir Offenbarungen mitgetheilt, wie wir Offenbarungen mitgetheilt haben dem Noah und den Propheten nach ihm. Dem Abraham haben wir Offenbarungen mitgetheilt und dem Ismael, und Isaak, und Jakob, und Asbâṭ, und Jesu, und Job und Jonas, und Aaron, und Salomo; und dem David haben wir Zobûre gegeben.

---

[1]) Nach Baghawy läfst dieser Satz eine andere Auffassung zu, nämlich: Wir bliesen in sie durch die Vermittelung unseres Ruḥ, Geistes.

18*

162. Es giebt Gottgesandte, von denen wir dir schon früher erzählt haben, und solche, von denen wir dir nicht erzählt haben. Und mit Moses hat Allah sprechend gesprochen!

Dafs Asbâṭ hier von Moḥammad für den Namen eines Propheten gehalten wurde, geht aus dem Context hervor. Diese Auffassung ist auch die Ursache, dafs frühe Moslime Asbâṭ als Eigennamen benutzten. So trug ein berühmter Ascet und Traditionist den Namen Asbâṭ. Es ist ein jüdisches Wort, und in einer andern Ḳorânstelle kommt es in seiner richtigen Bedeutung »Stämme Israel« vor; Moḥammad hat sie also erst später erfahren.

Es ist bereits Bd. I S. 490 (vergl. Ḳor. 37, 81 und 42, 11) gesagt worden, dafs Moḥammad einige Zeit den Noah als den Gründer der Einheitslehre ansah und sich mit ihm identificirte (z. B. Ḳor. 21, 77 und 37, 73). Nachdem er aber durch die Verdammung der Engelanbetung mit dem Heidenthume ganz gebrochen hatte, fand er die schönen Parabeln, durch welche die Sage den Abraham die Einheit Gottes deutlich machen läfst, sehr tauglich für seine Zwecke; aufserdem machten es die Zeitverhältnisse gerade wünschenswerth, dafs er eine gröfsere Kenntnifs der Prophetengeschichte zeigen sollte, gleichviel ob sie durch beständige Wiederholung zur eigenen Inspiration geworden sind oder nicht, und so bearbeitete er viele Legenden, welche er durch Vermittlung seines Lehrers erhalten hatte. In diesen Legenden, weil sie von abrahamitischen Çâbiern herrühren, spielt Abraham eine grofse Rolle. Er ist der Stifter des Islâm, jener Urreligion [1]), welche

[1]) Wenn Moḥammad von der Religion des Abraham spricht, so gebraucht er gewöhnlich nicht Dyn für Religion, sondern Milla (Ḳ. 2, 124. 129; 3, 89; 4, 124; 6, 162; 12, 37—38; 16, 124; 22, 32). Aufserdem kommt Milla nur noch sechs Mal im Ḳorân vor. Die arabischen Philologen haben es versucht, das Wort aus ihrer Muttersprache zu erklären. Malla bedeutet Feuer oder heifse Asche im

auch Ḥanyferei genannt wurde. Moḥammad bekennt sich offen dazu (Ḳor. 6, 79; 10, 105), indem er behauptet, Gott habe ihm befohlen, sich ihr anzuschliefsen:

16, 121. Abraham bildete für sich selbst eine dem Allah ergebene [1]) ḥanyfische (Gott sich zuwendende) Religionsgemeinde und war nicht ein Vielgötterer,

122. sondern dankbar für Gottes Wohlthaten. Er hat ihn daher auserkoren und auf die gerade Strafse geleitet

123. und in dieser Welt mit Wohlthaten überhäuft, in jener aber unter die Gottseligen versetzt.

124. Und dann haben wir dir geoffenbart, der Religion (Milla) des Abraham als Ḥanyf zu folgen, er gehörte nämlich nicht zu den Vielgötterern.

Das Wesen dieser Urreligion ist schön ausgedrückt in Ḳor. 30, 29:

»Sie ist die Religion in Folge der Schöpfung (Rathschlüsse) Allah's. Er hat die Menschen dazu erschaffen, und in der Schöpfung (den Rathschlüssen) Allah's giebt es keine Abänderung. Folglich ist sie die unwandelbare Religion.«

Arabischen, und Zaǧǧâǧ sagt (bei Tha'laby 2, 114), dafs man die Religion Milla hiefs wegen des Eindruckes, den sie mache und welcher mit demjenigen zu vergleichen sei, den das Feuer auf in der Asche gebackenes Brod mache. Da die Araber keine bessere Erklärung zu geben im Stande sind, müssen wir annehmen, dafs Milla ein fremdes, aramäisches Wort und mit den Lehrern der Milla des Abraham in den Ḥiǧâz eingewandert sei.

Schon Philo betrachtet den Abraham als den Hauptträger der Einheitslehre, und gewifs hatte der jüdische Geist auch vor Philo dadurch, dafs er das Wesen der wahren Religion nicht erst dem Moses, sondern dem Stammvater des Volkes offenbaren liefs, sich von der Unerläfslichkeit der Formen des Gesetzes emancipirt und somit dem Essäismus und Christenthume vorgearbeitet.

[1]) Im Original ḳânit. Tha'laby 2, 110 sagt, dafs die Grundbedeutung von ḳonût stehen sei und dafs ḳânit betend heifse; die Moslime stehen nämlich beim Gebete.

Auch in andern Stellen wird die Milla des Abraham die unwandelbare Religion (dyn) geheifsen (Ḳor. 6, 162. 30, 40. 12, 40. 98, 4. 9, 36).

Weder die bisher erzählten Abrahamlegenden, noch diese Theorie enthalten etwas Originelles. Im Frühling 622 aber trug er den Madynensern, welche das makkanische Pilgerfest besuchten und ihn bei dieser Gelegenheit einluden, zu ihnen zu kommen und mit ihm ein förmliches Bündnifs abschlossen, eine Offenbarung vor, welche einen merkwürdigen Passus enthält:

22, 27. Wir wiesen ja dem Abraham den Platz des Tempels [von Makka] zum Aufenthaltsort an [mit dem Zusatze]: Geselle mir kein Wesen zu und halte meinen Tempel rein für die, so darum herumgehen [während sie ihre Andachtsübungen verrichten], so stehen (im Gebete), so sich bücken und so sich auf die Erde niederwerfen.

28. Ferner predige den Menschen das Pilgerfest: Sie sollen zu dir kommen zu Fufs oder auf jenen schlanken Kameelen. Sie kommen von verschiedenen weiten Wegen
29. ihrer eigenen Vortheile wegen [denn es wurde auch ein Jahrmarkt abgehalten] und damit sie an bestimmten Tagen den Namen Allah's anrufen über das Vieh, welches wir ihnen beschert haben. Esset davon und theilt auch den nothleidenden Armen mit;

30. ferner damit sie ihren Körper reinigen [d. h. im Thale Minâ sich die Nägel, den Bart und das Haupthaar schneiden lassen], ihre Gelübde vollbringen und um den alten Tempel herumgehen.

31. So [steht es]: Wenn jemand die Heiligthümer Allah's in Ehren hält, so wird es ihm vor seinem Herrn zu Gute kommen. Das Fleisch der Thiere ist euch erlaubt, ausgenommen das der bereits genannten, aber vermeidet die Scheufslichkeit des Götzendienstes und vermeidet Irrlehren,

32. euch als Ḥanyfe gegen Allah erweisend, ohne ihm etwas beizugesellen. Wer dem Allah ein Wesen beigesellt,

ist wie einer, der vom Himmel herabfällt und den die Vögel aufschnappen oder der Wind in einen wildfremden Ort hin verweht.

Die Bedeutung, welche Moḥammad in dieser Stelle dem Abraham giebt, indem er ihn zum Gründer des heidnischen Gottesdienstes zu Makka macht, halte ich für seine eigene Erfindung, und ich glaube, daſs vor ihm keine Tradition dieser Art vorhanden gewesen sei. Diese Erfindung ist von groſser Wichtigkeit. Sie ist Menschenwerk und das Kind der Willkür, während die meisten andern Lehren des Islâms aus dem Zeitgeiste hervorgegangen und somit die Schöpfung Gottes sind. Wie der Sonnenstrahl, der sich im Prisma bricht, in mannichfachen Farben sichtbar wird; wie der Sturmwind durch den Baum, welcher ihm Widerstand leistet, Stimme erhält, so ist zu allen Zeiten das Göttliche durch den Zusammenstoſs mit dem Menschlichen in die zahllosen Farben einer üppigen Mythologie zersplittert und auch für rohere Naturen vernehmbar geworden. Die biblischen Geschichten, welche das einzige Körperliche sind, was die Lehre des Moḥammad bis zu dieser Erfindung besaſs, hätten allein den Islâm nimmer vor dem Schicksale von Philosophemen retten können. Aber durch diese Lüge hat Moḥammad dem Islâm alles gegeben, was der Mensch bedarf und was Religion von Philosophie sondert: Nationalität, Ceremonien, geschichtliche Erinnerungen, Mysterien, Mittel, den Himmel mit Gewalt zu erringen und sein eigenes Gewissen und das Anderer zu betrügen. Durch diese Erfindung hat Moḥammad dem Deismus sein eigenes, menschliches Siegel aufgedrückt und zum Moḥammadanismus gemacht.

Es liegt uns ob, so weit es möglich ist, den Beweis zu führen, daſs die Gründung des makkanischen Pilgerfestes durch Abraham eine Erfindung des Moḥammad sei.

Der moslimischen Legende zufolge hat Abraham den jungen Ismael mit seiner Mutter Hagar auf Befehl Gottes in Makka angesiedelt, damit er und seine Nachkommen dort die Heiligthümer pflegen sollen. Nicht in der ersten, wohl aber in spätern Offenbarungen über diesen Gegenstand wird Ismael auch mit Namen genannt:

14, 38. Abraham sprach ja: Herr, mache diesen Ort sicher und entferne mich und meine Söhne von dem Götzendienst,

39. denn wahrlich, o mein Herr, verleiten sie (die Götzen oder Ġinn) viele Menschen; wer aber mir folgt, der gehört zu mir, und wenn sich Jemand mir widersetzt, so bist du verzeihend und barmherzig [1]).

40. Unser Herr, ich habe einige von meinem Saamen in einem Thale ohne Felder ansäfsig gemacht bei deinem geheiligten Tempel, Herr, auf dafs sie den Gottesdienst aufrecht erhalten; mache daher die Herzen einiger Menschen geneigt gegen sie, und beschere ihnen etwas von den Früchten der Erde, auf dafs sie dankbar seien.

41. Herr, du weifst was wir verheimlichen und was wir eröffnen, denn vor Allah ist nichts auf Erden und nichts im Himmel verborgen. Lob sei Gott, welcher mir ungeachtet meines hohen Alters den Ismael und Isaak geschenkt hat. Mein Herr erhört wahrlich die Bitten.

42. Herr, gieb dafs ich den Gottesdienst aufrecht erhalte und so auch einige meiner Nachkommen, und o Herr, erhöre meine Bitte. Herr, vergieb mir und meinen Eltern und den Gläubigen an dem Tage, an welchem Gericht gehalten wird.

In Madyna wiederholte er diese Offenbarung, aber im Geiste fanatischer Ausschliefslichkeit:

2, 119. Wir bestimmten ja den Tempel zu einem Versammlungsplatz für die Menschen und zu einem Ort der Sicherheit. Betrachtet den Makâm Ibrahym (den Stand des Abraham, eine Stelle vor der Kaʿba) als Betplatz. Wir haben dem Abraham und Ismael die Verpflichtung aufer-

---

[1]) Dieser Geist der Versöhnlichkeit beweist, dafs die Offenbarung in oder kurz nach 619 fällt.

legt, unsern Tempel zu reinigen für die, welche um denselben herumgehen, sich dabei aufhalten, sich verbeugen und auf das Angesicht werfen.

120. Abraham sprach ja: Herr, lafs dies ein sicherer Ort sein und beschere seinen Einwohnern etwas von den Früchten, nämlich denjenigen von ihnen, welche an Allah und den jüngsten Tag glauben. Gott antwortete: Gut, aber die Ungläubigen lasse ich ein Wenig geniefsen, dann werfe ich sie in die Qual des Feuers. Dies ist ein böser Weg!

121. Als Abraham damit beschäftigt war, die Grundvesten des Tempels zu errichten und auch Ismael, [sprachen sie:] Herr, nimm was wir thun von uns an, denn du hörst und weifst Alles,

122. und o Herr, mache uns dir unterwürfig (zu Moslime) und rufe unter unseren Saamen eine dir unterwürfige (moslimische) Gemeinde hervor, zeige uns unsere Ceremonien [die beim Pilgerfeste zu verrichten sind] und vergieb uns, denn du bist der Vergebende, der Barmherzige.

123. Und o Herr, schicke aus ihrer Mitte einen Boten zu ihnen, welcher ihnen deine Zeichen vorlese, das Buch und die Weisheit lehre und sie reinige, denn du bist der Erhabene, der Weise.

3, 89. Folget der Lehre (Milla) des Abraham insofern er Ḥanyf war und nicht zu den Vielgötterern gehörte.

90. Wahrlich, der erste Tempel, welcher für die Menschen bestimmt wurde, war der zu Bakka (Makka). Er ist gesegnet und eine Leitung für die Menschen.

Da die mythische Begründung des makkanischen Pilgerfestes mit dem Namen des Ismael verknüpft ist, wollen wir, um unterscheiden zu können, wie viel davon Moḥammad durch Tradition empfangen und wie viel er selbst erdichtet, hat die Entwicklung der ḳorânischen Nachrichten über Ismael verfolgen.

Es ist wahrscheinlich, läfst sich aber nicht streng beweisen, dafs Moḥammad einige Zeit den Jakob für einen

Sohn des Abraham hielt. In Sûra 6, 84 und 19, 50 wird gesagt: Wir schenkten dem Abraham den Isaak und den Jakob. In Sûra 21, 72: Wir schenkten ihm [unserm Versprechen gemäfs] den Isaak und obendrein den Jakob. »Obendrein« scheint sich auf das Versprechen der Engel zu beziehen, welche dem Abraham die Geburt nur eines Sohnes — des Isaak — verkündet hatten. Er will also sagen: Gott hat ihm mehr gegeben als er ihm versprochen. In Sûra 11, 74 heifst es: Wir schenkten ihm den Isaak und hinter diesem den Jakob. Es ist zweifelhaft, was Moḥammad mit »hinter diesem« sagen will. Vielleicht ist es eine Anspielung auf Jakob's Namen, denn ya'ḳob bedeutet auch im Arabischen hinterdrein kommen, auf die Ferse folgen. In Sûra 12, 6 beweist er endlich, dafs er, als er jene Stelle verfafste, mit der Genealogie besser vertraut war. Wie es scheint, wollte er aber seinen frühern Irrthum weder bekennen noch wiederholen, denn im Ḳor. 37, 112 läfst er den Namen des Jakob ganz aus und sagt: Wir haben dem Abraham den Isaak verheifsen. Diese Auslassung mag jedoch zufällig sein; später nennt er beständig den Ismael und nicht wie früher den Jakob als den Bruder des Isaak; ja Ismael wird nirgends vergessen, wo von den Söhnen des Abraham gesprochen wird, und sein Name steht immer vor dem des Isaak. Jakob wird dabei auf eine Art erwähnt, welche den früheren Stellen nicht widerspricht, aber doch richtig ist, z. B.:

2, 126. Abraham vermachte seine Lehre seinen [zwei] Söhnen und dem Jakob.

Der Name des Ismael kommt im Ḳorân auch zu jener Zeit vor [1]), wo Moḥammad den Jakob für den leiblichen Sohn des Abraham hielt, aber in gar keinem Zusammen-

[1]) Ḳor. 6, 86; 38, 48; 21, 85. Diese Stellen sind bereits oben S. 258, 269, 272 angeführt worden.

hang mit seinem Vater Abraham, sondern unter andern Männern Gottes. Besonders wichtig ist die Art wie er in der unter christlichem (raḥmânistischem) Einflusse verfafsten Sûra 19 erwähnt wird:

19, 55. Und erwähne in der Schrift des Ismael: er war seinem Verprechen getreu und war ein Bote und Prophet.

56. Er befahl den Seinigen den Gottesdienst aufrecht zu erhalten und das Almosen zu geben, und war wohlgefällig vor seinem Herrn.

Ich glaube, dafs diese Inspiration von den Raḥmânisten herrührt. Diese Sekte war auch unter Arabern verbreitet, und es war ihnen darum zu thun, den auf ihre Abkunft so stolzen Juden in Ismael den angeblichen Stammvater der Araber ein Gegengewicht entgegenzustellen. Sie liefsen ihm daher das Verdienst der Treue und der Beobachtung der Gebote Gottes, was im Ḳorân nur noch dem Abraham selbst und Jesu zukommt. Während aber Moḥammad so viel von den Raḥmânisten, etwa bei Gelegenheit von Besprechungen über seine eigene Abstammung erlauscht hatte, wufste er noch immer nicht, dafs Ismael ein Sohn Abraham's war. Er hörte dieses erst später.

Wir haben in der so eben erwähnten Stelle aus Sûra 14 gesehen, dafs dem Abraham in Hinblick auf die Heiligthümer von Makka die Worte in den Mund gelegt werden: »Herr, ich habe einige von meinen Nachkommen in einem Thal ohne Felder (d. h. in Makka) ansäfsig gemacht bei deinem heiligen Tempel (d. h. der Ka'ba).« Es ist sehr auffallend, dafs in derselben Offenbarung das erste Mal deutlich gesagt wird, dafs Ismael der Bruder des Isaak war, indem dem Abraham die Worte in den Mund gelegt werden: »Lob sei Gott, welcher mir in meinem hohen Alter den Ismael und Isaak geschenkt hat [1]).« Ismael wird von

[1]) Der Ausdruck „geschenkt" ist stereotyp im Ḳorân, wo er von den Söhnen des Abraham spricht. Es scheint, dafs Moḥammad

nun an immer genannt, wo von der Einführung der Urreligion, welche wieder herzustellen Moḥammad sich zur Aufgabe machte, die Rede ist, z. B.:

2, 127. Wart ihr [o Juden von Madyna] Zeugen als dem Jakob der Tod nahte und er zu seinen Söhnen sprach: Was werdet ihr nach mir anbeten? Sie antworteten: Wir beten deinen Gott, den Gott deiner Väter, des Abraham, Ismael und Isaak, an: den Einen Gott, und wir sind Moslime.

Hier hätte der Name des Ismael füglich wegbleiben können. Es wäre damit den Exegeten einige Mühe erspart gewesen; denn da er nicht zu den Vätern der Söhne des Jakob gehörte, so fanden sich Einige [1]) veranlafst, den Text zu emendiren und Vater im Singular zu lesen, während Andere behaupten, dafs die Araber auch den Onkel Vater nennen.

Ist es denkbar, dafs, wenn die Tradition von der Gründung der Ka'ba und des Pilgerfestes durch Abraham und Ismael schon vor Moḥammad bestanden, er noch im Jahre 617 nicht gewufst haben soll, dafs Ismael der Sohn des Abraham war? Dafs die Geschichte des Abraham und Ismael erst um die Zeit des Moḥammad in Makka und Ṭâyif unter den Heiden bekannt wurde, ist selbst in den ersten drei Jahrhunderten nach der Flucht von den Moslimen anerkannt worden. Es wird daher im Kitâb alaghâny Bd. 1 fol. 199 als etwas Aufserordentliches hervorgehoben, dafs Omayya b Aby-l-Çalt »einer von Jenen war, welche von Abraham und Ismael zu sprechen pflegten.« Moḥammad berief sich also nicht auf eine makkanische Lokaltradition, noch war es der Einfall eines Missionärs, sondern

---

einige Zeit auch den Ismael für den Sohn der Sara hielt; denn warum soll sonst Abraham in Bezug auf ihn von seinem hohen Alter sprechen.

[1]) Yaḥyâ b. Ya'mor und Ġaḥdary, bei Tha'laby.

es war seine eigene Erfindung [1]), wenn er, um seine Verehrung für die Ka'ba und das Pilgerfest zu rechtfertigen, den Abraham und Ismạel zu Stiftern derselben macht. Diese Thatsache ist von grofser Wichtigkeit für die Beurtheilung des Charakters des Moḥammad.

Es ist jedoch zu seinen Gunsten, wenn sich die Vermuthung, dafs das Pilgerfest, welches man wie das Osterfest unmittelbar vor dem Frühlingsaequinox beging, schon von den Heiden zu Ehren Allah's, d. h. desjenigen Gottes, welcher Himmel und Erde erschaffen hat, gefeiert wurde.

III. Das Buch.

An die Prophetenlegenden knüpfen sich ganz natürlich Bemerkungen über Moḥammad's Kenntnifs der geoffenbarten Schriften. Ich habe zum wiederholten Male bemerkt, dafs er sich in Madyna in einer ganz andern Lage befand als in Makka. Dort war er im täglichen Verkehr mit den Juden, welche wahrscheinlich den ganzen Canon des alten Bundes und wohl auch andere Schriften besafsen oder wenigstens mit Glaubensgenossen in Verbindung standen, die mit der Bibel bekannt waren. In Makka hingegen lebte er unter Heiden und war ziemlich isolirt. Wir müssen daher die in Makka geoffenbarten, auf die heilige Schrift bezüglichen Stellen von den madynischen sorgfältig sondern.

In Madyna erwähnt Moḥammad mehrere Male der Thora (Pentateuch), des Evangeliums und auch der Psalmen, wovon die erstere von Moses, das Evangelium aber nach seiner Ansicht von Jesu selbst herrührt. In Makka aber

---

[1]) Ḳatâda und Moḳâtil, bei Tha'laby, Tafs. 2, 57, behaupten zwar, dafs die Çâbier das Angesicht im Gebete gegen den Tempel von Makka richteten. Ich glaube aber nicht, dafs ein Titelchen Wahres in dieser Behauptung ist.

wurde keine der canonischen Schriften mit Namen genannt aufser den Psalmen des David (Ḳor. 17, 57), und aus diesen führt er Ḳor. 21, 105 sogar einen Vers (Ps. 37, 29) an, und zwar höchst wahrscheinlich nach einer Mittheilung der arabischen Christen (Raḥmânisten), welche wohl, wie wir, Stellen aus den Psalmen in ihren Gebeten anwendeten. In den zahlreichen Stellen, in denen er sonst von den heiligen Schriften spricht, werden sie al-Kitâb, das Buch, die Bibel genannt. Herr W. Muir hat eine Monographie: »The Testimony born by the Coran to the Jewish and Christians Scriptures. Agra 1856« herausgegeben, in der er unter al-Kitâb, wo es immer im Ḳorân vorkommen mag, den Canon des alten und neuen Testamentes versteht, ich glaube aber, dafs wir in den meisten Stellen, wo von dem Buche die Rede ist, das auf »der Tafel (Lûḥ)« verzeichnete und im Himmel aufbewahrte Schriftstück gemeint sei; so in folgenden Inspirationen:

10, 38. Dieser Ḳorân ist nicht der Art, dafs er ohne Allah's Beistand erfunden werden könnte, denn er ist eine Bestätigung der früheren Offenbarungen und eine Gliederung [1]) des Buches, über dessen Existenz kein

---

[1]) Im Arabischen tafçyl, wörtlich Gliederung, von façl Glied, auch Trennung, daher façyl die Stadtmauer. In der Umgangs- und Schriftsprache heifst tafçyl in das Detail eingehen, die Einzelheiten aufzählen, analysiren. Im Ḳorân scheint es aber einen etwas verschiedenen Sinn zu haben, dies geht am klarsten aus Ḳor. 41, 44 hervor: Die Makkaner machten es dem Moḥammad auf Anstiften der Juden zum Vorwurf, dafs der Ḳorân nicht in einer heiligen Sprache geoffenbart worden sei. Gott antwortet: Hätten wir ihn welsch gemacht, so würden sie sagen: Warum sind die darin enthaltenen Zeichen (Offenbarungen) nicht in tafçyl dargestellt. Es kann hier nicht „weitläufig, detaillirt" bedeuten, sondern „begreiflich, verständlich." Der Ausdruck wird im Ḳorân nicht blos auf die Rede angewendet, sondern in Ḳor. 30, 27. 17, 13 u. a. m. werden auch die Wunder der Natur verständlich genannt, weil, wer sie ansieht, das Wąlten Gottes nicht verkennen kann, und in Ḳor. 7, 130 werden die egyptischen Landplagen verständliche Zeichen genannt. Man hat schon in sehr früher Zeit eine Gruppe Ḳorânverse verständliche genannt, vielleicht

Zweifel obwaltet [1]), und geht von dem Herrn der Welten aus.

Zwei makkanische Offenbarungen (Sûra 45 u. 46) haben die Aufschrift:

»Herabsendung des Buches von Allah, dem Erhabenen, dem Wissenden.«

Als Moḥammad nach Madyna kam, verfaſste er folgende Ueberschrift für die mitgebrachten Offenbarungen, welche, das im offiziellen Texte vorausgeschickte Gebet abgerechnet, noch jetzt den Anfang des Ḳorâns bildet:

2, 1. »Hier [2]) ist das Buch, über dessen Vorhandensein kein Zweifel obwaltet, zur Leitung der Frommen« [3]).

---

weil darin die Hauptpunkte des Islâms deutlich ausgesprochen werden, namentlich die Einheits- und Auferstehungslehre.

Der Sinn des Verses ist also: Dieser Ḳorân ist eine für euch verständliche Version des himmlischen Buches.

[1]) Wörtlich: „worüber kein Zweifel". Dieser Ausdruck kommt im Ḳorân öfter vor und zwar am häufigsten in Bezug auf den jüngsten Tag und bedeutet dann, daſs ein solcher Tag ganz gewiſs kommen wird.

[2]) Es wäre wortgetreuer „dort" zu übersetzen; es spricht nämlich Gott, und er weist auf das hin, was sich bei Moḥammad zur Zeit vorfand.

[3]) Dieser Vers läſst auch eine andere Auffassung zu:

1. Jenes Buch, über dessen Vorhandensein kein Zweifel obwaltet, ist eine Leitung für die Frommen,

2. welche an das Unsichtbare glauben etc.

Diese Auffassung ist richtig, wenn der zweite Vers zum ersten gehört. Ich glaube aber, daſs er unabhängig und der Sinn des Satzes, welcher unmittelbar nach der Aufschrift folgt, dieser sei:

2, 2. Diejenigen, welche an das Verborgene glauben, den Gottesdienst aufrecht erhalten und von dem ihnen Bescherten Almosen spenden,

3. und Diejenigen, welche an das auf dich Herabgesandte glauben, wie auch an das, was vor dir herabgesandt worden ist, und an das Jenseits, sie — sie gehen sicher in ihrer Ueberzeugung,

4. sie wandeln an der leitenden Hand ihres Herrn und sie sind die Glückseligen.

5. Diejenigen hingegen, welche ungläubig sind etc.

Besonders deutlich ist folgende Stelle:

43, 1. Beim offenbaren Buche [schwören wir],

2. dafs wir einen arabischen Ḳorân (oder eine arabische Lectüre) daraus gemacht haben, auf dafs ihr es verstehen könnt.

3. Der bei uns aufbewahrte Urtext ist wahrlich erhaben und weise.

Hier wird das himmlische Buch in Bezug auf die für die Menschen geoffenbarten Schriften der Urtext (wörtlich: die Mutter des Buches) geheifsen. In einem andern Verse, der zu einer Stelle gehört, in welcher Moḥammad Einwürfen über Aenderungen in seinen Offenbarungen und die Anpassung derselben auf seine Lage begegnet, erklärt er das Verhältnifs des Urtextes zu den irdischen Copien näher:

13, 38. — — — für jeden Zweck (für jeden einzelnen Fall) besteht eine Schrift [1]).

39. Allah streicht was er will und läfst stehen was er will; bei Ihm ist der Urtext.

Weil die irdischen Schriften den Zeitumständen angepafste Auszüge aus dem Buche sind, so konnte er behaupten, dafs die Bücher der Juden und Christen [2]) und auch der Ḳorân aus demselben Urtexte flossen:

---

[1]) Es scheint, dafs sich Moḥammad einige Zeit einbildete, dieses Buch enthalte auch die Rathschlüsse Gottes über die Schicksale der Menschen. Vorstellungen über solche Gegenstände finden nur in unklaren Köpfen Raum und sind daher so überschwenglich und unbestimmt, dafs die Leute nicht angeben können, was sie meinen. Ein Versuch, mit Hülfe der widersprechenden Angaben im Ḳorân Moḥammad's Begriffe über die himmlischen Archive zu präcisiren, hiefse die Finsternifs bei Lichte besehen wollen.

[2]) Die Juden, Christen und Çâbier werden im Ḳorân zusammengenommen als Ahl al-Kitâb, Leute des Buches, bezeichnet. Es kommt mir vor, dafs dieser Ausdruck von den Judenchristen entlehnt und dafs ursprünglich das himmlische Buch gemeint sei. Der Ausdruck will also andeuten, dafs sie etwas — mehr oder weniger —

6, 156. — — Wir offenbarten dem Moḥammad ein Buch,
157. damit ihr nicht sagen könnt: »Das Buch wurde vor uns für zwei Parteien (die Juden und Christen) herabgesandt, wir aber sind mit ihrer Scholastik [1]) nicht vertraut«,
158. noch: »Wenn das Buch für uns herabgesandt worden wäre, so würden wir uns besser leiten lassen als sie.« Es ist euch nun eine Erleuchtung zugekommen, welche ausgeht von eurem Herrn und zu eurer Leitung bestimmt und ein Akt der Gnade ist. Wer ist ungerechter als derjenige, welcher die Zeichen Allah's läugnet und sich davon abwendet. Wir werden aber über diejenigen, welche sich von unseren Zeichen abwenden, eine böse Strafe verhängen ob ihrer Widerspenstigkeit.

---

vom Buche wissen. Unter den Ḳorânstellen, welche diese Vermuthung rechtfertigen, ist 29, 45—46 wichtig. Gott sagt zu den Auswanderern nach Abessynien: „Disputiret nicht mit den Ahl al-Kitâb", und dann fährt er fort: „So haben wir auch auf dich [o Moḥammad] das Buch hinabgesandt, und die, auf welche wir es [schon früher] hinabgesandt haben, glauben daran (d. h. an deine Offenbarungen)." Es ist anzunehmen, dafs Moḥammad in dieser Stelle jedes Mal mit al-Kitâb, das Buch, denselben Begriff verband.

Später scheint allerdings unter al-Kitâb in dieser Verbindung die Bibel verstanden worden zu sein. Nach Moḥammad hat man den Sinn noch mehr erweitert, und als sich z. B. die Frage aufwarf, ob die Magier zu den Ahl al-Kitâb gehören, sagte man: Ja, sie besitzen Schriften, die sie für Offenbarungen halten. Man fafste den Sinn auf als hiefse es: Ahl Kitâbin, Leute eines Buches.

[1]) Im Original: Dirâsa, von der Wurzel drs. Geiger hat gezeigt, dafs es ein hebräisches Wort sei. Im Arabischen bedeutet die Wurzel: dreschen, reiben, abnützen, fadenscheinig machen, im Hebräischen: suchen, dann auch lesen, studiren. Wie bei uns das fremde Wort studiren nur für höheres wissenschaftliches Streben benutzt wird, so auch werden im Arabischen von drs abgeleitete Wörter für edler betrachtet als einheimische. Modarris entspricht unserem Professor, Mo'allim unserem Lehrer, Madrasa bedeutet Hochschule, während eine Lehranstalt für Knaben Maktab genannt wird. Auch bei den Nabathäern finden wir drs in dieser Bedeutung: daher Idrys der Name des Propheten Enoch, wörtlich: der Lehrer.

Wir begreifen nun was es bedeuten soll, wenn Jesus unmittelbar nach seiner Geburt in der Wiege ausruft:

19, 31. Ich bin ein Knecht Allah's, er hat mir das Buch gegeben und mich zum Propheten gemacht.

Die Erleuchtung, in Folge deren ihm, dem auf aufser-natürliche Weise Gezeugten, der Inhalt des Buches vorschwebte, ist mit ihm geboren. Es ist dies eine etwas freie Auffassung der Gottheit Christi.

Weil Johannes der Täufer von der Sekte, welche diese phantastischen Theorien ersann, als ihr Stifter angesehen wurde, wird in demselben Sinne von ihm gesagt:

19, 13. O Johannes, ergreife das Buch mit Kraft, und wir verliehen ihm die [geistliche] Vollmacht schon als Knaben.

Wir lesen in Sûra 35:

28. Das was wir dir aus dem Buche eingegeben haben, ist die Wahrheit und bestätiget die früheren Offenbarungen. Al-Allah kennt und sieht seine Diener.

Darauf folgt ein Vers, der gar nicht dahin pafst; an einem andern Orte aber können wir ihn recht gut brauchen:

32, 22. Wer ist ungerechter als derjenige, welchem die Zeichen seines Herrn (Offenbarungen) zu Herzen geführt worden sind, und der sich dann davon weggewendet — aber wir werden uns an den Frevlern rächen!

23. Ja, wir haben dem Moses das Buch gegeben. Sei nicht in Zweifel darüber, dafs er es erhalten hat. Und wir bestimmten es zur Leitung für die Kinder Israel,

24. und wir bestellten einige von ihnen zu Imâme (Führer, Vorbilder), welche auf unsern Befehl [die Menschen] leiten, weil sie (die Bestellten) ausgeharrt und an unsere Zeichen fest geglaubt haben.

25. Wahrlich, dein Herr wird unter ihnen in Bezug auf die Fragen, worüber sie getheilter Meinung waren, am Tage der Auferstehung entscheiden.

35, 35. Dann liefsen wir das Buch jene von unsern Dienern erben, welche wir auserwählt haben (d. h. das auserwählte Volk oder die Juden). Unter ihnen giebt es einen, welcher gegen sich selbst ungerecht ist, einen Lauen und einen, der durch Gottes Beistand in allem Guten der Erste ist — er geniefst wahrlich einen grofsen Vorzug (Gnade).

Ich glaube, dafs unter dem gegen sich selbst Ungerechten, Lauen und Ersten im Guten, Persönlichkeiten, ja Zeitgenossen des Moḥammad und nicht Sekten zu verstehen seien, und dafs eine der Fragen, worüber die Juden getheilter Meinung waren, gerade die Theorie über das himmlische Buch war. Ich hebe andere Stellen aus, worin die Behauptung, dafs Gott dem Moses das Buch gegeben habe, emphatisch wiederholt wird. Wir ersehen daraus, dafs sie direkt an die Israeliten gerichtet sind, dafs einige von ihnen den Propheten umsonst zu beeinflussen suchten, dafs er aber die Behauptung, Moses habe das Buch empfangen, gleichsam als Machtspruch zwischen die sich bekämpfenden Parteien hinstellte, und dafs die Lehre über das Buch mit der Theorie der Erblichkeit des Prophetenthums im auserwählten Volke eng zusammenhängt. Wenn wir alles dieses zusammenfassen und zugleich den Umschwung in andern Ansichten des Moḥammad berücksichtigen, so gelangen wir zur Vermuthung, wenn nicht zur Ueberzeugung, dafs unter dem Ersten im Guten der Mentor des Propheten, von welchem mehr im nächsten Kapitel die Rede sein wird, und unter dem gegen sich selbst Ungerechten, von welchem gesagt wird, dafs ihm die Zeichen Gottes zu Herzen geführt worden sind, er aber sich davon weggewendet hat, ein orthodoxer Jude zu verstehen sei, welcher gegen Moḥammad polemisirte und den Gegnern des Islâms (Ḳ. 45, 18) Beistand leistete, wie diese ihm beistanden. Der ursprüngliche Angriff des polemisirenden Juden war gewifs gegen die Rollen des Abraham und Moses gerichtet. Sie liefsen sich nicht vertheidigen. Aber dafs Gott dem Moses das Gesetz geoffenbart hatte, konnte nicht widerlegt werden, und auf seinem Rückzuge nahm Moḥammad auf diesem Punkte eine feste Stellung ein gegen seinen Gegner.

Es ist unmöglich, dafs dem Moḥammad der schroffe Gegensatz zwischen den Juden und Christen ganz unbekannt hätte sein sollen, sie standen ja im nördlichen Arabien einander feindselig gegenüber und verdammten einander. Hätte er seine Ansichten über die geoffenbarten Schriften nach seinen eigenen Wahrnehmungen gebildet, so wären sie ganz anders ausgefallen. In der That hat ihn die Gewalt der Thatsachen, wie wir sehen werden, in Madyna genöthiget, sie wesentlich zu modificiren. Die Lehre, die wir so eben vernommen haben, ist eine fremde und in ihrem Ursprunge nicht wesentlich von der des judenchristlichen Verfassers der Clementinen verschieden.

Schon in Philo und im neuen Testamente nehmen wir dieselbe Mischung von Verehrung und Vernachlässigung des Gesetzes wahr, welche (in Bezug auf die Bibel überhaupt) in unserer Zeit einen Theil der protestantischen Theologie charakterisirt. Das Gesetz hatte sich überlebt und die erstarkte Vernunft konnte die närrischen Ceremonial-Vorschriften und die unmoralische Ausschliefslichkeit desselben nicht länger anerkennen, und doch wollte man etwas Positives haben. Die neue, zum Theil ausländische Gesittung und die Verehrung der Thora konnten nur unter einer der drei Bedingungen neben einander bestehen: wenn das Gesetz allegorisch erklärt, wenn der vorhandene Text desselben für interpolirt und verdorben gehalten, oder wenn dasselbe so sehr verehrt wurde, dafs man es gar nicht mehr las. Bis auf einen gewissen Grad traten alle drei Bedingungen ein. Gelehrte, wie Philo, erbauten sich und andere, indem sie hie und da ein Stück herausnahmen und darüber philosophirten oder vielmehr witzelten. Die grofse Masse des vorliegenden Stoffes liefsen sie unbeachtet. Die Ossener, Ebioniten und andere Sekten alter Çûfies verfuhren viel einfacher. Sie begnügten sich mit den wenigen biblischen Phrasen, welche im Volke lebten, studirten das Gesetz nicht, bildeten sich aber solche idealische Begriffe davon, dafs ihm nichts Vorhandenes entsprechen konnte. Man versetze sich in die abgelegene Südküste des Rothen Meeres unter überspannte Menschen, welche in ihrer Verrücktheit so weit gingen, dafs sie sich zur Ehre Gottes selbst entmannten und ganz dem contemplativen Leben hingaben. Wenn man einem solchen Asceten, der sein ganzes Leben für die Heiligkeit des Gesetzes geschwärmt hatte, das Buch Deuterononium vorgehalten und er darüber nachgedacht hätte, so würde er ebenso enttäuscht gewesen sein, wie ein Auswanderer, welcher, nachdem er reich geworden, die Geliebte seiner Jugend, die er vierzig Jahre nicht gesehen hatte, aufsucht, um sie zur Frau zu machen. Fälle dieser Art sind aber wahrscheinlich nicht häufig vorgekommen; denn Asceten sind Träumer und beschäftigen sich nicht mit Lektüre.

Wir haben gesehen, dafs in den Clementinen aus der Ewigkeit und Unveränderlichkeit der Wahrheit überraschende Schlüsse gezogen werden. Die orientalischen Philosophen haben ihr sogar Substanz zugeschrieben und sie die Urvernunft, al'akl alawwal, genannt. Einige von ihnen finden diese Substanz im Aether, welcher um die Erde kreist und durch die Reibung das Leben erzeugt, nach Andern ist sie verschieden vom Aether. Es ist wohl kein Zweifel, dafs das himmlische Buch, in welchem die Wahrheit aufgezeichnet steht, eine Verbindung der Theorie eines ewigen Logos mit der historischen Vergötterung der Thora ist. Die Theorie über das Buch ist also weder in dem Kopfe des Mohammad, noch des »Ersten im Guten« entsprungen. Die ältesten Rollen, welche Mohammad bisher als Offenbarungen angesehen hatte, waren ein darauf begründeter Betrug. Den Betrug liefs er, als er aufgedeckt worden war, fallen, an der Theorie aber hielt er fest, weil sie zu seinen Zwecken diente. Er sagt seinen Opponenten: Es ist nicht wahr, dafs es kein himmlisches Buch giebt, und er trägt ihnen die bereits oben S. 256 übersetzte Prophetengeschichte vor und fügt am Ende hinzu:

6, 91. Sie (die Juden) schätzten Allah nicht nach seinem Werthe, indem sie sagten, Gott hat auf keinen Menschen etwas herabgesandt. Frage sie: Wer hat das Buch, welches Moses gebracht hat, als ein Licht und eine Leitung für die Menschheit, geoffenbart? [1]) Antwort: Allah! Dann lafs sie, sie mögen mit ihren Spitzfindigkeiten spielen [2]).

---

[1]) Hier ist folgendes madynische Einschiebsel:
„Eure Exemplare bestehen aus einzelnen Blättern, wovon ihr einige zeiget, aber viele verberget. Ihr seid nun [durch Moḥammad] über Manches belehrt worden, wovon weder ihr noch eure Väter Kenntnifs hatten."

[2]) Baghâwy Tafs. 6, 91: „Sa'yd b. Ġobayr berichtet: „Ein Jude Namens Mâlik b. Dhayf kam nach Makka, um mit dem Propheten zu disputiren; dieser sagte zu ihm: Ich beschwöre dich bei Dem, welcher dem Moses die Thora gegeben hat, sag' mir, findest du nicht in der Thora geschrieben, dafs einige Rabbiner feist sind? Mâlik, welcher sehr corpulent war, gerieth in Zorn und antwortete: Gott hat dem Menschen nichts geoffenbart. Soddy berichtet: Dieser Ḳorânvers bezieht sich auf Fineḥâç b. 'Âzûrâ, welcher die Behauptung aussprach: Gott hat dem Menschen nichts geoffenbart. Es wird auch erzählt, dafs, nachdem die Juden die Worte des Mâlik vernommen hatten, sie ihn tadelten und sagten: Wie, hat Gott nicht dem Moses die Thora geoffenbart? Wie konntest du so etwas sagen? Er antwortete: Moḥammad hat mich aufgebracht und in meiner Wuth sprach ich diese Worte. Die Juden sagten: Wenn du im Zorn solche Dinge sprichst, bist du nicht würdig Rabbiner zu sein. Sie setzten ihn ab und ernannten an seiner Stelle den Ka'b b. Aschraf. Ibn 'Abbâs berichtet: Die Juden fragten den Propheten: Hat Gott auf dich vom Himmel ein Buch herabgesandt? Er antwortete: Ja! Sie sagten: Gott sendet kein Buch vom Himmel [sondern inspirirt die Propheten]."

Wenn die Erklärung des Ibn 'Abbâs, welche die Wahrscheinlichkeit für sich hat, gegründet ist, so wäre die Veranlassung zu dieser Offenbarung ein Streit gewesen über die Frage, ob je ein Prophet eine schriftliche Mittheilung von Gott erhalten habe. Da Moḥammad, indem er die Frage bejaht, seine Behauptung durch den

92. Auch dieses (der Ḳorân) ist ein geoffenbartes gesegnetes Buch, welches die früheren (Bücher) für wahr anerkennt und dazu bestimmt ist, dafs du die Hauptstadt und Umgebung warnest. Diejenigen, welche von dem Jenseits überzeugt sind, glauben daran, und sie sind es, welche Sorgfalt auf ihr Gebet verwenden.

6, 155. Darauf [nach den Zehngeboten, welche nur ein Auszug aus dem Buche sind] haben wir dem Moses, um ihn vor dem, der sich verdient gemacht, zu bevorzugen [1]), das Buch vollständig mitgetheilt. Es wurde dadurch zur Erklärung aller Dinge, zur Leitung und zum Gnadenausflufs. Wir haben es mitgetheilt, auf dafs sie an das Zusammentreffen mit ihrem Herrn (ihre Verantwortlichkeit) glauben sollten.

156. Dieses ist ein geoffenbartes, gesegnetes Buch; folget ihm und fürchtet Gott, auf dafs ihr Gnade findet.

Während er selbst nur ein Buch erhalten hat, ist dem Moses, dieser Erklärung zufolge und auch nach Ḳor. 41, 45. 25, 37. 11, 112. 28, 43. 23, 51. 37, 117, das (ganze) Buch zu Theil geworden. Ich glaube, dafs unter »dem, der sich verdient gemacht hat« nicht alle Propheten, sondern vorzugsweise Noah oder Moḥammad zu verstehen sei.

45, 15. Ja wir haben den Israeliten das Buch gegeben und die [geistliche] Herrschaft und das Prophetenthum. Wir bescherten ihnen vieles Gute und bevorzugten sie vor der Menschheit,

---

Fall des Moses zu begründen sucht, so kann sich der Streit nur über die im ersten Kapitel (vergl. Bd. I S. 57—58) besprochene apokryphische Literatur entsponnen haben.

[1]) Dieser Mittelsatz ist sehr dunkel und wird mannichfaltig gedeutet; den Ausschlag giebt die Lesart im Codex des Ibn Mas'ûd, nämlich: alladzyna aḥsanû. Der Satz bedeutet also dem Abû 'Obayda zufolge, dafs Gott dem Moses durch die vollständige Mittheilung des Buches vor anderen Propheten, welche nur Theile erhalten haben, auszeichnete. Nach Andern steht alladziy statt mâ, und ist der Sinn: weil Moses von den Zehngeboten guten Gebrauch gemacht hatte.

16. und wir gaben ihnen Erleuchtungen über den Plan (d. h. wir klärten sie über unser Walten auf) und sie waren nicht getrennter Meinung ehe ihnen das Wissen zu Theil geworden. Sie trennten sich aus wechselseitiger Rechthaberei, aber dein Herr wird über die Fragen, worüber sie verschiedener Meinung waren, am Tage der Auferstehung zwischen ihnen entscheiden.

17. Darauf haben wir dich auf die Spur des Planes gebracht. Verfolge sie und befolge nicht die Wünsche jener, welche nichts wissen.

18. Sie werden es nicht vermögen, dich gegen Allah zu schützen. Die Ungerechten leisten sich zwar wechselseitig Beistand, aber der Beistand der Gottesfürchtigen ist Allah.

19. Dies (deine Offenbarungen) ist eine Aufklärung für die Menschen und eine Leitung und ein Akt der Gnade für Leute, welche fest sind im Glauben.

20. Denken etwa die, welche Böses üben, dafs wir sie denen, welche glauben und das Gute thun, gleichstellen oder dafs ihr Leben und Sterben gleich ist? Es trügt sie ihr Urtheil.

40, 56. Wir haben dem Moses die Leitung beschert und haben den Israeliten das Buch zum Erbe gegeben als eine Leitung und Erinnerung für die Vernünftigen.

So lange Moḥammad die Worte seines Mentors nachsprach, hatte Moses eine getreue Abschrift vom Buche erhalten, und es kommen daher Stellen vor, wo zwischen der Thora und dem Urtexte gar kein Unterschied gemacht wird. Dem Moḥammad waren während dieser Periode nur Erleuchtungen über den Inhalt des Buches zugekommen. Die Ansicht über das Verhältnifs des Buches zum Ḳorân ging durch verschiedene Stadien. Endlich wurde er zur treuen Kopie des Buches [1]), und weil es sich her-

---

[1]) Im Ḳorân 85, 22 heifst es: „Nein, dies ist ein glorreicher Psalter, geschrieben auf einer wohlbewahrten Tafel.“ Die Moslime nah-

ausstellte, dafs er mit der dem Moses gegebenen Abschrift nicht ganz übereinstimme, behauptete er, Moses habe nur Einiges aus dem Buche erhalten und die vorhandenen Abschriften der Thora seien gefälscht. Während der Regierung der Chalyfen aus dem Hause 'Abbâs erhob sich ein blutiger Streit, ob der Ḳorân von Ewigkeit her in der Essenz Gottes liege oder ob er erschaffen sei. Begreiflicher Weise abstrahirte man von der Entwicklungsgeschichte der Ideen des Moḥammad und verlegte die Frage auf das Gebiet der Dialektik.

Aufser dem Buche ist auch von Büchern die Rede; darunter sind sinnlich wahrnehmbare, geoffenbarte Schriften zu verstehen, welche gleichsam Theile und Appendixe zum Buche bilden:

34, 43. Wir haben ihnen (den Heiden) keine Bücher gegeben, mit deren Studium sie sich befassen, noch haben wir vor dir einen Ermahner an sie gesandt.

Da nun der Begriff des Buches aus dem des Gesetzes hervorgegangen ist, so scheint es, dafs hier unter den Büchern ursprünglich alle Schriften aufser der Thora verstanden wurden. Schon der Name Zobor, womit sie im Ḳorân bezeichnet werden, scheint darauf hinzudeuten; denn Zobar [1]) heifst »Stück«, »Fragment« (Ḳ. 18, 95. 23, 55).

---

men daher an, dafs der Urtext auf einer Tafel, bestehend aus einer weifsen Perle und so grofs, wie die Enfernungen vom Himmel zur Erde und vom Orient bis zum Occident, geschrieben stehe. Der Rand ist mit Perlen und Edelsteinen eingelegt, der Einband ist von Rubin und die Feder, mit der geschrieben wurde, besteht aus Licht. In der Mitte steht: Es giebt keinen Gott aufser Allah, Moḥammad ist sein Knecht und Bote. Wer an Allah glaubt und seine Verheifsungen für wahr hält und dem Propheten folgt, geht in das Paradies ein. Damit die Tafel von Veränderungen frei bleibe, ist sie zur Rechten des Thrones Gottes aufgestellt.

[1]) In Sûra 54 werden die himmlischen Bücher, in denen die Thaten und Schicksale der Menschen aufgezeichnet werden, Zobor genannt. Im Ḳor. 81, 10 heifsen dieselben Schriften Çoḥof, Rollen, und an anderen Stellen Kotob, Bücher. Moḥammad's Absicht war

Die Psalmen des David, die wichtigste dieser Rhapsodien, werden Zabûr Dâwûd genannt. Folgende zwei Stellen bestätigen, dafs Zobor die genannte Bedeutung habe:

35, 22. Wir haben dich die Wahrheit zu lehren gesandt als Verkünder und Warner. Hat es je ein Volk gegeben, zu dem nicht ein Warner gekommen wäre?

23. Wenn sie dich der Lüge zeihen, so bedenke, dafs die Völker vor ihnen dasselbe gethan haben. Es kamen ihre Boten zu ihnen mit den Erleuchtungen und mit den Zobor und mit dem lichtverbreitenden Buche.

24. Darauf habe ich die Ungläubigen hergenommen, und wie war meine Mifsbilligung?! [Vergl. 3, 181.]

16, 45. Wir haben vor dir nur Menschen [und niemals Engel] gesandt, denen wir uns offenbarten, fraget die Besitzer der Unterweisung, wenn ihr es selbst nicht wifst. [Vergl. 21, 7.]

46. Wir sandten sie mit den Erleuchtungen und den Zobor. Auf dich aber haben wir die Unterweisung (Dzikr) hinabgesandt, auf dafs du den Menschen erklärest was für sie geoffenbart worden ist, und damit sie zur Ueberlegung gebracht werden mögen.

Dzikr, Erinnerung, hat aufser der bereits Bd. I S. 318 bezeichneten Bedeutung eine andere, welche ebenfalls technisch wurde. Es steht nämlich statt tadzkyr, zur Erinnerung bringen, auf etwas aufmerksam machen, und heifst daher auch Lehre, Unterweisung. Ich glaube, dafs Moḥammad, indem er es auf diese Weise anwandte, den Sprachgebrauch verletzte; denn ich finde, dafs yadzkoroho, sich seiner erinneren, seiner erwähnen, nicht aber ihn auf etwas aufmerksam machen, bedeute. Diese falsche [1]) An-

---

wohl nur: Mannichfaltigkeit im Ausdrucke und Berücksichtigung des Reimes, indem er sie durch verschiedene Namen bezeichnete.

[1]) Da der Sprachgebrauch der folgenden Geschlechter und vor allem die wissenschaftliche Philologie den Ḳorân auch in sprachlicher Beziehung für unfehlbar hielt, so sind solche Fehler schwer zu beweisen. Weil wir uns leicht irren können, so müssen wir, um psy-

wendung des Wortes gewährt uns einen Blick in seine Idiosynkrasie: dunkle Einfälle oder Erinnerungen erstarkten zur Ueberzeugung, und er sah sie als etwas an, worauf er von einem andern, nämlich von Gott, aufmerksam gemacht worden war, also als eine Lehre, Unterweisung. Dies ist einer der zahlreichen Fälle, welche beweisen, dafs Moḥammad einer jener Menschen war, welche grofse Leichtigkeit besitzen, Begriffe zu generalisiren, denen es aber sehr schwer fällt, sie streng geschieden fest zu halten — ein Träumer.

Am deutlichsten hat Dzikr die Bedeutung von Lehre im Ḳor. 21, 24: »Die Einheit Gottes ist die Lehre meiner Gefährten und die Lehre meiner Vorgänger.« In andern Stellen übersetzt man es am besten mit Unterweisung. Es kommt häufig der Ausdruck vor: »dies (was ich lehre) ist eine Unterweisung für die Menschheit (Ḳor. 81, 27. 12, 104. 21, 51. 38, 49. 87 etc.); und in Ḳor. 36, 69 heifst es: Dies ist eine Unterweisung und ein unverkennbarer Ḳorân (Psalter oder Bibel). Da überall von einer göttlichen Unterweisung die Rede ist, könnte man es allerdings durch Offenbarung wiedergeben; dadurch aber würden die Spuren des Ideenganges des Moḥammad verwischt.

Später wurde der Ausdruck technisch und Moḥammad sprach von der Unterweisung (in ihrem ganzen Umfange), wie in der Stelle, welche zu diesen Erörterungen Veranlassung giebt. In jener Stelle sind die Besitzer der Ermahnung wohl dieselben Leute, welche in Ḳor. 17, 108 als »Diejenigen, welchen vor dir die [ganze] Kenntnifs gegeben worden ist« bezeichnet werden. Anfangs sprach er

---

chologische Thatsachen auf diese Art zu begründen, uns an die cummulative Beweisführung halten, damit, wenn auch einige der dafür angeführten Gründe sich als unhaltbar erweisen, der Schlufs durch die stehen gebliebenen getragen werde. Der Leser wird daher nachsichtig sein, wenn ich an mehreren Orten Vermuthungen dieser Art ausspreche.

auch nur von einer Kenntnifs oder einem Wissen, und dann von der Kenntnifs (in ihrem ganzen Umfange). So hat er auch einige Zeit von dem Besitze einer Erleuchtung, d. h. Aufklärung über gewisse Sachen, und später von dem Besitze der Erleuchtungen gesprochen. Es ist klar, dafs in Moḥammad's Ansichten über den Umfang seines eigenen Gottesbewufstseins und in denen seiner Vorgänger ein Umschwung stattfand, während dessen auch der Ḳorân von einem Buch zu dem Buch erhoben wurde. Er hängt zusammen mit der Behauptung, dafs Gott ihm das Buch wirklich gegeben. (Ḳor. 6, 114.)

IV. Prädestinationslehre.

Die meisten Moslime sind, wie bekannt, Fatalisten [1]). Hier ist der geeignete Ort zu zeigen, wie diese peinliche und geisttödtende Verwirrung in ihre Religion eingedrungen ist.

---

[1]) Für die Geschichte der Lehre vom Fatum ist folgende Tradition wichtig, welche Tha'laby, Tafs. 2,2, erzählt auf die Auktorität des Abû Isḥâḳ Ibrâhym b. Moḥammad b. Sofyân, welcher sie A. H. 308 lehrte und welcher sie erhalten hatte von Abû-l-Ḥasan Moslim b. Ḥaggâg Ḳoschayry, von Abû Chaythama Zohayr b. Ḥarb, von Waky', von Kahmas, von 'Abd Allah b. Borayda, von Yaḥyâ b. Ya'mar:

„Der erste, welcher zu Baçra die Lehre von der Vorbestimmung vortrug, war Ma'bad der Ġohanite. Ich und Ḥamyd b. 'Abd al-Raḥmân Ḥimyary unternahmen die Pilgerfahrt; wir sagten, wenn wir einen der Männer treffen, welche den Propheten gekannt haben, wollen wir ihn über diese Ansichten befragen und zusehen, was sie von der Vorbestimmung halten. Im Bethofe (zu Makka) trafen wir 'Abd Allah, den Sohn des Chalyfen 'Omar. Ich machte mich zu seiner Rechten und mein Freund zu seiner Linken. Ich sagte zu ihm: Es giebt Leute unter uns, welche den Ḳorân lesen und bemüht sind, sich zu unterrichten, und dennoch glauben sie, dafs es keine Vorbestimmung gebe und dafs das was geschieht neu sei. Ibn 'Omar versetzte: Wenn du diese Leute triffst, sage ihnen, dafs ich nichts von ihnen wissen will etc." Um die Lehre von der Vor-

Der Glaube an den göttlichen Ursprung des Ḳorâns macht Gott zu einer bekannten Gröſse, die Welt zum Sündenthal. Nicht nur der Philosoph, sondern jeder Gläubige, wie schwach auch seine geistigen Fähigkeiten sein mögen, ist von Kindheit auf daran gewöhnt, so oft sich seine Gedanken über das gewöhnliche Treiben erheben, sie auf das Uebersinnliche zu lenken. Eine Folge dieser geistigen Erziehung ist, daſs selbst der Forscher die Wahrheit nur dann schätzt, wenn sie mit den vorgefaſsten Gefühlen von Frömmigkeit übereinstimmt. Stillschweigend oder offen nimmt er seine bereits fertigen Begriffe von Gott zum Ausgangspunkte seiner Weltanschauung, und alle seine Spekulationen sind im Grunde nichts als Religionsphilosophie; denn selbst wenn er vorgäbe, den Ḳorân nicht zu berücksichtigen und a-priorisches Wissen verdammte, so würde er es doch immer wie der Verfasser der Natural Theology zum Ziel seiner Bestrebungen machen: Bestätigung seiner von Kindesjahren gehegten Ideen über das Göttliche zu beweisen und nur jene Thatsachen berücksichtigen, die damit im Einklange sind. Der Moslim ist und bleibt ein Supernaturalist.

Wären wir fähig Gott zu erkennen, so würde uns diese analytische Methode gewiſs auf dem kürzesten Wege zur Erkenntniſs führen. Allein die Menschen müssen sich damit begnügen zu sagen: er ist das vollkommenste Wesen; worin seine Vollkommenheit bestehe, ist unmöglich zu bestimmen und zu begreifen. Moḥammad stand auf dem poetisch-contemplativen Standpunkte und fand die Vollkommenheit Gottes darin, daſs »alle schönen Epitheta auf ihn anwendbar sind«, es kommen auch gegen hundert im Ḳorân vor, darunter: der Kundige, der Feine, der Schlaue,

---

bestimmung zu beweisen, erzählte er, daſs der Engel Gabriel in der Gestalt eines Reisenden zum Propheten gekommen und mit ihm darüber gesprochen habe. Diese Lüge ist gewiſs nicht von Ibn 'Omar, sondern wohl von Yaḥyâ b. Ya'mar erfunden worden; sie beweist aber, daſs schon in der ersten Hälfte des ersten Jahrhunderts über diese Lehre zu Baçra viel gestritten wurde.

der Milde u. s. w. Der Gott von Leuten, welche sich über diese Stufe nicht erheben, bleibt, wenn man es näher besieht, immer nur ein Mensch, und dennoch sind sie, wenn sie die Schöpfung erklären wollen, besser daran als die Philosophen, welche über solche anthropomorphischen Anschauungen hinausgehen. Den ersteren geht wenigstens ihr Gott, während sie ihn suchen, nicht verloren, wohl aber letzteren. Die moslimischen Metaphysiker sind in frühester Zeit zur Einsicht gekommen, dafs diese Epithete auf das höchste Wesen nicht anwendbar sein können, ja schon Moḥammad hat seine Begriffe durch fortgesetztes Nachdenken geläutert und seinen Anhängern den Weg zur Abstraction gezeigt. Sie stützen sich auf den Begriff des Unendlichen und suchen es zu ergründen. Es geht ihnen aber nicht besser als dem Darwysch, welcher, um sich in das Wesen Allah's zu versenken, sich im Kreise herumdreht, bis er besinnungslos zu Boden stürzt. Das Unendliche ist ein negativer Begriff, und diejenigen, welche mit dessen Hülfe die Natur Gottes ermessen wollen, machen ihn, wie viele unserer Denker, zum Nichts, oder, da einmal die Existenz der Schöpfung unläugbar ist, zum All. Der Gott der Pantheisten ist eine Gröfse ohne Grenze, welche Alles, auch unser Ich, verschlingt.

Der Pantheismus, wie er von Ibn ʿAraby gelehrt wurde, ist der Höhepunkt, zu welcher sich der Supernaturalismus der Araber verstieg. Aber bei ihnen, wie bei uns, ist er auch in anderen Systemen verarbeitet worden, welche alle das gemein haben, dafs sie die Schöpfung nicht zu verstehen vermögen. Wie wäre dies auch möglich, da sie mit dem verkehrten Ende anfangen und durch quia und ergo die bekannte aus der unbekannten Gröfse deduciren wollen. Ihr Gott ist die Geburt ihrer Phantasie und er kann also unmöglich weiser sein als sie selbst. Sie stellen ihm jedoch die Aufgabe, die Welt zu ordnen, oder vielmehr sie versetzen sich in die Lage eines allmächtigen Wesens und mit wenig Rücksicht auf die Wirklichkeit entwerfen sie einen Schöpfungsplan, in welchem sie begreiflicher Weise der Mittelpunkt sind. Wenn sich der fromme Abû Horayra (Vater des Kätzchens, so genannt, weil er, wo er immer hinging, seine Lieblingskatze mitnahm) einmal in die Lage der Maus, deren Fleisch die Vorsehung zur Speise und deren Agonien zum Zeitvertreib seiner Begleiterin bestimmt hat, versetzt und dabei bedacht hätte, dafs Tausende von Thieren ebenso auf Mord und Raub angewiesen sind, so wäre es ihm wohl nicht eingefallen, dem Schöpfer Milde, in dem Sinne, in welchem sie eine Pflicht des Menschen ist, zuzuschreiben. Gott ist, wie im Korân steht, ein Wesen sui generis oder, wie die Çûfies sagen: Er ist Er (hû hû). Weil diese frommen Denker weder die Weisheit des Schöpfers besitzen, noch sich auf seine Stelle erschwingen können, so fällt ihr Weltbau immer jämmerlich schlecht aus und ist ganz verschieden von der Wirklichkeit. Sie sind sich dessen wohl bewufst und defswegen ist selbst in unsern Tagen die Naturwissenschaft in manchen Theilen von Deutschland in den Schulen verpönt; denn sie ist es, die den frommen Schwindel unserer Supernaturalisten in seiner Nacktheit darstellt.

149) Die Moslime sind sammt und sonders in dieser supernaturalistischen Weltanschauung befangen und sie haben daher in den Erfahrungswissenschaften so zu sagen nichts geleistet; es giebt nur wenige Fälle, wo der gesunde Menschenverstand, ungeachtet ihrer falschen Richtung, seine Rechte behauptet hat. Neben der strengen Theorie machte sich aber die Mystik geltend, welche ohne sich um Folgerichtigkeit zu kümmern, die verschiedenen Eindrücke, wodurch das religiöse Gefühl erstarkt, mit den vorgefafsten Ideen verarbeitet und ein buntes Gemisch von Aberglauben und erhabenen Anschauungen schuf. Das bekannteste Werk über diesen Gegenstand sind die »Abhandlungen der Brüder der Reinigkeit«[1]; daneben verdienen die Falakyyat

---

[1]) Prof. Dieterici hat jüngst eine Monographie über dieses Werk geschrieben, und sowohl er als auch Prof. Flügel haben in der Zeit-

genannten Werke Berücksichtigung, sie behandeln die orientalische Schöpfungstheorie, und indem sie in den Sphären der Planeten eine Reihe von Demiurgen erkennen, liefern sie den Beweis für die Wahrheit der Astrologie [1]). Die philosophischen Bestrebungen der Moslime haben schon in Ghazzâly's Wiederbelebung der Wissenschaften des Islâms ihren Abschlufs gefunden. Durchdrungen von der Wahrheit des Korâns, versunken in die Tiefen der Mystik und dabei gewandt in der Dialektik, ist es ihm besser gelungen, als je einem Philosophen, die Wahrheit einer positiven Religion mit der Vernunft zu versöhnen. Ghazzâly starb zu Anfang des zwölften Jahrhunderts und war also ein Zeitgenosse des Abaelard und anderer Denker, welche ähnliche Zwecke verfolgten. Nach ihm wurden einzelne Theile der Philosophie, besonders die Mystik, zu gröfserer Vollendung gebracht; dennoch darf man behaupten, dafs sich seitdem die Moslime im Kreise herumdrehten und keine Fortschritte machten.

Weil der Supernaturalismus unmöglich unsere irdischen Zustände erklären und zu befriedigenden Resultaten führen kann, haben die meisten Vertreter desselben in der Ascese und dem unbedingten Glauben an das Positive Befriedigung gesucht. Diese Welt, weil sie nicht nach ihrem Programm erschaffen, ist verpfuscht, sie ist durch die Sündhaftigkeit der Menschen verdorben, sie ist nur ein Ort der Prüfung, der Läuterung und Vorbereitung für das Jenseits; es ist also am besten, man giebt sich der Ascese hin, um dann stracks in jene Welt einzugehen, wo unsere Ideale zur Wirklichkeit werden. Der ausgebildete Supernaturalismus ist die Weltanschauung der Entnervung, des Sittenverderbnisses

---

schrift d. d. m. G. darüber berichtet. Vergl. auch meinen Aufsatz im Journ. As. Soc. B.

[1]) Das bekannteste, wenn auch nicht das beste Buch über diesen Gegenstand ist: Maybodzy; es wird in allen Hochschulen des Orients gelehrt und verdiente übersetzt zu werden.

und des Gottesgnadenthums, daher der Verfall der Völker des Orients.

Leider haben wir auch Leistungen auf diesem Gebiete von deutschen Philosophen, wodurch die Metaphysik zur Kunst wurde, Unsinn ohne Erröthen zu sagen und ohne Lächeln zu hören.

Bei uns hat die unter dem Einflusse der Naturforschung erwachsene Naturphilosophie die Bahn zur Induktion und zu einer neuen Aera eröffnet, und nur Heuchler und Dunkelmänner weilen noch im Gebiete des Supernaturalismus. Es stammen, wie schon Locke behauptet hat, alle unsere klaren Begriffe aus sinnlicher Wahrnehmung. Der Religionsinstinkt ist, wie alle menschlichen Instinkte, ohne Inhalt und äufsert sich blofs als Bedürfnifs. Es sei mir erlaubt, eine Vergleichung zu wiederholen, um seine Beziehung zu dem durch Beobachtung errungenen Wissen zu beleuchten. Auch das Verhältnifs der Geschlechter zu einander äufsert sich ursprünglich nur als ein unbestimmtes Verlangen. Die Liebe wird erst durch die Bekanntschaft mit dem geeigneten Gegenstande erweckt. Der Religionsinstinkt ist der Trieb, welcher uns das Göttliche in der Schöpfung zu suchen veranlafst, und wenn wir es gefunden haben, geniefsen wir eine glücklicher Liebe ähnliche Befriedigung; daher die Aufopferung gelehrter Männer für die Wissenschaft. So lange wir es nur ahnen, äufsert sich dieser Instinkt als Glaube, welcher, da die Folgerungen weit über den Inhalt der Prämissen hinausgehen, immer trügerisch ist, aber er ist ein Führer zum Wahren, nur dürfen wir den Sinn für Wahrheit nicht durch Abstumpfung jener Seite des Religionsinstinktes schwächen, welche wir Gewissen nennen. Gewissenlosigkeit versperrt den Weg zur Weisheit. Die Religion der Griechen gründete sich auf eine poetische Naturanschauung, die des Forschers auf eine wissenschaftliche. Da in unserm Kosmos überall dieselben Gesetze walten, sind wir nicht in Gefahr, in die Vielgötterei zurückzufallen; dennoch würde ich einen Phantasten, welcher annähme, es könne aufser unserm Kosmos einen andern geben, der nach ganz andern Gesetzen organisirt ist und in dem ein anderer, mit dem unsrigen in friedlichem Einvernehmen lebender Gott regiert, für vernünftiger und ehrlicher halten, als einen Supernaturalisten.

Die Moslime scheuen sich selten, die Konsequenzen ihrer Prämissen auszusprechen, und deswegen schreiben auch die meisten von ihnen die Sünde Gott zu. Wenn wir dem Wege der Induktion folgen und den gesunden Menschenverstand nicht systematisch unterdrücken, so wissen wir, dafs der menschliche Wille frei sei, worin diese Freiheit bestehe und wie weit sie sich erstrecke, aber wir finden es schwer, über unsere Bestimmung Auskunft zu geben und unabänderliche Gesetze in der Entwicklung der Menschheit nachzuweisen. Dennoch ist dies ein unabweisbares Bedürfnifs des Glaubens und eine vernünftige Forderung an die Wissenschaft. Auch die Naturforschung, obwohl sie so weit fortgeschritten ist, hat noch ähnliche Räthsel zu lösen, wie die Anthropologie. Die Gesetze, von denen die Witterung abhängt, die Ursache verheerender Seuchen, und viele andere Dinge, die auf das engste mit unserm Wohlsein zusammenhängen, sind noch unbekannt. Die Schwierigkeiten dienen als Stimulus für thätige Geister, zu beobachten, zu vergleichen und zu forschen, und es mufs gelingen, diese Räthsel zu lösen, da es uns doch gelungen ist, Planeten durch Berechnung zu entdecken und den Händen des Jupiter den Blitz zu entwinden. Möge diese Arbeit dazu beitragen, die Forschungen des Ibn Chaldûn, des einzigen induktiven Geschichtsphilosophen, zu erweitern und zu berichtigen. Nur dann wird sie den Zweck erreichen, zu dem sie unternommen worden ist: nämlich für die Lösung der anthropologischen Räthsel Thatsachen zu liefern. Ungeachtet der emsigen Beobachtungen der Pfleger der Statistik, Nationalökonomie, Ethnographie, Geschichtsforschung, vergleichenden Sprachkunde und anderer anthropologischen Wissenschaften mögen Jahrhunderte dahinfliefsen, ehe wir begründeten Aufschlufs auch nur über die brennendsten Fragen unserer Bestimmung erhalten; wir müssen uns also einstweilen in Bezug auf solche Fragen mit dem Glauben im angedeuteten Sinne begnügen.

Der heilige Augustin hat seine Prädestinationstheorie unter ähnlichen Umständen ausgebildet wie Moḥammad. Er sah viele Menschen von hoher Intelligenz, welche sich ungeachtet ihrer geistigen Vorzüge und ihres tadellosen Lebenswandels doch der alleinseligmachenden Kirche Christi nicht anschlossen. Er selbst hatte lange auf den Wogen des Lebens herumgetrieben, ehe er durch die Fürbitte seiner Mutter Monica in den sichern Hafen des Glaubens eingeführt wurde. Der natürliche Schlufs war, dafs die Menschen schlecht sind und nur durch die besondere Gnade Gottes auf den Weg des Heils geleitet werden können. Wenn auch allem Anscheine nach dem Moḥammad die Gnadentheorie von Andern gelehrt wurde, so war es doch auch bei ihm die Verstocktheit der Menschen, welche ihn dafür empfänglich machte.

Ist einmal die Gnadenlehre festgestellt, so ergiebt sich alles Uebrige von selbst. Da die der Gnade Theilhaftigen (Gläubigen) oft viel schlechter sind in ihrem Wandel als die Ungläubigen, kann sie nicht Folge von Verdiensten sein; Gott ertheilt sie also willkürlich, wem er will. Die Ewigkeit und Unveränderlichkeit Gottes und seiner Rathschlüsse endlich führen zur Lehre der Gnadenwahl (Electio), welcher zufolge die zum Heil Bestimmten vor aller Ewigkeit auserkoren worden sind, während auch die Ungläubigen mit dem Verdammungsurtheil geboren werden. So ist die Gnaden- und Prädestinationslehre fertig, und sie ist so einfach und einleuchtend, dafs ich selbst Frauen und unwissende Menschen gekannt habe, welche sie so gut zu beweisen wufsten als Calvin.

Wir finden schon früh Spuren des Prädestinationsglaubens im Ḳorân. Das Schicksal jedes Menschen ist nicht nur vorher bestimmt, sondern es ist auch schriftlich vorhanden; und das Leben verhält sich zu dieser Schrift wie ein Schauspiel zum Text des Dichters. Allein diese Lehre erscheint in Moḥammad's Inspirationen als etwas Unorganisches, Aeufseres, und es wird daher ebenso oft behauptet, dafs Engel die Thaten des Menschen aufzeichnen, aber erst nachdem sie geschehen sind [1]). Wo immer Moḥammad seine eigenen Empfindungen ausdrückt, erkennt er besonders in der frühesten Periode die Freiheit des menschlichen Willens an.

Die Prädestinationslehre mufs sich, wenn sie organisch sein soll, auf die Gnadenlehre stützen. Diese ist dem Moḥammad von den Christen (Raḥmânisten) mitgetheilt worden und er hat sie auch benutzt; aber wer da glaubt, er habe sich in dialektische Spekulationen vertieft und sie consequent durchgeführt, müfste so verkehrte Begriffe von dem Genius eines Religionsstifters und Volkslehrers haben, dafs ich ihm auch zutraute, er würde einen aus dürrem Holze geschnitzten Baum in die Erde setzen und erwarten, dafs er Wurzel schlage und Früchte trage. Moḥammad war kein Dialektiker, sondern ein [natürlicher] Prophet und dabei bisweilen ein recht praktischer Mann. Die Gnadenlehre in Verbindung mit den Ereignissen, welche er dadurch erklären oder beherrschen konnte, war einige Zeit ein Gegenstand seiner Contemplation, und in Madyna, als seine Anhänger zögerten, in die Schlacht zu gehen, beutete er die Prädestinationslehre aus, indem er ihnen zurief: Der Lebenstermin eines jeden Sterblichen ist festgesetzt; wenn er gekommen ist, ereilt euch der Tod, ob ihr dem Feinde gegenübersteht oder unter euren Freunden verweilt. Aber von einer consequenten Durchführung einer so dürren, geist-

---

[1]) Auch in der Hist. Jos. Lign. c. 26 kommt der Ausdruck vor: اخرق كتاب خطاياه Er hat das Buch seiner Sünden zerrissen (im gedruckten Text steht احرق verbrannt). Im Comm. dazu wird eine Stelle aus Pirke Ab. c. 2 angeführt: „Alle deine Werke sind in einem Buche verzeichnet.“ — Die himmlische Kanzlei ist also ein Einfall der Juden, mit dem aber auch die Christen vertraut wurden.

tödtenden Theorie ist nicht die Rede. Er behauptete eben so oft, daſs die Gnade die Folge des Glaubens sei, als das Umgekehrte.

Da die Gnadenlehre im Ḳorân keine Theorie, sondern ein poetischer Gedanke ist, so kommt auch kein technischer Ausdruck für Gnade vor. Sie wird gewöhnlich raḥma [1]) genannt: daher Raḥmân, welches ursprünglich wohl Vertheiler der Gnade bedeutete. Wenn dies der Sinn von Raḥmân war, so ist er dem Moḥammad wahrscheinlich nicht bekannt gewesen. Dennoch nennt er den prädestinirenden Gott in den ältesten, unter christlichem Einfluſs verfaſsten Ḳorânstellen Raḥmân. So in Ḳor. 19, 62, wo der Raḥmân den Frommen bei sich selbst in ihrer Abwesenheit, d. h. ohne ihr Wissen, das Paradies verheiſsen hat, und in Ḳor. 19, 78, wo der Raḥmân die Gnade der Gläubigen vermehrt. Vor Allem aber in der schönen Sûra 1, deren Veranlassung in die Zeit fällt, in welcher ihn der Gedanke an die Güte Gottes in aller seiner Erhabenheit erfüllte und welche der Hauptausdruck seiner Empfindungen über diesen Gegenstand ist:

1, 1. Das Lob dem Allah, dem Herrn der Welten,
2. dem barmherzigen Raḥmân,
3. dem Herrscher am Tage des Gerichtes! [2])

---

[1]) Riḥm (hebr. Reḥem) heiſst der Mutterleib, und Raḥma die Sympathie, welche zwischen Verwandten besteht; so in Ḳor. 30, 20. Das Wort war daher gar nicht geeignet, den starren Begriff von „Gnade“ in seiner technischen Bedeutung auszudrücken.

[2]) Die gewöhnliche Lesart ist Mâlik mit langem a, welches Besitzer bedeutet; es erhellt aber aus Tha'laby, daſs Viele für die Lesart Malik (sprich Melik), König, stimmten. Moḥammad soll bei einer Gelegenheit das Wort fast wie Malk ausgesprochen haben. Gott wird auch in andern Stellen Melik, König, genannt, und in Ḳor. 40, 16 heiſst es: „Wem gehört heute (d. h. am Gerichtstage) das Mulk (das Königthum, die Herrschaft)?“ es heiſst aber nicht „das Milk“ = Besitzthum. Gott wird nur einmal Mâlik, Besitzer, genannt, nämlich im Ḳor. 3, 25, wo er der Besitzer der Herrschaft (Mulk) geheiſsen wird. Im Ḳor. 43, 77 rufen die Verdammten: „O Mâlik, möge dein

4. Dir dienen wir und dich rufen wir um Beistand an,
5. führe uns auf die gerade Strafse,
6. die Strafse Jener, gegen die du wohlthätig warst[1]),
7. auf denen nicht dein Zorn lastet und die nicht
irre gehen. Amen!

Wenn Moḥammad die Bücher des Moses (Ḳor. 46, 11. 11, 20) und den Ḳorân (Ḳor. 12, 111) Ausflüsse der Gnade nennt, so ist dies, wie überhaupt alles gelegentlich über diesen Gegenstand Gesagte so natürlich, dafs es rein zufällig sein mag, und nicht nothwendig eine Theorie dahinter zu suchen ist.

Anders ist es mit der Gnadenwahl. Moḥammad benutzt diese Lehre gerade so, wie sie zur Erklärung seiner Lage pafst, widerspricht ihr aber in andern Fällen. Wenn man die Aeufserungen, welche er unter verschiedenen Verhältnissen gemacht hat, zusammenstellt, so kommt man ungefähr zum Resultate, dafs er, so lange er mit Frische predigte, die Erkenntnifs des wahren Gottes dem Synergismus zuschrieb, die Anerkennung seiner Mission aber der Gnade. Wir haben gesehen, dafs die meisten Männer, wel-

---

Herr ein Ende machen", und er antwortet: „Ihr müfst ausharren." Die Commentatoren sagen, dafs Mâlik der Name des Engels sei, welcher die Verwaltung über die Hölle hat. Mir kommt es unwahrscheinlich vor, dafs hier Mâlik ein Eigenname sei, und ich würde es lieber mit Machthaber übersetzen. Vorausgesetzt, dafs in Ḳ. 1, 3 Mâlik die richtige Lesart ist, wäre es möglich, dafs eine Tradition vorhanden war, welcher zufolge der Raḥmân als ein dem Herrn untergeordneter Mâlik, Machthaber oder Dränger, am Gerichtstage erscheint, und dafs in dieser Stelle diese Tradition unverdaut wiedergegeben wird.

[1]) Wen hatte Moḥammad im Auge, als er Gott bat, ihn und seine Anhänger so zu leiten, wie die, gegen welche Gott wohlthätig gewesen? Ibn 'Abbâs sagt: Die Juden und Christen vor der Verfälschung der Schrift. Genauer ist die Frage im Ḳor. 19, 59 beantwortet (vergl. oben S. 251), wo derselbe Ausdruck gebraucht wird: er meinte die Hierarchie der Raḥmânisten. Ḳor. 19, 60 nennt die, auf welchen Gottes Zorn lastet; noch deutlicher werden sie in Ḳor. 5, 65 beschrieben.

che an Einen Gott glaubten, sogleich nach seinem Auftreten einige Zeit lang seine Inspirationen als echt anerkannten. Der Glaube an einen Gott und das Gefühl der Verantwortlichkeit erzeugte in ihnen das Bedürfniss nach einer Offenbarung und nach einem Führer, und sein Erscheinen, sowie seine Orakel entsprachen diesem Bedürfnisse. Vom Standpunkte der Religion ist dieses Bedürfniss und diese warme Anerkennung eine Folge der Gnade Gottes, welche das Herz für die Offenbarungen erleuchtet; denn es gab ja auch einige Monotheisten, wie Omayya b. Aby Çalt, welche von den Inspirationen des Propheten nicht befriedigt waren, also die Gnade nicht besassen. Von tugendhaften Menschen, welche ihn nicht anerkannten, sagte Moḥammad, dass sie ihres Unglaubens wegen unberücksichtigt blieben. Hier wie in manchen andern Fällen dreht er sich im Kreise herum.

Weil die Gnade die Ursache des Glaubens an Moḥammad und zugleich der Adel des Menschen ist, bildet sie noch heute die Seele des kirchlichen und politischen Bandes unter den Moslimen. Ohne sich der Theorie deutlich bewusst zu sein, verachten sie aus Gewohnheit und Herkommen Jeden, der ihnen nicht angehört, und sind unter einander eng verbrüdert. Wir haben Andersdenkende (besonders Ketzer) systematischer und grausamer verfolgt als die Moslime, aber nie mit jenem Selbstbewusstsein unserer Würde so sehr verachtet.

Da die gedrohte Strafe ungeachtet des Unglaubens und der Herausforderungen der Heiden, welche sagten: »vertilge uns, wenn du im Stande bist«, doch nicht eintrat, so kam ihm die Lehre von der Gnadenwahl vortrefflich zu Statten, wie man aus folgenden Ḳorânversen ersieht:

11, 11. Da wir ihnen die Strafe verschieben, um sie [nicht über alle, sondern] über eine beschränkte Gemeinde (von Heiden) zu verhängen, fragen sie: Was hält sie auf?

42, 6. Wenn es Gott gefiele, würde er sie alle in eine Religionsgemeinde (den Islâm) vereinigen; allein er führt, wen er will, in seine Gnade ein. Die Ungerechten aber werden weder einen Vertreter noch einen Beschützer finden.

Um die solchen Offenbarungen zu Grunde liegende Idee vollends zu verstehen, mufs man jene Verse derselben Sûra berücksichtigen, in welchen sie historisch beleuchtet wird:

11, 38, Dem Noah wurde nun geoffenbart: Niemand von deinem Volke wird, wenn er den Glauben nicht bereits angenommen hat, ihn mehr annehmen. Betrübe dich nicht über ihr Benehmen!

39. Baue also ein Schiff unter unsern Augen und nach unserer Eingebung und wende dich nicht mehr an uns zu Gunsten der Ungerechten; denn sie sind bestimmt, ersäuft zu werden.

40. Er beschäftigte sich mit dem Bau des Schiffes, und so oft einer von der Malâ (Aristokratie) seines Volkes vorüberging, machte er sich über Noah lustig. Er aber antwortete: Macht euch nur lustig; wir werden uns einst über euch lustig machen, wie ihr jetzt über uns. Ihr werdet bald sehen,

41. wen eine Strafe trifft, welche seine Vergeltung sein wird; — und eine bleibende Strafe wird auf ihnen lasten!

Moḥammad will also sagen, dafs die Strafe verschoben werde, bis sich alle, die zum Glauben bestimmt sind, bekehrt haben, damit nicht eine zu grofse Anzahl von Menschen vertilgt werde. Wir haben nun keine Schwierigkeit, folgende Offenbarung zu verstehen, welche, dem Inhalte nach zu schliefsen, älter ist als die vorigen:

10, 94. Wenn du je im Zweifel warst über das, was wir dir geoffenbart, frage diejenigen, welche das Buch vor dir lasen. Du hast bereits die Wahrheit von deinem Herrn erhalten; sei daher nicht einer von den Zweiflern.

95. Sei auch nicht einer von jenen, welche die Zeichen Allah's läugnen, sonst wirst auch du Verlust erleiden.

96. Diejenigen, welche den Urtheilspruch deines Herrn verdient haben, werden nicht glauben,

97. selbst wenn ihnen alle Zeichen gezeigt würden, bis sie die peinliche Strafe sehen.

98. Oder hat es vielleicht je eine Stadt gegeben, welche geglaubt und deren Glauben ihr geholfen hätte? Die einzige Ausnahme ist das Volk des Jonas. Nachdem dies den Glauben erklärt hatte, nahmen wir die Strafe der Erniedrigung im Erdenleben von ihm und liefsen es noch eine Weile das Leben geniefsen.

99. Wenn es dein Herr wollte, so würde Jedermann auf Erden glauben ohne Ausnahme, aber willst du etwa die Menschen zum Glauben zwingen?

100. Es steht nicht in der Macht des Menschen zu glauben, es sei denn, dafs es Allah gewähre. Er verdammt Jene zum Unflath [1]), die ohne Vernunft sind.

101. Sprich: Sehet, was in den Himmeln und auf Erden ist (d. h. die Wunder der Schöpfung), — aber was helfen die Zeichen und Warner bei Menschen, die nicht glauben?

102. Erwartet ihr etwas Anderes als [Schlacht-] Tage, ähnlich denjenigen, welche über die Völker vor euch ergangen sind? Sprich: Wartet nur und ich warte mit euch.

103. Wir pflegen dann unsere Boten und die Gläubigen zu retten. So werden wir auch unserer Pflicht gemäfs [den Moḥammad und] die Gläubigen retten.

104. Sprich: O Menschen, wenn ihr im Zweifel seid über meine Religion, [so wisset,] dafs ich diejenigen Wesen nicht anbete, welche ihr aufser Allah anbetet. Ich bete Allah an, welcher euch einst sterben lassen wird; und ich habe den Befehl erhalten, einer der Gläubigen zu sein,

---

[1]) Im Original Riǵs oder Roǵz. Die Commentatoren glauben, es bedeute hier Strafe. Dies ist nicht richtig. Moḥammad will sagen: Gott hält sie im Schlamme der Abgötterei, um sie in das Verderben hineinzureifsen. Vergl. B. I S. 293 Note 1.

105. und als Ḥanyf mich dem Dyn[1]) zuzuwenden und mich nicht der Vielgötterei anzuschliefsen,

106. aufser Allah keine Wesen anzurufen, die weder zu nützen noch zu schaden die Macht haben. Wenn ich dies thäte, gehörte ich zu den Ungerechten.

107. Wenn Allah dir Böses widerfahren läfst, so kann es Niemand von dir wegnehmen als er, und wenn er dir Gutes zugedacht hat, so kann Niemand seine Gnade vereiteln; er läfst sie wem er will von seinen Dienern widerfahren, denn er ist der Verzeihende, der Barmherzige.

108. Sprich: O Menschen, die Wahrheit von eurem Herrn ist zu euch gekommen; wer sich leiten läfst, läfst sich zu seinem eigenen Vortheil leiten, wer irrt, irrt zu seinem eigenen Verderben. Ich bin nicht euer Anwalt.

109. Folge dem, was dir geoffenbart wird und harre geduldig, bis Allah das Urtel [zwischen dir und deinen Widersachern] ausspricht. Er ist der beste aller Schiedsrichter.

Diese Inspiration ist wegen der darin enthaltenen Widersprüche ein psychologisches Dokument von Interesse. Wer nach Lesung derselben den Moḥammad für einen gesunden Denker hält, dessen Kopf mufs so unklar und unlogisch sein, als der des Propheten war. Man kann aber der Composition, wenigstens im Original, poetischen Werth nicht absprechen.

Moḥammad will also in den obigen Versen sagen, dafs die Strafe verschoben sei, bis alle zum Heil Bestimmten sich bekehrt haben, damit nicht eine zu grofse Anzahl von Menschen vertilgt werde. Später sprach er sich in so kräftigen Ausdrücken dahin aus, dafs seine Feinde nicht glauben können, weil sie nach Gottes Rathschlusse zur Verdammung geboren worden seien, dafs das Lesen des Ḳorâns

---

[1]) Der wahren Religion. Vergl. Bd. I S. 566.

peinlich wird. Statt solche Stellen zu sammeln[1]), aus welchen doch stets der Versuch, einen Eindruck auf die Heiden zu machen und die Gläubigen zu beruhigen, nicht aber eine starre Verstandestheorie durchleuchtet, will ich Fälle zusammenstellen, in denen er die Lehren von der Gnade und Gnadenwahl auf eine geistreiche Art benutzte, um sich aus Schwierigkeiten zu ziehen, und welche daher Licht auf sein Leben und Wirken werfen.

Schon früh machten ihm die Heiden den Vorwurf, dafs seine Anhänger meistens Leute ohne sociale Position seien, ja dafs sich darunter sündhafte Menschen und schlechtes Gesindel befinden; und im Jahre 615 wufste er ihnen keine andere Antwort zu geben, als dafs man auch gegen Noah, mit dem er sich damals am liebsten verglich, diese Anklage erhoben habe:

26, 111. Wie, wir sollen dir glauben, während schlechtes Gesindel deine Anhänger sind?

112. Noah antwortete: Ich habe keine Kenntnifs dessen (d. h. es geht mich nichts an), was sie zu thun pflegten;

113. sie sind Niemandem verantwortlich als meinem Herrn.

Um's Jahr 617—618 setzte ihn die Lehre von der Gnade in den Stand, eine viel bessere Antwort zu geben:

6, 50. Sprich: — — Ich folge nur dem, was mir geoffenbart wird. Sprich ferner: Ist etwa der Blinde [wie ihr seid] und der Sehende [wie ich bin] gleich? — denkt ihr denn nicht nach?

51. und warne mit der Offenbarung diejenigen, welche fürchten, dafs sie vor dem Richterstuhl ihres Herrn versammelt werden, wo es aufser Ihm keinen Vertreter oder Fürsprecher für sie giebt — auf dafs sie gottesfürchtig werden.

---

[1]) Ich will nur auf die oben S. 36 angeführten Verse 71, 30 und 31 verweisen.

52. und treibe diejenigen, welche ihren Herrn Morgens und Abends anrufen, aus Verlangen nach seinem Wohlwollen, nicht von dir. Du bist durchaus nicht für sie verantwortlich. Solltest du sie von dir verstofsen, so gehörst du zu den Ungerechten.

53. [Durch diese Fügung, dafs sich schlechtes Gesindel unter deinen Anhängern befindet] setzen wir die Einen durch die Andern auf die Probe, und wir haben sie dahin gebracht, dafs sie sagen: Sind dies die Leute, welche Allah vor uns durch seine Gnade ausgezeichnet hat? [Antworte:] Allah weifs doch am besten, wer sich dankbar zeigen wird.

54. Wenn die, welche an unsere Zeichen (Offenbarungen) glauben, zu dir kommen, so sprich: Friede sei mit euch! Euer Herr hat sich Barmherzigkeit vorgeschrieben und folglich, wenn einer von Euch aus Unwissenheit Böses gethan, dann es aber bereut und sich gebessert hat, so ist Er verzeihungsvoll und barmherzig.

55. So setzen wir die Zeichen (Offenbarungen) auseinander, um den Weg der Bösewichter zu beleuchten.

In Sûra 11 legt er dieselben Ansichten dem Noah in den Mund:

29. Die Malâ (Aristokratie), welche unter seinem Volke ungläubig war, sagte zu Noah: Wir erblicken in dir einen Menschen wie wir, und wir sehen, dafs dir nur Leute folgen, welche das schlechteste Gesindel unter uns bilden und ohne Ueberlegung sind. Wir erkennen nicht an, dafs ihr vor uns einen Vorzug habet und halten euch für Lügner.

30. Er antwortete: O Volk, sagt mir, was däucht euch, wenn ich eine von meinem Herrn ausgehende Erleuchtung besitze und er mir einen Strahl seiner Gnade zufliefsen liefs, ihr aber gegen denselben blind seid; soll ich ihn euch etwa aufzwingen, selbst gegen euern Willen.

31. O Volk, ich verlange ja von euch keine Schätze dafür. Allah haftet für meinen Lohn. Ich werde aber die-

jenigen, welche [an mich] glauben, nimmermehr von mir verstofsen. Sie werden mit ihrem Herrn zusammentreffen [1]). Euch aber halte ich für unwissende Menschen.

32. O Volk, wer wird mir vor Allah beistehen, wenn ich sie verstofse. — Kommt ihr denn nicht zur Ueberlegung?

Im Vorbeigehen sei es mir erlaubt, einen Fall zu erwähnen, in welchem Moḥammad von seinem Prinzipe abwich, es aber bitter bereute:

Der blinde Ibn Omm Maktûm, ein Verwandter der Frau des Propheten, kam zu diesem, während er dem ʿOtba b. Rabyʿa, Abû Ġahl, ʿAbbâs b. ʿAbd al-Moṭṭalib, Obayy b. Chalaf und dessen Bruder Omayya den Islâm vortrug und die Hoffnung hegte, dafs es ihm gelingen würde, sie zu bekehren. Der Blinde rief ihm zu: Lafs mich die Lehre hören, die Gott dir mittheilt. Und da ihm Moḥammad kein Gehör gab, wiederholte er seine Bitte. Moḥammad ärgerte sich darüber, denn, dachte er, diese vornehmen Ḳorayschiten werden denken, dafs nur schwache Leute und Sklaven mir zuströmen, und er drückte seinen Unwillen gegen den Blinden aus. Darüber gab ihm Gott folgenden Verweis:

80, 1. Er (Moḥammad) hat die Stirn gerunzelt und sich weggewendet,

2. weil der Blinde zu ihm kam.

3. Wie kannst du wissen, ob er sich nicht reinigen (bekehren)

4. oder sich ermahnen lassen wird und ihm die Ermahnung fruchtet.

5, 6. Einerseits verkehrst du mit dem Uebermüthigen

---

[1]) Den Commentatoren zufolge will Noah sagen: Sie werden mich vor dem Richterstuhle Gottes verklagen. Wenn im Ḳorân von Zusammentreffen mit Gott die Rede ist, so deutet es gewöhnlich auf die Verantwortlichkeit des Vorgeladenen, ich glaube daher, er will sagen, für ihre Missethaten werden sie dort Rechenschaft ablegen müssen.

7. — freilich ist es nicht deine Schuld, dafs er sich nicht reiniget —

8—10. andererseits läfst du dich abhalten von dem, welcher voll Eifer zu dir kommt und Gott fürchtet.

Da Moḥammad nicht zur Aristokratie gehörte, wurde auch er selbst seiner socialen Stellung wegen angegriffen; man dachte, dafs, wenn Gott einen Boten habe senden wollen, er einen Mann von Ansehen gewählt haben würde. In seiner Antwort tritt die Gnadenlehre deutlicher als in den vorhergehenden Stücken hervor:

43, 30. Sie sagten: Warum ist dieser Ḳorân nicht auf einen grofsen Mann von den zwei Städten (Makka und Ṭâyif) herabgesandt worden?

31. [Antwort:] Sind sie es, welche die Gnade deines Herrn vertheilen? — Nein, wir haben ihren Unterhalt im Erdenleben unter sie vertheilt und einen um mehrere Grade über den Andern gestellt, so dafs einer den Andern als Tagelöhner hält. Die Gnade deines Herrn aber ist besser als die Reichthümer, welche sie sammeln.

32. Wenn die Menschen nicht alle eine Genossenschaft bildeten [1]) [und die Gläubigen nicht so wenig zahlreich wären, dafs die ganze Stadt vertilgt werden müfste], so würden wir Jenen, welche den Raḥmân verläugnen, silberne Dächer auf ihre Häuser setzen und Treppen geben, auf denen sie hinaufsteigen könnten,

33. und wir würden ihre Häuser mit Pforten und Ruhebetten versehen, auf die sie sich niederlegen könnten,

34. und goldene Geräthe; — dieses ist alles Tand des Erdenlebens. Die jenseitige Glückseligkeit bewahrt dein Herr für die Gottesfürchtigen.

35. Demjenigen, welcher gegen die Erwähnung des Raḥmân blind ist, dem geben wir einen Satan (Verführer) [2]), welcher sein Genosse ist.

---

1) Vergl. Ḳ. 11, 11.

2) Ich glaube, dafs unter Satan hier böse Menschen gemeint sind.

36. Sie (die Verführer) versperren ihnen (den Menschen) den Pfad, dennoch glauben diese, sie seien geleitet.

37. Wenn sie dann vor uns erscheinen, sagt der Verführte: O dafs zwischen mir und dir die Entfernung des Ostens vom Westen gewesen wäre — welch' ein heilloser Genosse!

38. Aber dann hilft dies Geschwätz nichts mehr; denn ihr waret ungerecht und müfst mit einander die Strafe dulden.

39. Bist du es etwa, o Moḥammad, welcher im Stande ist, den Tauben hören zu machen und dem Blinden und dem, welcher auf offenbarem Irrwege ist, den Weg zu zeigen?

40. [Da sie unverbesserlich sind], werden wir dich entweder wegnehmen und dann zur Rache schreiten,

41. oder dich mit Augen die Strafe sehen lassen, welche wir ihnen verheifsen haben; sie sind ja in unserer Macht.

42. Halte daher, was dir geoffenbart worden ist, fest; denn du bist wahrlich auf gerader Strafse.

43. Es ist eine Ermahnung für dich und dein Volk, welches bald zur Rechenschaft gezogen werden soll.

44. Stelle Nachfragen an in Bezug auf die Boten, welche wir vor dir gesandt haben, ob wir ihnen aufser dem Raḥmân Götter zu verehren aufgetragen haben?

45. Ehedem haben wir den Moses zu Pharao und seiner Malâ (Aristokratie) gesandt — — —

50. Pharao rief seinem Volke zu: Besitze ich nicht Egypten und diese Flüsse, welche es durchströmen? Sehet ihr denn nicht?

51. Bin ich daher nicht besser als dieser erbärmliche Wicht,

52. der sich nicht einmal ordentlich auszudrücken versteht?

53. Wenn ihm nicht goldene Armbänder zugeworfen werden oder die Engel in Verbindung mit ihm erscheinen, [so ist es nichts mit ihm].

54. Er machte sein Volk leichtsinnig, und sie gehorchten ihm; denn es war ein boshaftes Volk.

55. Nachdem sie aber unsern Zorn entflammt hatten, schritten wir zur Rache und ersäuften sie alle,

56. und machten sie zum warnenden Vorbilde für die Nachwelt.

Moḥammad erklärte seinen Widersachern ganz ehrlich, daſs die Offenbarungen, welche er erhalte, in einem Lichte bestehe, welches in seinem Innern aufgegangen. Walyd b. Moghyra, einer der mächtigsten Männer in den »zwei Städten«, erklärte, er wolle nicht glauben, bis Gott nicht auch in seinem Innern ein Licht angezündet.

6, 122. Und ist wohl Derjenige (d. h. Moḥammad), welcher todt war [1]) und welchem wir Leben und ein Licht gegeben, womit er unter den Menschen einhergeht, wie Derjenige, welcher gleichsam in Finsterniſs wandelt und nicht aus ihr heraus will. So wird den Gottvergessenen, was sie zu thun gewöhnt, als schön vorgespiegelt.

123. Wie hier, so haben wir in jeder Stadt einige Groſse zu Verbrechern gegen dieselbe gemacht, auf daſs sie darin ihre Ränke üben, aber ihre Ränke treffen Niemanden als sie selbst — doch sie verstehen es nicht.

124. Nachdem ihnen ein Zeichen (d. h. durch Moḥammad eine Offenbarung) zugekommen ist, sagen sie: Wir werden nicht glauben, ehe uns nicht Aehnliches (eine ähnliche Erleuchtung durch die Gnade) wie den Boten Gottes zu Theil geworden. Allah weiſs am besten wem er seine Botschaft anvertrauen soll. Die Stolzen, welche so sprechen und handeln, werden gedemüthigt werden vor Allah und es erwartet sie eine heftige Strafe solcher Ränke wegen.

125. Wen Allah leiten will, dem öffnet er die Brust

---

[1]) Weil die Moslime nicht zugeben wollen, daſs ihr Prophet todt war, so beziehen sie diesen Vers auf die Bekehrung des Ḥamza.

für den Islâm (d. h. die Unterwürfigkeit), und wen er verführen will, dem beengt und verschliefst er die Brust [und es wird ihm so schwer, gläubig und demüthig zu sein] als müfste er zum Himmel emporsteigen. — So hat Allah Verworfenheit über die Ungläubigen verhängt.

126. Dieses (was in dir lebendig geworden) ist die Strafse deines Herrn, die gerade. — Wir haben die Zeichen gegliedert für empfängliche Leute.

127. Sie erwartet ein Aufenthalt des Friedens bei ihrem Herrn. — Er ist ihr Beschützer ihrer Werke wegen.

Die Idee, dafs Gott so tückisch sei, die Menschen durch Reichthum absichtlich zu verführen, hat wenigstens etwas poetisches, während der Einfall, dafs er den gröfseren Theil der Menschheit von Ewigkeit her dazu bestimmt habe, in der Hölle zu winseln, ebenso gotteslästerlich als dem gesunden Menschenverstand zuwider ist und aller Poesie entbehrt [1]). Dem Moḥammad kam seine poetische Ansicht, die wir im Ḳor. 19, 74—79 finden, häufig recht gut zu statten. So oft er einen Mifsgriff machte, sagte er, Gott liefs dies geschehen, um euch auf die Probe zu stellen und den Weg des Heiles zu versperren. Sie ist denn auch durch folgende Verhältnisse in ihm lebendig geworden.

Einige Zeit nach seinem ersten Auftreten (wahrscheinlich im Jahre 613) litt Makka an einer Hungersnoth; dies veranlafste folgende Inspiration, deren Erzählung sich auf eine Volkslegende gründen mag:

68, 17. Wir haben sie (die selbstsüchtigen Makkaner) heimgesucht, wie wir einst die Eigenthümer des Gartens heimgesucht haben, als sie schworen: Morgen früh wollen wir einernten.

---

[1]) Sehr vernünftig lautet Moḥammad's Lehre in folgendem Verse:

42, 19. Wer nach der Ernte des Jenseits strebt, dem geben wir Zuwachs in seiner Ernte, wer aber nach der Ernte dieser Welt strebt, dem geben wir etwas, davor aber hat er am Jenseits keinen Antheil.

18. Sie vergafsen aber das »Wenn«[1]);

19. und es befiel den Garten ein von deinem Herrn ausgehendes Unheil während sie schliefen,

20. und am Morgen war er wie wenn die Ernte eingeheimst worden wäre.

21—22. Sie aber riefen sich einander Morgens zu: Auf in euer Feld hinaus, wenn ihr ernten wollt!

23. Sie machten sich auf den Weg und besprachen sich leise:

24. Heute soll uns kein Armer hineinkommen!

25. Als sie aufstanden, waren sie entschlossen, ihr selbstsüchtigen Vorhaben auszuführen.

26. Als sie den Garten sahen sagten sie: Wir haben uns verirrt.

27. Nein, man hat uns beraubt!

28. Der Vernünftigste unter ihnen bemerkte: Habe ich euch nicht gesagt: Warum stimmt ihr nicht das Subḥân an?

29. Sie schrien: Subḥân (Glorie) unserm Herrn, wir waren wirklich ungerecht!

20. Sie machten einander Vorwürfe

31. und sagten: O weh, wir sind wahrlich Frevler!

32. Doch vielleicht giebt uns Gott etwas Besseres dafür, denn wir haben ein Verlangen nach unserm Herrn.

33. So ist die Strafe; aber die Strafe des anderen Lebens ist gröfser. — Wenn es die Menschen doch einsähen!

Sûra 42 ist eine von jenen, welche schon zu des Propheten Zeiten häufig in Gebeten recitirt wurden, und sie

---

[1]) In der Voraussetzung, dafs die Bedeutung, welche Istithnâ in der philosophischen Sprache hat (vergl. meine „Logic of the Arabians“ p. 30), aus dem Sprachbewufstsein der Nation geschöpft sei, weiche ich von den Commentatoren ab, welche behaupten, der Sinn des Verses sei: sie sagten nicht, wenn es Gottes Wille ist, oder sie priesen Gott nicht. Vers 28 ist zwar zu Gunsten der Commentatoren, aber doch nicht beweisend.

scheint aus erbaulichen Ergüssen und aus Fragmenten verschiedener Perioden zu diesem Zwecke zusammengestellt worden zu sein. Folgende Verse mögen sich auf die Hungersnoth beziehen:

26. Wenn Gott den Unterhalt seinen Knechten reichlich zumifst, so werden sie übermüthig auf Erden; allein er sendet ihn herab nach einem beliebigen Maafse; denn er kennt und sieht seine Knechte.

27. Er ist es, welcher den Regen schickt, nachdem die Menschen schon verzweifelten, und welcher seinen Segen austheilt; er ist der Verwalter, der Gepriesene.

47. Wenn sie sich von dir wegwenden, so wisse, dafs wir dich nicht als ihren Wächter bestellt haben. Du hast keine andere Aufgabe als die Botschaft zu überbringen. Wenn wir den Menschen Segen geniefsen lassen, freut er sich darüber, wenn ihn aber seiner Werke wegen Unglück befällt, so — ach der Mensch ist undankbar.

In einem der folgenden Jahre prophezeihte Moḥammad eine zeitliche Strafe, und obwohl wir keine deutliche Ḳorânstelle haben, so ist doch kein Zweifel, dafs er jetzt die Hungersnoth für einen Vorboten von ferneren Prüfungen darstellte; aber anstatt dafs das Elend nahte, folgten fruchtbare Jahre und Ueberflufs. Begreiflicher Weise veranlafste dieses eine Polemik gegen den Propheten, welche bis 617 geführt wurde. Einige Verse von Sûra 7 beziehen sich auf die Hungersnoth. Aus V. 128, in welchem Pharao den Moses und Aaron Unglücksvögel heifst, geht hervor, dafs die Aristokraten das abergläubische Volk überzeugen wollten, die Hungersnoth von 613 sei eine Strafe der Götter wegen der Neuerungen des Moḥammad und seiner Anhänger. Folgende Stelle, welche mit den Worten parallel ist, die Moḥammad in Ḳor. 7, 92 dem Scho'ayb in den Mund legt, bezieht sich auf dieses Thema.

6, 42. Wir haben schon zu frühern Religionsgemeinden unsere Boten gesandt und die Gemeinden mit Noth und Mangel heimgesucht, damit sie sich demüthigen möchten.

43. O dafs sie sich, als sie unsere Strenge fühlten, gedemüthigt hätten, aber ihre Herzen verhärteten sich und der Satan spiegelte ihnen ihr Treiben als schön vor.

44. Nachdem sie das zur Beherzigung gesandte Unglück vergessen hatten, öffneten wir für sie die Thore des Ueberflusses. Als sie sich dann über unsere Gaben freuten, nahmen wir sie plötzlich her, und sie waren in Verzweiflung.

10, 21. Sie sagen: Warum wird ihm kein Zeichen (Wunder) zu Theil von seinem Herrn? Antworte: Die Geheimnisse weifs nur Allah. Wartet daher, auch ich will mit euch warten.

22. Wir liefsen sie unsern Segen (Ueberflufs) geniefsen nach dem Mangel, den sie gelitten. Sie benutzten dies als eine Waffe, unsere Zeichen (Offenbarungen) anzugreifen. Sag' ihnen: Gott ist am gewandtesten im Manövriren. Wahrlich unsere Boten (Engel) schreiben eure Angriffe auf. [Ihr werdet dafür schon bestraft werden] [1]).

Der Streit dauerte noch fort, selbst nachdem Moḥammad angefangen hatte, statt oder neben einer zeitlichen eine ewige Strafe zu drohen.

41, 49. Der Mensch wird nicht müde, um Segen zu bitten, und wenn ihm Böses widerfährt, ist er aufser sich und in Verzweiflung.

50. Wenn wir ihn unsere Gnade geniefsen lassen nach einem Mangel (Unglück), welcher ihn berührt hatte, so sagt er: Das ist mein (d. h. ich verdiene dies), und ich glaube nicht, dafs die Stunde herannaht. Wenn ich aber auch zu

---

[1]) Wörtliche Uebertragung dieses Verses: Wenn die Menschen eine Gnade geniefsen nach einem Mangel, der sie betroffen hatte, dann dient es für sie als Manöver gegen unsere Zeichen. Sprich: Allah ist am behendesten im Manöveriren. Wahrlich unsere Boten schreiben auf, was ihr manövriret.

Makr, Manöver, bedeutet Kriegslist, Ränke. Moḥammad bezeichnet hier und in anderen Stellen die Einwürfe seiner Gegner damit.

meinem Herrn zurückgebracht werde, so werde ich bei ihm Gutes geniefsen. — Allein wir werden den Ungläubigen ihre Werke vorzählen und über sie eine harte Strafe verhängen.

51. Wenn wir es dem Menschen wohl ergehen lassen, wendet er sich [vom Glauben] weg und geht auf die Seite; wenn ihm aber Böses widerfährt, so ist er unerschöpflich im Bitten.

52. Sprich: Was däucht euch; wenn meine Lehre wirklich von Allah kommt und ihr verwerfet sie, wer ist dann mehr verwirrt als ein Mensch, der damit in weitem Zwiespalt ist?

53. Wir wollen ihnen Zeichen zeigen in der Natur und in ihrer Mitte, bis es ihnen klar wird, dafs sie die Wahrheit ist. Aber soll ihnen dein Herr nicht genügen [und soll seine Versicherung noch eines Beweises bedürfen?], da er doch von allen Dingen Zeuge ist?

54. Sind sie nicht im Zweifel über das Zusammentreffen mit ihrem Herrn (d. h. über die Unsterblichkeit) und umfafst er nicht Alles?

Folgende Verse über denselben Gegenstand sind nicht an die Widersacher, sondern an die Anhänger gerichtet:

11, 12. Wenn wir den Menschen eine Gnade (Segen) geniefsen lassen und sie dann von ihm wegnehmen, verzweifelt er und wird zum Gottesläugner.

13. Wenn wir ihn aber Wohlstand geniefsen lassen nach dem Mangel, der ihn berührt hat, sagt er: Das Uebel hat mich verlassen, und er freut sich und ist voll Uebermuth.

14. Ausgenommen diejenigen, welche ausharren und das Gute thun; ihnen verzeiht Gott und sie erwartet ein grofser Lohn.

Hier dürfte eine Episode an ihrem Platze sein, welche die Veranlassung zu mehreren Offenbarungen war und dazu beitrug, dafs Moḥammad einige Zeit lang zugab, er habe auf die Vertheilung der Gnade keinen Einflufs. Diese Bescheidenheit war gegen das Handwerk, und so hat er später, wie die Päbste, seine Schulden mit Anweisungen an das Paradies bezahlt.

Der älteste Sohn des Abû Bakr hiefs ursprünglich 'Abd al-Ka'ba, d. h. Knecht der Ka'ba, später aber wurde sein Name in 'Abd al-Rahmân umgewandelt. Obwohl seine Schwester 'Âyischa viel jünger war, hatten sie doch nicht nur denselben Vater, sondern auch dieselbe Mutter Omm Rûmân. Seine frommen Eltern predigten ihm umsonst den Islâm. Er blieb verstockt und war einer von jenen Makkanern, welche den Propheten verlachten und für einen Betrüger hielten. Mohammad richtete eine Inspiration an ihn, in welcher er die Hauptgründe für seine Lehre darlegt und ihn mit den Worten des alten Weisen, Lokmân, an die Einheitslehre erinnert. Er legt ihm ferner die Pflichten gegen seine Eltern an's Herz.

31, 1. A. L. M. Jenes sind Zeichen aus dem weisen Buche,

2. zur Leitung und Gnadenbescherung für die Guten,

3. welche [wie Abû Bakr] das Gebet verrichten und das Almosen geben; diese sind es, welche vom Jenseits vollends überzeugt sind;

4. sie sind auf der Spur einer von ihrem Herrn ausgehenden Leitung, und sie, sie werden gedeihen.

5. Es giebt Leute, welche zum Vergnügen [eitle] Geschichten ankaufen, damit er (den ich meine) in seiner Unwissenheit Andere vom Pfade Allah's, mit dem sie Spott treiben, abwendig mache. — Solche erwartet eine erniedrigende Strafe.

6. Wenn man ihm unsere Zeichen vorliest, so dreht er sich hochmüthig um, wie wenn er sie nicht hörte und wie wenn ein Gewicht (Schwerhörigkeit) in seinen Ohren wäre. — Verkünde ihm eine peinliche Strafe.

7. Denjenigen, welche glauben und Gutes thun, stehen genufsreiche Gärten in Aussicht,

8. in welchen sie ewig leben werden. Die Verheifsungen Allah's sind wahr; denn er ist der Erhabene, der Weise.

9. Er hat die Himmel ohne Stütze erschaffen, wie ihr sehen könnt, und er hat Berge in die Erde gesteckt, denn sonst würde sie mit euch wanken. Auch hat er Thiere von jeder Gattung daraus hervorgerufen. Ferner haben wir Wasser vom Himmel herabgesandt und dadurch Pflanzen jeder Art hervorwachsen lassen.

10. Dieses ist die Schöpfung Allah's. Zeiget mir nun was die andern Götter erschaffen haben. — Das Richtige ist, dafs die Ungerechten in offenbarem Irrthume sind [indem sie andere Götter anerkennen].

11. Ehedem haben wir den Lokmân mit der Weisheit ausgestattet und befohlen: Sei dankbar gegen Allah. Wer dankbar ist, ist es zu seinem Heil und wer undankbar ist (d. h. ihn verläugnet), der bedenke, dafs Allah gepriesen ist und Niemandes bedarf.

12. Lokmân sprach zu seinem Sohne, um ihn zu unterweisen: O Söhnchen, erkenne aufser Allah keine Götter an, denn Vielgötterei ist eine grofse Ungerechtigkeit.

13. Ferner: Wir haben dem Menschen seine Eltern an's Herz gelegt. Seine Mutter hat ihn getragen unter Schwächen, nach Schwächen und erst nach zwei Jahren von der Brust abgewöhnt. Sei daher uns und deinen Eltern dankbar! — Zu mir führt dein Weg (d. h. vor meinem Richterstuhl mufst du erscheinen) [1]).

[1]) Kor. 29, 7: Wir haben dem Menschen gutes Benehmen gegen seine beiden Eltern zur Pflicht gemacht, wenn sie dich aber nöthigen wollen, neben mir Etwas anzubeten, von dem du nichts weifst, so gehorche ihnen nicht. Zu mir müfst ihr zurückkehren, und ich werde euch dann verkünden was ihr gethan.

Dieser Vers ist zur Weisung des Sa'd b. Aby Wakkâç geoffenbart worden. Als seine Mutter erfuhr, dafs er den Glauben seiner Väter verlassen habe, schwor sie, sie wolle weder Speise noch Trank

15. O Söhnchen, wenn sich auch nur das Gewicht eines Senfkörnchens [guter oder böser Werke] herausstellt, und seien sie in einem Felsen verborgen oder im Himmel aufgehoben, oder über der Erde zerstreut, so wird sie Allah zum Vorschein bringen, denn er ist fein und kundig.

16. O Söhnchen, verrichte das Gebet, befiehl, was billig ist, verhindere das Verwerfliche und gedulde dich unter den Bedrängnissen, die dich befallen mögen; denn sie gehören zu den Plänen der Vorsehung.

17. Verziehe dein Gesicht nicht gegen die Leute und nimm keinen übermüthigen Gang an, denn Allah liebt solche stolze Prahler nicht.

18. Lafs deinen Gang anständig und deine Stimme

---

zu sich nehmen und Hunger sterben, wenn er nicht zum Heidenthume zurückkehre. Moḥammad predigt ihm nun die Unterthänigkeit gegen die Eltern in den Worten des Loḳmân. Wenn er identisch ist mit Elxai, so hatte er ein Recht, sie den Weisen zu entlehnen, den Elxai's Worte galten bei den Ḥanyfen als Offenbarungen, und in Moḥammad's Mund waren sie eine Wiederoffenbarung. Er fügt aber hinzu, dafs der Gehorsam aufhöre, wenn die Eltern ihre Kinder zur Vielgötterei anhalten wollen.

Auch dem Sohne des Abû Bakr ruft er mit demselben Rechte die Worte des Loḳmân als Wiederoffenbarung zu. Die Ḳorânsammler haben sich aber verleiten lassen, auch den Nachsatz hier zu wiederholen, obschon er hieher gar nicht pafst:

31, 14. Wenn sie dich aber nöthigen wollen, neben mir Etwas anzubeten, von dem du nichts weifst, so gehorche ihnen nicht.

Sei ein nachgiebiger Gefährte für sie auf Erden und folge dem Pfad derer, die sich zu mir wenden. Endlich müfst ihr zu mir zurückkehren und ich werde euch verkünden was ihr gethan.

Die mit gesperrter Schrift gedruckten Zeilen sind wieder die Worte des Loḳmân; wie auch jene, welche in Sûra 29 vorkommen.

Die Aengstlichkeit der Gläubigen, für welche die geschichtliche Erinnerung an die Veranlassung der Inspirationen keinen Werth hatte, welche hingegen grofses Gewicht auf die darin enthaltene Moral und Gesetze legten, hat viele solche Wiederholungen verursacht und die Kritik des Ḳorâns sehr erschwert.

gemäfsigt sein; denn die widerlichste Stimme ist das Geplärre des Esels [1]).

Diese Ermahnung fruchtete nichts. Moḥammad sucht ihn nun durch die Hölle zu erschrecken, richtet aber Worte des Trostes an seinen Vater Abû Bakr, auf welchen sich, den Exegeten zufolge, die ersten vier Verse der folgenden Stelle beziehen [2]):

46, 12. Diejenigen, welche sagen: Unser Herr ist Allah und geraden Sinnes sind, haben sich nicht zu fürchten und werden nie trauern.

13. Ihnen gehört das Paradies, worin sie ewig leben werden, als Lohn für ihre Werke.

14. Auch haben wir dem Menschen gutes Benehmen gegen seine beiden Eltern zur Pflicht gemacht. Seine Mutter hat ihn unter Schmerz getragen und unter Schmerz geboren. Die Schwangerschaft und das Stillen dauert dreifsig Monate. Wenn seine Kräfte vollends entwickelt sind, und er vierzig Jahre erreicht hat, sagt er: Herr, treibe mich an, auf dafs ich dir dankbar sei für deine Wohlthaten, die du mir und meinen Eltern erwiesen hast und auf

---

[1]) Der Geist und Styl dieser Sittensprüche ist derselbe wie in den Bd. I S. 96 erwähnten. Er unterscheidet sich wesentlich von dem Geiste des Moḥammad. Dieser bewegte sich zu irgend einer gegebenen Zeit in einem engeren Ideenkreise, er zeigt wenig ruhige Beobachtung, dafür aber ein ungezügeltes Genie. Diese Weisheitsregeln sind voll kluger Wahrnehmung und zeigen von einem klaren vorzüglich mit Moral beschäftigten praktischen Verstand. Es ist also jede Ursache zur Annahme vorhanden, dafs sie Moḥammad ohne wesentliche Veränderung aus der Megilla des alten Weisen entnommen habe.

[2]) Wâḥidy, Asbâb 41, 30, von ʿAṭa, von Ibn ʿAbbâs:

„Dieser Vers bezieht sich auf Abû Bakr. Die Götzendiener pflegten zu sagen: Unser Herr ist Allah und die Engel sind seine Töchter und unsere Fürsprecher vor ihm. Sie waren also nicht konsequent. Die Juden sagten: Unser Herr ist Allah und ʿOzayr (Ezra) ist sein Sohn, Moḥammad ist kein Prophet. Auch sie waren nicht konsequent. Abû Bakr aber sagte: Unser Herr ist Allah, der Einige, ohne Genossen. Er war konsequent."

dafs ich Gutes thue, wie dir wohlgefällig ist [1]). Verbessere für mich einen Gewissen unter meinen Kindern; denn ich habe mich zu dir gewendet und bin einer der Moslime.

15. Solche Menschen sind es, denen Gott ihre besten Handlungen berücksichtiget und über ihre bösen hinausgeht; ihnen gehört das Paradies, dem wohlwollenden Versprechen gemäfs, das ihnen gemacht worden ist.

16. Dort ist einer, welcher zu seinen Eltern sagt: Packt euch! Wie, ihr versprechet mir, dafs ich auferweckt werde, da doch die frühern Geschlechter verschwunden sind? Sie flehen zu Allah und sagen: Glaube doch, denn die Verheifsung Gottes ist wahr. Er aber antwortet: Dies sind die Asâṭyr (Märchen) der Alten.

Man kann sich denken, dafs sich der bestürzte Vater an den Propheten wandte mit der Bitte, er möge doch für seinen verstockten Sohn die Gnade Gottes erflehen, ohne die der Mensch sich nicht bekehren kann. Da Moḥammad's Gebet nicht erhört wurde und er doch auch in seinem Einflufs auf die Rathschlüsse Gottes hinter den frühern Gottesgesandten nicht zurückstehen wollte, erzählte er die Geschichte der Sündfluth und sagte:

11, 42. Endlich trat unser Walten ein; und der Feuerofen loderte [die Gewässer den Sündfluth waren nämlich den Rabbinern zufolge heifs]. Wir sprachen: Nimm von jeder Gattung ein Paar in die Arche und deine Familie, mit Ausnahme des Mitgliedes, über welches das Urtheil ergangen ist. Nimm auch die Gläubigen. Es gab aber nur wenige, die mit ihm glaubten.

43. Noah sprach: Steiget ein! unter dem Ruf: im Namen Allah's, wird sie laufen, und unter diesem Ruf wird sie anlanden; denn mein Herr ist verzeihend und barmherzig.

44. Sie schwamm dahin auf Wogen so hoch wie

---

[1]) Aufser dem obigen Vers 31, 13 ist auch 27, 19 mit diesem parallel, wo Salomon für seine Eltern fürbittet.

Berge. Noah rief seinem Sohne, welcher auf einem entfernten Orte stand, zu: O Söhnchen steig ein mit uns und gehöre nicht zu den Undankbaren!

45. Er antwortete: Ich lasse mich auf einen Berg nieder, der wird mich vor dem Wasser schützen. Noah versetzte: Niemand ist heute gegen Allah's Walten (Strafgericht) geschützt als Derjenige, über welchen er sich erbarmet. — Eine Woge trennte sie, und er war unter den Ertrunkenen.

46. Es ertönte die Stimme: O Erde, verschlinge [1]) deine Fluthen, o Himmel halte deine Wasser ein; die Fluthen ebbeten und das Strafgericht war vollzogen. Die Arche stand auf dem Berge Gûdy still. Und es ertönte die Stimme: Hinweg mit den Ungerechten!

47. Noah rief seinen Herrn an und sprach: Herr, mein Sohn gehörte ja zu meiner Familie! Deine Versprechen sind wahr und du bist der beste aller Richter.

48. Er antwortete: O Noah, er gehört nicht zu deiner Familie; denn sein Thun war nicht gut. Stelle mich nicht über Sachen zu Rede, von denen du nichts weiſst. Ich rathe dir, nicht zu den Unwissenden zu gehören.

49. Noah antwortete: Herr, behüte mich, daſs ich dich ja nicht zu Rede stelle über Dinge, von denen ich nichts weiſs. Wenn du mir nicht verzeihst und barmherzig bist gegen mich, bin ich verloren.

50. Es erging ein Ruf: O Noah, steige aus mit Heil von uns und mit Segnungen über dich und über einige Gemeinden, welche mit dir sind. Es wird Gemeinden geben, denen wir Gunst bescheren werden; dann aber soll sie eine peinliche von uns ausgehende Strafe treffen.

Mit Ausnahme des letzten Verses finden wir keine Andeutung auf die Gnadenlehre; aber die kurz vorher (S. 312) angeführten Verse, wo diese Lehre so deutlich ausgesprochen wird, gehören ebenfalls zu dieser Inspiration.

---

[1]) Ibla'y, verschlinge, ist ein aramäisches Wort.

Geiger denkt, dafs diese Episode in der Sündfluth eine Verdrehung der Geschichte des Cham sei. Es folgt aber ein Zusatz welcher, da die Geschichte der Sündfluth für Abû Bakr nichts Neues war, sich auf diese Episode beziehen mufs und mich mit der Ueberzeugung erfüllt, dafs sie Moḥammad rein erdichtet habe, um der Zudringlichkeit seines Freundes los zu werden.

11, 51. Dies ist eine der verborgenen Geschichten, welche wir dir offenbaren. Ehedem wufstest weder du, noch dein Volk dieselbigen. Harre daher geduldig aus, denn am Ende siegen die Gottesfürchtigen.

Auf die dem Noah in den Mund gelegten Vorstellungen mufste sich Abû Bakr in sein Schicksal fügen; 'Abd al-Raḥmân aber achtete nicht auf die schreckliche Drohung, welche das Beispiel des Sohnes des Noah enthält, dafs ihn am Ende, selbst wenn er wollte, nichts mehr retten kann. Sein Vater flüchtete sich nach Madyna, er aber blieb mit den Heiden in Makka. Erst als diese Stadt erobert wurde und die Verstocktesten es vorzogen, lieber das Glaubensbekenntnifs abzulegen als sich hinrichten zu lassen, bekehrte er sich. Nach Einigen begab er sich zu diesem Zwecke in Begleitung von andern jungen Männern einige Zeit vor der Eroberung der Stadt nach Madyna. Er zeichnete sich als Bogenschütz aus, und im Feldzug gegen die Abtrünnigen von Yamâma soll er sieben Häuptlinge erschossen haben, unter ihnen den Vorgesetzten (Moḥakkam) von Yamâma. Dieser vertheidigte eine Bresche und wurde von 'Abd al-Raḥmân getödtet, darauf drangen die Moslime durch diese Bresche in die Stadt. In der Schlacht des Kameeles focht er auf der Seite der 'Âyischa, sein Bruder Moḥammad aber auf der Seite des 'Alyy. Es wird auch ein Liebesabenteuer von ihm erzählt. Er begab sich in kaufmännischen Geschäften nach Damascus; dort erblickte er die von ihren Zofen umgebene Laylà, Tochter des al-Ġûdy, eines arabischen Häuptlings aus dem Stamme Ghassân, von welchem gesagt wird, dafs er der Amyr von Damascus war.

Wahrscheinlich ist es, dafs eine Garnison von Arabern dort stationirt war, und dafs sie al-Ġûdy befehligte. ʿAbd al-Raḥmân verliebte sich in das Mädchen und verfafste Gedichte auf sie. Als die moslimischen Armeen in Syrien vordrangen, befahl ʿOmar dem Feldherrn, dafs, wenn es ihm gelingen sollte, Damascus von den Griechen zu erobern und der Laylà habhaft zu werden, er diese für ʿAbd al-Raḥmân behalten soll. Nach der Einnahme der Stadt kam sie auch in ʿAbd al-Raḥmân's Ḥarem.

Als Marwân von Moʿâwiya zum Gouverneur von Ḥiġâz ernannt worden war, hielt er eines Tages eine Rede an das Volk und forderte es auf, Yazyd, den Sohn des Moʿâwiya, als den Nachfolger seines Vaters im Chalyfat, welches bis dahin ein Wahlreich gewesen, anzuerkennen. Es widersetzten sich dieser Zumuthung mehrere Männer von Ansehen, wie Ḥosayn, der Sohn des ʿAlyy, und Ibn Zobayr. Unter diesen war auch ʿAbd al-Raḥmân. Marwân erklärte, dafs diese Wahl ganz im Geiste (sunna) der ersten zwei Chalyfen wäre, worauf ihm jener in's Wort fiel: Nein, das ist chosroisch oder heracleisch, so oft ein Kaiser stirbt, folgt ein Kaiser; wir werden das nimmer zugeben. Der Gouverneur rief aus: Ergreift ihn! Er aber begab sich in das Haus seiner Schwester ʿÂyischa, welches ein Heiligthum war, und Marwân rief ihm nach: Dies ist der Held, auf den sich die Worte des Ḳorâns »Packt euch! etc.« (44, 16) beziehen. Diesem Umstand verdanken wir die Kunde von der Veranlassung zu obigen Offenbarungen [1]). Âyischa stellte diese Beschuldigungen in

[1]) Die Geschichte steht im Kitâb alaghâniy, No. 1178, und ausführlicher in Bochâry, S. 715. Auch die Exegeten haben das Resultat aufgenommen, so sagt Baghâwy 46, 16:

„Nach Ibn ʿAbbâs, Soddy und Moġâhid bezieht sich dieser Vers auf ʿAbd Allah oder auf ʿAbd al-Raḥmân, den Sohn des Chalyfen Abû Bakr. Seine Eltern forderten ihn auf, den Islâm anzunehmen, er aber weigerte sich und sprach, ich will den ʿAbd Allah b. Ġoʿdân, den ʿÂmir b. Kaʿb und die Schayche der Ḳorayschiten fragen.

Abrede und erbot sich die Person zu nennen, welche durch diesen Ḳorânvers verdammt wird, sie hat es aber nicht gethan; und da sie als er geoffenbart wurde, höchstens vier oder fünf Jahre alt war, wäre ihr Zeugniſs auch nicht von groſsem Gewicht gewesen. Einige Zeit nach diesem Vorfall sandte ihm der Chalyf hunderttausend Dirham, ʿAbd al-Raḥmân aber schickte sie mit den Worten zurück, daſs er seinen Glauben und seine Ueberzeugung nicht verkaufen wolle. Er starb, noch ehe die Huldigung des Yazyd vollendet war, zehn Meilen von Makka, A. H. 53—58. ʿÂyischa eilte auf die Nachricht seines Todes zu ihm und sang über seinen Leichnam die Elegie, welche Ibn Nowayra auf den Tod seines Bruders Mâlik verfaſst hatte. Sie starb bald darauf.

ʿÂyischa läugnete, daſs der Vers sich auf ihren Bruder ʿAbd al-Raḥmân beziehe."

Anhang zum zwölften Kapitel.

I. Die Form biblischer Namen dieser Periode.

In zwei alttestamentlichen Namen, welche in obigen Ḳorânstücken genannt werden, erkennen wir die griechische Form: Ilyâs ist gewifs zunächst aus Ἠλιας und nicht aus dem hebräischen Eliyâh und Yûnos aus Ἰωνας (vergl. Bd. I S. 32) entstanden. Auch Solaymân ist durch das Syrische vom neutestamentlichen Solomon und nicht unmittelbar vom hebräischen Salomo abzuleiten. Da Solomon Aehnlichkeit mit der arabischen Deminutivform hat, so ist es dazu ausgebildet worden. Hätten die Araber „Salomo" gehört, so würden sie es, da Salama, Salima und Saloma in ihrer Sprache als Eigennamen vorhanden waren, mit einem derselben identificirt haben. Der Name Solaymân soll übrigens auch unter den Juden von Madyna gebräuchlich gewesen sein. Unter den neutestamentlichen Namen kommt Zakariyâ und Yaḥyà auch in dem çâbischen Liber Adami vor und wenn dieses auch ein modernes Machwerk ist, so ist doch möglich, dafs die älteren çâbischen Benennungen darin beibehalten seien [1]. Die Etymologie würde fordern, dafs man im Arabischen Zakariyâ mit ذ = dz schreibe.

Wie bereits gesagt, stammen Dzû-lnûn (Jonas), Dzû-lkifl und Dzû-lḳarnayn aus dem Dialekt von Yaman. Dieser aber wurde

---

[1]) Die sich dem Christenthume nähernden Sekten von Ebioniten und Konsorten scheinen ihre Kenntnifs grofsentheils aus dem Griechischen entnommen zu haben. Epiphanius sagt, dafs diejenigen Nazaräer, welche alle Bücher des alten Testaments anerkannten, sehr gut hebräisch verstanden und das Evangelium des Matthäus ganz vollständig in dieser Sprache besafsen. Von den Ebioniten aber sagt er, dafs sie ebenfalls das Evangelium in hebräischer Sprache hatten, aber verstümmelt und verändert, und er führt einen Fall an, welcher zeigt, dafs ihr Evangelium aus dem Griechischen stammte; statt ἀκρίδας, Heuschrecke, hatte nämlich der Uebersetzer ἐγκρίδας, Honigkuchen, gelesen.

nicht nur in Südarabien, sondern auch an der syrischen Grenze und in Madyna gesprochen; so ist Dzû-lfiḳâr, der Name eines Säbels, eine in Madyna entstandene Benennung. Ja, wir haben keinen Beweis dafür, dafs Zusammensetzungen mit Dzû nicht auch in Makka üblich waren.

Mehrere biblische Namen haben die Form des Futurums und fangen mit dem Konsonanten J (ich schreibe Y) an. Auch im Arabischen kommt diese Form in Substantiven vor mit zweiter langer Silbe, wie Yaḥmûm (Ḳor. 56, 42), Yarbûʿ (Name eines Stammes im Naǵd), Yanbûʿ, Quell (dafür im Neuarabischen Nabʿ), und mit zweiter kurzer Silbe, wie Yanboʿ, Name des Seehafens bei Makka, Yaschkor, Yaschǵob und andere Namen in yamanischen Genealogien. In seltenen Fällen ist diese Futurform feminin und der erste Buchstabe ist T, wie in Taghlib, Toǵyb (Namen von Stämmen). Da nun diese Formen von Eigennamen auch im Arabischen gebräuchlich sind, so hätte man erwarten sollen, dafs Moḥammad dahingehörige biblische Benennungen ohne Veränderung wiedergegeben hätte; wir bemerken aber, dafs das initiale J (Y) nur wo es im Griechischen steht, auch im Ḳorân vorkomme, wo es aber im Griechischen fehlt, ausgelassen werde. So schreibt Moḥammad nicht Yismaʿyl, sondern Ismaʿyl und nicht Yisḥâḳ, sondern Isḥâḳ, während er Yûsof, Yaʿḳûb spricht. In letzterm Worte fällt auf, dafs weder nach ḥiǵâzisch-arabischer, noch nach hebräischer Orthographie der zweite Vokal lang ist; es ist also durch einen Dialekt nach Makka gekommen, in welchem man ihn dehnte. Zur Charakterisirung dieses Dialekts kann auch Yaḥyà (Johannes), im çâbischen Dialekte יאהיא, berücksichtigt werden, vorausgesetzt dafs beide Formen auf dieselbe Wurzel reduzirt wurden [1]).

Sonderbar ist die Form von Idrys. Wir finden sie allerdings in einigen wenigen arabischen Wörtern, wie اضريج, اضرير, اغريض, aber viele Wörter dieser Form stammen aus andern Sprachen (s. oben S. 241 Note). Idrys, der Name des Enoch, steht wahrscheinlich statt Yadrys und bedeutet: er wird lernen, Gelehrter. Auf gleiche Weise kommt auch Imlyk statt Yamlik (Jamblichus) vor. Idrys ist auch ein arabisches Wort; man gebraucht nämlich Abû Idrys, Vater des Reibens oder Fegens (der Begriff wird deutlicher, wenn man das Frequentativum setzt) als Euphemismus statt Ayr. Ich glaube, dafs die Erfinder dieser Benennung einen Witz machen wollten und an den

[1]) Winer findet Johannes im Hebräischen יוחנן und glaubt, dafs die Wurzel ḥnn dem Namen zu Grunde liege. Norberg leitet es von wḥy, offenbaren ab, nach arabischer Etymologie kommt es von ḥyy, leben, her und bedeutet: er wird leben. Wir finden schon im alten Testament einen Fall, dafs die Leute Eigennamen nicht immer aus derselben Wurzel erklärten. So lesen wir in den Psalmen ישחק, während in der Genesis יצחק steht. Vergl. ʿYsà und Yesûʿ.

Propheten Idrys dachten, aber der Wurzel drs die arabische statt der hebräischen Bedeutung unterlegten.

Aus dem Gesagten würde hervorgehen, daſs mehrere biblische Namen, ehe sie zu den Arabern kamen, durch ein griechisches Medium gingen. Nimmt man griechisch für christlich, so kommt man zum Schluſs, daſs sie Moḥammad oder seine Vorgänger von Christen erlauscht haben. Namen wie Miryam (welches auch im Hebräischen und Syrischen für unser Maria steht) stammen ursprünglich gewiſs aus christlicher Quelle. Allein gerade dieses Wort sprachen die arabischen Christen Mâriâ (es trug diesen Namen eine Königin der Ghassâniden) aus und es kam also nicht unmittelbar von diesen nach Makka. Ferner kommen Buchstaben, welche dem griechischen Alphabete fehlen, wie ʿAyn und He, wieder zum Vorschein, und es wird zwischen andern, für welche die Griechen nur ein Symbol haben, wie q und k, s und ç, unterschieden. Es folgt daraus, daſs, wenn auch der griechische Sprachgebrauch, weil selbst in Palmyra griechische Kultur war, einigen Einfluſs übte, die Namen doch stets auch durch semitischen Mund fortgepflanzt worden sind, und wenn in den LXX Ismael und nicht Jismael geschrieben wird, so liegt der Grund darin, daſs schon damals das Wort so ausgesprochen wurde. Nimmt man auſser dem genannten auch Namen wie ʿYsà, wofür nicht nur die Syrer, sondern auch die arabischen Christen Yeschûʿ (das ʿAyn am Ende statt am Anfange) schreiben, in Betracht [1]), so wird das schon oft ausgesprochene Resultat bestätigt, daſs Moḥammad seine Kunde der Bibel von Leuten erhalten habe, welche einen Dialekt sprachen, aus dem auch sonst mehrere Wörter und Formen in das Arabische übergingen und den man den çâbischen oder nabathäischen nennt. Die im Norden gesprochenen arabischen Mundarten waren von dieser Sprache wahrscheinlich nicht mehr verschieden, als das in der Schweiz von dem in Sachsen gesprochenen Deutsch.

II. Forḳân, Heil.

(Zu S. 271.)

Forḳân [2]) ist, wie Geiger bemerkt, ein aramäisches Wort und bedeutet Erlösung, Heil (salvatio). Moḥammad gebraucht es als einen theologischen Terminus technicus für einen mysteriösen Begriff, und da

[1]) Auch Wörter wie Dzorriyya, mutafika, Çiddyḳ, ʿâbiryn etc. müssen berücksichtigt werden.

[2]) Ueber die Form des Wortes siehe Bd. I S. 108.

er keine Idee von unserer Erlösungstheorie hatte [1]), so frägt es sich, worin er das Heil der Menschheit erblickte. Wie er in obiger Stelle sagt, dafs dem Moses der Forḳân von Gott mitgetheilt worden sei, behauptet er in einer andern, dafs er ihn selbst erhalten habe:

25, 1. Gesegnet sei Derjenige, welcher den Forḳân auf seinen Knecht (Moḥammad) herabgesandt hat, auf dafs er ein Warner sei für die Menschheit.

Gestützt auf diesen Vers behaupten die Moslime, dafs der Korân und der Forḳân synonyme Ausdrücke seien. Hierin gehen sie jedenfalls zu weit, ja ich zweifle, ob nach der Vorstellung des Moḥammad der Forḳân, das Heil, einzig und allein in der Offenbarung bestand, denn in Ḳor. 2, 50 sagt Gott zu den Juden:

„Wir gaben dem Moses das Buch und den Forḳân, auf dafs ihr geleitet werdet“ [2]); und in Ḳor. 2, 181 heifst es:

„Der Monat Ramadhân ist es, in dem der Ḳorân hinabgesandt wurde den Menschen zur Leitung und als offenbares Zeichen der Leitung und des Heiles (Forḳân).“

In Sûra 8, 42 spricht Moḥammad von der Vertheilung der bei Badr gewonnenen Beute, dann fährt er fort:

„Wenn ihr an Gott glaubet und an die Offenbarung, die wir auf unsern Knecht (Moḥammad) am Tage des Forḳân, am Tage, an dem sich die beiden Heere [bei Badr] begegneten, herabsandten, so etc.“

Diese Stelle würde sehr lehrreich sein, wenn die Commentatoren nicht verschiedener Meinung wären über „den Tag des Forḳân“. Einige glauben, es bedeute den Siegestag [3]) und Andere (so auch Ibn Isḥâḳ S. 155) den Tag der Offenbarung des Ḳorâns. Beide Erklärungen sind zulässig, denn die Schlacht von Badr wurde am 17. Ramadhân gefochten und in diesem Monat wurde, wie wir soeben gehört haben, auch der Ḳorân geoffenbart. Wenn in diesem Verse

---

[1]) Auch in den Clementinen ist keine Rede davon. Schliehmann, die Clementinen S. 210, sagt: „Fragen wir, wozu Christus erschien, so müssen wir im Sinne der Clementinen antworten: Er hat die Wahrheit, ohne deren Erkenntnifs Niemand recht handeln und zur Seligkeit gelangen kann, welche früher als Geheimlehre existirte, öffentlich verbreitet und zum Gemeingut Aller gemacht. Ist die Eintheilung in das Munus Christi propheticum, sacerdotale und regium eine wohlbegründete, so müssen wir von den Clementinen behaupten, dafs sie nur das erste hervorheben.

In einer Note fügt der Verfasser hinzu: Auf einseitige Weise freilich auch das Munus regium: Christus ist der König des künftigen ewigen Reiches im Gegensatz zum jetzigen, worüber der Teufel herrscht.

Im Ḳorân tritt der Raḥmân als König des Gerichtstages auf.

[2]) Vergl. auch Ḳor. 21, 49.

[3]) Ibn ʿAbbâs bei Thaʿlaby, Tafs. 2, 50, sagt: Forḳân bedeutet Beistand, Sieg, und er bezieht sich auf diese Stelle. Da der Forḳân zuerst dem Moses gegeben worden ist, so glaubt er, dafs er in der Theilung (infirâḳ) des Meeres bestand.

auf die Schlacht angespielt wird, könnte man zwar Forkân nicht durch Erlösung wiedergeben, denn die Moslime waren die angreifende Partei, aber wohl durch Heil, Entscheidung oder gar göttlichen Beistand. Im andern Fall aber würde es so viel als Offenbarung bedeuten.

Da wir diese Stelle nicht benutzen können, wenden wir uns zu einer andern:

8, 29. O Gläubige, wenn ihr Gott fürchtet, gewähret er euch einen Forkân und vergiebt euch eure Missethaten.

In dieser Stelle besteht der Forkân gewifs nicht in einer Offenberung. Wir wollen hören, was die ältesten Exegeten dazu bemerken.

Nach Moǵâhid bedeutet es einen Ausweg (machraǵ) in dieser und in jener Welt; nach Mokâtil b. Ḥayyân einen Ausweg im Glauben aus Skrupeln zur Klarheit; nach ʿIkrima Zuflucht, denn der Forkân scheidet (yafrok) zwischen dem Gläubigen und dem, was er fürchtet; nach Dhaḥḥâk Erläuterung (bayân) und nach Ibn Isḥâk Unterscheidung (façl) zwischen Wahr und Unwahr.

Ich führe nun die noch einzige übrige Korânstelle an, in der es vorkommt, Kor. 3, 2:

„Gott hat auf dich das Buch voll Wahrheit herabgesandt zur Bestätigung dessen, was früher geoffenbart worden und er hat ehedem die Thora und das Evangelium den Menschen zur Leitung geschickt und er hat den Forkân herabgesandt."

Aus dem Context der Korânstellen sowohl, als auch aus den Commentatoren geht hervor, dafs Forkân Heil (salvatio) bedeute und dafs es vorzüglich in der Erleuchtung des Verstandes bestehe, und durch die Offenbarung bewirkt werde. Es ist klar, dafs es Moḥammad einem direkten göttlichen Beistande zuschrieb, welcher durch die Propheten der Menschheit in vollem Maafse gewährt wird, aber tropfenweise auch sonst den Gläubigen zuträufelt, und welcher uns zur geistigen (und, wenn Kor. 8, 181 sich auf die Schlacht bezieht, auch zur leiblichen) Wohlfahrt führt. Es ist ziemlich klar, dafs die Leute, von denen der Prophet diesen Ausdruck gehört hatte, eine Theorie damit verbanden. Er aber hat nur das Wort, nicht aber die Theorie aufgegriffen. Vielleicht hing sie mit unserer Lehre von der Erlösung zusammen und ist diese eine Ausbildung derselben oder jene eine Abschwächung dieser.

Wenn Moḥammad Forkân auch aus dem Aramäischen entnommen hat, so schwebte ihm doch die arabische Etymologie vor. Die Wurzel frk, von der es abgeleitet wird, heifst im Arabischen sowohl, als in den verwandten Dialekten, trennen, entscheiden. Da tapfere Männer in Schlachten den Ausschlag geben, werden sie nicht selten Entscheidung genannt. Heutzutage jedoch gebraucht man fayçal, welches dieselbe Bedeutung hat, in solchen Fällen [1]). In mehreren der obigen Stellen schimmert die Bedeutung des Verbums deutlich durch, und so wurde dieser theologische Ausdruck auch von den Schülern des Propheten aufgefafst. Wie dem Abû Bakr, der dem Propheten am nächsten stand, der Titel Çiddyḳ beigelegt wurde, so wollte man den 'Omar ebenfalls mit einem theokratischen Titel auszeichnen, und seiner Thatkraft und Entschlossenheit wegen hiefs man ihn Fârûḳ [2]). Dies ist eine aramäische Form [3]), die entsprechende arabische ist Farûḳ mit kurzem a. Die fremde Form wurde absichtlich beibehalten. Eigentlich bedeutet nun Fârûḳ Heiland, allein den Arabern schwebte, als sie den 'Omar so nannten, der Begriff vor: in Schlachten entscheiden und Schwierigkeiten lösen.

III. Die Ka'ba.

(Zu S. 278.)

Burckhardt, Travels in Arabia, London 1829 S. 136, giebt folgende Beschreibung dieses Tempels:

Ungefähr in der Mitte des Bethofes (Moschee) steht die Ka'ba. Sie ist 115 Schritte von der nördlichen und 88 von der südlichen Colonnade entfernt. Es ist ein massives längliches Gebäude, 18 Schritte lang, 14 breit und 35—40 Fufs hoch [4]). Ich fand mit dem Compafs, dafs die Richtung der längsten Seite gegen NNW. ½ W. laufe. Das

---

[1]) Der gegenwärtige Schaych der Rawalla-Stämme hat diesen Titel.

[2]) Zohry sagt bei Ibn Sa'd fol. 232: „Ich habe gehört, dafs die Schriftbesitzer die ersten waren, welche den 'Omar Fârûḳ nannten, und dafs die Moslime die Benennung von ihnen nahmen, dafs ihm aber dieser Titel nicht vom Propheten gegeben wurde."

Nach zwei andern Traditionen hat Moḥammad dem 'Omar diesen Titel zuerkannt und zwar nach einer Tradition, weil er die Wahrheit liebte und zwischen wahr und falsch unterschied, faraḳa.

[3]) Dieselbe Form finden wir in Ba'ûth oder Ba'ût, Ostern der Christen, von bo'ith auferstehen, Hârûn Aaron, Yâǵûǵ wa Mâǵûǵ Yog und Magog, Hârût, Mârût, Namen zweier Engel, Ṭâlût Saul, Ǵâlût Golia, sâhûr der Mond und auch die Scheide, in welche der Mond gesteckt wird während einer Eklipse. Wäre dieses Wort arabischen Ursprungs, so müfste es schâhûr geschrieben werden, denn arabisch heifst schahr der Mond, der Monat. In Syrien aber werden bis auf den heutigen Tag s und sch oft verwechselt, und das geschah auch in alten Zeiten; der Mond heifst im Syrischen Sahro. Es giebt auch einige andere Wörter dieser Form wie bâsûr Hämorrhoiden, bâḳûr Rindvieh, im Dialekt von Yaman Rind. Ferner hiefs ein Zeitgenosse des Moḥammad al-Ǵârûd.

[4]) Burton Bd. 2 S. 154 Note: 22 Schritt = 55 engl. Fufs lang und 18 Schritt = 45 engl. Fufs breit. Ali Bey: östliche Seite 37 franz. Fufs 2 Zoll 6 Linien, die westliche 38 F. 4 Z. 6 L., die nördliche 29 F., die südliche 31 F. 6 Z.; Höhe 34 F. 4 Z.

gegenwärtige Gebäude ist von grofsen, sehr unregelmäfsigen Makkasteinen von verschiedener Gröfse gebaut, welche auf eine rohe Art mit schlechtem Cement mit einander verbunden sind. Die Ka'ba wurde A. D. 1627 ganz neu aufgebaut, denn im vorhergehenden Jahre hatte der Wildbach drei Seiten weggerissen. Sie steht auf einer Basis von ungefähr zwei Fufs Höhe. Das Dach ist flach und deswegen hat sie von der Entfernung das Aussehen eines regelmäfsigen Kubus. Sie hat nur eine Thür, nämlich an der Nordseite, und die Schwelle ist sieben Fufs über der Erde.

An der nordöstlichen Ecke nahe bei der Thür ist der berühmte schwarze Stein. Er ist vier oder fünf Fufs über der Erde in die Mauer eingelassen und bildet einen Theil der scharfen Ecke des Gebäudes. Die Gestalt des Steines ist unregelmäfsig oval, etwa sieben Zoll im Durchmesser. Er besteht aus einem Dutzend Fragmenten von verschiedener Gröfse, welche durch Kitt gut zusammengefügt sind. Es ist schwer zu bestimmen, von welcher Steinart er sei, weil die Oberfläche durch die Millionen von Küssen und Berührungen mit der Hand abgenutzt ist. Mir kam er wie Lava vor, die weifsliche und gelbliche fremde Theilchen enthält. Er sieht jetzt dunkelroth, braun und fast schwarz aus.

In der nordöstlichen Ecke der Ka'ba ist der sogenannte Rokn Yamâny, ein Stein wie die der Gebirge um Makka, fünf Fufs über dem Boden eingemauert. Er steht aufrecht und ist anderthalb Fufs lang und zwei Zoll breit. Dieser wird von den Gläubigen mit der rechten Hand berührt, aber nicht geküfst.

An die Westseite der Ka'ba schliefst sich eine halbkreisförmige Mauer an, deren längster Durchmesser gerade so lang ist als die Seite der Ka'ba und die sich bis auf vier Fufs von der Ka'ba entfernt. Man heifst sie Ḥaṭym und den Raum, den sie einschliefst, nennt man Ḥiǵr; die letztere Benennung begreift manchesmal auch die Mauer, während Ḥaṭym von Geschichtschreibern der von ihm eingeschlossene Raum genannt wird. In den Ḥiǵr fällt auch das Wasser von dem Myzâb oder der Traufrinne."

Wenn die jetzige Ka'ba auch erst im Jahre 1627 gebaut worden ist, so hat man doch gewissenhaft die früheren Dimensionen beibehalten. Zur Zeit des Fâsy († A. D. 1429) waren diese wie folgt in Dzirâ', Ellen, berechnet;

Länge	der	Westmauer	von	Innen	$18\frac{1}{3}$,	von Aufsen	$21\frac{2}{4}$
„	„	Ostmauer	„	„	$18\frac{1}{2}$,	„ „	$21\frac{1}{3}$
„	„	Südmauer	„	„	$14\frac{2}{3}$,	„ „	$18\frac{1}{6}$
„	„	Nordmauer	„	„	$13\frac{1}{12}$,	„ „	$17\frac{1}{4}$.

Die Höhe inwendig bis zur Decke ist durchschnittlich 17 Dzirâ', aber auch nicht gleich: Ost- und Nordmauer 17, Westmauer $17\frac{2}{8}$

und Südmauer $17\frac{1}{12}$ Dzirâ'. Die Höhe auswendig bis zum Dach ist durchschnittlich 23 Dzirâ'.

Ibn Chordâdbe, welcher zu Anfang des zehnten Jahrhunderts unserer Zeitrechnung starb, giebt die Länge zu 24 Dzirâ' und eine Spanne und die Breite zu 23 Dzirâ' an. Der Unterschied der Angaben erklärt sich aus der Verschiedenheit der Dzirâ' oder Ellen. Wenn ein Araber Tuch mifst, so hält er das Ende mit dem Vorfinger auf dem ausgestreckten Daumen und mifst bis an's Schultergelenk. Dies ist die Dzirâ' „der Hand“ in unsern Tagen. Dem Ḳamûs zufolge aber war sie früher etwas länger, nämlich vom Schultergelenk bis zur Spitze des Mittelfingers, und es giebt auch eine Dzirâ' vom ersten Gliede des Daumens bis zum Schultergelenk.

Man hat die Dzirâ' schon früh auf andere Art bestimmt. Azraḳy sagt: Eine Dzirâ' hat 24 Zoll und ein Zoll ist gleich der Breite von sechs Gerstenkörnern. Ich habe gefunden, dafs 72 syrische Gerstenkörner oder die halbe Dzirâ' des Azraḳy $10\frac{3}{4}$ engl Zoll ausmachen, die ganze Dzirâ' beliefe sich demnach auf $21\frac{1}{2}$ engl. Zoll. Ibn Ġomâ'a gebrauchte den Ḳomasch oder die Tuchdzirâ' und Fâsy das eiserne Normalmaafs (Dzirâ' alḥadyd), welches in 24 Ḳyrâṭ eingetheilt wurde. So haben auch gewifs Azraḳy und Ibn Chordâdbe das in ihren Tagen gewöhnliche Maafs benutzt. Ich gehe auf diese Einzelheiten ein, um auf die alten Längenmaafse Licht zu werfen.

Die Nachrichten sind ziemlich einstimmig über die Gestalt der Ka'ba um die Zeit der Geburt des Moḥammad. Sie bestand aus vier Mauern von unbehauenen Steinen ohne Mörtel, so hoch wie ein Mann. Der Umfang belief sich höchstens auf 200 Fufs, wahrscheinlich war er viel geringer. Sie hatte kein Dach und ursprünglich auch keine Thür. Wenn auch der Penat Hobal und vielleicht auch andere Götzen sich darin befanden, so war doch der Hauptzweck des Gebäudes, dem schwarzen Stein einen prominenten Platz geben zu können [1]); denn es unterliegt wohl keinem Zweifel, dafs dieselbe Steinanbetung, welche wir schon im hohen Alterthume in vielen Theilen von Arabien finden, auch hier einen Theil des Kultus bildete [2]).

[1]) Ibn Mas'ûd soll dem Bochâry, S. 686, zufolge gesagt haben, dafs, als Moḥammad Makka eroberte, 360 Götzen um die Ka'ba herum waren. Wenn etwas Wahres daran ist, so darf man nicht etwa an eine ausgebildete Mythologie denken, sondern wahrscheinlich war hier eine Piktographie an der Mauer, dort ein Bildchen oder Steinchen aufgestellt, oder ein Fetzen aufgehängt, wie in den Wallfahrtsorten der Hidus, Buddhisten und Katholiken.

[2]) Auch die moslimischen Theologen nahmen zur Symbolik ihre Zuflucht, um Aberglauben zu vertheidigen. Ibn 'Oyayna sagt bei Baydhawy 12, 38: Die Ismaeliten haben nie Götzendienst getrieben. Sie hatten nur Steine, um welche

In dieser eitlen Welt wird der Werth einer Sache nach dem Aeufsern beurtheilt, und wenn die Kirche Christi auch auf Fels gebaut und sein Reich ewig ist, so behaupten doch seine Nachfolger, dafs die Religion in Gefahr sei, wenn die Gläubigen lau sind in der Entrichtung des Peterspfennigs oder gar die weltliche Macht des römischen Stuhles angetastet wird. Jede Religion, welche nicht wie der rationale Protestantismus, die Gläubigen zum Nachdenken auffordert, ist ein Surrogat für die individuelle Entwicklung unserer moralischen Anlagen; Prunk und Ceremonien machen daher das Wesen derselben aus, denn sie mufs auf die Phantasie wirken, um die Vernunft zu übertäuben. Wir haben Beweise genug, dafs das arabische Heidenthum so wenig zur Veredlung des Menschen berechnet war als der Katholicismus, und wir sind daher gerechtfertigt, die Erbärmlichkeit des Tempels von Makka nicht einem erhabenen Sinn für Einfachheit, sondern seinem Mangel an Wichtigkeit zuzuschreiben, und wenn daher nicht nur Orientalisten, die es sich zur Aufgabe machen, die Quellen unverändert wiederzugeben, sondern auch Geschichtsforscher ohne Weiteres von dem Alter und der hohen Bedeutung der Ka'ba sprechen [1]), so sieht man, wie sehr unsere Kenntnifs des Orients noch im Argen liegt. Die Wahrheit ist: es besuchten nur wenige, durch politisches Interesse verbundene, von Griechen und Persern vollends unabhängige Stämme das Pilgerfest und die darauf folgenden Jahrmärkte, und das Berühren und Küssen des schwarzen Steines war die unbedeutendste der Ceremonien dieses Festes. Wäre der Islâm nicht siegreich geworden, so wären die Heiligthümer von Makka und seiner Umgebung von ebenso wenig Bedeutung für die Geschichte des alten Arabien — geschweige denn für die Weltgeschichte — geblieben, als die von Paderborn für die Geschichte von Deutschland.

Die Ḳorayschiten bauten die Ka'ba während der Lebzeiten des Moḥammad neu auf. Die meisten Nachrichten geben sein 35stes Lebensjahr (A. D. 605) als die Zeit dieses Baues an, da es ihnen aber darum zu thun war, ihm eine wichtige Rolle dabei zuzutheilen (vgl. Bd. I S. 154), so verdient die vereinzelte Nachricht, welcher zufolge

sie herumgingen und Dowâr hiefsen. Sie sagten: Das Heiligthum in Makka ist ein Stein, und wenn wir irgendwo einen Stein zur Verehrung aufstellen, so ist er als Repräsentant des Heiligthums anzusehen.

[1]) Ḳatâda und Moḳâtil, bei Tha'laby 2, 57, berichten, dafs die Çâbier das Angesicht im Gebete gegen die Ka'ba wandten. Entweder ist dies eine reine Dichtung oder es bezieht sich nur auf die Ḥanyfe von Makka und Umgebung, zu denen ursprünglich auch Moḥammad gehörte. Wenn andere Autoren berichten, dafs auch die Perser Wallfahrten nach Makka verrichteten, so ist dies eine handgreifliche Unwahrheit.

er ungefähr um's Jahr 576 stattgefunden hat [1]), Berücksichtigung. Als Veranlassung wird erzählt [2]): Eine Frau ging mit einem Kohlenbecken um die Ka'ba, um zu räuchern, da flog ein Funke in die Umhänge des Heiligthumes, so dafs sie ganz aufbrannten und die Steine mürbe wurden. In unserer Zeit würde eine solche Feuersbrunst nicht einmal Steinkohlen schaden, denn mit Ausnahme der Thür war kein Holz am Gebäude, es müssen also die Steine in der heiligen Stadt ganz anders beschaffen gewesen sein, als in unserm rauhen Norden. Ob die Ka'ba damals schon Vorhänge hatte, kommt mir übrigens sehr zweifelhaft vor. Die Moslime haben allerdings schon seit frühster Zeit die Gewohnheit, sie mit einer prachtvollen Decke zu behängen; wenn aber behauptet wird, ein König von Yaman habe schon im Heidenthum den Makkanern solche Umhänge verehrt, so ist dies wohl eine Dichtung.

Ibn 'Oḳba [3]) erwähnt den Brand der Vorhänge nicht, und obschon auch sein Bericht nicht vollen Glauben verdient, schalte ich ihn doch ein:

„Die Ḳorayschiten vereinigten sich, die Ka'ba wieder aufzubauen wegen des Wildbaches, der über den von ihnen erbauten Damm flofs und ihn zerstörte. Sie fürchteten, dafs das Wasser in die Ka'ba eindringen würde. Auch hatte ein Mann Namens Molayḥ die Schätze (ṭyb) der Ka'ba gestohlen. Sie entschlossen sich daher, das Gebäude festzumachen und die Thür über die Erde zu erheben, damit sie ausschliefsen oder zulassen könnten, wen sie wollten. Sie sorgten für die nöthigen Ausgaben und Arbeitsleute und dann fingen sie an, den alten Bau abzutragen, aber mit Behutsamkeit und zusehend, ob sie Gott nicht verhindere."

Wâḳidy (bei Ibn Sa'd, fol. 47) erzählt: „Es kam ein Schiff auf dem Meere, auf welchem Leute von Rûm waren. Der Kapitän Bâḳûm war zugleich Architekt. Der Wind trieb das Schiff nach Scho'ayba (d. h. der Zwischenraum zwischen den Hörnern des Ochsen, daher Keutos bei Ptoleme), welches, ehe Ǵodda stand, ein Seehafen war, und es litt Schiffbruch. Walyd b. Moghyra begab sich mit andern Ḳorayschiten zum Wrack, sie kauften das Holz und bewogen auch den Kapitän, mit ihnen nach Makka zu gehen. Sie

---

[1]) Wenn Azraḳy (bei Wüstenfeld, Chron. von Makka Bd. 1 S. 107) sagt, dafs Moḥammad damals ein Knabe war, so mag er diese Angabe der alten Tradition entnommen haben. Der Ausdruck ist Gholâm. Fâsy, Schifâ alghorâm fol. 85, bemerkt dazu, dafs Gholâm einen Jungen bedeute, der noch nicht die Mannbarkeit erreicht hat.

Mûsa b. 'Oḳba sagt bei Fâsy, Moḥammad sei 25 Jahre alt gewesen (A. D. 596) als die Ka'ba wiedergebaut wurde.

[2]) Wüstenfeld, Chron. v. Makka, Bd. 4 S. 84.

[3]) Angeführt im Kitab aliktifâ, Brit. Museum add. Ms. 18864 fol. 46.

sprachen: Wie wäre es, wenn wir das Haus unsers Herrn neu aufbauten etc."

Nach einem andern Berichte [1]) trugen die Makkaner dem Bâkûm auf, die Ka'ba nach der Bauart christlicher Kirchen zu errichten. Wenn also behauptet wird, dafs der abrahamitische, ja göttliche Ursprung der Ka'ba den Heiden so lebhaft vorschwebte, dafs sie genau die alte Form beibehielten und das frühere Gebäude nicht abgetragen haben würden, wenn sie nicht genöthigt gewesen wären, so sieht man deutlich, dafs die Moslime ihre eigenen Empfindungen auf ihre heidnischen Vorväter übertrugen [2]). Die grofse Herzensangst der Korayschiten wird in folgendem Mythus ausgedrückt:

„Die Leute zitterten bei der Idee, das heilige Gebäude abzubrechen. Walyd b. Moghyra sprach: Ich will anfangen, sie abzutragen. Er nahm einen Pickel, stand auf der Mauer und rief: O Gott, seid ohne Angst, o Gott, wir wollen nur das Beste. Darauf fing er an, die Südseite abzubrechen. Die Leute bebten vor Besorgnifs und sprachen: Wir wollen jetzt zusehen, und wenn sich etwas ereignet, wollen wir sie nicht zerstören. Am nächsten Morgen fuhr Walyd mit seiner Arbeit fort, ohne dafs sich etwas ereignet hätte. Die Einwohner von Makka machten sich nun rüstig an die Arbeit des Abtragens. Als sie auf die von Abraham gelegten Grundvesten kamen, fanden sie eine Inschrift, welche von einem Juden gelesen

---

[1]) Içâba Bd. 1 S. 277. Die Tradition ist alt und beruht auf guter Auktorität. Der Name Bâkûm ist aber wahrscheinlich erst später durch Verwechselung in die auf den Bau der Ka'ba bezüglichen Traditionen gekommen.

Dem Mawâhib S. 50 zufolge war Bâkûm Nabṭy, d. h. der Nabathäer, ein Client oder freigelassener Sklave des Sa'yd b. al-'Âçiy und derselbe, welcher später für Moḥammad die Minbar (Kanzel) verfertigte.

Ibn Isḥâk dachte wohl an den Schreiner, der die Minbar verfertigte, wenn er sagt: Es befand sich zu Makka ein koptischer Zimmermann, und dieser unternahm den Bau der Ka'ba. Folgende Tradition beruht auf der besten Auktorität, und wenn man den Namen des Bâkûm ausläfst, kann man auch nichts gegen den Inhalt einwenden.

'Othmân b. Sâġ, bei Içâba Bd. 1 S. 277, von Ibn Ġorayġ:

„Es war ein Rûmer Namens Bâkûm, welcher mit Mandab handelte und bei Scho'ayba Schiffbruch litt. Er sandte zu den Korayschiten, um sie zu fragen, ob sie mit ihm in Handelsverbindungen treten wollten und bot ihnen Holz und einen Zimmermann an. In Folge dessen bauten sie das Haus des Abraham."

Arabien, und besonders Makka, ist so arm an Bauholz, dafs es ihnen schwer gefallen wäre die neue Ka'ba mit einem Dache zu versehen, wenn sie nicht durch diesen Zufall zu Holz gekommen wären.

[2]) Mokaddasy beschreibt die Furcht der Moslime als Ibn Zobayr die Ka'ba niederreifsen liefs wie folgt:

„Er gab den Befehl, sie abzutragen. Die Bevölkerung widersetzte sich, er aber bestand darauf. Sie entfernten sich eine Farsange weit von Makka, aus Furcht, dafs Feuer oder ein anderes Strafgericht vom Himmel kommen würde. Es lief aber alles gut ab und Ibn Zobayr erbaute die Ka'ba nach den Angaben der 'Âyischa, worauf die Leute in die Stadt zurückkehrten."

wurde und lautete: Ich bin der Herr von Makka, ich habe es erschaffen an dem Tage, an dem ich Himmel und Erde erschaffen und die Sonne und den Mond gebildet habe, und ich habe es mit sieben Besitzthümern umgeben, und es soll so lange wie seine Berge dauern. Gesegnet sei es in Milch und Wasser!"

Wenn man den historischen Kern von den Dichtungen und Verwechslungen sondert, so kommt man zur Ueberzeugung, dafs die Ḳorayschiten den alten Bau durch einen neuen ersetzten, in der Absicht ihren Tempel zu vergröfsern und zu verschönern [1]) und so viel als möglich einer Kirche ähnlich zu machen. Die Legenden von der Feuersbrunst u. a. m. wurden wohl nur deswegen ersonnen, um zu zeigen, wie heilig auch den Heiden das alte Gebäude seiner historischen Erinnerungen wegen war. Auch der Neubau war elend genug, besonders da, wie ʿÂyischa erzählt, ihnen die Mittel fehlten, ihren Plan ganz auszuführen. Es war aber schon eine grofse Verbesserung, dafs die Kaʿba jetzt ein Dach erhalten hatte. Gehen wir in der Geschichte des Tempels weiter zurück, so finden wir nur Mythen, die gröfstentheils auf der Auktorität des Lügners Wahb b. Monabbih und des Theologen Ibn ʿAbbâs und seiner Schüler beruhen. Diese Mythen waren eine Nothwendigkeit, denn die Verehrung des schwarzen Steines steht in so grellem Widerspruche mit den sonst reinen Begriffen der Moslime über Gott, dafs eine Aussöhnung nur durch die abenteuerlichsten Theorien, und durch diese nur annäherungsweise erreicht werden konnte. Wenn in der ältern Geschichte irgend ein Datum wahr ist, so ist die Stadt und die Kaʿba zuerst von Ḳoçayy am Anfange des fünften Jahrhunderts unserer Zeitrechnung erbaut worden. Lehrreich für das Alter der Heiligthümer von Makka ist die Geschichte des Brunnens Zamzam. Er wurde vom Grofsvater des Moḥammad gegraben, weil er aber von den Moslimen mit Ehrfurcht angesehen wird, so läfst man ihn von Abraham gemauerte Ringe und Schätze [2]) finden. Für einen ausführlichen Bericht dieser Geschichte, wie auch der Fabeln, welche über den himmlischen Ursprung und die alttestamentliche Geschichte der Kaʿba erzählt werden, verweise ich auf Wüstenfeld's gewissen-

[1]) Ibn Isḥâḳ, S. 68, und deutlicher bei Ṭabary S. 122, sagt: „Die Ḳorayschiten hatten die Absicht, die Kaʿba höher zu bauen und ein Dach auf selbe zu setzen."

[2]) In Ermangelung eines direkten Beweises gegen das Vorhandensein von Schätzen in der Kaʿba und gegen das Auffinden von grofsen Werthsachen bei der Grabung des Brunnens Zamzam, erwähne ich eine ähnliche Dichtung aus demselben Legenden-Kreise. Der Götze Hobal war eine Statue von Achat, und weil sie eine Hand verloren hatte, noch ehe sie in den Besitz der Ḳorayschiten kam, wurde dieselbe durch eine goldene ersetzt. So erzählt Yâḳût; hingegen ist historisch, dafs die Statue verbrannt, und also von Holz war.

hafte Bearbeitung der Chroniken von Makka Bd. 4 [1]). Es ist nur zu bedauern, dafs der gelehrte Verfasser sich damit begnügte, die moslimischen Sagen, ohne ihre Entstehungsweise zu beleuchten, in seiner deutschen Bearbeitung zu wiederholen. Eine Legende gewinnt doch nur dadurch Werth, dafs man ihren Ursprung und ihre Ausbildung verfolgt.

---

[1]) Ich mache bei dieser Gelegenheit auf eine Stelle Wüstenfeld's (Bd. 4 S. 55) aufmerksam, durch welche die Bd. I S. 89 gegebene Nachricht über König ʿOthmân ergänzt wird. Die Intriguen sind wohl nicht vom Kaiser selbst, sondern von dem ghassânischen König, um Makka gegen die siegreichen Perser zu gewinnen, ausgegangen.

Dreizehntes Kapitel.

Lehrer des Moḥammad.

Wir erwarten von einem Propheten, dafs er über die Zukunft Aufschlufs geben könne. Auch die Makkaner hatten diese gemeinen Begriffe. Moḥammad war Kaufmann und man dachte, dafs er auf dem Markte seine Prophetengabe so gut benutzen würde, wie die Höflinge des Napoleon die ihrige auf der Börse: er soll Artikel einkaufen, von denen er weifs, dafs sie aufschlagen, und soll verkaufen, ehe der Markt flau wird. Er gab zu, dafs ihm Gott diese Kenntnifs vorenthalte [1]). Man fragte ihn in Betreff der Witterung; aber auch dies war ein Geheimnifs Gottes. Man führte schwangere Frauen zu ihm und wollte wissen, ob sie einen Knaben oder ein Mädchen gebären würden, aber auch hier reichte seine Prognosis nicht aus [2]). Da er nun

[1]) Kalby sagt: „Die Makkaner sprachen zu Moḥammad: Theilt Dir dein Herr denn nicht mit, wann die Preise sinken und steigen werden, auf dafs du in deinem Handel gewinnest? oder wie es mit dem Wachsthum in verschiedenen Orten steht, damit du dorthin gehest, wo alles gut gerathen ist? Darauf offenbarte Gott Ḳor. 7, 188."

[2]) Bochâry S. 666 zu Sûra 6, 59, von Zohry, von Sâlim b. 'Abd Allah, von seinem Vater:

„Der Prophet sagte: Die Schlüssel der Geheimnisse [welche in Sûra 6, 59 erwähnt werden] sind fünf: Gott allein weifs, wenn „die

das Zukünftige nicht wufste, so behauptete er, dafs ihm Gott das Vergangene geoffenbart habe, und erhob seine Kenntnifs der biblischen Legenden zu einem Beweis für seine Mission.

Die Grundanlagen der Menschen sind überall dieselben. Wenn in unsern Tagen ein Schüler des Mesmer mit einem wunderbaren Mädchen auftritt, drängen sich zwei Klassen von Menschen um ihn: eine, welche betrogen werden will, und welche, wie aufserordentlich auch die Erscheinungen sein mögen, entschlossen ist, etwas noch viel wunderbareres zu finden und es auch wirklich findet. Die andere will auch das läugnen, was daran Wahres sein mag. Beide Parteien wollen ihre vorgefafsten Ansichten durch Thatsachen begründen, und während die letzteren zuviel verlangen, begnügen sich die erstern mit zu wenig oder gar nur mit dem Scheine, und schliefsen auf zu viel. Beide haben das mit einander gemein, dafs sie nicht belehrt sein, sondere Andere zu ihrer Ueberzeugung bekehren wollen. Das war nun auch bei den Zeitgenossen des Moḥammad der Fall. Er hatte Eigenthümlichkeiten an sich. Aber die Leichtgläubigen oder die Kinder der Gnade, wie Schwachköpfe in religiöser Sprache geheifsen werden, überschätzten ihn, die Kinder des Fluches aber schlossen auch gegen seine Verdienste die Augen, und wenn er zum Betrüger wurde, so theilen beide Parteien mit ihm die Schuld; denn sie wollten nicht sehen.

Im sechsten Kapitel habe ich mich bemüht, den Propheten auf seinem Wege zur Ueberzeugung, dafs er Wiederoffenbarungen erhalte, zu begleiten; hier ist es meine Aufgabe, seine Schritte zum unverschämten Betrug zu verfolgen.

Stunde" (der Tag der Auferstehung) kommt und wann es regnen und was das Weib gebähren wird. Auch weifs Niemand, was er morgen schaffen oder in welchem Lande er sterben wird." Vergl. Bochâry S. 704 und Wâḥidy zu 31, 34.

Es ist schon oben S. 331 gezeigt worden, dafs Moḥammad eine von ihm selbst erfundene Geschichte für eine Offenbarung ausgab. Auch eine ihm vorerzählte Legende behandelte er auf diese Art:

38, 67. Sprich: dies ist eine wichtige Nachricht;

68. Ihr aber wendet euch weg davon.

69. Ich wufste nichts von der allerhöchsten Malâ (Aristokratie, d. h. Versammlung der Engel) wie sie sich stritten,

70. und würde mir wohl solches geoffenbart, wenn ich nicht ein unverkennbarer Warner wäre?

Hier folgt die Geschichte des Falles der Engel. Dies ist also die wichtige Nachricht, zu deren Kenntnifs er durch Offenbarung gekommen ist.

In Sûrâ 12 wird die Geschichte des Joseph in Egypten weitläufiger erzählt als irgend eine andere im Ḳorân. Folgendes ist die Aufschrift und Einleitung:

1. A. L. R. Dies sind Zeichen (Verse) aus dem unbezweifelten Buche,

2. welches wir als einen arabischen Ḳorân (d. h als eine arabische Original-Offenbarung) herabgesandt haben, auf dafs ihr zur Einsicht kommt.

3. Wir erzählen dir nun die schönste Geschichte, indem wir dir dieses Ḳorânstück [1]) offenbaren. Früher wufstest du nichts davon.

4. Einst sagte Joseph etc.

Am Schlusse läfst er Gott sagen:

103. Dies ist eine unbekannte Erzählung von etwas Entferntem, welche wir dir offenbaren [sonst könntest du sie nicht wissen], denn du warst ja nicht dabei als sie sich vereinigten und Ränke [gegen Joseph] schmiedeten. Indessen die meisten Menschen, wie sehr du dich auch ab-

---

[1]) In der Tradition kommen Ausdrücke vor wie ʿAlima ḳorânan kathyran, er wufste viel Ḳorân, d. h. viele Ḳorânstücke.

plagest, glauben [ungeachtet dieses Beweises] doch nicht.

104. Du verlangst von ihnen gar keinen Lohn dafür, denn es ist nichts anderes als eine Ermahnung für die Welten.

105. Wie viele Zeichen sind in den Himmeln und auf der Erde, bei denen sie vorübergehen. Aber sie wenden sich davon ab.

106. Die meisten von ihnen, wenn sie auch an Allah glauben, sind zugleich Abgötterer.

107. Sind sie vielleicht sicher, dafs nicht eine Ghâschiya (Ueberfall) von der Strafe [1]) Allah's über sie komme oder dafs sie die Stunde plötzlich überrumpele, ohne dafs sie sich's versehen?

108. Sprich: Dies ist meine Bahn: ich predige Allah nach Grundsätzen der Vernunft (d. h. ohne Beimischung von Aberglauben und Mysticismus). Ja, ich und die, welche mir folgen [sind dieser Ansicht]. Gepriesen sei Allah! Ich gehöre nicht zu den Vielgötterern.

109. Auch vor dir haben wir nur Menschen gesandt, die inspirirt waren. Auch sie waren Städtebewohner [und nicht Bedouinen]. Gehen sie denn nicht in der Welt umher? Sie sehen doch, welch' Ende die [Ungläubigen] vor ihnen genommen haben? Begreifen sie denn nicht, dafs das künftige Leben besser ist für die Frommen als dieses?

110. [Auch frühere Völker trieben ihren Unfug] bis die Gottgesandten der Verzweiflung nahe waren und selbst glaubten, sie hätten [indem sie ein Strafgericht verkündeten] die Unwahrheit gesagt, Dann aber wurde ihnen unsere Hülfe zu Theil, und [während wir die Ungläubigen vertilgten] retteten wir wen wir wollten; von den Gottlosen aber kann unsere Strenge (Strafe) nicht weggewendet werden.

---

[1]) Eine andere Deutung dieser Drohung wird in Sûra 88 gegeben.

111. Die Geschichte vertilgter Völker enthält ein warnendes Beispiel für die Vernünftigen. Diese Offenbarung ist kein erdichtetes Märchen, sondern eine Bestätigung dessen, was früher geoffenbart worden ist [denn es werden ja dieselben Thatsachen erzählt], eine Erklärung aller Dinge, eine Leitung und ein Gnadenausfluſs für gläubige Leute.

Ich schalte zunächst eine der Erzählungen ein, welche er in der Absicht mittheilt, um durch die Kenntniſs derselben zu beweisen, daſs er Offenbarungen erhalte:

28, 1. Ṭasm [1]): Dies sind Zeichen (Verse) aus dem unbezweifelten Buche [2]) [welches im Himmel aufbewahrt wird].

2. Wir lesen dir daraus der Wahrheit gemäſs etwas von der Geschichte des Moses und Pharao vor zum Nutzen der Gläubigen.

3. Stolz erhob sich Pharao im Lande und theilte die Einwohner in Parteien: eine Partei (die Israeliten) wurden zum Elend verdammt, ihre Söhne geschlachtet und ihre Mädchen am Leben erhalten. — Er war ein Bösewicht!

4. Wir aber erwiesen uns gnädig gegen die, welche im Lande in Elend schmachteten, und wollten sie zu Imâmen (geistlichen Oberen und Vorbildern) und zu den Erben [des Landes] machen;

5. wir wollten sie im Lande mächtig machen und dem Pharao und Hâmân und ihren Heerschaaren das widerfahren lassen, was sie zu vermeiden gesucht hatten.

6. Wir offenbarten daher der Mutter des Moses:

---

[1]) Einige sprechen Ṭism aus, und die Madynenser Ṭesm, auch wird Ṭasmon gelesen. Dieselbe Verschiedenheit der Aussprache waltet in Ḥam, Yas und Ṭas ob.

[2]) Im Arabischen: mobyn „offenbar", „unterscheidbar". Moḥammad sagt oft, daſs er ein offenbarer Bote Gottes sei, d. h. einer, n man leicht als solchen erkennen kann, über dessen Beruf kein Zweifel obwaltet. Hier hat mobyn eine ähnliche Bedeutung: „Es ist kein Zweifel über die Existenz des Buches vorhanden" (vergl. Ḳ. 2, 1), es heiſst aber nicht: Das deutliche Buch.

Säuge ihn, und wenn du seinetwegen in Furcht bist, wirf ihn in das Yamm (der hebräische Ausdruck für Meer und den Nil). Sei ohne Furcht und Gram; wir werden ihn dir zurückstellen und ihn zu unserem Boten auserkiesen.

7. Die Familie des Pharao mufste ihn [den Plänen der Vorsehung gemäfs] finden, auf dafs er ihr ein Feind und eine Ursache des Schmerzes sei; denn Pharao und Hâmân und ihre Heerschaaren waren Sünder.

8. Die Frau des Pharao sprach [als sie ihn aus dem Binsenkörbchen herausnahm]: Er wird mir und dir Freude machen. Tödtet ihn nicht, vielleicht bringt er uns Glück in's Haus oder nehmen wir ihn an Kindesstatt an! Sie wufsten [die Absichten der Vorsehung] nicht.

9. Am nächsten Morgen war das Gemüth der Mutter des Moses öde [1]) und sie hätte ihn am Ende verrathen, wenn wir ihr Herz nicht gestärkt hätten, damit sie glaube [und vertraue].

10. Sie sagte daher zu ihrer Schwester: Folge dem Kinde. Diese beobachtete dasselbe von der Seite, ohne dafs sie es bemerkten.

11. Wir haben ihm schon von vornherein verboten, die Brust der Amme zu trinken [2]). Da kam die Schwe-

---

[1]) Fârigh albâl „freien oder leeren Herzens" ist eine Redensart die nicht nur im Arabischen, sondern auch im Persischen oft vorkommt, und so viel bedeutet als ohne Sorgen. Im Original ist ein ähnlicher Ausdruck und Abû 'Obayda giebt ihm dieselbe Bedeutung; Andere aber, welche sich vom Zusammenhang leiten lassen, sagen, es heifse hier verzweifeln. Die Idee des Verfassers scheint die gewesen zu sein: So lange sie das Kind hatte, war ihre ganze Seele damit beschäftigt, es zu verbergen. Jetzt war das Kind bei Pharao; ihr Gemüth war nun nicht länger mit den zärtlichen Sorgen beschäftigt, es war leer; es entbehrte etwas.

[2]) „Die Worte der Schrift, 2. M. 2, 7: „Ich will dir eine Säugeamme von den Hebräerinnen rufen", gaben den Rabbinern zu der Fabel Veranlassung: „Warum gerade von den Hebräerinnen? Dies zeigt an, dafs man ihn allen Egypterinnen reichte, er aber nicht sog,

ster und sprach: Soll ich euch eine Familie zeigen, welche ihn für euch aufnimmt und ihn pflegt?

12. So stellten wir ihn der Mutter zurück, dafs sie sich erfreue und nicht traure, und dafs sie die Richtigkeit der Verheifsungen Allah's erkenne; — aber die Meisten sind unwissend.

13. Als er zum Mannesalter herangewachsen und zur Reife gekommen war, gaben wir ihm Vollmacht und Kenntnifs. — So belohnen wir die Guten.

14. Er nahm den Augenblick wahr, den die Einwohner nicht auf der Hut waren und ging in die Stadt, wo er zwei Männer — einen von seiner Sekte, den andern von den Feinden — im Kampf begriffen fand. Der Mann von seiner Partei rief ihn gegen den Mann der Gegenpartei um Hülfe an. Moses gab diesem einen Faustschlag und machte ihm ein Ende, dann sagte er: Dies (der Mord) ist eins der Werke des Satans; er ist wahrlich ein offenbarer Verführer.

15. Herr, ich war ungerecht gegen mich selbst, verzeih' mir. Er verzieh ihm, denn er ist gnädig und barmherzig.

16. Herr, ich schwöre es bei deinen Wohlthaten gegen mich, ich will nie wieder Verbrechern beistehen.

17. Am nächsten Morgen fürchtete er sich in der Stadt und sah sich ängstlich um, und siehe, der, welchem er am vorigen Tage beigestanden, flehte ihn wieder um Hülfe an. Moses antwortete: Du bist offenbar ein Irrender.

18. Als er den gemeinschaftlichen Feind anpacken wollte, sagte er: O Moses, willst du mich tödten, wie du gestern einen Menschen getödtet hast? Du willst nichts

---

denn Gott sprach: Der Mund, der einst mit mir reden soll, sollte der Unreines einsaugen? (Sotah, 22, a.)" Geiger S. 157. Auch die Moslime erkennen es als den grofsen Vorzug des Moses an, dafs er mit Gott gesprochen, und geben ihm daher den Titel: Kalym Allâh „der mit Gott gesprochen hat".

Anderes als ein Mann der Gewalt auf Erden sein; deine Absicht ist nicht Heil zu stiften.

19. Ein Mann kam vom Ende der Stadt dahergelaufen und sprach: Die Fürsten (die Malâ) berathschlagen sich über deinen Tod. Fliehe! ich meine es gut mit dir [1]).

20. Er verliefs die Stadt, sah sich furchtsam um und sprach: Herr, rette mich von dem ungerechten Volke.

21. Auf dem Wege gegen Madyan sagte er: Mein Herr wird mich wohl den geraden Pfad führen.

22. Als er bei dem Wasser (Brunnen) von Madyan ankam, fand er einen Haufen Menschen, welche [die Heerden] tränkten.

23. Aufser dem Kreise standen zwei Frauen, die ihr Vieh zurückhielten. Er fragte: Was macht ihr? Sie antworteten: Wir können erst tränken, wenn die Hirten sich entfernt haben, denn unser Vater ist alt [und kann uns nicht beschützen].

24. Er tränkte ihnen [die Schafe], dann zog er sich in den Schatten zurück und sprach: Herr, ich bedarf nun des Guten, welches du auf mich herabgesandt hast.

25. Unterdessen kam eins von den beiden Mädchen und näherte sich ihm schamhaft und sprach: Mein Vater ladet dich ein, um dir das Tränken zu vergelten. Als er zu ihm gekommen und ihm seine Geschichte erzählt hatte, sagte er: Fürchte dich nicht, du bist errettet von dem ungerechten Volke.

26. Eins von den Mädchen sagte: Lieber Vater, dinge ihn, denn der Kräftige und Zuverlässige ist der beste Mann, den du miethen kannst.

27. Der Alte sprach: Ich wünsche dir eine von meinen zwei Töchtern zur Frau zu geben unter der Bedingung, dafs du dich auf acht Jahre bei mir verdingest. Es

---

[1]) Die Ideen des Moḥammad gingen über Makka nicht hinaus, wo es keine Obrigkeit gab und wo in einem solchen Falle die Häupter der Familien Rath gepflogen haben würden.

stehe aber bei dir, zehn Jahre zu vollenden. Ich will dir nicht weh thun und so Gott will, wirst du einen rechtschaffenen Mann an mir finden.

28. Moses antwortete: Dies ist abgemacht zwischen uns. Aber es stehe mir frei, den längern oder kürzern Zeitraum bei dir zu bleiben. Allah sei der Zeuge unsers Uebereinkommens.

29. Als Moses den Termin vollendet hatte und mit den Seinigen dahinzog, bemerkte er an der Seite des Ṭûr (des Berges Sinai) ein Feuer. Er sprach zu den Seinigen: Wartet, ich habe ein Feuer bemerkt; ich will euch entweder Nachricht oder einen Brand davon bringen, dafs ihr euch wärmen könnt.

30. Als er demselben nahe kam, vernahm er eine Stimme von der rechten Seite des Thales. Sie erschallte in der gesegneten Stätte und kam von dem Baum (Dornbusch) und lautete: O Moses, ich bin Allah, der Herr der Welten,

31. wirf deinen Stab hin. Da er bemerkte, dafs er sich bewege wie eine Schlange, lief er davon und kam nicht zurück. O Moses, sprach nun die Stimme, gehe darauf zu und fürchte dich nicht, du bist sicher.

32. Stecke die Hand in deine Tasche (Busen?) und sie wird ohne Schaden weifs herauskommen und drücke aus Ehrfurcht deinen Flügel an dich [1]). Dieses seien dir zwei Beweise von deinem Herrn, vor Pharao und seinen Grofsen (Malâ); denn sie haben sich wahrlich als ein gottloses Volk bewiesen.

---

[1]) In Ḳor. 20, 23 sagt Gott: „Drücke deine Hand an deinen Flügel und sie wird ohne Schaden weifs heraus kommen.“ Hier mufs Flügel „Seite“, im Texte aber so viel als „Arm“ bedeuten. Es ist also ein unverkennbarer Widerspruch zwischen beiden Stellen. Ob der Text verdorben sei oder Moḥammad selbst nicht wufste was er sagte, läfst sich nicht entscheiden. In Ḳ. 27, 12 erscheint der Flügel nicht.

33. Er sprach: Herr, ich habe Jemanden von ihnen getödtet und fürchte, sie werden mich hinrichten.

34. Mein Bruder Hârûn (Aaron) hat eine beredtere Zunge als ich; sende ihn mit mir als Mantel. Er soll bestätigen, dafs ich die Wahrheit rede, denn ich fürchte, sie werden mich der Lüge beschuldigen.

35. Gott sprach: Wohlan, wir wollen deinen Arm durch deinen Bruder Aaron stärken und wollen euch Macht geben. Unserer Zeichen wegen werden sie euch nicht zu Leibe kommen können, und ihr und eure Anhänger werden siegreich sein.

36. Als Moses unsere beweiskräftigen Zeichen vor ihnen wirkte, sprachen sie: Dies ist nichts als trügerischer Zauber (Taschenspielerei); wir haben von nichts Aehnlichem unter unseren Vorvätern gehört.

37. Moses antwortete: Mein Herr kennt den Träger seiner Leitung und den, welcher das Feld behauptet, am besten [1]); denn die Ungerechten läfst er wahrlich nicht gedeihen.

38. Pharao sprach: O Fürsten (Malâ), ich habe nicht gewufst, dafs ihr einen Gott habt aufser mir. Brenne Ton

---

[1]) Im Original steht hier ein Idiom (lahu'âḳibatu-ldâr), welches dem Baghawy zufolge bedeutet: „er wird ein löbliches Ende haben in der andern Welt.“ In diesem Sinne wird es allerdings unter den Moslimen und auch im Ḳorân gebraucht, aber ich vermuthe, dafs es älter ist als der Islâm und auch in einem weitern Sinne vorkommt. Dâr heifst Aufenthaltsort und aldâr scheint im Ḳorân 59, 9 fast gleichbedeutend zu sein mit Heimath, der Ort, wo man ansäfsig ist. Es kommt im Ḳorân vor: lahu sûü-ldâr „ihm wird das Böse des Aufenthaltes, d. h. ein peinlicher Aufenthalt = die Hölle zu Theil.“ Wenn 'âḳiba gut hiefse, würde lahu'âḳibatu-l-dâr bedeuten: ihm wird der Himmel zu Theil, aber 'âḳiba heifst der Ausgang, das Ende, gleichviel ob gut oder schlecht. Lahu al-'âḳiba „ihm gehört das Ende“ will so viel sagen als: er hat den Sieg davon getragen, und an diese Redensart scheint sich die obige anzuschliefsen.

(Ziegel), o Hâmân, und baue mir einen Thurm, vielleicht steige ich zu dem Gott des Moses, den ich für einen Lügner halte, hinauf.

39. Er und seine Heerschaaren [1]) waren übermüthig

---

[1]) Der hier im Original gebrauchte Ausdruck ğund, Plur. ğonûd oder ağnâd, ist ein fremder. Im Arabischen heifst ğûda das schnelle Laufen des Pferdes, und ğawâd, Plur. ağyâd, Rennpferd. Wie chayl, welches ursprünglich auch Pferd heifst, aber schon im Hebräischen für Armee, und später im Persischen für Menge gebraucht wird, so kommt auch ağyâd für Truppe vor. Für viele Araber ist nur der Reiter ein Krieger, und da das Pferd nur zum Kampfe gebraucht wird, berechnet man die Stärke eines Stammes oder einer Truppe häufig nach der Anzahl von Pferden. Im Syrischen heifst daher gûda und im Çâbischen gûnda Truppe, Armee. Daraus ist dann neben ağyâd, welches seine alte Bedeutung behielt, ğund, ağnâd in's Arabische übergegangen, und zwar mit ausschliefslicher Anwendung auf eine Legion im Sinne, den es unter den Römern hatte. Wir finden es zuerst unter den am Tigris lebenden Arabern, welche wohl schon vor Moḥammad ein Quartier von Ctesiphon Ğûndy-Chosra, d. h. Legio Chosroes, und eine Stadt von Susiana Ğûndy-Sabûr, d. h. Legio Saporis nannten. Die Zusammensetzung dieser zwei Namen ist persisch und es scheint, dafs auch den Persern das aramäische Wort gunda geläufig war. In einer Tradition sagt Walyd b. Hischâm b. Moghyra zu ʿOmar قد جيت الشام فرايت ملوكها دونوا ديوانا وجندوا جندا „Ich war in Syrien und habe beobachtet, dafs die Könige Kanzleien eingerichtet und ğunde gebildet hatten.“ Die Stelle ist interessant, weil ğund, im Gegensatz zum arabischen Heerwesen, stehende Armee bedeutet. Auch im Ḳorân bedeutet ğund legio. Man mufs aber nicht glauben, dafs Moḥammad den auserwählten Ausdruck ğund auf jede Armee anwendete. Gewöhnliche Heere bezeichnete er mit arabischen Wörtern. Zunächst wendet er ğund (im Plural in Ḳor. 85, 17. 20, 81. 28, 6. 7. 39. 40. 51, 40 und im Singular in Ḳor. 44, 23) auf die Heerschaaren des Pharao an, dann auf die des Goliat Ḳor. 2, 250; auch nennt er so die Heerschaaren des Teufels, Ḳor. 26, 95 (vergl. Evang. Luc. 8, 30) und die Armeen des Salomon, welche aus Ğinn bestanden, Ḳor. 27, 17. 18. 37. In allen diesen Fällen hat er den Ausdruck, der ihm vorgesagt wurde, nachgesagt. Wenn er aber sagt (Ḳor. 9, 26. 33, 9), dafs den Gläubigen in der Badr-Schlacht ğonûd (Armeen) von Engeln beistanden, sehen wir, dafs er das Wort selbst anzuwenden gelernt hat, und zwar ganz richtig, wie es von den

auf Erden auf ungeziemende Art, und sie glaubten, sie würden nicht vor uns erscheinen müssen.

40. Wir haben daher ihn und seine Heerschaaren hergenommen und sie in das Meer (alyamm) geworfen. Siehe, was das Ende der Bösewichter war!

41. Wir machten sie zu Vorbildern [im Frevel], welche die Menschen zur Hölle einladen, und am Tage der Auferstehung werden sie keinen Beistand finden.

42. In dieser Welt schon haben wir ihnen den Fluch als Gefolge gegeben [1]), und am Tage der Auferstehung werden sie zu Schanden werden.

43. Dem Moses hingegen haben wir das Buch mitgetheilt, nachdem wir die frühern Geschlechter vertilgt hatten, als Leuchte für die Menschen und als Wegweiser und Gnadenausfluſs: in der Erwartung, daſs sie zur Besinnung kommen würden.

44. Du, o Moḥammad, warst nicht an der Westseite (in Egypten), als wir dem Moses das Geschäft übertrugen, noch warst du einer der Zeugen (Zeitgenossen),

45. sondern wir haben seitdem viele Geschlechter von

Schriftbesitzern gebraucht wurde (vergl. Ev. Matth. 26, 53). Er spricht auch von den Heerschaaren Gottes und den Heerschaaren (Zabaot) des Himmels und der Erde, Ḳor. 74, 34. 48, 4. 7 (vergl. Psalm. 148, 2 etc.). Endlich wird dieser biblische Ausdruck auch in den Beschreibungen des jüngsten Tages, wo Moḥammad alle mysteriösen Wörter zusammenfügt, in Anwendung gebracht, und in einigen Fällen (wie Ḳor. 19, 77) kann es mit „Hülfe“ übersetzt werden.

Die Nachfolger des Moḥammad beschränkten den Gebrauch von ǵund nicht auf biblische und überirdische Armeen. Nachdem sie Syrien erobert hatten, wo früher römische Legionen gestanden, lernten sie diesen Ausdruck auch auf ihre dortigen fünf Militärstationen anwenden, während im ʿIrâḳ (von wo er doch herkam) ʿaskar für denselben Zweck gebraucht wurde, wie z. B. ʿAskar Mokarram, ʿAskar Aby Ǵaʿfar etc. Die egyptische Heerstation wurde Fosṭâṭ, gleichsam Hauptquartier, genannt, und die von Afrika Provincia: Ḳayrawân, d. h. das Karawanenlager.

[1]) Wahrscheinlich setzten die Juden, so oft sie das Wort Pharao aussprachen, hinzu: Der Fluch Gottes ruhe auf ihm!

langer Lebensdauer erweckt; du hieltest dich auch nicht unter den Madyanitern auf und konntest daher von ihnen unsere Zeichen nicht vernehmen, sondern wir haben dich als Boten gesandt.

46. Du warst auch nicht an der Seite des Berges [Sinai], als wir ihm zuriefen; sondern es ist dir durch die Gnade deines Herrn [die Kenntnifs dieser Thatsachen zu Theil geworden], auf dafs du ein Volk ermahnest, zu welchem vor dir kein Warner gekommen war, es zur Ueberlegung zu bringen;

47. sonst, wenn sie ob ihres Frevels ein Unheil betrifft, würden sie sagen: Herr, warum hast du nicht einen Boten zu uns gesandt; wir würden deinen Zeichen gefolgt sein und zu den Gläubigen gehört haben.

48. Nachdem aber jetzt die Wahrheit von uns zu ihnen gekommen ist, haben sie gesagt: Warum erhält der Bote nicht etwas Aehnliches wie Moses [d. h. ein geschriebenes Buch vom Himmel]. Aber haben sie (die Makkaner) nicht auch dasjenige [Buch] geläugnet, welches dem Moses in alten Zeiten gegeben worden ist und gesagt: Sie sind beide Betrügereien, die sich einander unterstützen; ferner haben sie gesagt: Wir glauben nichts von Allemdem.

49. Antworte ihnen: Weiset ein von Allah kommendes Buch, welches ein besserer Wegweiser ist als diese zwei. Ich will ihm folgen, wenn ihr Recht habt.

50. Wenn sie diesem Verlangen nicht entsprechen, so wisse, dafs sie sich von ihrer Leidenschaft leiten lassen. Und wer ist mehr im Irrthum als der, welcher seiner Leidenschaft statt der Leitung Allah's folgt? Wahrlich Allah leitet das Volk der Ungerechten nicht.

51. Wir haben nun den Aufruf an sie ergehen lassen, auf dafs sie zur Ueberlegung kommen.

52. Diejenigen, welchen wir das Buch schon früher gegeben haben, glauben daran (d. h. an diese neue Offenbarung desselben).

Ich glaube, dafs Moḥammad diese Inspiration in dem Hause des Arḳam veröffentlicht habe, noch ehe er gegen die Aristokraten kämpfte, denn die Fürsten des Pharao werden in dieser Version als Gläubige dargestellt.

Die Ḳorayschiten waren Heiden und hatten keine Literatur. Sie waren also nicht im Stande zu entscheiden, ob das, was Moḥammad als Wiederoffenbarung ausgab, nicht reine Dichtung sei. Um sie zu überzeugen war ein Zeuge nöthig, welcher die heiligen Bücher der Schriftbesitzer kannte und erklärte, dafs seine Inspirationen wirklich mit dem Inhalte derselben übereinstimmen [1]). Moḥammad hatte einen solchen Gewährsmann und er beruft sich in mehreren Stellen auf sein Zeugnifs:

6, 114. Allah ist es, welcher an euch [durch mich] das Buch erläutert herabgesandt hat, und Diejenigen, welchen wir das Buch [schon früher] gegeben haben, wissen, dafs es von deinem Herrn, gefüllt mit Wahrheit, herabgesandt worden ist. Sei daher nicht einer der Zweifler.

10, 94. Wenn du im Zweifel bist über das, was wir dir hinabgesandt haben, so frage Diejenigen, welche das Buch schon vor dir gelesen haben. Es ist dir wirklich die von deinem Herrn ausgehende Wahrheit zugekommen; sei daher nicht einer der Zweifler!

95. Sei auch nicht einer von Jenen, welche die Zeichen Allah's (d. h. deine übernatürlichen Inspirationen) für unwahr erklären, sonst bist du einer von den Verlorenen.

In dieser Stelle macht er keinen Unterschied zwischen

---

[1]) Begreiflicher Weise wurde er dazu aufgefordert. Kalby sagt bei Wâḥidy, Asbâb 6, 19:

„Die vornehmen Makkaner sprachen zu Moḥammad: Wir sehen, es hält Niemand dafür, dafs du die Wahrheit redest, indem du behauptest, du seist ein Prophet. Wir haben die Juden und Christen über dich befragt, und sie sagen, dafs du in ihren Büchern nicht erwähnt, noch beschrieben wirst. Zeige uns Jemanden, der für dich Zeugnifs ablegt, dafs du ein Bote Gottes seist."

dem Ḳorân, den früheren Offenbarungen und dem himmlischen Prototyp; sie sind alle Exemplare ein und desselben Buches. Diese kindliche Unschuld wäre kaum möglich, wenn er nicht geglaubt hätte, dafs die Rollen (und Asâṭyr?) so vollkommen mit den Schriften der Juden und Christen übereinstimmen, wie der Ḳorân mit diesen Machwerken.

Das Zeugnifs ist hier allerdings so allgemein, dafs es uns nicht zu dem Schlusse berechtigt, dafs ein Complot zwischen Moḥammad und den Zeugen bestanden habe. Viel bestimmter hingegen ist die Bd. I S. 482 angeführte Ḳorânstelle. Nach Erzählung von Prophetenlegenden betheuert er, dafs er sie durch die Inspiration des heiligen Geistes wisse, dann sagt er, dafs sie in den Schriften der Alten enthalten seien, wie gelehrte Israeliten bezeugen; damit man aber nicht glaube, er habe sie daraus abgeschrieben, erwähnt er, dafs seine Erzählung rein arabisch sei, während die Schriften, auf die er hinweist, schlecht arabisch oder aramäisch waren.

Nun begreifen wir den Sinn der Worte in dem so eben angeführten Verse 28, 48: »Sie (der Ḳorân und das Buch Moses) sind beide Betrügereien, welche sich einander unterstützen.« Es sind hier die vom Mentor fabrizirten Rollen des Moses gemeint; denn die Thora war damals für Moḥammad noch ein unbekanntes ideelles Buch. Im nächsten Kapitel werden wir Dispute finden, welche eine Fortsetzung dieses Streites sind. Unter Anleitung eines Juden warfen ihm die Heiden vor, dafs er von dem echten Buche des Moses nichts wisse und nicht einmal die darin verbotenen Speisen kenne; um sich zu rechtfertigen, sagt er ihnen die zehn Gebote, freilich nicht wie sie im Pentateuch stehen, als Beweis seiner Bibelkenntnifs vor.

Man müfste es in der Kunst, sich selbst zu blenden, so weit gebracht haben als Moḥammad, wenn man in diesen Aeufserungen nicht ein Complot finden wollte. Sein Lehrer erzählte ihm eine Legende, er bearbeitete sie prophetisch und trug sie den Leuten vor, dann legte der Lehrer Zeugnifs dafür ab, dafs die Legende wirklich wahr und in den früher geoffenbarten Büchern enthalten sei. Es erinnert uns an das abgedroschene Sprüchwort: qui s'excuse, s'accuse, wenn Moḥammad in demselben Athemzuge, in welchem er sich eines so groben Betruges schuldig macht, sagt:

6, 93. Wer ist ungerechter als Derjenige, welcher auf Allah eine Lüge erdichtet oder behauptet, es werde ihm geoffenbart, wenn ihm nichts geoffenbart worden ist?

Es liegt uns nun ob zu ermitteln, wer die Person sei, die mit ihm im Complot stand. Wir haben hier keinen andern Führer als den Ḳorân, und die Aussprüche desselben sind so orakulös, dafs das, was ich hier sage, nur als Vermuthung gelten kann. Ich habe bereits früher erklärt, dafs ich den Asceten Baḥyrâ für den Mitschuldigen halte.

In der ältesten — schon vor dem Sommer 616 — geoffenbarten Stelle (Ḳor. 26, 197, Bd. I S. 482) beruft er sich auf israelitische Gelehrte. Seine Zuversicht ist naiv, und er konnte eine solche Versicherung wohl nur zu einer Zeit aussprechen, als er mit der bösen Welt noch wenig in Berührung gekommen, die Çoḥof, Rollen, für das echte »Buch des Moses«, seinen Mentor für den unterrichtetsten Mann in der Welt hielt und voraussetzte, dafs alle Juden gerade so denken wie dieser (sein Mentor). In einer spätern Stelle beruft er sich blofs auf Einen Israeliten:

46, 9. Sag' zu den Heiden: Was müfst ihr von euch selbst denken, da es sich herausstellt, dafs meine Lehre von Allah ausgeht, ihr aber nicht daran glaubet, obschon ein Bürge unter den Kindern Israel für ein ähnliches Buch Zeugnifs ablegt und an dieselbe glaubt? Ihr seid zu übermüthig sie anzunehmen, denn Gott leitet ein ungerechtes Volk nicht. (Vergl. Ḳ. 13, 43 und 25, 60.)

10. Die Ungläubigen in Bezug auf die Gläubigen sagten: »Wenn die Lehre gut wäre, würden uns diese Leute in der Annahme derselben nicht zuvorgekommen sein.« Da

sie sich durch dieselbe nicht leiten lassen, [feinden sie den Glauben an] und gewiſs werden sie noch sagen: Dies ist eine alte Dichtung.

11. Und vor dem Ḳorân wurde das Buch des Moses geoffenbart als Vorbild und ein Gnadenausfluſs. Dies ist ein Buch, welches jenes bestätigt (damit übereinstimmt) in arabischer Sprache, damit es [auch den Heiden verständlich und] eine Warnung für die Frevler und eine frohe Botschaft für die Guten sei. (Vergl. Ḳor. 6, 155).

Wenn Moḥammad sagt, daſs sein Zeuge ein Israelit (wörtlich einer der Banû Isrâyl) war, so bezieht sich dies auf seine Abkunft. Wie man von den Banû (d. h. Söhnen des) Kinâna, zu welchen Moḥammad gehörte, von den Banû Asad, Banû Ḳoraytza, welches alles Stämme waren, sprach, so sprach man auch von den Banû Isrâyl, mit Rücksicht auf Abkunft und nicht auf Religion. In Hinblick auf den Glauben werden die Juden im Ḳorân Yahûd genannt.

Die Makkaner waren so verstockt, den Propheten einen »abgerichteten Visionär« zu nennen, was ihnen, dem Ḳorân 44, 13 zufolge, auch billiger Weise in der Hölle noch vorgeworfen wird. Er findet es nun nothwendig, sich dagegen, daſs er abgerichtet sei, zu verwahren:

16, 105. Wir wissen wohl, daſs sie sagen: Es unterrichtet ihn ein Mensch. Allein die Sprache dessen, auf den sie hindeuten, ist kauderwelsch, dieses aber ist unverkennbares Arabisch.

Baḥyrâ war, wie wir im Anhange zeigen werden, von Taymâ, einem von Juden bewohnten Städtchen, wo einst der wegen seiner Treue sprüchwörtlich gewordene Jude Samuel ein Schloſs besaſs (vgl. Bd. I S. 14 Note 2). Es liegt an der Grenze zwischen Syrien und Arabien, und die Sprache der Juden war wohl ein Gemisch von Nabathäisch und Arabisch. Da diese Leute ohne alle Gelehrsamkeit waren, so schrieben sie auch in der Umgangssprache, mischten aber gewifs so viele hebräische Brocken ein als sie wufsten. Moḥammad hat viele Ausdrücke seines Lehrers im Ḳorân beibehalten.

Den Umstand, dafs seine Offenbarungen in arabischer Sprache seien, betont Moḥammad in vielen Ḳorânstellen, so drückt er in Sûra 12, 2 die Erwartung aus, es werde der Umstand, dafs die Erzählung der Geschichte des Joseph arabisch ist, die Leute zur Vernunft bringen, dafs dies eine Originalmittheilung aus dem Buche sei. In Sûra 43, 1—2 betheuert Gott bei dem Buche, dafs er es als arabische Original-Offenbarung hinabgesandt habe um die Menschen zur Einsicht der Richtigkeit der Thatsache zu bringen.

Es kam aber eine Zeit, wo er sich gegen den Einwurf, dafs ihm der Ḳorân nicht in einer lingua sancta geoffenbart worden sei, vertheidigen mufste (vergl. Ḳ. 41, 44).

Auf die Sekte des Mentors müssen wir aus jenen Ḳorânstücken schliefsen, welche unverkennbar von ihm kommen. Hieher gehören besonders die oben S. 290 ff. in die Bemerkungen über das Buch eingeflochtenen Stellen. Es spricht sich darin eine Verehrung für das jüdische Volk aus, welche dem Selbstgefühl eines Arabers widerstreben mufste, und es werden theologische Ansichten betont, welche durchaus nicht in das System des Moḥammad pafsten. In jenen Stellen also vernehmen wir am deutlichsten die Worte des Soufleurs. Mit der Lehre über das Buch hängt die Prophetentheorie zusammen; diese aber bildet einen mitwirkenden Theil der 19ten Sûra, in welcher der Raḥmân gepredigt wird. Auch einige Erzählungen, besoders die vom keuschen Joseph, scheint Moḥammad ohne grofse Veränderungen wiedergegeben zu haben, wie sie ihm vorgesagt worden war. Man sollte also annehmen, dafs der Mentor ein Raḥmânist war, und wenn er auch im gewöhnlichen Sinne des Wortes nicht ein Christ genannt werden konnte, er sich doch dafür ausgab. Er gehörte wohl zu jener juden-christlichen Sekte, welche sich Naçârà nannte.

Dieser Annahme stellen sich jedoch grofse Schwierigkeiten entgegen. Auch am Schlusse von Sûra 26 (s. Bd. I S. 482) beruft sich Mohammad auf einen Gewährsmann, der bezeugen soll, dafs die in dieser Sûra erzählten Straflegenden mit dem Inhalte der Çohof (Rollen) übereinstimmen. Demnach waren die Çohof ein hanyfisches und nicht ein rahmânistisches Buch. Der Gewährsmann wäre also ein Hanyf gewesen, während er, nach anderen Korânstellen zu schliefsen, ein Rahmânist war. Dafs Mohammad nach einander mit zwei Männern in Complot gestanden habe, zuerst mit einem Hanyfen und dann mit einem Rahmânisten, ist nicht anzunehmen.

Auf der Bühne steht Mohammad, ein Mann von ausgeprägter Individualität, und mit ihm haben wir es eigentlich zu thun. Dafs wenigstens auch noch eine Person hinter den Coulissen thätig war, unterliegt keinem Zweifel, denn die Geschichte Joseph's ist weder eine Offenbarung, noch eine Erfindung des Actors. Aber auf die Fragen, ob mehrere Personen oder nur eine betheiligt war, wie sie hiefs und wefs Glaubens sie war und wie weit sich ihre Thätigkeit erstreckte, können wir nur Vermuthungen zur Antwort geben, und wenn ich hier eine Hypothese verfechte, so geschieht es mehr, um die auf diesen Gegenstand bezüglichen Thatsachen zu erörtern, als in der Absicht, meine Ansichten dem Leser aufzudringen. Ich habe alle möglichen Combinationen überdacht und keine gefunden, die mich ganz befriedigte; selbst seitdem das erste Kapitel zum Druck gegangen, haben meine Ansichten manche wesentliche Veränderungen erlitten, und ich kann daher nicht erwarten, dafs ich jetzt das Richtige getroffen habe.

Sehr grofses Gewicht lege ich auf folgende Korânstelle:

11, 20. Ist nicht Derjenige, welcher im Besitze einer

von seinem Herrn ausgehenden Bayyina (Erleuchtung) war und ihn (den Ḳorân) liest, ein Zeuge für dessen Wahrheit? Und vor dem Ḳorân wurde das Buch des Moses geoffenbart als ein Vorbild und Gnadenausflufs [auch die Uebereinstimmung mit diesem Vorbilde ist ein Zeugnifs für die Wahrheit des Ḳorâns]. Diejenigen, für welche das Buch Mosis geoffenbart worden ist, glauben an den Ḳorân. Diejenigen aber von den Ethnoi, welche nicht daran glauben, werden sich in der Hölle treffen. Sei daher nicht im Zweifel darüber; er enthält die von deinem Herrn ausgehende Wahrheit, aber die meisten Menschen glauben nicht [an Gott, und daher auch nicht an deine Offenbarungen].

Dieser Stelle zufolge hätte Moḥammad auch seinen Gewährsmann für inspirirt gehalten! Ich stelle mir den Hergang folgendermafsen vor: Baḥyrâ, der Mentor und Gewährsmann des Moḥammad, war ein Schwärmer und ursprünglich ein Raḥmânist. Er schrieb die Çoḥof, welche so weit wir sie kennen, eben sowohl ein Zeugnifs seines blinden Eifers, als seiner Unwissenheit sind, und suchte im Ḥigâz unter den Heiden Bekehrungen zu machen. Vielleicht wandte er sich anfangs an den Dichter Omayya, welcher die neue Lehre, so weit er damit übereinstimmte, in Versen verkündete. Die Sage erzählt daher von Omayya, dafs er zum Propheten auserkoren zu werden hoffte, und Moḥammad giebt zu (siehe Bd. I S. 80), dafs ihm Gott seine Zeichen mitgetheilt habe. Später fand Baḥyrâ in Moḥammad ein tauglicheres Werkzeug. Die neue Lehre wirkte Wunder in ihm und verwandelte den Besessenen in einen Propheten. Er lehrte den Inhalt der Rollen und war so vollkommen von dessen Wahrheit und seiner eigenen Mission überzeugt, und derselbe wurde in ihm so lebendig, dafs er zu sagen wagte, der heilige Geist sei damit auf sein Herz herabgestiegen (siehe Bd. I S. 482). So weit, glaube ich, war er — strafbaren Selbstbetrug ausgenommen — ganz ehrlich, und er predigte keine Lehre, von der er nicht vollkommen durchdrungen war. Es kommt daher in jener Periode kein Wort vom Raḥmân, noch jene extravagante Prophetentheorie vor, und wenn von den Juden mit Achtung gesprochen wird, so geschieht dies etwa in einer Erzählung, aber nie auf eine Weise, die seinen eigenen Gefühlen hätte widerstreben können. Jedenfalls blieb Moḥammad selbstständig, und da die Rollen für die Heiden berechnet waren, enthielten sie wahrscheinlich auch keine von diesen Theorien.

Im Jahre 616 aber, nachdem er das den Heiden gemachte Zugeständnifs zurückgenommen hatte, trafen ihn schwere Prüfungen und seine kleine Gemeinde drohte sich aufzulösen. Die Flüchtlinge kamen von Abessynien zurück und mit ihnen, oder wenigstens um dieselbe Zeit, trafen auch Christen in Makka ein. Es stand in der Macht dieser Männer, für seine Anhänger ein Asyl in Abessynien zu bereiten und ihr Zeugnifs für ihn konnte nicht verfehlen, in Makka den günstigsten Eindruck zu machen. Ihre Anerkennung mufste um jeden Preis gewonnen werden. Was war zu thun? Wir haben bereits S. 276 gesehen und werden weiter unten ferner erörtern, dafs, als es sich darum handelte, die Einwohner von Madyna zu gewinnen, Moḥammad erbaulich von den Heiligthümern des Ḥigâz sprach. Hätte er eine solche Lehre christlichen Zuhörern vorgetragen, so würde wenig gewonnen gewesen sein. Für sie verfafste er Sûra 19, sprach vom auserwählten Volke, ging in die Prophetentheorie ein und mit einem Worte er sprach jetzt blindlings alle Theorien nach, die ihm sein israelitischer Mentor vorschwatzte, ja den Abessyniern zu Liebe war er viel christlicher, viel biblischer als dieser selbst. Wie der zum Dienst geprefste Matrose mehr Anhänglichkeit an sein Schiff hat als der Freiwillige, so fand sich auch Moḥammad einige Zeit lang in seine Rolle. Indessen die Erwähnung Christi und die Anerkennung der Jungfrauenschaft der Maria mochten ihm ebenso sehr die Gunst der Christen erwerben, wie die Anklänge an die christliche

Lehre dem vor einigen Jahren in China aufgestandenen Mordbrenner und Rebellenhäuptling die Gunst der frommen Seelen in England erworben haben, aber er mufste sich als Prophet legitimiren. Wunder konnte er nicht wirken; Betrug mufste ersetzen, was ihm fehlte, und wie erstaunt mufsten die einfältigen Menschen sein, wenn er, der unwissende Araber, ihnen eines Morgens die Geschichte des Joseph von Egypten — sei es auch noch so ungetreu; wir begnügen uns ja auch, wenn magnetisirte Personen unter hundert Antworten eine geben, die beiläufig richtig ist, und diese Menschen waren damals so leichtgläubig als jetzt — erzählte und hinzusetzte: Das ist mir geoffenbart worden. Sein Kunststück ist ihm auch vollständig gelungen. Er meint diese einfältigen Christen, wenn er den nach Abessynien ziehenden Flüchtlingen zuruft, mit den Schriftbesitzern nicht zu zanken, und dann hinzusetzt:

29, 46. [Wie einst auf die Propheten], so haben wir auch auf dich das Buch hinabgesandt. Diejenigen, welchen wir das Buch schon früher mitgetheilt haben, glauben an dasselbe (d. h. das im Himmel aufbewahrte Buch) und unter ihnen giebt es einige, welche auch daran glauben, [dafs wir es auf dich hinabgesandt haben] und in der That läugnen nur die Frevler [die Echtheit] unserer Zeichen.

47. Du hattest vor diesem nie ein Buch gelesen, noch eins mit deiner Hand abgeschrieben. Wäre dem nicht so, so würden deine Opponenten Ursache haben zu zweifeln [und zu sagen, diese Geschichten hat er nicht durch Offenbarungen, sondern aus Büchern gelernt].

Wenn die moslimischen Gelehrten behaupten, dafs ihr Prophet weder lesen noch schreiben konnte, so ist es nur eine Fortbildung der im letzten Verse ausgesprochenen Behauptung ihres Propheten.

Als Moḥammad diesen Vers verfafste, glaubte er wahrscheinlich, dafs ganz Abessynien ihn als Propheten anerkennen würde; darin hat er sich getäuscht, aber mehrere Christen, welche nach Makka gekommen waren, hielten seine Lehre für göttlich, wie wir aus folgender Inspiration ersehen. Einige jedoch, auf welche der letzte Vers derselben anspielt, erkannten ihn nicht an.

28, 52. Diejenigen, welchen wir das Buch schon früher gegeben haben, glauben daran (d. h. an diese neue Offenbarung desselben).

53. Und wenn es ihnen vorgetragen wird, so sagen sie: Wir glauben daran, denn es enthält die von unserm Herrn ausgehende Wahrheit. Wir waren ja vor seiner Offenbarung Moslime (d. h. unserm Herrn unterworfen).

54. Diesen wird ein doppelter Lohn zu Theil werden ob dem, was sie zu erdulden hatten, und weil sie in ihren Prüfungen Böses mit Gutem vergalten und Almosen gaben von dem, was wir ihnen beschert haben.

55. So oft sie unsinniges Geschwätz (die Polemik der Feinde des Moḥammad) gehört haben, haben sie sich davon weggewendet und gesagt: Wir sind für unsere Handlungen verantwortlich und ihr seid für eure Handlungen verantwortlich. Adieu! wir wollen nichts mit unwissenden Leuten zu thun haben.

56. Du kannst nicht leiten, wen du gern leiten möchtest, aber Allah kann leiten, wen er will, und er kennt diejenigen am besten, die auf dem rechten Wege sind.

Um sich vollends zu überzeugen, dafs in dieser Stelle Naçârà (Christen?) gemeint sind, mufs man sie mit Kor. 5, 85 im Anhange vergleichen, wo die Juden ihres Hochmuthes wegen verdammt, die Naçârà aber, wie hier, ihrer Demuth wegen gepriesen werden.

Ein englischer Bischof reiste nach Indien. In Alexandrien stieg er im Hotel d'Europe ab und das italienische Zimmermädchen küfste ihm ehrerbietig die Hand. Als aber die Frau Bischöfin und die jungen Bischöfchen in's Zimmer traten, rieb sie sich mit Erstaunen und Unwillen die verunreinigten Lippen. So scheint es auch einigen von den Christen ergangen zu sein, welche nach Makka kamen, um den Propheten zu sehen, und nun auch die Bekanntschaft der Frau Prophetin und seiner hübschen Tochter machten; sie hatten nämlich gehofft, einen Asceten zu finden. Auch in andern Dingen stimmten sie nicht mit ihm überein, die Harmonie des Ḳorâns mit den ihnen bekannten Schriften war so gering, dafs er behaupten mufste, im Himmel sei eine grofse Bibliothek, welche für jede Gelegenheit ein Buch enthalte. Ferner glaubten sie nicht an ein zeitliches Strafgericht, sondern erwarteten jenseits die Vergeltung. Moḥammad antwortet ihnen:

13, 36. Diejenigen, denen wir das Buch gegeben haben, freuen sich über das, was wir dir geoffenbart haben. Es giebt aber Leute von den Ethnoi [1]), welche einiges davon mifsbilligen. Sprich: Ich habe den Auftrag, Allah zu dienen und ihm kein Wesen zuzugesellen (d. h. Jesus nicht als Gott anzubeten). Allah rufe ich an und er ist meine Zuflucht.

37. So haben wir die Offenbarung herabgesandt als einen arabischen Machtspruch, und wenn du ihren Wünschen folgest nach dem Wissen, welches dir zu Theil geworden, so wirst du gegen Allah keinen Vertreter oder Beschützer finden.

38. Wir haben früher Boten gesandt. Auch sie hatten Frauen und Kinder. Noch kann ein Bote ein Zeichen thun ohne den Willen Allah's, und für jeden Zweck besteht eine Schrift,

39. Allah streicht davon, so viel ihm gefällt und läfst stehen, [so viel ihm gefällt]. Bei ihm ist der Urtext.

40. Entweder lassen wir dich einen Theil dessen, was wir ihnen gedroht haben, sehen, oder wir lassen dich schon

---

[1]) Auch in andern Ḳorânstellen wird dieser Ausdruck nicht auf die Heiden beschränkt, sondern vorzugsweise auf die Juden und Christen angewendet, welche, sich nicht mit dem Glauben an den Einen Gott begnügend, über unwesentliche Dogmen stritten, und in Ethnoi, Sekten, theilten. Später als Moḥammad's Lehre consolidirt war, gehörten alle Menschen, die diese nicht anerkannten, zu den Ethnoi.

früher sterben. Deine Pflicht ist es, die Botschaft zu überbringen, die unsere, sie zur Rechnung zu ziehen.

Die Strenggläubigen scheinen Makka verlassen zu haben, als sie sahen, dafs der vermeintliche Seher die Gottheit Jesu läugne und seine Prophetengeschichten sich weit von der biblischen entfernen. Diejenigen aber, welche an ihn glaubten, waren wohl keine orthodoxen Christen, sondern Rahmânisten. Sie blieben einige Zeit in Makka, und er beruft sich auf ihr Zeugnifs in einem Streite mit seinen Gegnern. Diese sagten: Wenn es Gott gefiele, einen Boten zu senden, so würde er einen Engel und nicht einen Menschen wählen [1]). Ferner erwarteten sie, dafs er das Buch auf einmal erhalte und dafs er Wunder wirke (Kor. 17, 95). Diese Einwürfe, welche er beständig hören mufste, hat er oft und verschiedentlich beantwortet. Am Ende von Sûra 17 beruft er sich zu seiner Vertheidigung auf das Zeugnifs der Rahmânisten:

17, 106. Mit dem Wahren (d. h. das Wahre enthaltend) haben wir sie (die Leitung oder Offenbarung) herabgesandt und mit dem Wahren (ohne Veränderung) ist sie herabgekommen. Dich aber haben wir nur als Verkünder [froher Botschaft] und als Warner [vor der Strafe] gesandt [und zu diesem Zweck senden wir keinen Engel].

107. Sie besteht in einem Korân, den wir getheilt haben (stückweise offenbaren), auf dafs du ihn den Menschen nach und nach vortragest; und wir sandten ihn hinab in der Form von Erlassen, [wie es die Gelegenheit erforderte].

108. Sprich: Ihr möget daran glauben oder nicht, [so viel ist gewifs,] dafs diejenigen, denen die Kenntnifs schon vor seiner Offenbarung geworden ist, wenn er ihnen vorgetragen wird, ehrfurchtsvoll auf das Angesicht niederfal-

---

[1]) 17, 96. Nichts hinderte das Volk am Glauben, nachdem ihnen die Leitung zugekommen war, als dafs sie (die Aristokraten) sagten: Wie, Allah hat einen Menschen als Boten gesandt?

len und sagen: Weit erhaben ist unser Herr über die Nichterfüllung seiner Drohungen; sie sind so gewifs, als wären sie schon in Erfüllung gegangen.

109. Sie fallen nieder und weinen, denn er vermehrt ihre Demuth.

110. Sag' ihnen (den Heiden): Heifset ihn Allah oder heifset ihn Raḥmân, wie ihr ihn auch heifsen möget, thut ihr Recht, denn auf ihn passen alle schönen Namen. Rede nicht zu laut in deinem Gebete noch zu still, sondern wähle einen Mittelweg.

111. Sprich: Alles Lob sei dem Allah, welcher sich keinen Sohn [1]) angeschafft hat und der nie einen Genossen hatte in der Herrschaft, noch einen Beschützer gegen Erniedrigung, und rufe: Gott ist am gröfsten!

Auch in einigen andern Ḳorânstellen brüstet sich Moḥammad mit dem Zeugnifs, welches die Schriftbesitzer für ihn ablegten. In den meisten mögen die raḥmânistischen Convertiten zu verstehen sein.

34, 6. Diejenigen, denen die Kenntnifs [des Buches] zu Theil geworden ist, sind der Ueberzeugung, dafs das, was dir von deinem Herrn geoffenbart worden ist, die Wahrheit sei, und es führt auf die erhabene, gepriesene Strafse.

13, 42. Schon die vor ihnen waren, haben sich der List bedient (d. h. sie haben Einwürfe gegen die Offenbarungen erhoben). Aber Allah ist im Besitze aller List — — —

43. Die Ungläubigen sagen: Du bist kein Gesandter. Antworte: Allah genügt als Zeuge im Streite zwischen mir und euch; dazu kommt das Zeugnifs derer, welche die Kenntnifs des Buches besitzen.

Auch im Streite über die Anzahl von Engeln, welche

---

[1]) Im Original steht Kind; ich übersetze „Sohn", weil ich glaube, Moḥammad will die Gottheit Jesu in Abrede stellen. Dafs er Sohn und nicht Tochter meinte, geht daraus hervor, dafs er sagt, Gott habe keine Beschützer gegen Erniedrigung nöthig. Ein Sohn, nicht aber eine Tochter, ist ein Schutz für die Familie. Weil die Araber neben Allah Göttinnen anbeteten, kann nur Jesus gemeint sein.

als Wächter der Hölle aufgestellt sind, beruft er sich auf das Zeugnifs der Schriftbesitzer und sagt:

74, 32. Diejenigen, welchen das Buch gegeben worden ist, und die Gläubigen zweifeln nicht daran.

Folgende Inspiration, in der er bei Gelegenheit eines Streites behauptet, dafs die Schriftbesitzer ihn so gut kennen, wie ihre Kinder, mag ein madynisches Einschiebsel enthalten, denn diese Behauptung kommt auch in Ḳor. 2, 141 vor. Wenn die Stelle madynisch ist, so enthält sie eine unverschämte Lüge; wenn sie aber makkanisch ist, so beharrte er in dem madynischen Verse 2, 141 bei seiner früheren Behauptung, obschon er damals wufste, dafs sie ungegründet sei:

6, 19. Frage: Was ist das kräftigste Zeugnifs? Antworte: Allah ist Zeuge zwischen mir und euch. Dieser Ḳorân ist mir geoffenbart worden, auf dafs ich euch damit warne und Diejenigen, welchen er zukommmt. Wie, ihr behauptet, dafs es neben Allah andere Götter gebe? Sprich: Ich behaupte das nicht. Sprich ferner: Er ist ein einziger Gott; ich will nichts mit den Wesen zu thun haben, die ihr ihm beigesellet.

20. Diejenigen, welchen wir das Buch gegeben haben, kennen ihn (den Ḳorân oder Propheten?) so gut als sie ihre Söhne kennen. Nur Diejenigen, welche ihr Seelenheil verloren haben, sind ungläubig.

21. Aber wer handelt ungerechter als der, welcher auf Allah eine Lüge erdichtet oder seine Zeichen (Offenbarungen) läugnet. Die Ungerechten werden gewifs nicht gedeihen! (Vergl. 61, 93.)

Eine hieher gehörige Stelle (6, 114) wird im nächsten Kapitel angeführt werden.

Moḥammad beutet, wie wir sehen, die Anerkennung gehörig aus, welche ihm Seitens dieser frommen schriftgelehrten Herren zu Theil wurde, und sie that auch grofse Wirkung. Ich bin überzeugt, dafs die Bekehrungen in dem Hause des Arḳam, welche zu einer Zeit stattfanden, zu der

Moḥammad wegen der nichterfüllten Drohungen allgemein verlacht wurde, einzig dem Zeugnifs dieser Leute zuzuschreiben sind.

Der raḥmanistische Geist weht im Ḳorân vom Ende des Jahres 616 bis 618—619, dann verschwindet er allmälig. Wahrscheinlich haben Baḥyrâ und die übrigen Raḥmânisten Makka verlassen. In Bezug auf die Juden und auch in mancher andern Hinsicht ging Moḥammad später auf das entgegengesetzte Extrem über, und indem Baḥyrâ und andere Israeliten den Moḥammad als Propheten ausriefen, bereiteten sie ihrer Nation das Schicksal einer Henne die Falkeneier ausbrütet. Nicht einmal die Anhänger der Religion der Nächstenliebe sind grausamer gegen das auserwählte Volk gewesen als Moḥammad und seine Nachfolger. Wenn Baḥyrâ lange genug lebte, um das Schicksal, welches die jüdischen Stämme Ḳoraytza und Nadhyr traf, mitanzusehen, so konnte er mit dem arabischen Dichter ausrufen:

»Ich habe noch nie Einen im Bogenschiefsen unterrichtet, der mich nicht am Ende zum Ziele gemacht hätte.«

Aber warum soll Moḥammad in dem so eben angeführten Verse 11, 20 seinem Lehrer Bayyina, Inspiration [1]), zusprechen? Wir haben gesehen, dafs Bayyina

---

[1]) Die Wichtigkeit des Gegenstandes sei meine Entschuldigung, wenn ich wieder auf die Bedeutung von bayyina zurückkomme. Der ganze Ausdruck: „Er war schon früher im Besitz einer von seinem Herrn ausgehenden Erleuchtung“ kommt aufserdem noch sechsmal im Ḳorân vor, und zwar wird in derselben Sûra 11 dem Noah (V. 30), dem Çâliḥ (V. 66) und dem Scho'ayb (V. 90) eine von dem Herrn ausgehende Erleuchtung zuerkannt. In Ḳor. 6, 57 macht Moḥammad selbst darauf Anspruch. In Sûra 35, 38 sagt Gott:

„Sage: Was däucht euch von den Genossen (Abgöttern), welche ihr aufser Allah anrufet? Zeigt mir einen Theil der Erde, den sie erschaffen haben! Oder haben sie etwa Verbindungen im Himmel? oder haben wir ihnen ein Buch geoffenbart, so dafs sie eine Erleuchtung [des Inhalts] desselben besitzen? Nein, sondern die Ungerechten (die Ǵinn und Menschen) machen sich einander nur solche Versprechen, welche eitel sind.“

Er will hier sagen: Wenn Gott die Ǵinn zum wahren Glauben

ganz besonders den übernatürlichen Procefs andeutet, wodurch in dem Auserwählten die Wiederoffenbarung vermittelt wird. Die nach Makka gekommenen Schriftbesitzer deckten Baḥyrâ's Betrug mit den Rollen des Abraham und Moses auf. Es blieb also kein anderer Ausweg als zu sagen: Es ist wahr, diese Rollen hat Baḥyrâ verfafst, aber ihr gebt zu, dafs Moses das Buch empfangen und Abraham die Einheit Gottes gelehrt hat. Diese Rollen sind zwar weder von Abraham noch von Moses geschrieben, aber Baḥyrâ ist durch Bayyina zu ihrer Kenntnifs gekommen. Sie erweisen sich göttlich durch ihren Inhalt und dadurch, dafs sie auch mir geoffenbart worden sind. Eine solche Beweisführung wäre ganz im Geiste der Clementinen, auch würde sie in unseren Tagen von den Frommen anerkannt werden; denn der Glaube ächtet nur die Vernunft.

Dafs in einer kleinen Stadt ein solcher Betrug, wie das Komplot zwischen Moḥammad und Baḥyrâ verborgen bleiben konnte, ist nicht zu erwarten. Zuerst rief der ungerathene Sohn des Abû Bakr, der die beste Gelegenheit hatte, in das Geheimnifs einzudringen: Was du lehrst, ist nicht eine Offenbarung, sondern aus den Asâṭyr der Alten

---

berufen und ihnen ein Buch gegeben hätte, so würde es durch Erleuchtung unter ihnen fortbestehen. Die Idee, dafs das Buch durch Erleuchtung fortgepflanzt wird, war so tief eingewurzelt, dafs er in dieser Stelle nicht nach einem Exemplar desselben fragt.

In der madynischen Sûra 47 folgt nach nicht dahin gehörigen makkanischen Bruchstücken der isolirte Vers:

47, 15. Und soll etwa Derjenige, welcher im Besitze einer von seinem Herrn ausgehenden Erleuchtung ist, Demjenigen gleich sein, welchem seine böse Handlungsweise als gut vorgespiegelt wird [oder Jenen], welche ihrer Leidenschaft folgen.

Es unterliegt kaum einem Zweifel, dafs sich dieser Vers auf eine Person beziehe, es läfst sich aber nicht bestimmen auf wen. Vielleicht gar auf Baḥyrâ. So viel aber scheint klar zu sein, dafs göttliche, übernatürliche Erleuchtung in diesem Verse der vom Teufel ausgehenden Verblendung gegenüber steht.

entnommen und sogleich fielen alle seine Feinde in den Chorus ein, welcher dem Ḳorân zufolge lautete:

25, 5. Er (Moḥammad) lehrt nur eine Lüge, die er erfunden hat und wobei ihm andere Leute halfen, welche schon früher Ungerechtigkeit und Irrlehren hier eingeführt hatten.

6. Sie (die Heiden) sagen ferner: Es sind die Asâṭyr der Alten [was er lehrt], er schreibt sie nieder [1]) und sie werden ihm Morgens und Abends diktirt.

Diese wichtige Stelle ist von den Commentatoren auf die elendeste Weise verdreht worden. Ehe ich weitergehe, ist es nöthig, meine Auffassung gegen sie zu begründen. Sie schlagen folgende Deutung vor: »Er lehrt nur eine Lüge, die er erfunden hat und wobei ihm andere Leute halfen. Welche Ungerechtigkeit und Lüge hatten sie (die Makkaner) hierhergebracht [indem sie eine solche Behauptung machten].« Bei einer solchen Auslegung möchte man wohl ausrufen: »Welchen Unsinn haben die Exegeten hierhergebracht, indem sie eine solche Erklärung zu geben wagten.« Das Plusquamperfectum »hatten sie hierhergebracht« taugt gar nicht für den Sinn, welchen sie der Stelle aufzwingen; aufserdem bedeutet Zûr im Ḳorân nicht Lüge oder Verläumdung, sondern Irrlehre, wie ich es erkläre [2]). Das Wort »Ungerechtigkeit« scheint die Erklä-

---

[1]) Der Ausdruck des Originals ist اكتتب. Es bedeutet „abschreiben“ oder nach dictando schreiben, so in folgender Stelle des Kitâb alagbâniy No. 1178: فاقام لبيد بن ربيعة فى المدينة يقرا القران واكتتب منهم سورة الرحمان علم القران خلق الانسان علمه البيان فخرج بها ۞

„Labyd, der Sohn des Raby'a, erhob sich in Madyna, betete den Ḳorân und zeichnete nach ihrem Dictando die Sûra auf, welche anfängt „al-Raḥmân“ und nahm sie mit sich fort.“

[2]) Vergl. besonders Ḳor. 22, 31. 58, 2. 25, 72. Daher tazwyr Interpolation in einem Buche, oder auch Veränderung des Textes zum Behufe einer falschen Lehre, also eigentlich „Irrlehren begründen“. Ich schreibe eine Stelle aus Tha'laby, Tafsyr 2, 100, ab, in

rung der Exegeten zu begünstigen; denn nach unserm Sprachgebrauch könnte man nicht sagen: Ein Irrlehrer begeht eine Ungerechtigkeit; dies ist aber nach ḳorânischem Sprachgebrauch zulässig. Es wird oft gesagt, dafs die Ungläubigen ungerecht sind, und dafs der Teufel, welcher die Menschen verführt, ungerecht ist[1]). Allein ich glaube, dafs das Wort in der ursprünglichen Anwendung hier einen recht guten Sinn gäbe. Durch die Einführung der Ḥanyferei, d. h. der von Baḥyrâ ausgebrüteten Lehre, in Makka sind Familienzwiste so bedeutender Art entstanden, dafs Zayd aus der Stadt verbannt werden mufste, und endlich erhob sich ʿOthmân, einer der Bekehrten, zum König; wenn es auch den Ḳorayschiten gelang, ihn zu vertreiben, so litt doch ihr Handel mit Syrien darunter. Sie hatten also wohl Grund, sich über tzulm, welches Ungerechtigkeit, Grausamkeit, Unterdrückung, Schadenzufügung bedeutet, in jedem Sinne des Wortes zu beklagen.

---

welcher sowohl اكتتب als زور in der Bedeutung vorkommen, die ich ihnen hier gebe: وقال السدى كانت الشياطين تصعد الى السماء فيسمعون كلام الملايكة فيما يكون فى الارض من موت وغيره فياتون الكهنة ويخلطون بما سمعوا كذبا وزورا فى كل كلمة سبعون كذبة ويخبرونهم بها فاكتتب ذلك وفشى فى بنى اسراييل ۞

[1]) Ganz dieselbe Anwendung des Wortes finden wir in Ḳor. 29, 45, wo die, welche die Moslimen von ihrem Glauben abwendig machen wollen, ungerecht genannt werden. Ueber die ḳorânische Bedeutung von tzulm siehe auch Baydhâwy zu Ḳ. 6, 82.

Anhang zum dreizehnten Kapitel.

I. Wie hiefs der Lehrer?

Die Seite 359 mitgetheilte Korânstelle 28, 44—53 hat die Commentatoren veranlafst, Nachrichten über die Christen (?), welche mit Mohammad in Berührung kamen und seiner Lehre günstig waren, zu sammeln.

Baghâwy, Tafs. 28, 52, von Ibn 'Abbâs:

„Dieser Korânvers bezieht sich auf achtzig Männer [1]) von den Schriftbesitzern, wovon vierzig von Nagrân, zweiunddreifsig von Abessynien und acht von Schâm waren. In Vers 53 werden sie näher beschrieben."

Baghâwy, Tafs. 28, 52, von Sa'yd b. Ġobayr:

„Es kamen vierzig Männer mit Ġa'far zum Propheten [nach Madyna], und als sie den Zwist sahen, dem die Moslime ausgesetzt waren, sagten sie: O Prophet, wir besitzen Vermögen, wenn du es erlaubst, so kehren wir zurück, bringen dasselbe mit und stehen damit den Moslimen bei. Der Prophet gab ihnen die Erlaubnifs, und sie kehrten zurück, brachten ihr Vermögen und standen damit den Moslimen bei. Auf sie bezieht sich Korân 28, 52."

Katâda († 117) sagt, dafs die in Sûra 28 angedeuteten Christen acht Syrer waren, welche sammt zweiundfunfzig Abessyniern mit Abû Ġa'far nach Madyna kamen, um dem Propheten ihre Aufwartung zu machen. Mokâtil († vor 150) theilt die Namen dieser acht Männer mit. Sie heifsen: Abraha, Idrys (Darys?), Aschraf, Ayman, Bahyrâ, Thomâm, Tamym und Nâfi'. Nach Sa'yd b. Ġobayr († 95) aber sind in dieser Stelle die Abessynier zu verstehen, welche den Islâm annahmen. Sie waren Unterthanen des Naġġâschy und spra-

[1]) Bei Tha'laby, Tafsyr 2, 115, lautet diese Tradition etwas verschieden: Ibn 'Abbâs sagt, diese Worte beziehen sich auf die Männer, welche mit Ġa'far zur See zu dem Propheten kamen. Es waren ihrer vierzig, nämlich zwei und dreifsig Abessynier und acht syrische Asceten (Rahib), darunter Bahyrâ.

chen zu diesem: „Erlaube uns, zu diesem Propheten zu gehen, den wir in unserm Buch (Bibel) erwähnt finden. Sie gingen zu ihm und fochten mit ihm bei Ohod."

Die Exegeten beziehen einstimmig diese Korânstelle auf einen Vorfall, welcher sich mehrere Jahre später in Madyna ereignet hat und betrachten somit die Stelle selbst als madynisch. Allein sie steht in einer makkanischen Sûra und erweist sich auch durch den Inhalt als makkanisch: die Bekehrten werden wegen ihrer Ausdauer unter Verfolgungen und Drangsalen als Beispiel zur Nachahmung für die übrigen Moslime hervorgehoben. In Makka hatten die Moslime allerdings schwere Prüfungen zu ertragen, in Madyna aber sind sie nicht verfolgt worden, sondern haben Andere, namentlich die Juden, verfolgt.

An eine andere Korânstelle, welche ich hier mittheile, knüpften die Exegeten fernere Nachrichten über diesen Gegenstand:

5, 85. Du findest keine gröfsern Feinde der Rechtgläubigen als die Juden und Heiden. Am geneigtesten und liebevollsten gegen sie scheinen diejenigen zu sein, welche sagen: Wir sind Naçârà (Christen)[1]). Die Ursache davon ist, dafs sich unter ihnen Priester und Asceten (Mönche?) befinden und sie nicht hochmüthig sind.

86. Wenn sie hören, was dem Gottgesandten geoffenbart worden ist, so siehst du ihre Augen in Thränen schwimmen, weil sie einen Begriff von der Wahrheit haben. Sie rufen aus: Herr, wir glauben; verzeichne unsere Namen unter diejenigen, welche Zeugnifs [für diese Lehre] ablegen.

87. Warum sollen wir nicht an Allah und an das, was uns von der Wahrheit mitgetheilt worden ist, glauben? Wir wünschen, dafs unser Herr uns in die Reihen der Gottseligen einführe.

88. Allah hat sie auch für das, was sie gesagt haben, mit dem Paradiese belohnt, das von Flüssen durchschnitten wird und in dem sie ewig wohnen werden. Dieses ist der Lohn der Guten. Die Ungläubigen aber, welche unsere Zeichen als Trug erklären, fallen der Hölle anheim.

Wâhidy, Asbâb 5, 86:

„Einige erzählen: Ġaʿfar kam von Abessynien zurück und war von siebzig Männern begleitet, welche der Naǵǵâschy zum Propheten sandte, um ihn zu beehren. Sie waren in Wolle gekleidet und zweiundsechzig waren von Abessynien und acht von Syrien. Die letztern sind der Râhib Bahyrâ, Ibrâhym, Idrys (Darys?), Aschraf, Tho-

---

[1]) Der Ausdruck „welche sagen wir sind Naçârà" kommt zwar in K. 5, 17 in einem Verdammungsurtheil vor, dennoch ist es möglich, dafs Mohammad damit eine Sekte von Büfsern meint, welche eigentlich nicht zu den Christen gehörte.

mâm, Ḳotham (in einem andern Codex Ḳasym), Dorayd [1]) und al-Ayman. Der Prophet las ihnen die Sûra Yâsyn vor. Sie weinten vor Rührung und erklärten, dafs Nichts den Offenbarungen, die Jesus erhalten hat, ähnlicher sein könne."

Wâḥidy, Asbâb 5, 86, von ʿAlyy b. Ġaʿdy, von Schorayk, von Sâlim, von Saʿyd b. Ġobayr:

„Der Naġġâschy sandte die ausgezeichnetsten seiner Leute an den Propheten, nämlich dreifsig Männer; und der Prophet las ihnen die Sûra Yâsyn vor. Sie weinten vor Rührung. Darauf wurde in Bezug auf sie Ḳor. 5, 86 geoffenbart."

Die Ḳorânstelle mag um das Jahr 624 geoffenbart worden sein. Aus Vers 88 möchte man fast schliefsen, dafs einige von den Christen, auf deren Zeugnifs Moḥammad sich bezieht, schon todt waren. Der Gebrauch der Tempora im Ḳorân ist jedoch zu unbestimmt, als dafs wir in diesem Falle einen Schlufs darauf bauen dürften. Die Tradition des Saʿyd b. Ġobayr, welche ich zuletzt angeführt habe, bezieht sich deutlich auf einen in Makka stattgehabten Besuch, und wenn sie auch hier zur Erklärung eines madynischen Verses angewendet wird, so citirt sie doch Baghawy, siehe S. 378 oben, freilich in einer verdorbenen Form zu einer makkanischen Sûra.

Ibn Isḥâḳ, S. 359, giebt uns Nachricht von ungefähr zwanzig Christen, welche, als sie gehört hatten, dafs in Makka ein Prophet aufgestanden sei, ihn daselbst besuchten. Er berichtet, einige Gelehrte hielten dafür, dafs sie nicht von Abessynien, sondern von der arabischen Stadt Naġrân kamen. Auch er bezieht auf ihren Besuch die madynische Ḳorânstelle 5, 85—88, und man sieht, wie früh die Verse des heiligen Buches ohne Rücksicht auf Chronologie erklärt und als Beweise benutzt wurden.

Mit gröfserer Bestimmtheit spricht Bochâry, S. 511 (von ʿAbd al-ʿAzyz b. Çohayb, von Anas), von einem christlichen Renegaten:

„Es war ein Christ, welcher sich zum Islâm bekehrt hatte und Sûra 2 und 3 las und für den Propheten zu schreiben pflegte und zum Christenthum zurückkehrte. Dieser sagte: Moḥammad weifs Nichts, als was ich für ihn geschrieben habe. Er starb; man begrub ihn und die Erde warf ihn aus."

Vielleicht war dies ein Judenchrist, welcher den Moḥammad deswegen verlassen hat, weil dieser in der zweiten und dritten Sûra

---

[1]) دريد ist wohl ein Schreibfehler für زرير Zorayr. Unter diesen acht Männern sind vier, welche wir aus der Baḥyrâ-Legende kennen (vergl. Bd. I S. 187), nämlich Baḥyrâ, Darys, Thomâm und Zorayr. Dort werden aber nicht alle Namen aufgezählt, denn nach Tradit. 5 in Anhang 3 zu Kapitel 2 Bd. I S. 182 waren dort aufser Baḥyrâ sieben Männer, welche Moḥammad anerkannten.

seine judenchristlichen Ansichten widerrief. Wenn er aber erklärt, dafs Moḥammad nur so viel wisse, als er für ihn geschrieben habe, so können unter dem Geschriebenen unmöglich blofs die Offenbarungen zu verstehen sein, denn dies wäre ja kein Vorwurf, weil Moḥammad selbst sagte, dafs er nur so viel wisse, als ihm geoffenbart werde.

Isma'yl b. Aḥmad Dharyr (bei Içâba Bd. 1 S. 24) sagt in seinem Ḳorâncommentar, dafs einer von den Christen, welche in Ḳorân 5, 85—88 angedeutet werden, Abraha der Abessynier sei.

Er ist ganz gewifs identisch mit dem Abraha, welchen Fâkihy in seiner Geschichte von Makka nennt mit den Worten: „Unter denen, welche zu Makka lebten, ist Abraha b. al-Çabâḥ zu nennen. Man sagt, er sei ein Ḥimyarite oder Abessynier gewesen. Er bekehrte sich zum Islâm und nahm keine Gefälligkeiten an, um nicht dadurch Verbindlichkeiten auf sich zu bürden [1]).“

Auch Ibn Kalby nennt ihn und sagt, dafs er ein Fürst von Tihâma (der arabischen Küste) war und dafs seine Mutter eine Tochter des Abraha al-Aschram gewesen sei, welcher [A. D. 570] einen Kriegszug gegen die Ka'ba unternommen hatte.

Rischâṭy († 542) endlich, welcher meistens den Ibn Sa'd abschreibt, giebt in seiner Genealogie der Begleiter des Propheten folgenden Stammbaum von ihm (der wohl erlogen ist): „Abraha b. Scharaḥyl b. Abraha Ibn al-Çabâḥ b. Scharaḥyl b. Lahy'a b. Muryd alchayr b. Nakyf b. Scharaḥyl b. Ma'dykarib b. Moçbiḥ b. 'Amr b. Dzy Asbaḥ [2]) Açbaḥy Ḥimyary. Und er setzt hinzu: „Er machte dem Propheten seine Aufwartung und breitete seinen Mantel vor ihn aus. Er war in Syrien gewesen und wird unter die Weisen (oder Schiedsrichter) gezählt.“

Die Geschichte von der Ausbreitung des Mantels vor Moḥammad wird in denselben Worten von vielen arabischen Häuptlingen erzählt. Sie mag sich also einmal oder mehreremal oder nie zugetragen haben. Rischâṭy berichtet auch von Abraha's Sohn, Abû Schimr, dafs er dem Propheten seine Aufwartung gemacht habe, wir müssen es also auch dahin gestellt sein lassen, ob einer, ob beide oder keiner seine Aufwartung gemacht habe. Das sind solche Gemeinplätze, die von jedem bedeutenden Mann jener Zeit, von dem man

---

[1]) Içâba Bd. 1 S. 24. Es ist ein Druckfehler in dieser Stelle. Der Name des Abraha soll nämlich zwischen „Makka“ und „yoḳâl“ stehen.

[2]) Wenn der Verfasser der Içâba vier Abraha aus Einem macht, so ist dies einer zu grofsen Aengstlichkeit zuzuschreiben. Dafs No. 14 und 15 identisch sind, läfst sich aus seinem Artikel „Abû Schimr“ beweisen; denn er sagt dort, dafs auch Abû Schimr's Genealogie, den er Bd. 1 S. 24 zum Sohne Abraha's No. 15 macht, von Dzu Açbaḥ abgeleitet wird, wie die des Abraha No. 14.

nichts anderes zu sagen hat, erzählt werden. Das Uebrige, was er über ihn mittheilt, hat mehr Individualität und wird mehr oder weniger durch die früher erwähnten Stellen bestätigt.

Abraha's Name wäre wahrscheinlich ganz in Vergessenheit gerathen, oder wie der seines Kollegen Baḥyrâ in die Legendengeschichte verwiesen worden, wenn er nicht einen Sohn hinterlassen hätte, der sich während der Eroberungs- und Bürgerkriege auszeichnete. Er hiefs Abû Schimr, heirathete eine Tochter des Abû Mûsà Asch'ary, nahm A. H. 31 an den Feldzug gegen die Perser Theil und verlor ein Auge; dann begab er sich mit Ibn Aby Ḥodzayfa zu Mo'âwiya als Geifsel und wurde eingekerkert, liefs sich aber nicht festhalten. Er fiel endlich in der Schlacht bei Çiffyn, in welcher er auf der Seite des 'Alyy focht.

Es wird noch ein anderer Sohn des Abraha erwähnt, Namens Karyb. In der Içâba heifst er Karyb b. Abraha b. Çabâḥ b. Marthad b. Moknif Abû Rischdyn, ein Abkömmling des Dzu-Açbaḥ. Nach Ibn Kalby soll er unter Mo'awiya der Chef der in Syrien lebenden Ḥimyariten gewesen sein und bei Çiffyn gefochten haben. Nach Ibn Yûnos hat er an der Eroberung von Egypten Theil genommen und es ist ihm in Ḥyra ein Theil der Stadt als Eigenthum angewiesen worden, in welchem sein Schlofs noch nach A. H. 300 stand. Unter 'Abd al-'Azyz b. Marwân und dessen Sohne (?) commandirte er die Grenz-Garnison von Freiwilligen (Ribâṭ) zu Alexandrien. Einst machte er dem 'Abd al-'Azyz seine Aufwartung und es begleitete ihn eine Truppe von 500 Reitern, darunter 70 Ḥimyariten. Er starb A. H. 75 oder 78.

Auch im Tadzhyb, B. 3, und in dem Taḳryb, S. 309, wird er Karyb b. Aby Moslim Abû Rischdyn genannt, und es wird gesagt, dafs er aus Madyna und ein Client des Ibn 'Abbâs war und deswegen Hâschimite genannt wurde. Er war vor 'Othmâns Tod geboren worden und starb zu Madyna im J. 98. Zohayr b. Mo'âwiya (geb. im J. 100, † 173) erzählt: „'Oḳba b. Mûsà hat gesagt, dafs Karyb bei ihm eine Kameellast (nach einer andern Angabe eine halbe Kamellast) Schriften des Ibn 'Abbâs († 68) hinterlegt habe. So oft 'Alyy († 113), der Sohn des Ibn 'Abbâs, ein Buch bedurfte, schrieb er an Karyb: Schicke mir diese oder jene Rolle. Er schrieb sie dann ab und sandte ihm entweder das Original oder die Abschrift."

Die Jahreszahlen dieser Stelle, welche vollkommen authentisch ist, beweisen, dafs Karyb nicht im J. 78, sondern im J. 98 (A. D. 716—717) gestorben sei. سبعين ist ein Schreibfehler für تسعين. Wenn man nun bedenkt, dafs Abraha schon im J. 618 blühte, so kann Karyb nicht der Sohn des Abraha gewesen sein, und wenn er von ihm abstammte, so mag sein Vater Abû Moslim ein Sohn des Abraha gewesen sein, er aber war sein Enkel. Die Vergleichung der Data ergiebt ferner, dafs die Thaten des Vaters und Sohnes in eine Biographie verschmolzen wurden, wenn nicht gar von ganz verschiedenen Individuen die Rede ist.

In der Içâba kommt noch ein Karyb Ibn Çabâḥ Ḥimyary vor, welcher bei Çiffyn auf der Seite des Mo'awiya kämpfte und im Zweikampfe gegen 'Alyy fiel, nachdem er zwei Männer erlegt hatte.

Schon oben erscheint „Ibn Çabâḥ" als Familienname des Abraha Wenn man nun annimmt, dafs dieser Karyb b. Çabâḥ ein Sohn des Abraha war und auch Abû Moslim (Vater des Moslim) geheifsen wurde, und dafs der im J. 98 verstorbene Karyb sein Sohn war, also Karyb b. Karyb [Aby Moslim] b. Abraha Ibn Çabâḥ hiefs, so wäre die Verwechselung aufgeklärt und alle Schwierigkeit gelöst.

Diese hochgestellten Nachkommen des Abraha haben das Gedächtnifs an die Verdienste ihres Stammvaters für den Islâm lebendig erhalten bis zum Anbruch der historischen Zeit.

Wenn wir nun zugleich mit dieser Nachricht über Abraha und seine Gefährten auch das berücksichtigen, was über den christlichen Einflufs gesagt worden ist, so kommen wir zu dem Schlufs, dafs sich kürzere oder längere Zeit Christen in Makka aufhielten, welche in einem engen Verhältnifs zu Moḥammad standen, dafs sie sich, als die Verfolgungen sehr heftig wurden, nach Abessynien zurückzogen, aber später von dort aus den Propheten besuchten. Sie mochten Moḥammad zu ihren eigenen Zwecken zu benutzen gesucht, und da es ihnen nicht gelang, ihn verlassen haben. Indessen ist es wenigstens von Einigen unter ihnen — von Abraha kann man es mit Bestimmtheit annehmen — gewifs, dafs sie dessen Anhänger blieben. Ueberhaupt aber waren die Christen bis 629 den Neuerungen des Moḥammad hold und beschützten die Gläubigen. Welcher Sekte Abraha angehörte, läfst sich nicht ermitteln, vielleicht hätte er, wenn er ein Çâbier gewesen wäre, Ibrâhym geheifsen. Der Name Abraha kommt in Yaman unter den Abessyniern vor.

Der andere von den Exegeten genannte Name, der auch sonst noch erwähnt wird, ist der des Baḥyrâ [1]). Mas'ûdy, engl. Uebers. S. 149, sagt: „Baḥyrâ war ein Christ und derselbe, welcher in christ-

[1]) Baḥyr ist ein Personennamen, welcher im Arabischen nicht selten vorkommt. Der Verfasser des Ḳamûs sagt, dafs vier Begleiter des Propheten und ebenso viele Tâbier ihn trugen; aufserdem gab es noch Traditionisten dieses Namens. Baḥyrâ ist die nabathäische (emphatische) Form desselben Namens. Wir finden diese Form auch in Zalychâ und Ibn Ḳamyṭa, ersteres ist der Name der Geliebten des Joseph von Egypten und letzteres der eines çâbischen Astronomen, welcher der Lehrer des Thâbit b. Ḳorra war. Baḥyra bedeutet im Arabischen eine Kameelstute, welche von der Arbeit des Lebens befreit ist. Vielleicht nannte man Baḥyrâ (wie im Pers. Âzâd) einen Mann, der die Sorgen des Lebens von sich weist, ein Ascet und frei ist.

lichen Schriften Sergius genannt wird [1]). Er gehörte dem Stamme ʿAbd al-Ḳays an.“ Die christlichen (byzantinischen) Geschichtschreiber geben eine stereotype Nachricht über Moḥammad, welche zuerst in den Annalen eines Zeitgenossen Karl des Grofsen enthalten ist und in folgenden Worten von Cedrenus (Bas. 1566, S. 347) nacherzählt wird: „Da aber Moḥammad von bösen Geistern geplagt wurde und an der fallenden Sucht litt, beruhigte er seine Frau, welche, da sie, eine vornehme Dame, sich mit einem armen, besessenen Manne ehelich verbunden sah, überaus betrübt war, indem er ihr vorredete, er falle beim Anblick des Engels Gabriel, welcher sich ihm zeigte, nieder. Ein Mönch, welcher wegen Schlechtgläubigkeit verwiesen worden war und dort lebte, war ein Freund der Frau. Sie erzählte ihm die ganze Geschichte und nannte auch den Namen des Engels. Dieser Mönch befestigte die Frau in ihrem Glauben und sagte, Moḥammad spreche die Wahrheit und jener Engel werde zu allen Propheten geschickt. Die Frau schenkte den Worten dieses betrügerischen Mönches Glauben und theilte die Neuigkeit auch andern Frauen ihres Stammes mit, von welchen sie die Männer erfuhren.“

Ich habe meine im vierten Kapitel niedergelegten Forschungen in Ländern angestellt, wo mir die Byzantiner nicht zugänglich waren, und bin zu den daselbst ausgesprochenen Resultaten gelangt, ohne ihren Bericht zu kennen; es gewährt mir daher grofse Befriedigung, dafs ich fast ganz mit ihnen übereinstimme. Ich zweifle nicht, dafs ihre Nachricht diejenigen Anschauungen enthält, welche allgemein unter den orientalischen Christen anerkannt waren, und dafs sich Masʿûdy's Worte auf selbe beziehen. Den Christen zufolge ist Baḥyrâ zwar ein Mönch [2]), aber der Prophet findet ihn nicht zu Baçra, sondern in Makka. Auch moslimische Quellen bestätigen diese Angabe.

---

[1]) Unter den Zeitgenossen des Propheten finden wir keinen Sargis (Sergius), wohl ader einen ʿAbd Allah b. Sargis, welcher sein Sohn gewesen sein mag. In der Içâba wird gesagt, er war ein Mazanite und ein Verbündeter der Familie Machzûm. Dem Bochâry zufolge liefs ʿAbd Allah sich in Baçra nieder und hatte den Propheten gekannt. Nach ʿÂçim al-Aḥwal hatte er den Propheten wohl gesehen, war aber zu jung, als dafs man ihn unter dessen Gefährten zählen könnte; Andere widersprechen dieser Behauptung und zählen ihn unter die Gefährten. Er hat Traditionen überliefert, wovon Moslim einige in seine Sammlung aufgenommen hat.

[2]) Bei uns hat Mönch eine sehr beschränkte Bedeutung, und diese Bezeichnung wäre auf einen judenchristlichen Asceten nicht anwendbar. Unterdessen etymologisch heifst es Einsiedler und nicht Coenobit, Klösterer, und es mag bei den Byzantinern in einem weitern und der Etymologie entsprechendern Sinne gebraucht worden sein als bei uns.

Sohayly (vergl. Zeitschr. d. d. m. Gesellsch. Bd. 7 S. 414) sagt: „Chadyğa, die Tochter des Chowaylid, wurde, wie erzählt wird, im Heidenthum wie im Islâm die Reine genannt. In der Prophetenbiographie des Taymy [1]) steht, dafs man sie die Herrin der Ḳorayschiten-Frauen nannte, und ebendaselbst wird Folgendes erzählt: Als ihr der gesegnete Prophet von Gabriel Kunde gab, dessen Name sie früher nie gehört hatte, ritt sie auf einem Kameel zu Baḥyrâ, dem Râhib, und fragte ihn über Gabriel an."

Dies ist nicht etwa eine vereinzelte Angabe, die auf einer Verwechselung oder einem andern Versehen beruhen könnte. Wir finden sie auch in der Içâba (unter 'Addâs), und dort wird die Bürgschaft des Ibn Manda, des Ibn 'Âyidz, welcher sie in seinem Maghaziy weitläufig erzählt [2]), und des Mûsà b. 'Oḳba angeführt. Leider hat uns der Verfasser der Içâba nur den unvollständigsten Text, den des Ibn Manda, aufbewahrt. Er lautet:

„Als Moḥammad erschrocken von Ḥirâ zurückkam, sagte Chadyğa zu ihm: Sei frohen Muthes; du bist der Prophet dieser Nation, dies habe ich schon, ehe ich dich heirathete, von meinem Sklaven Nâçiḥ und von Baḥyrâ, dem Râhib, gehört. Darauf ging sie zum Râhib und dieser sagte zu ihr: Gabriel ist der Vertraute Gottes und der Bote, den er an die Propheten schickt, und von ihm begab sie sich zu einem christlichen Sklaven, Namens 'Addâs, welcher den Söhnen des Raby'a angehörte, und dann besuchte sie den Waraḳa etc."

Im Rawdhat al-aḥbâb, S. 95, ist eine Stelle, in welcher e i n Baḥyrâ als der Vater des 'Addâs genannt wird.

In allen bisher angefühten Quellen wird Baḥyrâ Christ und Mönch genannt. Die Ursache ist wohl, dafs sein Titel Râhib, welcher gewöhnlich Mönch bedeutet, aber im Sinne von Ascet hätte aufgefafst werden sollen [3]), schon früh mifsverstanden worden ist. Zohry [4]) jedoch, welcher A. H. 125 = 743 starb, berichtet, dafs

[1]) Solaymân Taymy starb A. H. 146 = A. D. 763. Er hinterliefs eine Biographie des Propheten, von welcher ein Fragment erhalten und von A. v. Kremer in Calcutta veröffentlicht worden ist.

[2]) Er giebt auch die Isnâd an: von 'Othmân b. 'Aṭa, von seinem Vater, von 'Ikrima, von Ibn 'Abbâs.

[3]) Vergl. die Note Bd. I S. 178.

[4]) Içâba Bd. 1 S. 857: „Es wird in einigen Sammlungen von Traditionen auf die Auktorität des Zohry erzählt." Sohayly, Bibl. Spreng. No. 102 S. 28, und Cod. der Asiat. Ges. von Bengalen No. 284 und Nûr alnibrâs S. 145: „Es steht in der Prophetenbiographie des Zohry geschrieben." Auch im 'Oyûn al-athar (vergl. Journ. As. Soc. B. 20 S. 395 und Ḥâğiy Chalyfa, unter Siyar) wird behauptet, dafs Zohry eine Prophetenbiographie hinterlassen habe. Ich bezweifle es und glaube, dafs der Gelehrte Sohayly sich auf einen Mosnad des Zohry, d. h. auf eine später gemachte Sammlung der Traditionen des Zohry berufe, wo-

Baḥyrâ ein Jude aus Taymâ war. Da er ein Çâbier oder Judenchrist war, ist beides richtig [1]); aber es ist ganz im Geiste der spätern Kritik, wenn neuere Quellen den Widerspruch auszugleichen suchen, indem sie sagen: er war ein zum Christenthum bekehrter Jude. Tayma, wie auch die Städte südlich davon bis Madyna, waren wohl grofsentheils von Juden bewohnt, von denen viele der judenchristlichen Sekte angehören mochten. Aus Taymâ war auch der Bd. I S. 457 in der Bekehrungsgeschichte des ʿAnbasa erwähnte Râhib [2]).

Der Glaube (im Gegensatz zur Wissenschaft) besitzt eine unglaubliche Verdauungs- und Assimilationskraft. Was haben die Lanas in Tibet, die Brahmanen in Benares und die Päbste und Kardinäle nicht alles verzehrt und verdaut! und welche heterogene Elemente hat der Glaube nicht assimilirt, um sich daran zu erbauen! Für ihn sind Wunder und Fabeln — woher sie auch immer kommen mögen — was Zuckerbäckereien für Kinder sind. Um dieses anschaulich zu machen, beschränke ich mich auf ein bekanntes Beispiel: Hufs wurde verbrannt, aber sein Name lebte im Munde des böhmischen Volkes fort. Obwohl er ein Ketzer war, wurde doch seine Standhaftigkeit und seine Tugend von der gottlosen Nachwelt bewundert. Was war nun zu thun, um diese Erinnerungen los zu werden? Sie werden alle einem neuen Heiligen zugeschrieben. Aus

---

von ein Buch die Aufschrift Siyar „Prophetenbiographie“ hatte. Der Verfasser der Içâba, welcher wahrscheinlich diesen Mosnad, den Andere benutzten, nicht kannte, fand diese Tradition in andern Sammlungen; wir haben somit eine doppelte Garantie, dafs die Tradition von Zohry herrühre.

[1]) Auf ähnliche Art wird von Abû Fokayha Yasâr (welchen eventuell Abû Bakr aus der Sklaverei loskaufte, um ihn von den Qualen, die er des Glaubens wegen zu dulden hatte, zu befreien) gesagt, dafs er ein Christ war, und den Pentateuch und das Evangelium zu lesen pflegte. Einer andern Nachricht zufolge aber war er ein Jude (Baghawy zu 41, 44). Bezüglich seines Ursprungs wird behauptet, dafs er ein Azdite oder Aschʿarier gewesen sei, also aus dem südlichen Arabien kam. Nasafy, Tafs. 25, 5, jedoch hält ihn für einen Rûmer.

Auch Waraḳa hat sich nach einigen Angaben nicht zum Christenthume, sondern zum Judenthume bekehrt.

[2]) In Ibn Aby Schayba's Version der Bekehrungsgeschichte des Salmân kommt auch Taymâ vor. Salmân, ein schlauer Perser, hatte das Unglück in Madyna als Sklave zu schmachten als Moḥammad als Prophet dahin kam. Er benutzte diese Gelegenheit, um seine Freiheit zu erlangen und ein grofser Mann zu werden; er erfand zu diesem Zwecke eine sehr erbauliche Autobiographie, die am vollständigsten bei Ibn Isḥâḳ zu lesen ist. Salmân suchte schon früh die wahre Religion und wurde von Peter an Paul gewiesen; ein heiliger Mann in Jerusalem sagte ihm, dafs im Lande von Taymâ ein Mann aufgestanden sei, der die wahre Religion lehre.

Wie im Text steht, ist Moḥammad unter diesem Mann von Taymâ zu verstehen, aber es ist gar kein Grund vorhanden, warum er so genannt werden soll. Vielleicht hiefs es in einer älteren Version, Salmân habe den Mann von Taymâ aufgesucht und sei von diesem an Moḥammad gewiesen worden.

den Thaten und dem Ruhme des Haeresiarchen verfertigte man den Heiligenschein für Johannes von Nepomuk; Rom canonisirte ihn und die Prager bauten ihm ein Denkmal auf der Moldau-Brücke und das Volk war durch die Erinnerungen an die Vergangenheit nicht länger skandalisirt, sondern erbaut.

Die Geschichte des Lehrers des Moḥammad mag ein ähnliches Schicksal gehabt haben. Wir haben gesehen, dafs sich im ersten Jahrhundert aus einem Bedürfnisse des Glaubens eine Legende entwickelte, welcher zufolge ein Râhib (Ascet) in Moḥammad den künftigen Gesandten Gottes erkannte. Der Name dieses frommen Mannes wird nicht genannt. Die eine Legende löste sich im Verlaufe der Zeit in zwei auf, wovon eine in der Jugend, die andere im Mannesalter des Propheten spielt, und nun erhält der Ascet, welcher bisher anonym gewesen war, einen Namen. In der Jugendlegende heifst er Baḥyrâ, in der andern Nestor. Es ist Bd. I S. 189 bemerkt worden, dafs Baḥyrâ erst nach Nestor in die Legende kam. Die Ursache liegt auf der Hand: sein jüdischer Ursprung mufste zuerst vergessen werden und er mufste allgemein für einen orthodoxen Christen gelten. Als er aber einmal Christ war, wurde er von den Exegeten bei jeder Gelegenheit, wo von Christen, welche an Moḥammad glaubten, die Rede war, in die Liste der Gläubigen aufgenommen.

Ehe ich die Bemerkungen über die Lehrer des Moḥammad schliefse, will ich noch ein paar Notizen über andere Männer, welche genannt werden, einschalten.

Baghawy bemerkt zu Ḳor. 16, 105, wo gesagt wird, dafs die Feinde dem Moḥammad vorwerfen, er lasse sich von einem Manne unterrichten: „Die Exegeten stimmen über den Mann, welcher gemeint ist, nicht überein; Ibn ʿAbbâs berichtet, dafs ein junger Mensch, ein Christ Namens Bileʿâm, zu Makka war, welchen der Prophet oft besuchte. ʿIkrima behauptet, dafs der Gottgesandte sich von einem den Banû Moghyra angehörigen Sklaven, welcher die Bücher zu lesen pflegte, dieselben vorlesen liefs, weswegen die Ḳorayschiten ihm den Vorwurf machten, er lasse sich von dem Sklaven unterrichten. Farrâ sagt: die Ungläubigen gaben vor, dafs ihn der dem Ḥowayṭib b. ʿAbd al-ʿOzzà angehörige Sklave ʿÂsch (bei Baydhawy ʿÂyischa) unterrichtete; dieser Sklave hatte sich zum Islâm bekehrt und war ein guter Moslim. Ibn Isḥâḳ theilt uns mit, dafs Moḥammad oft am Hügel Marwa bei Ġabr safs. Dieser war ein christlicher Sklave aus Rûm, welcher einem der Söhne des Ḥadhramy angehörte und die Bücher zu lesen pflegte. ʿAbd Allah b. Moslim Ḥadhramy erzählt: Wir hatten zwei Sklaven aus ʿAyn Thamr, der eine hiefs Abû Fokayha Yasâr und der andere Ġabr. Sie fabrizirten Säbel in Makka und lasen den Pentateuch und das Evangelium. Der Prophet ging manchesmal, wenn sie den Pentateuch lasen, bei ihnen vorüber und blieb stehen, um zuzuhören. Dhaḥḥâk fügt hinzu: Wenn die Ungläubigen den Propheten quälten, setzte er sich zu diesen zwei Männern, um an ihren Worten Ruhe zu finden. Seine Widersacher sagten daher, er läſst sich von ihnen unterrichten." Nach Wâḳidy, S. 68, hieſs der Lehrer Ibn Ḳammaṭa.

Baghawy zu 25, 5. „Moġâhid sagt, daſs man glaubte, es helfen dem Propheten in der Verfassung des Ḳorâns die Juden; Ḥasan [Baçry] nennt den Abessynier 'Obayd al-Chidhr, welcher ein Kâhin war, Andere sagen: Die Ungläubigen waren der Meinung, er sei von Ġabr, Yasâr und 'Addâs, welche den Schriftbesitzern angehörten und Sklaven zu Makka waren, unterrichtet worden."

Nach Baghawy 25, 6 glaubten die Makkaner auch, daſs die drei Letztgenannten für Moḥammad die Asâṭyr abschrieben

Unter den hier genannten Namen mögen einige von Exegeten, welche die Wahrheit nicht sagen wollten, erfunden worden sein, andere jedoch sind gewiſs historisch. Unter den letztern ist der des 'Addâs von einigem Interesse. Ibn 'Oḳba (in seiner Biographie des Moḥammad, angeführt in der Içâba) läſst jenen zu Chadyġa, als sie zu ihm kam, um seine Ansicht über das Gesicht ihres Mannes zu vernehmen, sagen: Was er gesehen hat, ist der Betraute zwischen Gott und seinem Propheten und Moḥammad ist der Genosse des Moses und Jesus.

Es sind aber nicht die direkten Zeugnisse, welche uns den 'Addâs wichtig erscheinen lassen, sondern eine recht plumpe Mystifikation, welche wir bei Ibn Isḥâḳ (S. 281) und etwas vollständiger bei Sohayly (aus Taymy) finden:

„'Addâs überreichte dem Propheten Trauben. Als Moḥammad zu essen anfing, sprach er: im Namen Gottes. 'Addâs sah ihm in's Gesicht und sagte: die Worte, welche du gesprochen, sind unter den Leuten hier nicht gebräuchlich. Moḥammad fragte ihn: Woher bist du und welche Religion hast du? 'Addâs antwortete: Ich bin von Ninive und Christ. Du bist also von der Stadt des frommen Mannes Jonas, des Sohnes des Mattà. Wie, fiel ihm 'Addâs in's Wort, du weiſst von Mattà? als ich Ninive verlieſs, gab es nicht zehn Leute daselbst, welche seinen Namen wuſsten. Wie hast du von ihm gehört, da du doch ein ummy (Heide) bist und unter einer heidnischen Gemeinde (umma ummyya) lebst? Moḥammad antwortete: Er ist mein Bruder; denn auch ich bin ein Prophet, Darauf küſste ihm 'Addâs den Kopf, die Hände und die Füſse."

Diese Scene hat sich im Juli 619, nachdem Moḥammad schon sieben Jahre durch seine neue Lehre die Stadt in Aufregung erhalten hatte, zugetragen und doch hatte 'Addâs noch nichts von ihm gehört! Diese Geschichte ist nicht ohne Grund erfunden.

II. Asâṭyr alawwalyn, d. h. die Märchen der Alten.

Der Ausdruck, welcher die Aufschrift dieses Excursus bildet, kommt neun Mal im Ḳorân vor. Ich glaube, daſs es der Titel des Buches sei, aus dem Moḥammad die Erzählungen, die er als Offenbarungen ausgab, entnommen hat, oder überhaupt Apokrypha bedeute. Um den Leser in den Stand zu setzen, ein Urtheil über diese Frage zu bilden, gebe ich nicht nur meine Gründe an, sondern stelle vorerst die wenigen darauf bezüglichen Ḳorânstellen, welche wir nicht schon kennen, zusammen.

Ich wiederhole eine Stelle von S. 127 oben, welche sich durch ihre Deutlichkeit auszeichnet und von der wir ungefähr wissen, wann sie geoffenbart worden ist. Sie fällt noch in die zweite Strafperiode, während die nächsten zwei in den Uebergang zur dritten und die letztere tief in die dritte zu versetzen sind.

8, 31. Wenn ihnen unsere Zeichen (Ḳorânverse) vorgelesen werden, so sagen sie: Wir haben dies schon gehört und wenn wir wollen, so können wir etwas Aehnliches sagen, denn dies ist nichts als die Asâṭyr der Alten (alawwalyn).

Nach Erzählung der Geschichte des Salomo und der Königin von Scheba nach jüdischen Quellen wiederholt er einige Straflegenden, wovon die letzte im vorigen Bande S. 494 einen Platz gefunden hat, dann fügt er noch hinzu:

27, 60. Sprich: Alles Lob dem Allah und Heil seinen Dienern, die er auserwählt hat! [Frage die Heiden:] Ist Allah besser oder die Wesen, welche ihr ihm beigesellt?

61. Jener Allah nämlich, welcher die Himmel und die Erde erschaffen hat und euch vom Firmamente Wasser herabsendet, wodurch wir ergötzliche Gärten wachsen lassen, deren Bäume ihr nicht wachsen machen könntet. Giebt es wohl einen Gott neben Allah? Allein sie sind Leute, welche davon abgehen.

62. Jener Allah, welcher die Erde zum Festland gebildet, darauf Bäche flieſsen läſst und Berge gesetzt hat und die beiden Meere (d. h. den Behälter des süſsen und salzigen Wassers) durch eine Scheidewand getrennt hält. Giebt es wohl einen Gott neben Allah? — Allein die meisten von ihnen wissen nichts.

63. Jener Allah, welcher den Bedrückten, wenn er ihn anruft, erhört und das Uebel von ihm wegnimmt und euch zu Erben der

Erde macht. Giebt es wohl einen Gott neben Allah? — Ihr denket wenig nach!

64. Jener Allah, welcher euch in den Finsternissen des Festlandes und Meeres leitet und welcher den Wind sendet als Boten der Gnade (des Regens), der er vorangeht. Giebt es wohl einen Gott neben Allah? — Erhaben ist er über das, was sie ihm beigesellen!

65. Jener Allah, welcher die Schöpfung hervorruft und dann wieder zurückkehren macht, und welcher euch nähret durch die Gaben des Himmels und der Erde. Giebt es wohl einen Gott neben Allah? — Sage: Her mit euren Beweisen, wenn ihr Recht habt!

66. Sprich: Niemand in den Himmeln und auf Erden weiſs, was geheim ist, ausgenommen Allah. — Sie wissen nicht,

67. wann sie [vom Tode] auferweckt werden.

68. Aber erstreckt sich ihr Wissen auch auf das Jenseits? — Nein, sie sind im Zweifel darüber, nein, sie schlieſsen die Augen dagegen.

69. Die Ungläubigen sagen daher: Wie, wenn wir Staub sind wie auch unsere Väter, werden wir hervorgerufen werden [aus den Gräbern]?

70. Dieses ist unsern Vätern schon gedroht worden. Das ist nichts Anderes als die Asâṭyr der Alten.

In Sûra 16 steht eine andere Bearbeitung dieser Inspiration; er zählt die Wunder der Schöpfung auf, um die Einheit Gottes zu beweisen, und fährt dann fort:

16, 20. Die Wesen, welche ihr neben Allah anbetet, erschaffen nichts, sondern sie werden erschaffen;

21. sie sind todt und nicht lebendig und sie (die Menschen oder die Götzen?) wissen nicht,

22. wann sie auferweckt werden.

23. Euer Gott ist Ein Gott; aber die Herzen derjenigen, welche nicht an das Jenseits glauben, sind verstockt und sie sind übermüthig [deswegen erkennen sie diese Wahrheit nicht].

25. Aber er liebt die Uebermüthigen nicht.

26. Als man ihnen vortrug, was euer Herr geoffenbart hat, sagten sie: Die Asâṭyr der Alten!

27. Sie haben dafür am Tage der Auferstehung ihr eigenes Gewicht vollständig zu tragen und einen Theil des Gewichtes derer, die sie in ihrer Unwissenheit irreführen — Ist es nicht etwas Schlimmes, was sie auf sich laden?

23, 82. Er ist es, der Leben und Tod giebt und von ihm geht der Wechsel zwischen Tag und Nacht aus. — Seht ihr es denn nicht ein?

83. Nein, sie sagen dasselbe, was die Alten (Awwalûn) sagten.

84. Sie sagen nämlich: Wie, wenn wir gestorben und Staub und Knochen sind, werden wir auferweckt werden?

85. Dieses ist uns und unsern Vätern schon früher gedroht worden. Dies ist nichts als die Asâṭyr der Alten.

6, 25. Es giebt einen von ihnen, der dir zuhört. Aber wir haben auf ihre Herzen einen Deckel gesetzt, dafs sie es (was sie von dir hören) nicht verstehen können, und ihre Ohren haben wir verstopft, und wenn sie alle Wunder [die sie verlangen] säben, so würden sie doch nicht daran glauben [1]). Ja, sie gehen so weit, dafs sie zu dir kommen und mit dir disputiren! Die Ungläubigen sagen nämlich: Dies ist nichts als die Asâṭyr der Alten.

26. Sie halten andere davon (von deiner Lehre) zurück und entfernen sich selbst davon. Sie bringen sich aber nur selbst in's Verderben. — Aber sie wissen es nicht.

27. Wenn du sie sehen könntest, wenn nur sie über das Höllenfeuer gestellt werden etc.

83, 12. Nur jener Widersacher, Sünder und Verunglimpfer verschreit ihn (den Gerichtstag) für eine Dichtung.

13. Wenn man ihm unsere Zeichen vorliest, so sagt er: Die Asâṭyr der Alten!

Wir sehen, dafs der Ausdruck, wo er vorkommt, immer von den Feinden des Moḥammad als Vorwurf gebraucht wird. Die erste Frage ist, wer machte ihm diesen Vorwurf?

---

[1]) Sa'yd b. Ġobayr, von Ibn 'Abbâs:

„Dieser Vers (6, 26) bezieht sich auf Abû Ṭâlib, welcher die Ungläubigen von dem Propheten zurückhielt (ihn beschützte), sich aber selbst von seiner Lehre entfernte. Diese Ansicht theilt auch 'Amr b. Dynâr und Ḳâsim b. Mochaymira († 100). Moḳâtil sagt: Der Hergang war folgender: Der Prophet war bei Abû Ṭâlib und predigte ihm den Islâm. Die Ḳorayschiten vereinigten sich dem Propheten Böses zuzufügen; Abû Ṭâlib aber sprach: (Verse)

„Alle mit einander sollen dir nichts anhaben können, bis ich in die Gruft hinabgestiegen bin.

Veröffentliche deine Lehre, es soll dir kein Leid geschehen, und sei guten Muthes und heitern Sinnes;

du predigst eine Religion, welche gewifs die beste aller Religonen für die Menschen ist.

Wenn ich nicht den Tadel und den Schimpf scheute, so würdest du mich unter ihren erklärten Anhängern sehen."

Ibn 'Abbâs in der Version des Wâliby aber und Moḥammed b. Ḥanafyya, Soddy und Dhaḥḥâk behaupten, dafs sich dieser Vers auf die Ungläubigen von Makka beziehe, welche die Menschen von der Religion des Propheten zurückhielten. Obwohl Moḥammad b. Ḥanafyya, ein Nachkomme des Abû Ṭâlib, ein verdächtiger Zeuge ist, so stimme ich doch der letztern Meinung bei und halte die erstere für eine omayyidische Fabrikation des Sa'yd b. Ġobayr. Ich betrachte daher diesen Vers als eine Fortsetzung des vorhergehenden.

In den frühern Stellen machen ihn die Ungläubigen, in Ḳ. 16, 26—27 aber nur eine Partei derselben, welche das Volk verführt und dafür eine doppelte Strafe zu erdulden hat — für ihren eigenen Unglauben und für den der Irregeleiteten verantwortlich. In den drei übrigen Inspirationen wird nur eine Person dieses Frevels bezüchtigt. Die letzte Stelle ist parallel mit den S. 37 dieses Bandes angeführten Versen 68, 12. 15 und hier ist wohl derselbe Sünder und Verunglimpfer zu verstehen wie dort. Auch Ḳor. 17, 48. 18, 55 und 31, 6 mögen sich auf ihn beziehen. Die Exegeten und Ibn Isḥâḳ, S. 235, nennen nicht wie bei andern Gelegenheiten den Walyd b. Moghyra, sondern den Nadhr als den Frevler. Gleichviel ob sie in dieser Beziehung Recht haben oder nicht, so sind ihre Worte doch immerhin lehrreich, weil wir daraus die älteste Deutung der Wörter Asâṭyr alawwalyn kennen lernen. Baghawy, Tafs. 16, 8, sagt:

„Nadhr b. Ḥârith von den Banû ʿAbd aldâr, welcher die in Ḳor. 8, 31 erwähnten Worte sagte, pflegte als Kaufmann Fârs und Ḥyra zu besuchen, wo er die Geschichte des Rostam und Isfendiâr und die Erzählungen der Perser hörte. Auch besuchte er die Juden und Christen und sah sie in ihrem Gebete Verbeugungen machen, sich auf die Erde werfen, sowie die Thora und das Evangelium recitiren. Als er nach Makka zurückkam und den Propheten den Ḳorân vortragen hörte, sagte er diese Worte."

Wâḥidy, Asbâb 31, 5, von Kalby und von Moḳâtil:

„Dieser Vers bezieht sich auf al-Nadhr b. Ḥârith. Er pflegte in Handelsgeschäften nach Fârs zu reisen und kaufte dort die Geschichten (achbâr) der Perser [1]. Dann erzählte er sie den Ḳorayschiten und sagte: Moḥammad erzählt euch die Geschichten der ʿÂditen und Thamûdäer, ich aber erzähle euch die Geschichte des Rostâm und Isfendiâr und der Chosroen. Seine Erzählungen gefielen ihnen und sie hörten nicht mehr den Vortrag des Ḳorâns an."

Zu einem andern Verse (Ḳor. 6, 25) bemerkt Wâḥidy ebenfalls auf die Bürgschaft des Ibn Kalby:

„Abû Sofyân, Abû Ǵahl b. Hischâm, Walyd b. Moghyra, Nadhr b. Ḥârith, ʿOtba und Schayba, die Söhne des Rabyʿa, Omayya und ʿObayy, die Söhne des Chalaf, und Ḥarb b. ʿÂmir versammelten

---

[1]) Es liefsen sich auch andere Stellen anführen, aus denen hervorgeht, dafs im ersten und zweiten Jahrhundert die Meinung vorherrschte, Nadhr habe die Erzählungen, welche er dem Ḳorân an die Seite setzen wollte, schriftlich gehabt. Dadurch erhält eine Stelle des Ibn Isḥâḳ S. 235 Wichtigkeit. Auf Ḳor. 25, 6 anspielend sagt Nadhr bei ihm: Moḥammad schreibt die Asâṭyr der Alten ab, wie ich die Geschichten [welche ich erzähle] abschreibe. Wir ersehen daraus, dafs Ibn Isḥâḳ und seine Vorgänger den Ḳoránvers 25, 6 ebenso auffafsten wie ich; in der That läfst er keine andere Auffassung zu.

sich, um den Ḳorân zu hören. Dann sagten sie zu Nadhr: Was spricht Moḥammad. Er antwortete: Ich sehe ihn seine Zunge bewegen, und er erzählt die Asâṭyr der Alten, wie ich euch von vergangenen Geschlechtern zu erzählen pflege. Nadhr wufste nämlich viele Geschichten früherer Generationen. Abû Sofyân bemerkte: Manches von dem, was er sagt, kommt mir wahr vor. Abû Ġahl setzte hinzu: Er erzählt kein Wort von allem dem, und wenn er den Tod beschreibt, so ist seine Beschreibung viel schauderhafter."

Nadhr war einer von denjenigen, die die Lehre des Moḥammad widerlegten, seine Widersprüche und Lug und Trug aufdeckten. Er war daher auch einer von den beiden, welche Moḥammad nach der Schlacht bei Badr enthaupten liefs, während er den andern Gefangenen gegen Lösegeld ihre Freiheit schenkte. Aber gerade weil Nadhr seinen Frevel büfste, ist er bei den Traditionisten zum Sündenbock geworden, welchem auch die Vergehen derer aufgebürdet wurden, die eventuel sich bekehrten. Wenn wir auch wenig Grund haben, die Angaben der Exegeten zu bezweifeln, so wäre es doch möglich, dafs Moḥammad nicht immer denselben Mann im Auge hatte. Der in Sûra 68 bezeichnete war reich und hatte viele Söhne; so weit wir die Verhältnisse des Nadhr kennen, pafst dies nicht auf ihn. Ferner unterliegt es keinem Zweifel, dafs der böse Sohn des Abû Bakr einer von diesen Frevlern war, denn Ḳor. 46, 16 enthält seine Einwürfe gegen den Islâm. Und wenn die Worte (Ḳor. 31, 5): „Es giebt Leute, welche die Unterhaltung des Erzählens einkaufen, um die Menschen vom Pfade Allah's hinweg in den Irrthum zu leiten" in dem Sinne zu nehmen sind, als habe ein Gegner wirklich Märchen gekauft, um sie den Makkanern vorzulesen und diese damit zu unterhalten, so beziehen sie sich wahrscheinlich auf den Sohn des Abû Bakr und nicht, wie Kalby meint, auf Nadhr. Der Sachverhalt mag der sein: Nadhr und der Sohn des Abû Bakr wurden des Schriftstückes, aus welchem Moḥammad die Erzählungen schöpfte, die er als Offenbarungen ausgab und womit er die Leichtgläubigen so sehr überraschte, habhaft und deckten seinen Betrug auf. Die Disputanten, von denen im nächsten Kapitel die Rede sein wird, beuteten diesen Fund gehörig aus und erinnerten daran, dafs Irrlehrer schon früher Aehnliches vorgetragen haben. Moḥammad suchte Anfangs die Thatsache in Abrede zu stellen, allmählig aber nahm er zu einer neuen Lehrmethode seine Zuflucht und machte seine Zuhörer, da er selbst keine Wunder thun konnte, auf die Wunder in der Natur aufmerksam, um sie in eine religiöse Stimmung zu versetzen. Am nachdrücklichsten geschieht dies in Sûra 16 (die Stelle findet im nächsten Kapitel einen Platz) und in der soeben angeführten

Stelle Ḳor. 27, 60—70. Aufserdem verwendete er alle seine Beredsamkeit darauf, ihnen die Hölle recht heifs zu machen.

Ueber die Bedeutung von Asâṭyr sagt Safâḳisy, 'Irâb alḳorân, 6, 25:

„Asâṭyr ist der Plural von Isṭâra, welches, dem 'Obayda zufolge, so viel als torrahât „Albernheiten" bedeutet. Einige sagen, der Singular von asâṭyr ist osṭûra oder osṭûr oder isṭyr oder isṭyra, während Andere behaupten, dafs es keinen Singular habe. Einige sagen, es ist der Plural des Plurals asṭâr, für dessen Singular sie saṭar halten. Auch Zaǵǵâǵ glaubt, dafs es der Plural eines Plurals sei."

Bochâry (S. 666) stimmt der Meinung des Abû 'Obayda bei und erklärt es durch torrahât. Dieser Sinn ist aber durch die Etymologie des Wortes nicht begründet und beruht einzig auf der Auffassung der betreffenden Ḳorânstellen.

Saṭar kommt im Ḳorân auch in der Bedeutung von „schreiben" vor, aber nur fünf Mal und stets in Bezug auf das Buch des Schicksals, welches im Himmel von den Engeln geschrieben wird, so dafs es ein edlerer Ausdruck zu sein scheint als katab, von dem es noch mehr als unser „verzeichnen" von „schreiben" verschieden sein mag. Ibn 'Abbâs erklärte, dem Ǵowâybir (Comm. zum Ḳ. 17, 60, bei Soyṭy Itḳân S. 311) zufolge, dafs saṭar in der Bedeutung von „schreiben" ein ḥimyaritisches Wort sei, und dafs osṭûra im Ḥimyaritischen Buch, Schrift bedeute. Demnach hiefse asâṭyr alawwalyn die Bücher oder Schriften der Alten.

Aus den so eben angeführten auch von Ibn Isḥâḳ bestätigten Bemerkungen der Exegeten über Nadhr geht hervor, dafs man asâṭyr in ältesten Zeiten in der Bedeutung von Geschichten auffafste. Für diese Erklärung ist ein Grund vorhanden, der ihnen nicht bekannt war. Asâṭyr ist nämlich ein Plural jener Form, welche besonders in vierbuchstabigen und in **fremden** Wörtern vorkommt, wie Ḳomiç Graf von Comes, Plur. Ḳamâmiç; Ǵalliḳ Gallicier, Plur. Ǵalâliḳ; Asḳof Bischof, Plur. Asâḳif; târych (ein Wort persischen Ursprungs), tawârych. Ja, selbst aus dem englischen Worte drawback bilden die Araber den Plur. darâbyk. Asâṭyr könnte demnach ein aus dem griechischen Wort *ἱστορια* gebildeter Plural sein.

Wenn es auch höchst wahrscheinlich ist, dafs Asâṭyr ein griechisches Wort sei [1]), so folgt noch nicht, dafs es die Araber in den

[1]) In Bezug auf die Ableitung von sṭr sind zwei Fälle denkbar. Diese Wurzel kann die Bedeutung von „schreiben" (im Hebräischen heifst sie hüten, beobachten) erst nach Einführung von Osṭûra in's Arabische erhalten haben. Das Wort würde

selben Fällen anwendeten, wie es im Griechischen gebraucht wurde. Moḥammad erzählte gerne Geschichten der alten Völker und sprach oft davon; er bedient sich aber nie des Ausdruckes Asâṭyr, sondern Ḳaçaç, Achbâr, Anbâ, Ḥadyth etc. Ferner riefen ihm die Feinde gerade wenn er von der Auferstehung, nicht aber wenn er Legenden erzählte, zu: Die Asâṭyr der Alten! Die Commentatoren haben daher geglaubt, daſs es „widersinniges Geschwätz“, also etwa so viel als „alte Märchen“ bedeute. Aber es bleibt immer sonderbar, daſs die Feinde des Moḥammad, um dieses auszudrücken, ein fremdes Wort, welches sonst nirgends vorkommt, gebrauchen und daſs es in derselben Verbindung immer mit al-awwalyn „der Alten“ steht. Es drängt sich uns daher die Ueberzeugung auf, daſs in Asâṭyr der Alten etwas Technisches stecke. Berücksichtigen wir Ḳor. 25, 6, wo gesagt wird, daſs dem Moḥammad die Asâṭyr Morgens und Abends vorgelesen werden und er sie aufschreibe, so können wir nicht zweifeln, daſs die Asâṭyr alawwalyn eine Schrift waren; es fragt sich nur, ob dies der Titel oder eine von Christen oder Juden entlehnte allgemeine Benennung sei, welche etwa unsern Apocrypha [1]) entspräche. Es ist ganz gewiſs, daſs weder Moḥammad, noch sein Lehrer eine groſse Bibliothek besaſsen, und selbst wenn die letztere Vermuthung richtig sein sollte, so würde unter der allgemeinen Bezeichnung immer nur eine Schrift zu verstehen sein.

Aus den angeführten Ḳorânstellen ergiebt sich, daſs die Asâṭyr sich ganz besonders um die Auferstehunglehre drehten, und gerade in Bezug auf diese erklärten die Ḳorayschiten, daſs sie und ihre Väter dieselben schon früher vernommen haben (Ḳor. 8, 31. 27, 70. 23, 82).

---

dann gerade deswegen edler sein als kataba, weil es fremd ist. Oder, wenn sṭr schon früher „schreiben“ hieſs, hat man fälschlich Osṭûra darauf zurückgeführt, wie die Engländer in Indien im persischen Afser ihr Officer und im hindustanischen Bahra ihr Bearer zu finden glaubten.

[1]) Als Grund für diese Auffassung läſst sich eine andere Ḳorânstelle hieher ziehen. In Ḳor. 26, 137 sagen die ʿÂditen zu ihrem Propheten: Es ist einerlei, ob du uns predigst oder nicht. Dies ist nichs Anderes als die خلق der Alten. Dieses Wort wird von Vielen cholḳ, Sitte, ausgesprochen. Wenn dies die rechte Lesart ist, so wirft die Stelle kein Licht auf unsern Gegenstand, denn der Satz heiſst: so zu sprechen, wie die ʿÂditen, ist die Manier der Alten. Andere lesen aber chalḳ, Gebilde. In diesem Falle gehört der Satz zu den Worten der ʿÂditen und heiſst: dieses was du lehrst ist nur ein Gebilde der Alten. In Ḳor. 29, 16 heiſst es: تخلقوا افكا ihr bildet eine Lüge [systematisch] aus. Gebilde könnte also hier so viel als Machwerk bedeuten. Weil Moḥammad den alten Propheten Reden in den Mund legt, welche ohne Rücksicht auf Chronologie seine eigene Situation beleuchten sollen, so wäre es ganz seiner Lehrmethode angemessen, wenn er die ʿÂditen dieselben Einwürfe gegen Hûd erheben läſst, womit die Makkaner ihn quälten. Aber diese Offenbarung fällt in eine Zeit, zu der von den Asâṭyr noch nicht die Rede war.

Wenn nicht die einzigen, doch die letzten Verkünder derselben waren die Lehrer des Moḥammad und die Zeugen für ihn (Ḳ. 5, 5). Aus 27, 70 und 23, 83 geht ziemlich deutlich hervor, daſs diese Prediger, wie vor ihnen die Apostel und nach ihnen Moḥammad, behaupteten, das Weltgericht werde bald, sehr bald eintreffen; denn die Heiden widerlegten diese „alte Lüge" (Ḳor. 46, 10) dadurch, daſs sie sagen: obschon dies bereits unsern Vätern gedroht worden, so ist es doch noch nicht eingetreten. Uebrigens beschränkten sich die Asâṭyr nicht darauf, vor dem Gerichte zu warnen, sondern, wie aus dem Zeugnisse der Exegeten, wo sie von Nadhr sprechen, hervorgeht, enthielten sie auch biblische Geschichten, und die Disputanten behaupteten (Ḳ. 8, 31), daſs sie den Ḳorân daraus zusammensetzen könnten.

Da wir keine Nachrichten über diesen Gegenstand besitzen, so müssen wir uns mit Vermuthungen begnügen. Auf die von Baḥyrâ verfaſsten Rollen des Abraham und Moses hat Moḥammad offen verwiesen. Diese Schrift ist also verschieden von den heimlich benutzten Asâṭyr. Da jenes Machwerk wahrscheinlich nur in einem Exemplare vorhanden war, und Moḥammad selbst den neuen Ursprung desselben zugeben muſste und es ihm also wünschenswerth war, daſs es vergessen werde, so war es auch wohl schon vertilgt, als die Heiden von den Asâṭyr zu sprechen anfingen.

Ich glaube, daſs die später von Aḥmad übersetzten abrahamitischen Rollen identisch seien mit dem Buche, welches die Disputanten Asâṭyr nannten. Vieleicht ist dies eine den orthodoxen Christen, welche sich nicht bekehren lieſsen, abgelauschte beschimpfende Benennung. Wir finden ja auch andere Beweise, daſs alle diese Herren ebenso gerne mit gelehrten Brocken aus fremden Sprachen um sich warfen, als der Kapuziner in Wallensteins Lager. Was mich vorzüglich bestimmt, die Asâṭyr für die später von Aḥmad übersetzten abrahamitischen Rollen zu halten, ist der Umstand, daſs Moḥammad um die Zeit als die Asâṭyr zur Sprache kamen, sich offen erklärte, Gott habe ihm befohlen als Ḥanyf der Religion des Abraham zu folgen. Nach der Enthüllung war es auch der einzige Weg, der ihm offen stand, zu erklären, er habe diese Richtung auf Befehl Gottes eingeschlagen.

III. Konnte Moḥammad lesen?

Die Frage, ob Moḥammad lesen und schreiben konnte, hat die moslimischen [1]) und auch die christlichen Gelehrten vielfach beschäftigt. Er selbst läfst Gott sagen Ḳor. 29, 46—47: „Wir haben dir das [im Himmel aufbewahrte] Buch (d. h. den Ḳorân) hinabgesandt — — — ehedem pflegtest du keinerlei [geoffenbartes] Buch zu lesen, noch eines mit deiner rechten Hand zu schreiben.“ Die boshaften Makkaner stellten dies in Abrede und behaupteten, dafs, wenn er auch vor der Offenbarung der frühesten Inspirationen keine biblischen Schriften las, er doch Tag und Nacht damit beschäftigt sei, die Asâṭyr der Alten, welche ihm diktirt werden, aufzuschreiben (Ḳor. 25, 5—6). Er läugnete dieses, antwortet aber nicht darauf, dafs er ja nicht schreiben könne. Seine Nachfolger haben seine Läugnung fortgebildet und behauptet, dafs er des Schreibens unkundig war. Ich besitze nicht die Materialien, die Geschichte dieser Streitfrage verfolgen zu können, aber so viel ist gewifs, dafs sie schon in den ersten Zeiten des Islâms viel zur Sprache kam und die Meinungen getheilt waren. Ḳosṭolâny hat uns die Geschichte einer Disputation aufbewahrt, welche in Spanien stattfand und in welcher der Philosoph Ibn al-Walyd Bâǵy (Avenpace) behauptete, dafs der Prophet lesen und schreiben konnte, aber weder deutlich noch fertig. Die Theologen griffen ihn ob dieser Irrlehre an und nannten ihn einen Ketzer und Atheisten. Ein Dichter sagte:

„Ich will nichts mit einem Menschen zu thun haben, der das ewige Leben um diese Welt verkauft und behauptet, dafs der Prophet geschrieben habe.“

Um dem Streit ein Ende zu machen, versammelte der Landesfürst die Gelehrten zu einer Disputation, in welcher Bâǵy durch seine Gelehrsamkeit den Sieg davon trug. Er sagte nämlich: „Meiner Ansicht wird vom Ḳorân nicht widersprochen, sondern sie beruht auf einem richtigen Verständnifs desselben. Sein Nichtschreibenkönnen wird darin auf die Zeit, ehe ihm der Ḳorân geoffenbart wurde, beschränkt, denn es wird gesagt: „Du lasest kein Buch, noch schriebest du eines mit deiner Hand vor diesem.“ Da nun einerseits feststeht, dafs er ein Ummy war, andererseits aber durch diese Stelle bewiesen wird, dafs ein Wunder an ihm gewirkt wurde, und da kein Grund eines Zweifels gegen seine Sendung vorhanden ist, so steht nichts der Annahme entgegen, dafs er nach der Offenbarung des Ḳorâns

---

[1]) Der sogenannte Schaych mofyd, d. h. Moḥammad b. Moḥammad b. No'mân († 413) schrieb eine Monographie über diesen Gegenstand.

durch übernatürlichen Einfluſs schreiben gelernt habe. Dies wäre also ein zweites Wunder gewesen."

So weit Bâġy. Es ist klar, daſs er den Ḳorânvers in demselben natürlichen Sinne auffaſste, wie wir. Ibn Diḥyà bemerkt, daſs die meisten Gelehrten ihm beistimmten, darunter sein Schaych Abû Dzarr Hirawy, Abû-l-Fatḥ Nayschâpûry und andere ifryḳische Theologen.

Ich muſs nur noch bemerken, daſs der arabische Ausdruck für „lesen" talà ist, und ganz gewiſs „lesen" in unserem Sinne, nicht bloſs vortragen bedeutet. Wenn nun die Worte: „Lies den Ungläubigen dies vor" wieder und wieder vorkommt und stets dasselbe Wort gebraucht wird, so sehe ich nicht ein, warum wir nicht annehmen sollen, daſs er in vielen Fällen seine Offenbarungen wirklich geschrieben vor sich hatte und nicht blos aus dem Gedächtnisse vortrug.

Der Ḳâdhiy Iyâdh führt eine Tradition an, in welcher Moḥammad zu Moʿâwiya sagt: „Lege das Tintenfaſs nieder, schneide den Ḳalam, theile die Striche des Syn und verschlinge das Mym nicht zu sehr"; daraus schlieſst er, daſs Moḥammad nicht nur schreiben konnte, sondern etwas von Kalligraphie verstand.

Mir kommt vor, daſs er den versiegelten Brief, welchen er dem ʿAbd Allah b. Ġaḥsch gab [1]), selbst geschrieben habe. Auſser den bereits genannten Ḳorânstellen beweisen, nach meiner Ansicht, die einzelnen mystischen Buchstaben, welche am Anfange von mehreren Sûren des Ḳorâns stehen, am besten, daſs er schreiben konnte und daſs er schon sehr früh seine Offenbarungen aufzeichnete oder aufzeichnen lieſs. Gewiſs würde es keinem Menschen, der die Buchstaben nicht kennt, einfallen, am Anfange der 19ten Sûra z. B. das Monogramm J. N. R. J. (Jesus Nazarenus Rex Judaeorum) zu setzen.

Der unzweideutigste Fall, in dem Moḥammad zeigte, daſs er schreiben konnte, hätte sich bei Ḥodaybiya zugetragen, wenn nur die Nachrichten darüber einstimmig wären. Er diktirte dem ʿAlyy einen Friedensvertrag mit den Ḳorayschiten, und darin kommen die Worte vor: „Moḥammad der Bote Gottes"; die Heiden protestirten gegen diesen Titel und sagten, wenn wir glaubten, daſs du ein Gesandter Gottes bist, würden wir uns dir unterwerfen. Du bist Moḥammad, der Sohn des ʿAbd Allah. Er befahl nun dem ʿAlyy die anstöſsigen Worte auszustreichen und dafür zu schreiben: Moḥammad b. ʿAbd Allah. ʿAlyy weigerte sich. „Der Prophet nahm nun das Dokument, und obwohl er nicht gut schreiben konnte, schrieb

[1]) Siehe Kap. 18.

er wie folgt: Dieses ist es, wozu sich Moḥammad, der Sohn des 'Abd Allah, verstanden hat: Er will keine Waffen mit nach Makka nehmen etc." Diese Fassung der Tradition rührt von Abû Isḥâḳ her († 129)[1]). Indessen Taymy († 143) erzählt sie anders (Bd. I S. 387), nämlich: der ḳorayschitische Bevollmächtigte hielt den Arm des Schreibers und liefs ihn die anstöfsigen Worte gar nicht schreiben. Diese beiden Gelehrten scheinen also in der Ansicht, ob Moḥammad schreiben konnte, getheilt gewesen zu sein, und Abû Isḥâḳ scheint diesen Fall zur Bestätigung der seinigen vorgebracht zu haben. Dafs schon damals eine Meinungsverschiedenheit über diese Frage obwaltete, geht aus folgender Tradition hervor. Ibn Aby Schayba, von Moǵâlid b. 'Awf b. 'Abd Allah: „Der Prophet starb nicht ohne schreiben zu können. Ich fragte über diesen Punkt den Scha'by und er sagte: die Ansicht ist richtig, ich habe Leute gekannt, die sie ausgesprochen haben." Es waren also schon die Lehrer des Scha'by, welcher A. H. 105 starb, uneinig über diesen Punkt.

Die Scene die sich am Donnerstag, den 4. Juni 632, drei Tage vor Moḥammad's Tode an dessen Krankenlager zutrug, läfst keinen Zweifel übrig, dafs er schreiben konnte, denn hier verlangte er vor einer grofsen Anzahl von Zeugen, wovon einige erst nach der Mitte des ersten Jahrhunderts starben, ein Schreibzeug und eine Rolle, um darauf zu schreiben. Dieses wird uns von vier Augenzeugen berichtet, deren Aussage in verschiedenen Städten von verschiedenen Männern und Parteien aufbewahrt worden ist; und es giebt keine Version dieser Tradition, in der Moḥammad nicht den Wunsch ausdrückt selbst darauf zu schreiben[2]).

---

[1]) Bei Bochâry S. 610 und bei Nasây fol. 508.

[2]) Ibn Sa'd fol. 149 verso giebt folgende Auktoritäten an, welche alle mit einander übereinstimmen:

1. Yaḥyâ b. Ḥammad, von Abû 'Owâna, von Solaymân, d. i. A'masch, von 'Abd Allah b. 'Abd Allah, von Sa'yd b. Ġobayr, von Ibn 'Abbâs, welcher selbst zugegen war.

2. Sofyân b. 'Oyayna, von Solaymân b. Aby Moslim, dem Oheim (châl) des Ibn Aby Naǵyḥ, ebenfalls von Sa'yd b. Ġobayr, von Ibn 'Abbâs (vergl. Bochâry S. 638).

3. Ḥaǵǵâǵ b. Naçyr, von Mâlik b. Mighwal, von Ṭalḥa b. Moçrif, ebenfalls von Sa'yd b. Ġobayr, von Ibn 'Abbâs.

4. Wâḳidy, von Osâma b. Zayd Laythy und Ma'mar b. Râschid, von Zohry, von 'Obayd Allah b. 'Abd Allah b. 'Otba, ebenfalls von Ibn 'Abbâs (vergl. auch Bochâry S. 638).

5. Wâḳidy, von Ibrâhym b. Isma'yl, von Ibn Aby Ḥabyba, von Dawûd b. al-Ḥoçayn, von 'Ikrima, ebenfalls von Ibn 'Abbâs.

6. Moḥammad b. 'Abd Allah Ançâry, von Ḳorra, von b. Châlid Abû Zobayr, von Ġabir b. 'Abd Allah Ançâry, welcher den Moḥammad auf neunzehn Kriegszügen begleitete und nach A. H. 70 in einem Alter von 94 Jahren starb.

Moḥammad's vermeintliche Unkunde des Schreibens wurde schon früh ausgebeutet. Wir lesen im Kitâb alaghâniy Bd. 1 fol. 369, von Ḥasan b. ʿAlyy, von Moḥammad b. Zakariyâ Ghallâby (Ghallâyiy), von Abû Bakr Hodzaly, von ʿIkrima, von Ibn ʿAbbâs:

„ʿAbbâs und Abû Sofyân trafen in Yaman einen Rabbiner, welcher sie in Bezug auf den Propheten fragte. Unter den Fragen war auch die: Kann er schreiben? هل كتب بيده ʿAbbâs sagt: Anfangs wollte ich eine Unwahrheit sagen, denkend, es würde meinen Neffen in den Augen des Rabbiners erheben, wenn ich sagte, daſs er schreiben könne; aber es fiel mir ein, Abû Sofyân würde mich der Lüge strafen und zurechtweisen; ich antwortete daher: Er kann nicht schreiben. Als der Rabbiner dies hörte, war er auſser sich und rief: Die Juden sind verloren, die Juden sind verloren!"

Diejenigen, welche behaupten, Moḥammad sei des Schreibens unkundig gewesen, stützen sich auf die falsche Deutung des Wortes Ummy, weil er sagt, er sei ein Prophet der Ummier und selbst ein Ummier. Sie sagen, es bedeute einen Menschen, der nicht lesen und schreiben kann, während damit im Ḳorân Jedermann bezeichnet wird, der nicht Schriftbesitzer ist. Ummy ist von ummat, Volk abgeleitet und heiſst soviel als das lateinische gentilis [1]). In diesem Sinne sagt Wâḥidy, Asbâb 30, 1: „Es that dem Propheten leid, daſs die Ummier, nämlich die Magier (Perser), über die Schriftbesitzer, nämlich die Griechen, den Sieg davon getragen haben sollten" [2]). Hier steht Ummy überhaupt den Schriftbesitzern gegenüber.

Es wird behauptet, daſs Ummy einen Menschen bezeichne, der zwar lesen, aber nicht schreiben könne. Diese Ansicht gründet sich auf eine falsch verstandene Stelle des Ḳorâns, 2, 73: „Un-

---

7. Wâḳidy, von Ibrâhym b. Yazyd, ebenfalls von Abû Zobayr, von Ġâbir.

8. Ḥafç b. ʿOmar Ġawdhy (Ḥawdhy), von ʿOmar b. Fadhl ʿAbdy, von Noʿaym b. Yazyd, von ʿAlyy b. Aby Ṭâlib.

9. Wâḳidy, von Hischâm b. Saʿd, von Zayd b. Aslam, von seinem Vater, von ʿOmâr b. Chaṭṭâb.

10. Ibn Saʿd, fol. 218, und Moslim, Bd. 2, 457, theilen noch fernere Traditionen über diesen Gegenstand mit, welche auf der Auktorität des ʿOrwâ, von ʿÂyischa, und Ibn Aby Molayka, von ʿÂyischa, beruhen. Diesen zufolge sagte Moḥammad, er wolle ein Dokument zu Gunsten des Abû Bakr schreiben. Der äuſsern Evidenz nach hat ʿÂyischa diesen unwahren Zusatz eingeschaltet. Dies würde von dem Alter der ursprünglichen Tradition zeugen.

[1]) Geiger, S. 27, giebt dem Worte eine der Wahrheit sehr nahe kommende Bedeutung und leitet es richtig von umma, gens, ab. Dennoch hat er, wie es manchesmal dem Scharfsinnigsten begegnet, das Richtige nicht getroffen. Wie mich Herr Kay versichert, heiſst ummy auch im Rabbinischen gentilis. Im christlich-arabischen sagt man ummawy.

[2]) Andere Beweise habe ich in meinem „Life of Moḥammad", S. 100, gegeben.

ter ihnen (den Juden) giebt es auch Ummier, welche nicht das Buch (die Bibel), sondern nur Spekulationen (Amâniy) kennen: ihr Wissen beläuft sich also [nicht auf eine Kenntnifs der göttlichen Offenbarung, sondern] nur auf Vermuthungen. Aber wehe Jenen, welche das Buch (die Bibel) mit ihren Händen schreiben und [von solchen Spekulationen] sagen: Dieses geht von Gott aus.“ Diese Stelle ist auf jede mögliche Weise verdreht worden. So sagt Ibn Isḥâḳ, dafs das Wort, welches ich durch Spekulationen übersetze und welches auch in andern Stellen des Ḳorâns in diesem Sinne vorkommt, „Leser“ heifse. Der Sinn der Stelle wäre demnach, da al-Kitâb auch „Schreiben“ heifst: „Es giebt Ummier unter ihnen, welche nicht schreiben können, sondern nur Leser sind.“ Der Sinn der Stelle hängt, wie man sieht, von der Bedeutung von Amâniy (Sing. omnyya) ab. Ich habe das Wort schon oben S. 25 erklärt. Farrâ, † 207, giebt bei Baghawy eine ähnliche Erklärung wie ich von amâniy, indem er es für gleichbedeutend mit احاديث مفتعلة „erfundene Sagen“ hält. Etwas weiter entfernt sich die Erklärung des Abû 'Obayda: „etwas auswendig, ohne Buch Vorgetragenes.“ Ummy wird von dem erstgenannten Philologen erklärt: الاميون هم العرب الذين لم يكن لهم كتاب „Ummier werden die Araber genannt, weil sie keine [geoffenbarte] Schrift besafsen,

Vierzehntes Kapitel.

Theologische Streite in Makka.

Die neuern Geschichtschreiber, welche sich mit Moḥammad beschäftigt haben, sind viel zu sehr an dem vorurtheilsvollen Standpunkte der Gläubigen kleben geblieben, und obwohl sie ihm das Prophetenthum absprechen, so hat er doch auch nach ihrer Darstellung Uebermenschliches geleistet. Wie ein Herr Professor mit seinen Collegienheften, fertig ausgearbeitet, auf das Katheder steigt, so auch, glauben sie, sei er mit einem wohl durchdachten Plane, den sittlichen Zustand seiner Nation zu verbessern, aufgetreten und habe ihn durch die Macht seines Genies durchgeführt.

In unserer Zeit müssen selbst Autokraten ihr Programm von Zeit zu Zeit den Umständen gemäfs abändern; Männer des Volkes fühlten schon von Alters her, dafs das Führen in den meisten Fällen darin bestehe, dafs man dem Strome voraus eile und etwaige Hindernisse aus dem Wege räume, nicht aber dafs man auf die Seite gehe und ihn vorüberfliefsen lasse. Hätte sich Moḥammad mit strenger Consequenz an ein starres System gehalten, so wäre er so weit gekommen, als die Weisen in der Paulskirche; wäre er aber damit durchgedrungen, so müfsten wir anerkennen, dafs er wirklich ein Werkzeug Gottes gewesen und das gröfste Wunder vollbracht habe. Die ungläubigen Zeitgenossen des Propheten kommen bei einer solchen Auffassung der Geschichte schlecht weg und sind nicht einen Deut besser, als die hartnäckigen Juden, wie sie in der

Bibel geschildert werden; auch die Araber wollten aus purer Dummheit und Schlechtigkeit die wohlgemeinten Rathschläge des Reformators nicht annehmen und liefsen es bei rohen Schmähungen bewenden, konnten sich aber nie zu jener Höhe erschwingen, seine Orakel zu begreifen, geschweige denn sie zu widerlegen.

Das Genie, den Eifer und die Ausdauer des Moḥammad wird Niemand läugnen; aber auch unter seinen Gegnern gab es Männer, welche, wie der Dichter Omayya b. Aby-l-Çalt, ungewöhnliche Talente besafsen, die Wahrheit eifrig suchten und auf weiten Reisen Erfahrungen und selbst einige Bildung gewonnen hatten. Aufserdem durften sie sich nicht scheuen, bei Juden oder Christen Rath zu suchen [1]), und sie besafsen die Mittel, sich solchen zu erkaufen, während der Prophet sich des Beistandes der Schriftbesitzer nur mit der gröfsten Vorsicht bedienen konnte. Sie waren also jedenfalls gerechtfertigt, wenn sie sich ihm gegenüber, wie es in Ḳor. 40, 83 heifst, viel auf ihre Kenntnisse einbildeten.

Bisher haben wir vorzüglich die äufsern Mittel betrachtet, welche die Aristokraten anwendeten, um den jungen Islâm zu ersticken. Der Polizeistock und ihm analoge Beweisgründe sind bei entarteten Nationen in der Politik wie in religiösen Dingen nicht nur genügend, um die Ueberzeugung des Volkes umzugestalten, sondern sogar um einen Enthusiasmus für die Ansichten des Drängers zu erwecken. So ist denn auch der Deutschkatholicismus dem Pietismus gewichen. Bei rechtschaffenen Männern und gesunden Völkern haben sie oft den entgegengesetzten Einflufs. Die Aristokraten von Makka sahen daher die Nothwendigkeit ein, Vernunftgründe gegen Moḥammad anzu-

---

[1]) Wir haben Traditionen, in denen gesagt wird, auf die Einladung der Ḳorayschiten kamen Juden von Madyna, um den Moḥammad zu widerlegen. Die Thatsache wird aber am sichersten durch Ḳor. 27, 78. 93 festgestellt.

wenden, und es bildete sich allmählig unter ihnen eine Sektion von Polemikern, welcher sich geistreiche Männer, wenn sie auch nicht zu ihrer Kaste gehörten, beigesellten und welche bemüht war, den Moḥammad zu widerlegen und ihn mit seinen eigenen Waffen schlagen. Diese Partei übte, wie er Ḳ. 25, 35 selbst zugiebt, einen sehr grofsen Einflufs auf die Entwicklung seiner Lehre. Das Gesetz der Schwere nöthiget den Flufs von der Höhe der Alpen dem Meere zuzueilen; aber hier ein Fels und dort ein Baum haben ihn aus der geraden Bahn gebracht, und er macht hunderte von Windungen und Umwege, ehe er sein Ziel erreicht. So ging es auch der Lehre des Moḥammad, und so geht es jeder Idee, wenn sie in die Erscheinung, in das Reich des Zufalls tritt. Die Hauptgrundsätze des Islâms waren ein Bedürfnifs der Zeit, etwas Gegebenes — Göttliches. Aber Einwürfe der Gegner und erbärmliche Rücksichten des Stifters haben den Gang ihrer Entwicklung krumm und windend, das Göttliche menschlich gemacht, und ein grofser Theil des Ḳorâns beschäftiget sich mit Antworten auf die Fragen der Widersacher und mit der Lösung von Complicationen, die aus den eigenen Verirrungen des Gottgesandten und seiner Rückkehr zum geraden Weg hervorgegangen sind.

In der Verfolgung dieser Episoden besteht auch das Interesse der Geschichte des Entstehens des Islâms. Wer sich mit dem Endresultate allein begnügt, gleicht den alten Geographen, welche Berge und Flüsse, Meeresufer und Thäler durch gerade Linien darstellten. Es ist nicht das Denouement — sondern die Verwicklungen, was den Reiz des Romans und der Komödie bildet, und was in der Geschichte dem Manne der That einen Wirkungskreis bietet. Um die Windungen im Laufe des jungen Islâms beurtheilen zu können, ist es also vor Allem nöthig, die Hindernisse zu kennen, welche sie verursachten.

Der vorzüglichste Gönner der polemischen Partei war der reiche Walyd b. Moghyra. Auch viele von den übrigen Aristokraten ermunterten sie und nahmen an ihren Kämpfen einen lebhaften Antheil.

Unter den Kämpfern wird uns Nadhr b. Ḥârith, ein Bruder der Banû 'Abd al-Dâr, als der bedeutendste geschildert. Aufser ihm werden genannt: Abû Bachtary b. Hischâm, Ibn Zi'bary Sahmy, Aswad b. 'Abd Yâghûth, Zama'a b. Aswad, 'Adyy b. Raby'a Zohry, Achnas b. Scharyḳ, 'Abd al-Raḥmân, der Sohn des Abû Bakr, und 'Âç b. Wâyil b. Hischâm b. So'ayd b. Sahm.

Der wichtigste aber war Omayya b. Aby-l-Çalt. Wir haben bereits im ersten Kapitel eine Korânstelle angeführt, welche gegen ihn gerichtet ist.

Diese Männer haben schon früh die Anmafsungen des Propheten lächerlich gemacht und widerlegt, aber erst um das Jahr 617 scheinen sie mit Ernst eine systematische Polemik angefangen zu haben, und sie dauerte fast bis zur Flucht fort. Anfangs, wie wir aus folgender Korânstelle ersehen, begnügten sie sich damit, in allgemeinen Ausdrücken in Abrede zu stellen, dafs er ein Bote Gottes sei. Allmählig fanden sie es zweckmäfsig, in Einzelheiten einzugehen.

23, 32. Nach ihnen liefsen wir ein anderes Geschlecht erwachsen

33. und sandten zu ihnen einen Boten aus ihrer Mitte mit dem Auftrage: Dienet Allah, denn ihr habt keinen Gott aufser ihm, fürchtet ihr euch nicht?

34. Die Malâ seines Volkes, nämlich diejenigen, welche ungläubig waren und das jenseitige Zusammentreffen mit Gott in Abrede stellten, und diejenigen, welchen wir in diesem Erdenleben Wohlstand verliehen haben, sagten: Er ist nichts Anderes als ein Mensch wie ihr, und er ifst, was ihr esset,

35. und trinkt, was ihr trinket.

36. Wenn ihr einem Menschen, wie ihr selbst seid, folget, so macht ihr ein schlechtes Geschäft.

37. Wie, er sagt euch gar voraus, dafs, wenn ihr todt, Staub und Gerippe seid, wieder auferweckt werdet!

38. Ei, ei, was man euch vorschwatzt!

39. Es giebt kein Leben als dieses Erdenleben. Wir sterben, wir leben, aber wir werden nicht auferweckt werden.

40. Er ist nichts weiter als ein Mann, welcher auf Allah Lügen erfindet, und wir glauben nicht an ihn.

41. Der Bote schrie: Herr, stehe mir bei in der Angelegenheit, in der sie mich Lügen strafen!

42. Der Herr antwortete: Bald werden sie es eines Morgens bereuen.

43. Und es ergriff sie der Ruf voll Wirklichkeit und wie weggeschwemmte Spreu lagen sie da. Fort mit dem Volke der Ungerechten!

44. Nach ihnen liefsen wir ein anderes Geschlecht erwachsen.

45. Kein Volk läuft seinem Ziele vor, noch bleibt es dahinter zurück.

46. Dann sandten wir eine Reihe von Boten, aber so oft ein Bote zu seinem Volke kam, hiefsen sie ihn einen Lügner. Wir liefsen ein Volk dem andern folgen. Wir liefsen ihre Geschichte zur Volkssage (d. h. zum abschrekkenden Beispiel) werden. Fort mit einem ungläubigen Volke!

47. Dann sandten wir den Moses mit seinem Bruder Aaron etc.

Ungefähr um das Jahr 620 vermehrten sich die Kräfte der Disputanten durch den Beitritt des ʿAbd Allah b. Aby Sarḥ. Ich übersetze seine Geschichte aus Wâḥidy [1]):

---

[1]) ʿAbd Allah b. Saʿd b. Aby Sarḥ b. al-Ḥârith b. Ḥobayb b. Ḥodzâfa [b. Naçr] b. Mâlik b. Ḥisl b. ʿÂmir b. Lowayy wurde von seiner Mutter Molḥâna bint Ǵâbir in der Poesie unterrichtet. Al-Ḥâkim von Soddyy, von Moçʿab b. Saʿd, von seinem Vater: Als der Prophet Makka eroberte, gab er im Allgemeinen Amnestie, von der jedoch vier Personen ausgenommen waren: ʿIkrima, Ibn Chaṭal, Miḳyas b. Çobâba und Ibn Aby Sarḥ. Der letztere wurde von ʿOth-

»'Abd Allah, sagt er, bekannte den Islâm. Eines Tages liefs ihn der Prophet zu sich rufen und diktirte ihm eine Offenbarung, welche er eben erhalten hatte. Sie steht in Sûra 23 und fängt an:

12. Zuerst haben wir den Menschen aus Thonessenz gebildet,

13. dann haben wir sie in der Form von Saamen in ein geschütztes Lager (den Mutterleib) gelegt;

14. dann haben wir den Saamen in einen Blutklumpen umgestaltet und den Blutklumpen haben wir in eine fleischige Masse und die fleischige Masse in Knochen verwandelt, und die Knochen haben wir mit Fleisch bekleidet. Darauf (nach Vollendung des Foetus-Lebens) haben wir ihn in einer andern Gestalt erwachsen lassen. Gesegnet sei Allah, der beste der Schöpfer!

15. Dann werdet ihr dereinst sterben,

16. und dann werdet ihr am Tage der Auferstehung auferweckt werden.

Dem 'Abd Allah gefiel diese Beschreibung der Entstehungsgeschichte des Menschen, und als Moḥammad den Vers 14 diktirte [und um einen Reim verlegen war], setzte

---

mân verborgen, dann kam er zu dem Propheten als dieser den Huldigungseid von den Makkanern empfing, legte seine Hand in die des Propheten zur Huldigung, welcher sie auch annahm, nachdem er die Huldigung von drei Personen empfangen hatte. Indessen Moḥammad blickte noch erst vorher um sich, ob nicht einer seiner Gefährten aufstehen und ihn erschlagen würde.

Yazyd Naḥawy, von 'Ikrima, von Ibn 'Abbâs:

„Ibn Aby Sarḥ pflegte für den Propheten zu schreiben, aber der Teufel liefs ihn ausglitschen und er begab sich zu den Ungläubigen: der Prophet nahm ihn von der Amnestie aus.“

Ibn Sa d, von Ibn Mosayyab:

„Einer der Ançâr (nämlich 'Abbâd b. Bischr) hatte ein Gelübde gethan, den Ibn Aby Sarḥ zu tödten, wenn er ihn sehen sollte.“

Im egyptischen Eroberungskriege kommandirte Ibn Aby Sarḥ den rechten Flügel. 'Othmân machte ihn zum Gouverneur von Egypten. In dem Bürgerkriege blieb er ruhig zu 'Asḳalân ohne Partei zu ergreifen und starb daselbst A. H. 30.

jener die Worte hinzu: Gesegnet sei Allah, der beste der Schöpfer! Der Prophet versetzte: Dies sind gerade die Worte, welche mir Gott geoffenbart hat. Dieses erregte Zweifel in ʿAbd Allah gegen Moḥammad's Inspirationen und er sagte: »Wenn Moḥammad die Wahrheit spricht, so habe auch ich eine Offenbarung erhalten so gut wie er, und wenn er lügt, so habe ich so gut gesprochen als er«, und er fiel vom Islâm ab.

Wir haben andere Versionen dieser Tradition [1]), welchen zufolge ʿAbd Allah absichtliche Veränderungen machte, um den Propheten zu probiren. Es unterliegt also keinem Zweifel, daſs schon früh geringfügige Ungenauigkeiten in der Redaktion der Offenbarungen als Grund des Abfalles dieses Mannes angegeben wurden; weiter unten aber werden wir sehen, daſs die Zweifel in ʿAbd Allah durch die gelehrten Juden angeregt wurden, welche nach Makka kamen, um die Ḳorayschiten in ihrer Controverse zu unterstützen.

---

[1]) Ibn Ġaryr, von ʿIkrima, in einer Randglosse zu Wâḥidy, aus der Irschâd:

„ʿAbd Allah b. Saʿd b. Aby Sarḥ pflegte für den Propheten zu schreiben. Dieser diktirte ihm: Er ist erhaben und weise. ʿAbd Allah aber schrieb nieder: Er ist vergebend und barmherzig. Dann las er dem Propheten vor, was er geschrieben hatte, und er sagte: Ja, das ist ganz richtig. ʿAbd Allah verlieſs darauf den Islâm und begab sich zu den Ḳorayschiten (der Erzähler bildet sich ein, daſs dies zu Madyna geschehen sei!) und sprach: Wenn Moḥammad eine Offenbarung erhalten hat, habe ich auch eine Offenbarung erhalten etc.“ Aus den Bemerkungen des Baghawy zu Ḳor. 6, 93 geht hervor, daſs ʿAbd Allah den Propheten bei dieser, bei der im Text erwähnten und auch bei andern Gelegenheiten versucht habe. Seine Zweifel scheinen aber durch den Streit über die verbotenen Speisen angeregt worden zu sein; deswegen richtet sich auch Moḥammad in zwei auf diesen Streit bezüglichen Offenbarungen an seine wankenden Anhänger.

I. Mohammad wird als Besessener verschrien.

Vor allem suchten die Gegner, indem sie von allgemeinen Beschimpfungen zu Einzelheiten fortschritten, dem Volke einen richtigen Begriff von Moḥammad's Krankheitszustand zu geben. Da er sich selbst für einen Maǵnûn gehalten hatte, wendeten auch sie diese Benennung auf ihn an. Es ist schon zu wiederholten Malen gesagt worden, dafs dieser Ausdruck so viel bedeute als von einem oder mehreren Ġinn besessen, und es kommt auch statt dessen im Ḳorân (34, 8. 23, 74. vergl. 23, 25) vor: Es ist ein Ġinn in ihm; ich habe daher maǵnûn mit beǵinnt übersetzt. Es entspricht dem lateinischen Daemoniacus, nur unterscheiden sich die Vorstellungen in dem Maafse, in dem sich die Araber ihre Ġinn anders vorstellten, als die lateinischen Völker ihre Dämone. Ueber diese Gebilde der Phantasie hat jedes Volk seine eigenen Begriffe und jede Religion, sobald sie siegreich wird, degradirt die Genien ihrer Vorgängerin zu Teufeln und setzt ihre eigenen guten Geister an ihre Stelle.

Einige Ġinn standen nun allerdings sehr hoch in der Meinung der Araber, allein wenn ein Wahnsinniger raste und tobte, konnte man doch nicht das Wirken eines guten Geistes in ihm erblicken. Es gab unter ihnen wie bei uns Entzückte und Besessene. Wenn auch jedes Volk hergebrachte Ansichten über die Geisterwelt hat, so entwickelt sich doch in jedem Orte, in welchem sich ein Gemüthskranker bemerkbar macht, erst nach seinem Auftreten eine bestimmte Theorie über seinen Zustand. Es giebt aber einige allgemeine Regeln: das Wunderbare tritt in dem Maafse zurück, in dem die Leute mit der betreffenden Person bekannt werden, die höheren Klassen beurtheilen solche Excentricitäten (ausgenommen wenn sie eine Krankheit darin erblicken) liebloser als der Pöbel und finden auch den bei Schwärmern selten fehlenden Betrug heraus, ja sie schreiben weit mehr dem Betruge zu, als billig ist. Die Makkaner machten keine Ausnahme von diesen Regeln und stellten jeden Tag eine neue Theorie auf. Anfangs behaupteten sie, dafs er besessen und ein Kâhin sei (Korân 52, 29), aber nicht einer von der guten Sorte, sondern dafs die Teufel aus ihm sprächen (Kor. 26, 221). Er berief sich auf den Inhalt des Korâns, sie aber antworteten ihm: Du bist ein abgerichteter Narr (Kor. 44, 13), der die Lehren Anderer nachplappert. Darauf erwiderte er, dafs seine vorgeblichen Lehrer nicht arabisch genug wüfsten, um für die Verfasser des Korâns gelten zu können (K. 16, 105). Sie gaben zu, dafs die Form allerdings sein eigenes Werk sei, das Ganze aber hielten sie für eine überspannte Poesie und die Schöpfung eines wahnwitzigen Menschen (Kor. 37, 35. 44, 13. 26, 221). Die Antwort, welche er darauf gab, ist sehr matt. Er läfst Gott durch einen Schwur betheuern:

69, 38. Ich brauche nicht zu schwören bei dem, was ihr sehet,

39. noch bei dem, was ihr nicht sehet:

40. Dieses sind wahrlich die Worte eines edlen Propheten

41. und nicht die Worte eines Poeten — es fehlt euch an des Glaubens Regung;

42. auch nicht die Worte eines Kâhin — ihr habt wenig Ueberlegung! —

43. Ein Erlafs ist es vom Herrn der Welten.

44. Und wenn unser Bote uns irgend welches Geschwätz andichtete,

45. würden wir ihn bei der Rechten nehmen

46. und die Herzader durchschneiden

47. und Niemand von euch könnte ihn schützen.

48. Nein, [dies ist nicht Geschwätz, sondern] eine Warnung für die Frommen.

49. Wir wissen wohl, dafs es Leute unter euch giebt, welche sie für eine Lüge erklären.

50. Die Läugner sind deshalb nur zu bedauern,
51. denn diese Offenbarung ist die gewisse Wahrheit.
52. Lobpreise daher den Namen deines Herrn, des Grofsen!

Während einige ihn für einen Betrüger und Charlatan (Sâḥir) zu verschreien fortfuhren (Ḳor. 51, 52), gaben andere dem Worte magnûn die schreckliche Bedeutung, die bei uns toll, wahnsinnig hat (Ḳor. 54, 9) und beantragten, dafs er unter Aufsicht gestellt werde. Er antwortete, dafs man dem Moses und Noah dasselbe nachgesagt habe:

23, 24. Die Malâ, welche unter seinem Volke ungläubig war, sagte: Der dort ist weiter nichts als ein Mensch wie ihr. Er will vor euch bevorzugt sein. Wenn es Gott gefiele, so würde er Engel (als Boten) schicken. Wir haben von nichts der Art unter unsern Vorvätern gehört.

25. Er ist weiter nichts als ein Mensch, in dem ein Ginn ist. Beobachtet ihn einige Zeit.

26. Er sprach: Herr, mache mich siegreich ihrer Beschuldigung wegen;

27. und wir offenbarten ihm: Baue die Arche (vergl. Ḳor. 54, 9. 51, 52).

Moḥammad befand sich damals in einer Lage, die, wenn sie nicht gerade trostlos war, doch für einen nüchternen Beobachter keine schöne Zukunft versprach. Die äufsern Verhältnisse konnten daher nur einen deprimirenden Eindruck auf sein Gemüth machen. Aufserdem bedenke man bei der Beurtheilung das Peinliche, welches solche Vorwürfe für ihn haben mufsten, und dafs im unaufhörlichen Ebben und Fluthen des Gemüthes hysterischer Personen die gehobene Stimmung nur kurze Zeit dauert, im Vergleiche zu den Paroxismen der an Verzweiflung streifenden Kleinmüthigkeit. Häufig bezweifelte er auch selbst seine Mission, und wenn er sich dann von seiner gedrückten Stimmung erholte, liefs er sich von Gott zurufen: Du bist wirklich ein Prophet, sei nicht einer der Zweifler! und er liefs sich zum Gebet ermuntern. Der Vorwurf der Besessenheit fiel glücklicher Weise in eine Zeit, wo er es wagen durfte zu trotzen; daher ergriff er, statt sich auf die Vertheidigung zu beschränken, die Offensive und brandmarkte einen seiner Feinde als besessen:

26, 221. Soll ich berichten, auf wen die Teufel sich niederlassen?

222. Sie lassen sich nieder auf jenen Verläumder und Sünder,

223. sie geben ihm das Erhorchte ein, doch die meisten sind Lügner.

224. Die Poeten aber sind Leute, welchen die Irrenden folgen.

225. Siehst du nicht, dafs sie in jedem Thale (Fache) herumirren

226. und dafs sie Dinge sagen, die sie nicht thun?

Ich glaube, dafs diese Stelle gegen den Dichter Omayya b. Aby-l-Çalt gerichtet ist.

II. Wunder.

Ganz für das Wohl der Menschheit zu leben, ist eine hohe Bestimmung und dabei ein erträgliches Gewerbe. Anfangs jedoch haben Diejenigen, welche Beruf dazu fühlen, vorausgesetzt, dafs sie nicht von Gottes Gnaden dazu geboren sind, gegen manche gemeine Vorurtheile zu kämpfen. Moḥammad fühlte dieses, und obschon seine Absichten so lauter waren wie die anderer Reformatoren und Demagogen, so fand er es doch mehrere Male nothwendig zu betheuern, dafs er keinen Lohn für sein Predigen erwarte. Mit jener Bescheidenheit, welche in jeder Religion von wahrer Gottesfurcht untrennbar ist, fügte er zwar bisweilen hinzu, dafs ihm seine Stammgenossen gehorchen sollen. Dieses kleine Opfer erwarte er aber nicht umsonst, sondern er wolle es auf das Freigiebigste mit Anweisungen auf die Genüsse des Paradieses bezahlen. Nur heidnische Unempfänglichkeit für göttliche Ideen konnte die Makkaner veranlassen, äufsere Beweise für eine Lehre zu fordern, die, wie Mohammad glaubte, keiner bedarf und an und für sich ein Wunder ist.

Wir wissen, dafs, wie das Bekenntnifs auch immer heifsen mag, der wahre seeligmachende Glaube darin bestehe, dafs man sich des Forschens und Klügelns enthalte, und wir können daher die Haltung der Makkaner unmöglich für fromm erklären. Aber es läfst sich doch auch Vieles zu ihrer Vertheidigung sagen. Mohammad erzählte ihnen gern von den alten Propheten und den Wundern, die sie gewirkt haben, und betheuerte darauf, dafs auch er ein Prophet sei; was war natürlicher, als dafs sie auch von ihm Wunder erwarteten. Am liebsten hätten sie es gesehen, wenn er das Thal von Makka durch die Versetzung der Berge weiter gemacht, aus dem Boden Quellen hervorgerufen und es mit Feldern und Obstbäumen bedeckt hätte. Sollte aber dieser Wunsch zu selbstsüchtig erscheinen, so wollten sie sich zufriedenstellen, wenn Gott bei hellem Tage durch zwei Engel das Buch auf seinen Boten herabsandte[1]). Nach Mohammad's Begriffen von Gott und Offenbarung waren diese Forderungen ganz gerechtfertigt, und wenn wir die Wunder, die schon vor ihm geschehen sind, berücksichtigen, so können wir sie auch nicht trivial heifsen. Was man mir auch immer von der Macht religiöser Begeisterung, edlem Enthusiasmus und unverschuldeter Selbsttäuschung sagen mag — und dem Mohammad fehlte es gewifs nicht an diesen Eigenschaften — so glaube ich doch dafs eine eherne Stime dazu gehörte, ohne diesen Bedindingungen genügen zu können, das Prophetenamt fortzusetzen[2]).

---

[1]) Aus Kor. 35, 21 geht hervor, dafs eines der Wunder, welche sie gerne gesehen hätten, war, dafs er mit den Todten spräche. Eine ausführliche Antwort auf dieses Verlangen steht in Sûra 34.

[2]) Folgende Inspiration, welche seine Verzweiflung über seine

»Die Ḳorayschiten, berichtet die Tradition [1]), sprachen mit dem Propheten und sagten: Du erzählst uns, daſs Moses einen Stab hatte, mit dem er auf den Felsen schlug, und es sprudelten zwölf Quellen hervor, daſs Jesus die Todten erweckt und daſs für die Thamûdäer eine Kameelin hervorgebracht wurde. Wirke ein solches Wunder und wir wollen dir glauben. Er sprach: Was für ein Wunder wünscht ihr? Sie antworteten: Verwandle den Hügel von Çafâ in Gold. Er sagte: Sehr gut, ich will es thun. Darauf rief er den Gabriel. Dieser aber sprach: Wenn du willst, so soll der Çafâ zu Gold werden. Aber warum soll

---

Ohnmacht, Wunder zu thun, und zugleich seinen Glauben und seine Verblendung ausspricht, ist von psychologischem Interesse:

6, 32. Dieses Erdenleben ist weiter nichts als Tand und Spiel, das jenseitige Leben ist besser für Diejenigen, welche Gott fürchten. — Sehen sie das nicht ein?

33. Wir wissen wohl, daſs das, was sie sagen, dich betrübet. Aber sie strafen nicht dich der Lüge, sondern die Ungerechten läugnen die Zeichen Allah's [die er in dir wirkt].

34. Schon vor dir sind manche Boten als Lügner verschrien worden, sie aber haben es ertragen mit Geduld wie sie auch immer der Lüge beschuldigt und gequält wurden, bis endlich unsere Hülfe kam. Gottes Worte (Weissagungen) sind keiner Veränderung unterworfen [und auch du wirst Beistand finden]. Wir haben dir ja schon die Geschichte der Gottgesandten erzählt.

35. Wenn dir ihr Sichfernhalten von dir unerträglich ist, nun wohlan! wenn es dir möglich ist, ein Loch in die Erde oder eine Leiter zum Himmel zu finden und sie durch ein solches Wunder zu bekehren, so thue es. Allein wenn es Gott so wollte, so würde er sie [auch ohne Wunder] alle auf den rechten Weg versammeln. Sei also nicht auch du einer der Unwissenden!

36. Die Hörenden folgen deinem Rufe; die Todten (Ungläubigen), aber wird Allah auferwecken und dann müssen sie vor seinem Richterstuhl erscheinen.

37. Sie sagten: Warum erhält er keine Zeichen von seinem Herrn? Antworte: Allah ist im Stande ein Zeichen herabzusenden. Doch die meisten von ihnen wissen dies nicht.

[1]) Wâḥidy, 6, 109, von Abû Ma'schar, von Moḥammad b. Ka'b Ḳoraẓy.

ein Zeichen gewirkt werden? sie glauben doch nicht daran, und dann folgt [augenblicklich] die Strafe (die Vertilgung aller Einwohner). Es ist besser, du wartest ab, bis sich Diejenigen, welche sich bekehren wollen, bekehrt haben. Moḥammad erwiderte: Ich will abwarten, und darauf offenbarte Gott Ḳor. 6, 109.«

6, 124. So oft ihnen ein Zeichen (eine Offenbarung) gebracht wird, sagen sie: Wir werden nie und nimmer glauben, wenn dir nicht etwas Aehnliches gegeben wird, wie den Boten Gottes gegeben wurde.

Unter dieser Bedingung aber versprachen sie feierlich zu glauben [1]):

---

[1]) Die Tradition stellt den Hergang sehr anschaulich dar, so Wâḥidy, Asbâb 17, 92, von ʿIkrima, von Ibn ʿAbbâs:

„Otba, Schayba, Abû Sofyân, Nadhr, Abû-l-Bachtary, al-Walyd b. al-Moghyra, Abû Ġahl, ʿAbd Allah b. Aby Omayya, Omayya b. Chalaf und andere ḳorayschitische Häuptlinge versammelten sich eines Tages hinter der Kaʿba und sagten zu einander: Sendet Jemand zu Moḥammad, dafs er zu uns komme, wir wollen mit ihm disputiren, damit wir einmal mit ihm in's Klare kommen. Er eilte bereitwillig zu ihnen, von dem lang gehegten Wunsche beseelt, dafs sie endlich die Wahrheit einsehen würden. Sie sprachen zu ihm: Wir haben von keinem Araber gehört, dafs er solches unter seinem Stamme eingeführt hat wie du. Du tadelst unsere Väter, lästerst unsern Glauben, erklärst uns für Thoren, verhöhnst unsere Götter und stiftest Zwietracht unter uns. Es giebt kein Uebel, das du nicht verursacht hast. Wenn der Zweck deiner Neuerungen der ist, Reichthümer zu erwerben, wollen wir sie dir geben und du sollst der reichste Mann unter uns sein. Wenn du durch deine Neuerungen nach Rang strebst, so wollen wir dich zu unserm Sayyid machen. Wenn du Herrschaft bezweckst, wollen wir dich als König ausrufen. Wenn dich aber ein Ġinn (Dämon) plagt, so wollen wir Geldausgaben nicht scheuen und Mittel zu finden streben, welche dir Heilung verschaffen, und wenn nichts hilft, so wollen wir dein Gebrechen entschuldigen. Der Prophet antwortete: Ich bezwecke nichts von dem, was ihr nennet, weder Reichthum, noch Rang, noch Herrschaft, sondern Allah hat mich zu euch als Boten gesandt, er hat mir ein Buch geoffenbart und befohlen, dafs ich euch ermuntern und warnen soll. Ich habe euch die Botschaft meines Herrn überbracht

6, 109. Sie haben den stärksten ihrer Eide, nämlich bei Allah, geschworen, dafs, wenn ihnen ein Zeichen würde, sie glauben wollen.

Die Moslime haben eine Eintheilung und technische Benennungen für Wunder aufgestellt, welche dem Moḥam-

---

und meinen Rath gegeben. Wenn ihr meine Lehre annehmet, so ist es zu eurer Seligkeit in dieser und in der nächsten Welt; wenn ihr sie aber von euch stofset, so erwarte ich geduldig den Befehl Gottes. Er wird zwischen mir und euch richten. Sie erwiderten: Wenn du unsere Anerbieten nicht annimmst, so machen wir einen andern Vorschlag: Du siehst, unser Thal ist eng, wir sind arm und leiden grofsen Wassermangel: wir führen ein hartes Leben. Bitte deinen Herrn, der dich gesandt hat, dafs er diesen Bergen, welche uns beengen, wegzugehen befehle, dafs er unser Land weit mache und von Flüssen durchströmt werden lasse, wie 'Irâḳ und Syrien. Bitte ihn, dafs er unsere Väter, besonders aber den Ḳoçayy, wieder erwecke, und wir wollen uns bei ihnen Rath holen über deine Lehre. Wenn du das thust, so glauben wir an dich. Der Prophet antwortete: Das was ihr verlangt, ist nicht meine Mission. Ich habe euch bereits die Botschaft, mit der ich beauftragt bin, ausgerichtet. Wenn ihr sie annehmet, so ist es zu eurem Heil in dieser Welt und in der nächsten. Sie fuhren fort: Wohlan denn, wenn du das nicht thun willst, so bitte deinen Herrn, dafs er einen Engel sende, welcher Zeugnifs für dich ablege, dafs er dir Gärten und Schätze gebe und ein Schlofs von Gold und Silber, damit du nicht mehr auf die Märkte zu ziehen brauchst, um deinen Unterhalt zu erwerben. Moḥammad antwortete: Ich werde niemals meinen Herrn um Solches bitten, noch ist dieses meine Mission. Ich bin als Prediger und Warner zu euch gesandt worden. Sie fielen ihm in das Wort: Wenn du ein Warner bist, so lasse den Himmel auf uns herabstürzen, wie du glaubst, dafs dein Herr thun wird, wenn es ihm gefällt. Er antwortete: Das steht bei Gott, wenn es ihm gefällt, so wird er es thun. Einer von ihnen sagte: Wir glauben nicht an dich bis du Allah und die Engel zu uns herabbringst. 'Abd Allah b. Aby Omayya Machzûmy und der Sohn der Tante des Propheten, der 'Âtika, einer Tochter des 'Abd al-Moṭṭalib, sagte: Wir glauben dir nicht, bis du vor unsern Augen auf einer Leiter zum Himmel empor steigst und uns ein offenes Exemplar [den Ḳorân] mitbringst, begleitet von einigen Engeln, welche Zeugnifs für dich ablegen. Der Prophet kehrte darauf betrübt, ihres Unglaubens wegen, zu den Seinen zurück, und Gott offenbarte ihm Sûra 17, 92."

mad unbekannt waren. »Karâma (Verherrlichung) bedeutet eine Erscheinung, welche nicht im Laufe der Dinge liegt und zu Gunsten einer Person gewirkt wird, welche keinen Anspruch auf das Prophetenthum hat. Wenn ein solches Ereignifs nicht in Folge des Glaubens und guter Werke geschieht, so heifst man es etwas Unerklärliches [1]), wenn aber dadurch der Anspruch auf das Prophetenthum begründet wird, nennt man es Mu'ǵiza (das Unerreichbare).« Der Verfasser will sagen: Die Wunder der Propheten werden Mu'ǵiza und die Wunder, die Gott zu Gunsten der Heiligen wirkt, werden Karâma genannt, andere aufserordentliche Erscheinungen sind keine Wunder, sondern blofs unerklärliche Dinge.

Im Ḳorân stehen Bayyina, Erleuchtung, und Ayah für Wunder. Letzteres Wort bedeutet ursprünglich Zeichen. Es heifst in Ḳor. 26, 128: »Die 'Âditen bauten ein Zeichen auf jedem erhabenen Ort.« Diese Zeichen waren zur Leitung der Karawane in der Wüste bestimmt, wie unsere Leuchtthürme für die Seefahrer [2]). Ich glaube nicht, dafs Ayah unter den heidnischen Arabern vor Moḥammad in einer andern Bedeutung üblich war: Wunder sind erst von ihm Zeichen genannt worden, und er ist hierin dem Sprach-

---

[1]) Im Original: Istidrâǵ. Es wird in den Wörterbüchern mit Täuschung übersetzt. Eigentlich bedeutet es den Feind in einen Hinterhalt locken (Ḳor. 7, 181); wenn ihm aber die Bedeutung von „Täuschung“ gegeben wird, so schwebte dem Sprachbewufstsein darǵ, madraǵa als Stammwort vor. Diese zwei Wörter bedeuten: auf dickem Papier geschriebene Proben von Kalligraphie oder Zeichnungen, welche wie auf Leinwand aufgezogene Land- oder Musterkarten zusammengelegt werden, so dafs sie gleichsam Stufen, daraǵat, bilden, also so: WW. Wenn das Darǵ geschlossen ist, sieht man nicht, was darin ist, daher fy darǵ alkitâb, ungefähr so viel als: unter dem Couvert des Briefes. Istidrâǵ bedeutet also: etwas dem Auge entziehen, und wohl auch: hinter's Licht führen.

[2]) Wenn in Gen. 1, 14 gesagt wird: Lafst die Sonne und den Mond Zeichen sein, so scheint auch hier der Sinn zu sein für Reisende, denn die Karawanen richten sich besonders nach der Sonne und dem Monde.

gebrauch und Ideengang der Juden gefolgt. Wie dieses Wort zu seiner neuen Bedeutung kam, lernen wir aus Stellen wie diese: Zacharias bat Gott um ein Zeichen, und Gott antwortete: Dein Zeichen sei, dafs du drei Tage stumm seiest [1]). Aehnliche Fälle kommen in der Bibel häufig vor. Ein Wunder ist also ein Zeichen, wodurch Gott sein Walten kund giebt; daher werden auch im Ḳorân zunächst der Auf- und Untergang der Sonne, der Regen und das Wachsen der Pflanzen und Thiere Zeichen Gottes genannt (Ḳor. 7, 144) [2]).

Jetzt bedeutet Ayah Ḳorânvers; in diesem Sinne sagt man, dafs die erste Sûra sieben Ayah, d. h. Verse enthalte. Schon Moḥammad gebrauchte es häufig für Inspiration; denn er erblickte in seiner übersprudelnden Begeisterung das Walten Gottes in seinem Innern. Ja er geht weiter und wendet (Ḳor. 7, 175; vergl. Bd. I S. 80) den Ausdruck sogar auf die begeisterten Verse des Dichters Omayya an. In einem oder zwei Fällen steigerte sich Moḥammad's ei-

---

[1]) Ḳor. 19, 11. Lucas 1, 18—19. Der neutestamentliche Ausdruck ist σημειον. Auch die Wunder, welche Moses wirkte und nach neuer Terminologie Muʿgizât genannt werden sollen, heifsen im Ḳorân 26, 14. 28, 35. 36 Ayât.

[2]) Die Etymologie ist etwas dunkel. Das hebr. Wort für Zeichen ist ôt, das syr. oto und das arab. ayah oder ayat. Das arabische mufs auf die Wurzel awà umkehren, ankommen, das syr. auf ata, und das hebr. auf awt אוֹת welches die Lexicographen für verwandt mit atah halten, zurückgeführt werden. Es scheint festzustehen, dafs der Grundbegriff von aya, ôt und oto veniens ist. Es ist aber klar, dafs im Semitischen ursprünglich â kommen bedeutete (so auch im Hindustanischen â-nâ und im Pers. â-ma-dan, Imperat. ây). Um die Wurzel zu erweitern, wurde schon früh ein T beigefügt, und so entstanden owt, awat (statt aat), ata als neue Wurzeln. Es wurden aber auch andere Versuche gemacht, die ursprüngliche Wurzel â zu erweitern, und wir haben im Arabischen awa (statt aa); vielleicht gehören auch bawa und awab hieher. Das Wort, welches jetzt Zeichen heifst, scheint gebildet worden zu sein, als die Wurzel zu ât erweitert war, und es mag aat oder aut gelautet haben; daher ayat, ôt.

gene Aufregung zur Vision, welche er das gröfste Zeichen, Ayat alkobrà, nennt.

In dem Gebrauche von Aya erblicken wir also ein Beispiel, dafs Moḥammad eine subjective Wahrnehmung durch ein Wort bezeichnet, womit eigentlich ein objektiver Gegenstand benannt wird. Auch Bayyina, welches, wie Bd. I S. 474 gezeigt worden ist, Erleuchtung bedeutet, wird in Ḳor. 7, 103, wie Ayah für die Wunder des Moses vor Pharao gebraucht. Auch dieses Wort ist also von Moḥammad zur Bezeichnung einer subjektiven und objektiven Wahrnehmung benutzt worden.

Dieselbe Unfähigkeit, zwischen Vorgängen im Innern und den äufseren Wahrnehmungen zu unterscheiden, zeigt sich auch in Moḥammad's Antworten auf die Forderung, Wunder zu thun. Eine zu klare Auffassung des Gegenstandes wäre auch sehr unbequem gewesen, und es liegt daher in der Begriffsverwirrung ebenso viel Absicht als natürlicher Hang.

Als ihn die Gnadenlehre besonders beschäftigte, predigte er:

13, 27. Die Ungläubigen sagen: Warum wird ihm von seinem Herrn kein Zeichen gewährt? Antworte: Der Herr leitet irre, wen er will, und den Bekehrten führt er zu sich,

28. nämlich die Gläubigen, welche ihre Herzen durch das Dzikr Allah's [1]) stärken — und werden die Herzen durch das Dzikr Allah's nicht kräftig? — Heil und eine schöne Zukunft den Gläubigen und Rechtschaffenen!

29. Auf diese Weise (d. h. ohne äufsere Zeichen, sondern dadurch dafs du den Bedürfnissen der »Bekehrten« entsprechest) haben wir dich zu einem Volke gesandt, welchem andere Völker vorausgegangen sind, auf dafs du ihm das, was wir dir eingegeben haben, vorlesest. Sie (die Nichtbekehrten) aber glauben nicht an den Raḥmân. Sprich:

---

[1]) Beständig die Ejaculation: Allah! Allah! im Munde führen und an Gott denken.

Er ist mein Herr! Es giebt keinen Gott aufser ihm. Auf ihn vertraue ich, er ist es, zu dem ich mich bekehrt habe.

30. Gäbe es auch einen Ḳorân (Gebetformel)[1]), durch welchen Berge zum Gehen gebracht oder die Erde zermalmt oder den Todten Sprache gegeben werden könnte [so würden sie doch nicht glauben]. Allein Allah waltet in allen Dingen. Haben dessenungeachtet nicht auch die Gläubigen daran verzweifelt, dafs, wenn es Allah wollte, er alle Menschen leiten würde?

Obschon Moḥammad in dieser Offenbarung wie Swedenborg den Glauben als eine aus dem Innern strömende Kraft ansieht und äufsere Mittel ihn aufzunöthigen für unzweckmäfsig hält, so verschmäht er es doch nicht, sich in folgender Inspiration auf das Zeugnifs der Schriftbesitzer zu berufen, welches ihm auch, wie wir im vorigen Kapitel gesehen haben, von gröfstem Nutzen war:

6, 109. Sie haben den stärksten ihrer Eide, nämlich bei Allah, geschworen[2]), dafs sie dann, wenn ihnen ein Zeichen würde, glauben wollen. Antworte: »die Zeichen stehen bei Gott.« Wifst ihr auch, o Gläubige, dafs wenn ihnen auch eins gezeigt würde, sie doch nicht glaubten?

110. Wir wenden ihre Herzen und ihre Augen von der Wahrheit hinweg. Sie würden also selbst einem Wunder nicht glauben, wie sie vom Anfange nicht glaubten. — Wir werden sie auch ferner in ihren Sünden verblüfft herumirren lassen.

---

[1]) Unter Ḳorân ist hier nicht das ganze Buch, welches wir so nennen, zu verstehen. Man sagt: ǵama'atu ḳorânan kathyran, ich habe viel [vom] Ḳorân gesammelt. In dieser Phrase wie auch im Text bedeutet Ḳorân ein geoffenbartes Stück oder ein Psalm, und dieser Stelle liegt eine Idee zu Grunde, welche die Juden mit dem grofsen Namen Gottes und andere Nationen mit Zauberformeln verbanden.

[2]) Ich folge der Auffassung des Kalby und Moǵâhid, welche sagen: Wenn ein Mann bei Allah schwor, so war dies der feierlichste Eid.

111. Wenn wir auch die Engel zu ihnen hinabsenden, wenn auch die Todten mit ihnen sprechen und wir auch Alles als Bürgschaft versammeln, so sind sie doch nicht fähig zu glauben, aufser wenn Allah es will. — Sie können dies nicht begreifen.

112. [Wenn du von Walyd und Andern verfolgt und um Wunder gefragt wirst,] so haben wir für jeden Propheten einen Feind aufstehen lassen, nämlich die Satane unter den Menschen und Ginn. Diese flüstern jenen schöne Phrasen voll Irrthum zu. Wenn es dein Herr anders wollte, würden sie dies nicht thun. Kümmere dich daher nicht um sie und ihre Verläumdungen.

113. Mögen die Herzen der Leute, welche nicht an das Jenseits glauben, sich zu diesen Scheingründen hinneigen, mögen sie sich damit gefallen und mögen sie sich somit in Schuld und Sünde verstricken.

114. Soll ich mir deshalb aufser Allah einen Schiedsrichter wünschen? Er ist es, welcher zu euch das [im Himmel aufbewahrte] Buch in deutlicher Fassung herabgesandt hat, und jene, welchen das Buch [ehedem] gegeben worden war, wissen, dafs deine Lehre eine Mittheilung von dem Herrn und voll Wahrheit ist, sei daher nicht einer der Zweifler.

Deutlicher als in den bisherigen Stellen wendet er die Gnadenlehre zu seinem Zwecke in folgender Inspiration an:

25, 8. Sie sagen: Was ist dies für ein Gottgesandter? Er ifst Speisen und zieht auf den Märkten umher [um seinen Unterhalt durch Handel zu erwerben].

[Wir werden nimmer glauben,] wenn nicht ein Engel zu ihm gesandt wird und mit ihm als Warner thätig ist,

9. oder wenn ihm nicht ein Schatz gegeben wird, oder für ihn Gärten erschaffen werden, von denen er essen kann. Die Ungerechten sagten [zu den Gläubigen]:

Ist der, dem ihr folget, etwas Anderes als ein bethörter Mensch?

10. Sieh doch, womit sie dich in dieselbe Kategorie stellen! Sie irren und können keinen Ausweg finden.

11. Gesegnet sei der, welcher, wenn er gewollt, dir etwas Besseres gegeben hätte als alles dieses, nämlich Paradiese, welche von Bächen durchschnitten sind, und er würde noch Schlösser hineinstellen.

12. Aber sie halten die Stunde (das Weltgericht) für eine Lüge [und dieses ist die Ursache ihres Unglaubens und nicht der Mangel an Wundern], und für den, der die Stunde läugnet, haben wir das Höllenfeuer vorbereitet [und ihm die Fähigkeit, an dich zu glauben und sich dadurch zu retten, benommen].

Bemerk. Hier folgt eine Beschreibung der Hölle.

Die Idee, daſs Gott die Menschen verblende und sogar äuſsere Mittel anwende, um sie vom Glauben abwendig zu machen, bildet eine Phase in Moḥammad's Ausbildung der Gnaden- und Prädestinationslehre, und er fand sie besonders bequem, wo er sich compromittirt hatte (vergl. Ḳor. 22, 52 und den A. D. 621 geoffenbarten Vers 17, 62) oder, wie im gegenwärtigen Falle, nicht leisten konnte, was man von ihm erwartete. Er will sagen: Gott enthält mir deswegen die Wundergabe vor, um die Menschen zu erproben, denn ein Mensch, dessen Herz nicht von Gottesfurcht und dem Glauben an die Unsterblichkeit erfüllt ist, verdient nicht, durch den Eintritt in die seligmachende Kirche gerettet zu werden.

Die Tradition ist hierin viel erhabener als der Ḳorân. Schade, daſs dem Moḥammad nicht folgende schöne Idee in den Sinn gekommen ist[1]):

»Als die Ungläubigen dem Propheten seine Armuth

---

[1]) Wâḥidy, Asbâb 25, 11, von Ġowaybir, von Dhaḥḥâk, von Ibn ʿAbbâs.

vorwarfen, indem sie sagten: Was ist dies für ein Bote? er ifst Speisen etc., wurde er sehr traurig. Da kam Gabriel zu ihm und sagte, dafs auch die frühern Propheten afsen und ihren Lebensunterhalt erwerben mufsten. Während sie sprachen, wurde Gabriel so klein wie eine Erbse. Moḥammad fragte ihn, warum er so klein geworden sei, und er antwortete: Ich sehe ein Thor des Himmels offen, das bisher immer geschlossen war. Ich fürchte, die Strafe wird jetzt über dein Volk hereinbrechen, weil sie dir deine Armuth vorwarfen. Moḥammad weinte und auch Gabriel. Dieser aber nahm bald darauf seine frühere Gestalt wieder an und sprach: Freue dich Moḥammad, hier kommt Ridhwân, der Schatzmeister des Paradieses, er bringt dir etwas Erfreuliches von deinem Herrn. Ridhwân trat näher und sprach: Salâm, o Moḥammad, Gott sendet dir seinen Grufs und die Schlüssel der Schätze der Welt. Es soll durch deren Genufs dein Lohn in der andern Welt nicht um das Gewicht eines Mückenflügels vermindert werden. Moḥammad sah den Gabriel an, dieser schlug mit der Hand auf die Erde und sprach: Sei demüthig vor Gott, o Moḥammad! Der Prophet sprach: Ich will die Schlüssel nicht, ich ziehe es vor, arm und ein geduldiger, aber dankbarer Diener Gottes zu sein. Ridhwân sagte darauf: Du hast das Rechte getroffen. Zugleich kam eine Stimme vom Himmel; Gabriel erhob sein Haupt und siehe, die Thore des Himmels waren offen bis zum Throne Gottes. Moḥammad sah die Plätze der Propheten und sein Platz war über den ihrigen. Die Stimme rief: O Moḥammad, ich bin zufrieden mit dir. Der Prophet antwortete: Gieb mir, was du willst, o Herr; mein Schatz sei, dafs ich am Tage der Auferstehung fürsprechen darf für die Menschheit [1]).

---

[1]) Wir haben gesehen, dafs Fürsprache bei Gott gegen die Ansicht des Propheten und seiner Lehrer war; allein Priester zu sein, wäre ein schlechtes Geschäft ohne dieses Privilegium, auch würden ihn seine Anhänger, von denen sich nur wenige zu einem höheren

Die Fortsetzung der letzten Offenbarung enthält die Antwort auf eine bestimmte Forderung, dafs nämlich Engel vom Himmel kommen sollen. Sie ist schon viel schalkhafter als die Inspirationen, die wir soeben kennen gelernt haben, und bezieht sich auf seine Drohungen einer zeitlichen Strafe:

25, 23. Diejenigen, welche keine Vergeltung erwarten, sagen: Warum werden nicht die Engel zu uns herabgesandt, oder warum sehen wir unsern Herrn nicht? — Sie sind übermüthig in ihrer Seele und im höchsten Grade vermessen.

Bemerk. Die Antwort auf diese Forderung steht oben S. 114.

Derselbe Gegenstand wird auch in andern Sûren behandelt:

6, 8. Sie sagen: Warum wird nicht ein Engel zu ihm herabgesandt? — Wenn wir einmal einen Engel hinabgesandt haben, so ist die Sache entschieden, dann wird keine Rücksicht mehr auf sie genommen.

9. Hätten wir auch einen Engel zum Boten gewählt, so würden wir ihm doch menschliche Gestalt gegeben haben [und folglich würde er ihnen unkenntlich sein, indem er wie sie aussähe.]

17, 92. Sie sagen: Wir werden nimmer an dich glauben, ehe du nicht für uns eine Quelle aus der Erde hervorsprudeln läfst,

93. oder ehe du nicht einen Garten erhalten hast voll Palmen und Reben, durchschnitten von murmelnden Bächen,

---

Gottesbewufstsein erheben konnten, wenig geachtet haben, wenn er nicht mit Gott auf dem vertrautesten Fufse gestanden hätte. Die rohen Ansichten, dafs sich der Ewige und Unveränderliche beeinflussen läfst, sind unter allen Völkern verbreitet, und ich hatte Gelegenheit, selbst den Heiligendienst verdammende Wahhâbiten zu beobachten, wie sie in Gefahr o Mohammad! o Mohammad! (und nicht o Gott! o Gott!) ausrufen, statt die Schultern gegen das Rad zu stemmen.

94. oder ehe du nicht, wie du dir einbildest [dafs es geschehen werde], einen Wolkenbruch auf uns herabfallen läfst, oder ehe du nicht Allah und die Engel als Zeugen bringst,

95. oder ehe du nicht ein Haus von Gold hast oder zum Himmel emporsteigst. Aber selbst deinem Emporsteigen werden wir keinen Glauben schenken, ehe du nicht ein Buch auf uns herabkommen machst, das wir lesen können. Sprich: Gepriesen sei mein Herr (d. h. es sei fern, dafs so etwas geschehe); bist du etwas Anders als ein Mensch, der als Bote gesandt wurde?

96. Nichts hat die Menschen, nachdem die Leitung zu ihnen gekommen war, vom Glauben zurückgehalten, als dafs sie sagten: Wie, Allah soll einen Menschen als Boten gesandt haben?

97. Antworte: Wenn Engel auf Erden wandelten und sie bewohnten, würden wir zu ihnen einen Engel als Boten gesandt haben.

98. Sprich: Allah genügt als Zeuge zwischen euch und mir; denn er kennt und beobachtet seine Diener.

Auch in manchen andern Stellen beruft er sich auf die Bürgschaft Gottes, d. h. die Lebendigkeit seiner eigenen Ueberzeugung; so sagt er z. B. in:

6, 19. Frage: Was gewährt die beste Bürgschaft? Antworte: Allah ist der Zeuge im Streite zwischen mir und euch, er hat mir diesen Ḳorân geoffenbart, auf dafs ich euch damit warne und alle, welche er erreichen mag. Wie, ihr wollt bezeugen, dafs es neben Allah andere Götter giebt? Sprich: Ich bezeuge das nicht. Sprich ferner: Er ist der einzige Gott; ich sage mich los von dem, was ihr ihm beigesellt.

Der göttliche Ursprung und die Macht dieser Ueberzeugung gaben ihm selbst, nachdem seine Schwänke aufgedeckt worden waren, den Muth, Glauben zu erwarten, obschon er für den Augenblick Gott sagen lassen mufste:

6, 50. Sprich: Ich sage ja nicht, dafs die Schätze Allah's in meiner Gewalt stehen, noch dafs ich das Verborgene wisse, noch sage ich, dafs ich ein Engel sei. Ich folge nur dem, was mir eingegeben wird. Sprich ferner: Stehen der Blinde und der Sehende (d. h. ihr und ich) auf gleicher Höhe? — Denkt ihr nicht ein wenig nach?

Schon am Anfange seiner Mission waren die Wunder Gottes in der Schöpfung diejenigen Zeichen, auf die er seine Hörer aufmerksam machte. Gedrängt von Freund und Feind hat er es später versucht, Beweise seiner Sendung aufzutreiben. So oft seine Blöfsen aufgedeckt wurden, kehrte er zu seiner frühern Beweisführung zurück und fand, dafs es das sicherste Mittel, seinen Lehren Eingang zu verschaffen, sei: die Zuhörer in eine religiöse Stimmung zu versetzen und dann die Hölle recht heifs zu machen. Als ihm seine Feinde vorwarfen, er trage die Asâṭyr der Alten vor, sagte er:

16, 1, Das Walten Allah's ist im Eintreten, beschleuniget es nicht! Erhaben und weit entfernt ist er von dem, was ihr ihm zugesellt.

2. Er sendet die Engel als Ueberbringer des [heiligen] Geistes, welcher eine seiner Machtäufserungen ist, auf wen er will von seinen Dienern herab, mit dem Auftrage: Lehret, »es giebt keinen Gott aufser mir; also fürchtet mich.«

3. Er hat die Himmel und die Erde nach einem Plane erschaffen; erhaben sei er über das, was sie ihm zugesellen.

4. Er hat den Menschen aus Saamen erschaffen, und jetzt ist er ein frecher Disputant.

5. Auch die Hausthiere hat er erschaffen; sie gewähren euch Kleidung und andere Vortheile, und versehen euch mit Nahrung.

6. Und wenn ihr sie heimtreibt und auf die Weide führt, verleihen sie euch Glanz.

7. Sie tragen eure Lasten in Länder, welche ihr nicht

erreichen könntet ohne grofse persönliche Beschwerden. — Euer Herr ist wahrlich gnädig und barmherzig.

8. Auch das Pferd, das Maulthier und den Esel [hat er euch gegeben] zum Reiten und zum Staat. Er hat Dinge erschaffen, die ihr gar nicht kennt.

9. Ihm liegt die Wegweisung ob. Es giebt zwar Leute, welche vom Weg verirrt sind; allein wenn er es wollte, würde er euch insgesammt leiten.

10. Er ist es, welcher Wasser vom Himmel herabschickt, das zum Trank dient und durch welches Pflanzen wachsen, worauf ihr eure Heerden weidet.

11. Auch Saaten läfst er durch dasselbe emporschiefsen, und den Oelbaum, und die Palme, und die Rebe und Früchte aller Art. — Darin liegt wahrlich ein Zeichen für nachdenkende Menschen.

12. Er hat euch die Nacht und den Tag, die Sonne und den Mond und die Sterne dienstbar gemacht, indem sie seinem Befehle gehorchen. — Darin liegen wahrlich Zeichen für vernünftige Menschen.

13. Auch verschiedenartige Pflanzen hat er zu eurem Nutzen auf der Erde ausgesäet! — Darin sind wahrlich Zeichen für überlegende Menschen.

14. Er ist es, welcher euch das Meer dienstbar gemacht hat, auf dafs ihr schmackhaftes Fleisch zu essen bekommet; — auch gewinnt ihr daraus Schmuck zum Anziehen, und du siehst wie die Schiffe seine Wogen durchschneiden — und auf dafs ihr euch seiner Gaben theilhaftig macht und ihm dankbar seid.

15. Er hat in die Erde Berge eingesetzt, auf dafs sie unter euren Füfsen nicht wanke, und hat Wege gebahnt, auf dafs ihr geleitet werdet.

16. [Auch hat er Hügel, Felsen etc.] als Wegweiser [für Seeleute und Karawanen] errichtet, ferner leiten euch auch die Gestirne.

17. Ist Derjenige, welcher erschafft, wie Derjenige, welcher nicht erschafft? — Denkt ihr denn nicht nach?

18. Wolltet ihr die Wohlthaten Gottes zählen, so würdet ihr nicht an's Ende kommen, denn er ist gnädig und barmherzig.

19. Er weifs, was ihr verheimlichet und was ihr zur Schau traget.

20. Die Wesen, welche ihr neben Allah anbetet, erschaffen nichts, sondern sie werden erschaffen.

21. Sie sind todt und leben nicht u. s. w. (s. oben S. 391.)

28. Ihre Vorgänger haben ähnliche Kunstgriffe geübt, aber Allah hat die Grundfesten ihres Gebäudes angegriffen und das Dach ist auf sie gefallen (die Strafe ist von einer Seite gekommen, von wo aus sie es nicht vermuthet hatten).

29. Dann kommt der Tag der Auferstehung — da werden sie zu Schanden werden etc.

Eine ähnliche bei demselben Anlafs geoffenbarte Stelle steht oben S. 390. Es fehlte dem guten Manne an Talent für beschreibende Poesie, und deswegen sind die Inspirationen dieser Art wenig zahlreich, einförmig, und wenn man sie genauer besieht, entdeckt man dafs sie mühsam zusammengesetzt sind; so sind meines Erachtens die in Vers 14 zwischen den Gedankenstrichen stehenden Worte ein späterer Einfall, den er hier einschaltete.

Ich führe noch zwei Kompositionen dieser Art an[1]):

88, 17. Betrachten sie nicht das Kameel, wie es gebildet ist?

18. und den Himmel (das Firmament) wie er gewölbt?

19. und die Berge wie sie aufgestellt?

20. und die Erde wie sie ausgebreitet?

21, Bringe sie doch zum Nachdenken, denn du bist ein Ermahner;

22. du bist aber nicht ihr Zuchtmeister.

23. Wer sich abwendet und ungläubig ist,

---

[1]) Wer mehr Erbauung wünscht, lese Ḳor. 30, 17 ff. 30, 45 ff. 39, 7 ff. 25, 43—60. 15, 19 ff. 13, 1 ff.

24. den wird Allah mit der schwersten Strafe heimsuchen;

25. denn zu uns müssen sie zurückkehren,

26. und dann wird es unsere Sache sein mit ihnen abzurechnen.

78, 6. Haben wir nicht die Erde wie ein Bett ausgestreckt

7. und die Berge darein gesteckt,

8. und euch in Paaren hervorgebracht

9. und für euch den Schlaf zum Sabbatiren [1]) gemacht

10. und zur Hülle die Nacht

11. und zum Erwerb den Tag, wenn ihr wacht?

12. Ueber euch haben wir sieben Vesten erbaut [2])

13. und eine flammende Lampe angezündet, die auf euch hinunterschaut,

14. und von den Seihenden (d. h. den Wolken) wird Wasser hinabgethaut,

---

[1]) Im Arabischen Sobât. Es ist von Sabbat abgeleitet und klingt mir ganz so barbarisch wie sabbatiren.

[2]) Im Original schidâd, welches unserem „Firmament“ entspricht, denn schadyd bedeutet fest. Die sieben Planeten konnten alle Nationen beobachten, aber die Idee, dafs die Erde der Mittelpunkt sei von sieben dicken concentrischen Sphären, bestehend aus Aether, ist eine so unnatürliche Verirrung des Geistes, dafs sie, wo wir sie immer finden mögen, aus ein und derselben Quelle kommen mufs. Es liegt ihr aber ein System der Philosophie zu Grunde, welches dem Moḥammad in seinem Zusammenhange nicht bekannt war, von welchem wir aber im Ḳorân auch sonst noch Bruchstücke finden. Der Vertreter dieses Systems ist Pseudo-Apollonius. Der Presbyter Sagius, welcher der Uebersetzer desselben zu sein vorgiebt, ist wahrscheinlich der Verfasser und lebte wohl unmittelbar vor Moḥammad. Wir kennen das Buch nur durch eine arabische Uebertragung, und der Uebersetzer, ein Moslim, hat sich so viele Freiheiten erlaubt, dafs wir nicht im Stande sind, seine Zugaben vom Ursprünglichen zu unterscheiden. So viel kann jedoch mit Bestimmtheit gesagt werden, dafs es die Weltansicht enthält, welche zur Zeit des Moḥammad im Orient sich geltend gemacht hatte und wovon einzelne Ideen in das Volk, ja selbst in die Wüste gedrungen waren.

15. womit wir Getreide und Pflanzen hervorrufen
16. und Gärten mit verschlungenen Aesten schufen.

Ein Gott ohne Hölle hat keine Schrecken, und ein Paradies ohne Ḥûries hat keine Anziehung für rohe Gemüther; da aber die Leute anschauliche Begriffe über ewige Strafe und Belohnung haben wollten, so wäre die Unsterblichkeitslehre ohne die Versicherung, dafs wir auferstehen werden, eindruckslos verschallt. So kommt es, dafs wo immer im Ḳorân von Gottes Wirken in der Natur die Rede ist, die stereotypen Beweise für die Auferstehung wiederkehren. Wer von dieser auch nur halb überzeugt war, den konnte man auch alles Uebrige glauben machen. Folgende Offenbarung, welche die Einwendungen eines Widersachers zu widerlegen bestimmt ist, enthält daher keinen anderen haltbaren Gedanken als die abgenützten Auferstehungsbeweise. Vergl. Ḳorân 50, 1—11 und 50, 14—17.

45, 1. Ḥam. Erlafs aus dem Buche von Allah, dem Erhabenen, dem Weisen.

2. Wahrlich in den Himmeln und auf der Erde giebt es Zeichen für die Gläubigen;

3. auch im Bau eures Körpers und in den Thieren, welche er verbreitet, sind Zeichen für Menschen starken Glaubens;

4. auch im Alterniren von Tag und Nacht, in den Wohlthaten, welche Gott vom Himmel schickt und womit er die Erde belebt, nachdem sie erstorben gewesen, und in der Wendung der Winde sind Zeichen für vernünftige Menschen.

5. Jenes sind die Zeichen Allah's; wir lesen sie dir vor und sie sind voll Wahrheit. Welche Lehre wird euch nach der Allah's und seiner Zeichen noch überzeugen?

6. Wehe jenem Verläumder und Sünder!

7. er hört die Zeichen Allah's an, wenn man sie ihm vorliest, verharrt aber dennoch aus Uebermuth im Unglauben, wie wenn er sie nicht vernommen hätte. Verkünde ihm eine peinliche Strafe.

8. Wenn er etwas von unsern Zeichen gelernt hat, macht er sie zum Spott. Solche Leute erwartet eine erniedrigende Strafe.

9. Hinter ihnen gähnt der Rachen der Hölle und was sie erworben haben wird ihnen nichts nützen, noch werden ihnen die Wesen, welche sie aufser Allah als Beschützer erwählt haben, von Nutzen sein. Es erwartet sie eine grofse Strafe.

10. Dieses ist eine Leitung, und Diejenigen, welche an die Zeichen ihres Herrn nicht glauben, erwartet eine peinliche Strafe der Erniedrigung.

11. Allah ist es, welcher euch das Meer unterworfen hat, so dafs das Schiff auf seinen Befehl darauf schwimmt und ihr euch seiner Wohlthaten theilhaftig machet, damit ihr dankbar gegen ihn seid.

12. Er hat euch aus Wohlwollen alles unterworfen, was in den Himmeln und was auf Erden ist. In diesen Dingen sind Zeichen für ein nachdenkliches Volk.

13. Sag' zu den Gläubigen, sie sollen Jenen vergeben, welche nicht an die Tage der Vergeltung Allah's glauben, an denen er ein Volk nach seinen Werken behandelt.

14. Wer Gutes thut, thut es für sich selbst, wer Böses übt, der hat dafür zu leiden. Am Ende müfst ihr vor eurem Herrn erscheinen.

Hier wäre der Ort, die Wunder, welche die Tradition dem Moḥammad zuschreibt, zu prüfen. Allein weil wir nicht als Moslime erzogen worden sind, so verwerfen sie gewifs alle Leser, für welche dieses Buch zunächst geschrieben ist, ohne Skrupel oder Gewissensbisse, wenn sie auch andere Wunder, welche ebenso wenig historische Begründung haben, glauben. Ich werde bei verschiedenen andern Gelegenheiten darüber sprechen, um zu zeigen, durch wen zuerst Mythen über Moḥammad erdichtet worden sind, und um die Tendenz verschiedener früher moslimischer Theologen zu beleuchten. Der Leser wird daher mit den dem Moḥammad zugeschriebenen Wundern sattsam bekannt werden, wenn wir sie auch bei dieser Gelegenheit nicht erzählen.

III. Die zweite Drohungsperiode.

Den reichlichsten Stoff für Spott boten Moḥammad's Weissagungen eines in kürzester Frist eintretenden Strafgerichtes. Ungeachtet des Frevels und der Herausforderungen der Ungläubigen, wollte es doch nicht kommen, und Gott selbst konnte seinem Boten keinen bessern Rath geben, als geduldig zu sein (Ḳor. 38, 15. 16. Vergl. oben S. 95 und 27). Wir haben zwar schon einige Inspirationen kennen gelernt, aus denen die Verlegenheit des Propheten hervorleuchtet; um seine fatale Lage anschaulicher zu machen, trage ich hier noch einige nach:

86, 11. Ich schwöre bei dem Firmament mit retrograder Bewegung,

12. und bei der Erde mit fruchtbarer Regung,

13. dafs es (das Gedrohte) ein Urtel [1]) ist, ein entscheidendes,

14. und keinen Scherz leidendes;

15. — sie benutzen es zu ihrer List,

16. aber auch ich gebrauche List; —

17. lafs daher den Frevlern Zeit, und gewähre ihnen Frist.

Die Ränke und List der Ungläubigen bestanden in diesem Falle darin, dafs sie die Nichterfüllung der Androhung des Moḥammad als Waffe gegen diesen gebrauchten, und die List Gottes, dafs er ihnen Zeit gewährte, sich mehr und mehr in ihren Sünden zu verstricken, oder wie die Engländer sagen würden: he gave them rope enough.

11, 1. Alre. Dieses ist ein Buch, dessen Zeichen [im Urtexte] festgemacht und dann deutlich auseinandergesetzt worden sind [2]); ein Geschenk von einem Weisen, Allwissenden,

2. auf dafs ihr kein Wesen anbetet aufser Allah; —

---

[1]) Diese Bedeutung hat ḳawl auch in Ḳor. 11, 42.

[2]) Parallel mit 41, 1. 44.

wahrlich ich bin für euch ein Warner und Ueberbringer froher Botschaft von ihm —

3. und auf dafs ihr ihn um Verzeihung bittet und euch bekehret. Wenn ihr das thut, so wird er euch bis auf einen bestimmten Termin (bis zum Tode) einen schönen Lebensgenufs gestatten, und jeder der sich auszeichnet, wird die Früchte seiner Auszeichnung ernten. Wenn ihr euch aber nicht bekehret, so fürchte ich für euch die Strafe eines ernsten Tages.

4. Zu Allah führt euer Weg (ihr seid in seiner Hand und könnt ihm nicht entrinnen); denn er ist allmächtig.

10, 47. Entweder wollen wir dich selbst Einiges von dem was wir gedroht haben, erleben lassen, oder wir lassen dich früher dahinscheiden. Jedenfalls zu uns führt ihr Weg. Ferner: Allah ist Zeuge dessen, was sie thun (d. h. wir wissen was sie thun, und sie können uns nicht entgehen).

48. Zu jeder Gemeinde wird ein Bote gesandt, und sobald er gekommen ist, wird zwischen ihm und ihr mit Gerechtigkeit entschieden und es geschieht kein Unrecht.

49. Sie sagen: Wenn ihr die Wahrheit sprecht, so berichtet uns, wann diese Drohung in Erfüllung gehen wird?

50. Antworte: Es ist nicht einmal in meiner Gewalt, mir selbst zu nützen oder zu schaden, aufser insofern es Gott gefällt [und so habe ich auch nichts mit der Vollziehung der Strafe zu thun]. Aber für jedes Volk ist ein Termin festgesetzt, und wenn sein Termin gekommen ist, so ist es nicht im Stande, ihn auch nur um eine Stunde hinauszuschieben, noch ihn [durch Frevel] vorzurücken.

51. Sprich: Wie viel von der Strafe glaubt ihr wohl werden die Bösewichter zu beschleunigen wünschen, wenn sie einmal von ihr bei Tage oder des Nachts überrascht werden?

52. Nicht wahr, wenn sie eintrifft, werdet ihr wohl daran glauben? Früher aber habt ihr gesagt: Beschleunige sie!

Hier endet die Inspiration; der folgende Vers ist wahrscheinlich ein etwas späterer Zusatz:

53. Dann (wenn sie vertilgt sind) wird den Ungerechten zugerufen: Kostet die ewige Strafe! — Wird euch anderes vergolten als wie ihr es verdient habt? [1]).

Die darauf folgenden Verse beziehen sich auf denselben Gegenstand. Wâḥidy erzählt in Bezug auf die Veranlassung zur Offenbarung derselben:

»Der Jude Ḥoyayy b. Achṭab kam nach Makka und fragte den Moḥammad, ob seine Drohungen wahr seien?«

10, 54. Sie fragen dich, ob die Drohung war sei? Antworte: Ei, bei meinem Herrn! sie ist wahr, und ihr werdet nicht im Stande sein, die Erfüllung zu verhindern,

55. und wenn jeder, der Unrecht gethan, alles besäſse, was auf der Erde ist, würde er es hingeben, um sich loszukaufen; denn wenn sie das Strafgericht erblicken, verbergen sie ihre Reue nicht. Aber es geschieht ihnen Recht und sie können nicht über Ungerechtigkeit klagen.

56. Gehört dem Allah nicht, was im Himmel und auf der Erde ist? Soll also Allah's Drohung nicht wahr sein? — Aber die meisten von ihnen wissen es nicht.

57. Er giebt Leben und Tod, zu ihm müſst ihr zurückkehren.

40, 77. Harre geduldig, denn die Drohung Allah's ist wahr, und entweder werden wir dich die Erfüllung eines Theiles dessen, was wir ihnen gedroht haben, erleben lassen, oder

---

[1]) Moḥammad kam erst als er die Beschreibungen des Weltgerichtes, der Hölle und des Paradieses ausgearbeitet hatte, zur Ueberzeugung, daſs die zeitliche vorübergehende Strafe ohne alle Bedeutung und ganz unwesentlich sei. Um dieses recht anschaulich zu machen, läſst er den gröſsten aller Frevler, den Pharao, der bis dahin im Rothen Meere ertrunken war, gerettet werden, aber an der Spitze seiner Heerschaaren in die Hölle einmarschiren.

wir lassen dich früher dahinscheiden. Jedenfalls zu uns müssen sie zurückkehren.

78. Wir haben vor dir Boten gesandt. Die Geschichte von einigen haben wir dir erzählt und die Geschichte von andern haben wir dir nicht erzählt. Kein Bote hatte die Macht Zeichen zu wirken, aufser mit Allah's Zustimmung. Wenn aber das Walten Allah's einmal eintrat, so wurde dem Thatbestand gemäfs entschieden, und die, welche die Offenbarung zu vereiteln gestrebt hatten, waren im Nachtheil.

79. Allah ist es, welcher euch die Hausthiere gegeben hat, einige zum Reiten und einige zum Essen;

80. sie gewähren euch verschiedenen Nutzen: durch sie könnt ihr Bedürfnisse, die ihr im Herzen fühlet, befriedigen, und auf ihnen, wie auch auf Schiffen reiset ihr.

81. Allah zeigt euch doch seine Zeichen; welches von ihnen leugnet ihr?

82. Sind sie nicht in der Welt herumgekommen und haben sie nicht gesehen was das Ende ihrer Vorgänger war? Sie waren zahlreicher, stärker und haben grofsartige Denkmale auf Erden errichtet. Aber was haben ihnen alle ihre Errungenschaften genützt?

83. Als unsere Boten mit Erleuchtungen zu ihnen kamen, thaten sie sich viel auf das Wissen, welches sie besafsen, zu Gute. Aber das Strafgericht, worüber sie gegespottet hatten, umringte sie.

84. Als sie die Heftigkeit unseres Angriffes erblickten, riefen sie: Wir glauben an Allah allein und verläugnen die Abgötter, die wir ihm beigesellten.

85. Aber wenn einmal die Frevler unsern Angriff gesehen, war ihr Glaube immer fruchtlos, in Folge einer Satzung, welche bezüglich seiner früheren Knechte beobachtet worden ist. Die Ungläubigen sind dann verloren.

13, 40. Entweder werden wir dich die Erfüllung eines Theiles dessen, was wir ihnen gedroht haben, erleben lassen, oder wir lassen dich früher dahinscheiden. Deine Aufgabe ist blos die Botschaft zu überbringen. Die Rechnung abzuschliefsen liegt uns ob.

41. Sehen sie nicht, dafs wir dem Lande näher rücken und es von allen Seiten beengen? Allah richtet und Niemand kann sich seinem Urtel widersetzen. Er ist schnell im Rechnen.

42. Auch ihre Vorgänger haben Ränke geschmiedet, aber Allah ist mit allen Ränken vertraut und weifs was Jedermann thut. Die Ungläubigen werden schon sehen, wer Herr des Terrains bleibt.

15, 1. Alre. Jenes sind Zeichen (Verse) aus dem Buche, und [seitdem sie geoffenbart] bilden sie einen unverkennbaren Psalter.

2. Die Ungläubigen mögen manchmal noch wünschen gläubig gewesen zu sein.

3. Lafs sie daher gewähren; mögen sie essen, das Leben geniefsen und sich von der Hoffnung täuschen lassen, es wird ihnen bald ein Licht aufgehen.

4. Zu Gunsten einer jeden Stadt, die wir bisher zerstört haben, bestand ein ausführliches Dokument [im Buche des Schicksals, und folglich konnte durch ihre Sünden der Untergang nicht beschleuniget werden. Das Vorhandensein eines solchen Dokumentes ist die Ursache, warum das Strafgericht über die Makkaner, obschon sie damit freveln, noch nicht hereingebrochen ist.]

5. Allein, wenn auch keine Gemeinde ihrem Termin vorausgelaufen ist, so ist er auch für keine verschoben worden.

6. Sie sagen: O du, der du mit der Ankündigung beauftragt bist, du bist wahrlich maǵnûn (besessen oder wahnsinnig).

7. Warum bringst du nicht die Engel mit, wenn du die Wahrheit sprichst?

8. Wir senden die Engel nur dann hinab, wenn wir die Vollziehung [1]) [der Strafe] befehlen. Dann werden sie, die Frevler, nicht mehr berücksichtiget.

---

[1]) Al-Ḥaḳḳ, welches ich durch Vollziehung übersetze, heifst eigentlich das Wahre (verum), der Thatbestand, die Wirklichkeit, im Gegensatz von Bâṭil „das Nichtige", daher wird auch die Gottheit al-Ḥaḳḳ geheifsen (Ḳor. 31, 29. 10, 33). Wenn zwei widersprechende Erzählungen einer Thatsache vorliegen, wovon eine richtig ist, so wird sie al-Ḥaḳḳ geheifsen, und in diesen und in ähnlichen Fällen kann es allerdings mit „Wahrheit" übersetzt werden, aber es ist nicht ganz zulässig al-Ḥaḳḳ und Wahrheit als gleichbedeutend anzusehen. Wenn im Ḳorân gesagt wird: Gott hat die Himmel und die Erde „bi-lḥaḳḳ erschaffen", so wollte Moḥammad nicht sagen: „es ist gewifs, dafs er sie erschaffen hat", sondern „er hat sie dem Wahren gemäfs", d. h. nach einem Plane, der nicht eitel ist, erschaffen (vergl. Ḳor. 23, 117). Es werden daher die Ungläubigen getadelt, dafs sie das Leben als ein Spiel ansehen und den Schöpfungsplan verkennen. Weil die Gerechtigkeit im Festhalten des Wahren, des Thatbestandes, besteht, so sagen die zwei Männer, welche zu David kamen, damit er ihren Streit schlichte: „entscheide zwischen uns bi-lḥaḳḳ — dem Wahren gemäfs" (Ḳor. 38, 21), auch hier würde „in Wahrheitt" keinen Sinn geben. Wenn wir Ḳor. 6, 5 übersetzen: „Sie haben die Wahrheit verläugnet, nachdem sie ihnen zu Theil geworden", so huldigen wir unserer unrichtigen Anschauungs- und Denkungsweise, indem wir einen abstrakten Begriff setzen, wo wir uns einen concreten denken: — wir meinen das Wahre. Wenn Moḥammad in Ḳor. 6, 114 und in vielen andern Stellen versichert, dafs der Ḳorân bi-lḥaḳḳ von seinem Herrn gesandt wurde, so bedeutet es nach Einigen so viel als bi-lçidḳ in Wahrheit, d. h. es ist wahr, dafs er von Gott hinabgesandt worden ist; nach Andern heifst es: mit dem Wahren, d. h. Gott hat den Ḳorân hinabgesandt, um dem Menschen das Wahre zu lehren. Wenn man die Idee ausdrücken wollte: es ist wahr, dafs Gott den Ḳorân geoffenbart hat, so müfste man nach der modernen Ausdrucksweise sagen: fyl-ḥaḳyḳat (ḥaḳyḳat ist das Abstractum von Ḥaḳḳ), nach der Ḳorânsprache aber: lâ rayba fyhi. Es ist jedoch möglich, dafs Moḥammad sich undeutlich ausgedrückt habe und die erstgenannte Auffassung die richtige

9. Wir haben die Ankündigung ergehen lassen und werden auch den Termin beobachten.

10. Schon vor dir, o Moḥammad, haben wir zu den Völkern der Vorwelt Boten gesandt;

11. so oft aber ein Bote zu ihnen kam, machten sie ihn lächerlich.

12. Einen solchen Geist flöſsen wir den Herzen der Frevler ein;

13. sie glauben der Ankündigung nicht, obwohl sie das warnende Beispiel der Vorwelt vor sich haben.

14. Wenn wir auch über ihnen ein Thor des Himmels öffneten und die Engel stiegen fortwährend auf und nieder,

15. würden sie noch sagen, unsere Augen sind betrunken, — nein, wir sind unter dem Einfluſs eines Zaubers (Täuschung).

Viele vernünftige Menschen behaupten, Enthusiasmus und Schlauheit schlieſsen sich einander aus und erblicken in der Ueberspannung eines Religionsstifters etwas Uebernatürliches. Ich theile diese Ueberzeugung nicht und halte es für einen Theil meiner Aufgabe, nachzuweisen, wie menschlich der Mann war, welcher Gröſseres geleistet hat als alle andern Propheten zusammen (mit Ausnahme vielleicht des Gautama), denn der Islâm hatte bei Moḥammad's Tod schon eine Vollendung und eine Macht, welche das Christenthum erst durch Constantin erreichte. Um den Be-

---

sei. Ich füge die Bemerkungen alter Exegeten zu Ḳ. 2, 113 hinzu:
بالحق بالصدق من قولهم فلان مُحِق فى دعواه اذا كان صادقا دليله قوله
تعالى يستنبيونك احق هو اى صدق قال مقاتل معناه لن ترسلك عبثا
بل ارسلناك بالحق دليله قوله تعالى وما خلقنا السموات والارض الا بالحق
هو ضد الباطل قال ابن عباس بالقران دليله بل كذبوا بالحق لما جاءهم
وقال ابن كيسان بالاسلام وشرايعه دليله قوله تعالى قد جا الحق ❁

weis meiner Behauptung zu führen, lasse ich mir es angelegen sein, den Propheten in seinen Verlegenheiten zu verfolgen. Es sei mir gegönnt zu diesem Zwecke einen S. 144 bereits erwähnten Gegenstand einläfslicher zu besprechen und die darauf bezügliche Ḳorânstelle vollständig anzuführen.

Einer der Beweise für die mehrmals ausgesprochene Vermuthung, Moḥammad habe die Zeit des Strafgerichtes mit zu grofser Bestimmtheit angegeben, ist in Sûra 6 enthalten. Aus Vers 57 und 58 dieser Sûra geht hervor, dafs ihn die Frevler aufforderten, die Strafe zu beschleunigen. Kalby (bei Wâḥidy) bemerkt: »Diese Worte beziehen sich auf Nadhr und die Häuptlinge der Ḳorayschiten, welche sagten: Lafs das Strafgericht, welches du drohst, eintreten.«

Er beantwortet diese Frage in folgender Offenbarung dahin, dafs er weder die Macht besitze, dieses zu thun, noch die Zukunft wisse, und daher auch nicht die Zeit bestimmen könne; er besitze zwar eine göttliche Erleuchtung, aber über diese gehe sein Wissen nicht hinaus. Er läfst sie dann fühlen, dafs die Vergeltung erst nach dem Tode stattfinde und dafür gesorgt sei, dafs nichts vergessen werde, stellt aber doch die Möglichkeit in Aussicht, dafs sie schon in diesem Leben ihren Frevel büfsen müssen. Die durch sein Auftreten veranlafsten Fehden drohten nämlich zu einem Parteikampf zn führen, der mit dem Untergang des Stammes hätte enden können. Auf diese Lage bezieht sich V. 65. In V. 67 giebt ihm Gott den Auftrag, sich nicht wieder der Gefahr auszusetzen, vom Satan irre geführt zu werden, und wenn Leute beisammen sitzen und sich ihr Gespräch um seine Offenbarungen, welche gläubig aufgenommen und nicht untersucht werden sollen, dreht sich von ihnen fern zu halten, weil es ihm gleichgültig sein könne, ob sie glauben oder nicht. Wenn man den Ideengang des ganzen Stückes zusammen nimmt, so kommt man zur Ueberzeugung, dafs er bei einer früheren Gelegenheit, in der wohlmeinenden Absicht, die Frevler zu bekehren, eine vorbedachte Lüge (denn nur dieses kann der Sinn der Worte sein: »der Satan bringt dich aus der Fassung«) gesagt, und das Strafgericht, um welches es sich in der ganzen Stelle handelt, zu bestimmt vorausgesagt habe.

6, 56. Sprich: Es ist mir verboten, die Wesen anzubeten, welche ihr auſser Allah anrufet. Sprich: Ich werde euren Gelüsten nicht folgen, denn in diesem Falle würde ich auf Irrwegen sein und nicht zu den Geleiteten gehören.

57. Sprich: Ich besitze eine von meinem Herrn ausgehende Erleuchtung, ihr aber läugnet sie. Das [Strafgericht], welches ihr beschleunigt wissen wollt, steht nicht in meiner Macht; die Herrschaft ist ausschlieſslich in Allah's Hand: er beschlieſst was Recht ist und ist der beste Entscheider.

58. Sprich: Wenn das [Strafgericht], welches ihr beschleunigt haben wollt, in meiner Hand stünde, wäre der Streit zwischen mir und euch schon lange entschieden. Allein Allah kennt die Ungerechten am besten [und wird sie schon züchtigen].

59. Er besitzt die Schlüssel der Geheimnisse, die Niemand weiſs als er. Er weiſs was auf dem Lande und im Meere ist; kein Blatt fällt vom Baume ohne sein Wissen und es liegt kein Saamenkörnchen im dunkeln Schooſs der Erde, und es giebt nichts Trocknes noch Feuchtes das nicht in einem unbezweifelten Buche aufgezeichnet stünde.

60. Er ist es, der euch des Nachts Schlaf giebt und weiſs was ihr während des Tages gethan, der euch darauf am Tage aufweckt, auf daſs der bestimmte Termin vollendet werde (d. h. Schlafen und Wachen dauert fort bis zu eurem vorherbestimmten Ende); dann müſst ihr vor ihm erscheinen und er wird euch sagen was ihr gethan habt.

61. Er hat unbeschränkte Macht über seine Diener, und sendet Wächter über euch. Wenn dann einen von euch der Tod überrascht, so nehmen ihn unsere Boten hinweg. Diese aber übertreten nicht das Maaſs und Ziel.

62. Dann werden sie (die Menschen) zu Allah ihrem Herrn, dem Gerechten, zurückgebracht. Uebt nicht er das Richteramt? Er ist auch der schnellste Abrechner.

63. Sprich: Wer rettet euch aus den Gefahren des Landes und des Meeres? Ihr ruft ihn, eure Demuth an den Tag legend, heimlich an [und saget:] Wenn du uns dieses Mal rettest, werden wir gewifs dankbar sein.

64. Sprich: Allah rettet euch daraus und aus jeder Betrübnifs, und darauf gesellt ihr ihm andere Wesen bei.

65. Sprich: In seiner Macht steht es, eine von oben oder von unten kommende Strafe über euch zu verhängen, oder er theilt euch in Parteien und läfst den einen die Gewaltthätigkeit des andern fühlen. Sieh doch, wie wir unsere Zeichen (Offenbarungen) drehen (auf mannichfaltige Art darstellen), auf dafs sie zur Einsicht kommen sollen.

66. Dein Volk hat es (das Strafgericht) geläugnet. Es ist jedoch eine Thatsache. Sprich: Ich bin nicht Sachwalter über euch. Jede Prophezeihung hat ihre Zeit. Ihr werdet bald sehen.

67. Wenn du Diejenigen siehst, welche über unsere Zeichen grübeln, so ziehe dich von ihnen zurück bis sie sich mit einem andern Gegenstand befassen. Und so oft dich der Satan vergessen macht (d. h. dich aus der Fassung bringt), bleibe, nachdem du sie daran (an Gottes Offenbarungen) erinnert hast [1]), nicht mit dem Volke der Ungerechten sitzen;

68. denn den Gottesfürchtigen liegt es nicht ob, Rechnung für sie abzulegen, sondern blos sie daran zu erinnern, auf dafs sie auch gottesfürchtig werden.

69. Lafs Diejenigen allein, welchen ihre Religion ein Spiel und Scherz ist und welche vom Erdenleben geblendet

---

[1]) Dieser Satz ist von den meisten Commentatoren mifsverstanden worden. Was unter dzikrà zu verstehen ist, geht K. 6, 68 hervor, wo es heifst dzakkir bihi.

sind; aber erinnere sie an die Offenbarung (d. h. predige die Offenbarungen, ohne dich in weitere Dispute einzulassen) etc.

Auch seine Anhänger drangen in ihn, dafs er doch die Strafe auf die Ungläubigen vom Himmel herabrufen möge. Einer von ihnen erzählt [1]):

»Ich kam zum Propheten als er im Schatten der Ka'ba lag mit seinem Kleide unter dem Haupte. Wir hatten von den Ungläubigen grofse Drangsale erlitten, und ich sagte: Warum rufst du nicht die Strafe Gottes auf sie herab? Er safs auf und sein Gesicht war roth; er antwortete: Es hat vor euch Menschen gegeben, denen mit eisernen Kämmen das Fleisch bis auf die Knochen abgekämmt worden ist, und sie haben ihren Glauben nicht verläugnet; es ist ihnen eine Säge auf den Scheitel gesetzt und sie sind entzwei geschnitten worden, dennoch haben sie ihren Glauben nicht verläugnet. Gott wird meinem Unternehmen beistehen bis es so weit gediehen ist, dafs ein Mann auf seinem Kameel von Çan'â bis Ḥadhramawt reisen kann ohne Jemand anders zu fürchten als Gott.«

41, 33. Wessen Benehmen ist schöner, als wer den wahren Gott prediget, Gutes thut und sagt: Ich bin einer der Moslime.

34. Das Gute und Böse sind nicht gleich. [Was dir immer widerfahren mag] erwiedere etwas Besseres, und dann wird Derjenige, mit dem du in Feindschaft lebst, wie dein wärmster Freund werden.

35. Diese Vollkommenheit aber werden nur die Geduldigen erreichen, es werden sie nur die erreichen, die das Glück begünstiget.

36. Wenn dich ein vom Satan ausgehender Impuls bewegt, nimm zu Allah deine Zuflucht, denn er ist der Hörende, der Wissende.

---

[1]) Bochâry, S. 543, von Ḥomaydy, von Sofyân, von Bayân und auch von Isma'yl, beide von Ḳays, von Chabbâb b. Aratt.

Die bedrängte Lage in der Schi'b sowohl, als die unbequemen Fragen seiner Gegner machten ein zuwartendes Verhalten nöthig. Er läfst sich daher auch in andern Offenbarungen auftragen, sich passiv zu verhalten.

7, 198. Wähle Versöhnlichkeit, befiehl das Billige, und entferne dich von den Unwissenden.

199. So oft dich ein vom Satan ausgehender Impuls bewegt, nimm zu Allah deine Zuflucht, denn er ist hörend und wissend.

200. Wenn die Frommen ein vom Satan gesandter Herumschleicher berührt, so erinnern sie sich Gottes und sind sich wieder klar.

201. Auch ihre Brüder kommen ihnen auf ihrem Irrwege zu Hülfe, dann unterliegen sie nicht [1]).

202. Wenn du ihnen kein Zeichen (Offenbarung, Antwort auf ihre Fragen) bringst, sagen sie: Hast du noch nicht deine Wahl getroffen [was du antworten sollst]? Antworte ihnen: Ich folge dem was mir von meinem Herrn geoffenbart wird; dieses (meine Inspirationen) sind von eurem Herrn ausgehende Aufschlüsse und eine Leitung und ein Gnadenakt für Gläubige.

203. Folglich wenn euch der Ḳorân vorgetragen wird, so horchet und schweiget, vielleicht wird euch die Gnade zu Theil.

204. Verrichte das Dzikr deines Herrn in deinem Innern, demüthig und ehrfurchtsvoll, spreche es aber nicht in Worten aus. Thue dies des Morgens und des Abends und sei nicht einer der Nachlässigen [2]).

---

[1]) Wenn man die gewöhnliche Lesart annimmt und diesen Vers mit Ḳor. 2, 14 vergleicht, mufs man übersetzen: „Ihre Freunde steifen sie in ihrem Irrthum.“ Die richtige Lesart ist aber wohl yomiddûnahom, welches, allen Ḳorânstellen zufolge, in denen diese Form vorkommt, zu Hülfe kommen, bereichern (eigentlich lang machen) bedeutet. Wörtlich heifst die Stelle: Ihre Brüder werden sie im Irrwege lang genug machen, und dann werden sie nicht zu kurz sein.

[2]) Später hat Moḥammad diesen Befehl zurückgenommen und hinzugefügt:

Gott sagt in Bezug auf die in Egypten unterdrückten Kinder Israel:

28, 4. Es ist unser Rathschluſs gegen Diejenigen, welche unterdrückt sind auf Erden, wohlthätig zu sein, sie zu Imâme zu machen und als Erben einzusetzen,

5. und ihnen das Land (d. h. Egypten) zur Wohnung anzuweisen.

Nach Ḳor. 7, 125. 133. 26, 59 und 44, 27 haben auch die Kinder Israel wirklich das Land Egypten und die Schätze des Pharao nach seinem und seiner Heerschaaren Untergang geerbt. Als er jedoch Sûra 10 verfaſste, war er über diesen Irrthum aufgeklärt worden. Bis dahin sah es Moḥammad als eine in allen Fällen wiederkehrende Thatsache an, daſs nach der Vertilgung der Frevler Gott (Ḳor. 19, 41) und die Gläubigen (Ḳor. 39, 74. 7, 98) das Land erben. Da er nun mit seinen Drohungen und dieser Theorie allenthalben zu Schanden geworden war, kam ihm Vers 29 des Psalm 37 zur Kenntniſs, welcher lautet: »Die Gerechten erben das Land und bleiben ewiglich darinnen.« Er wuſste ihn auch auf das Geistreichste als Beleg seiner Lehre zu deuten. Es wäre jedoch möglich, daſs diese Theorie älter war und aus diesem Verse erwachsen ist.

21, 104. Ein Tag wird kommen, an welchem wir den Himmel zusammenfalten werden, wie zum Behuf des Siegelns ein Brief gefaltet wird, und wie wir die Menschen ursprünglich erschaffen haben, so werden wir sie dann wieder zurückbringen, in Folge unseres bindenden Versprechens; denn es lag in unserm Rathschlusse.

105. Schon früher [ehe wir dir diese Wahrheit offenbarten] haben wir in den Psalmen geschrieben, nachdem wir es im Dzikr [1]) erwähnt hatten: »Meine gerechten Diener erben das Land.«

---

205. Diejenigen Wesen, welche bei deinem Herrn sind, sind nicht zu stolz ihm zu dienen: sie lobpreisen ihn [indem sie Subḥânak, deine Glorie! rufen) und werfen sich auf das Angesicht nieder.

[1]) Dzikr, Erinnerung, bedeutet hier ächte und unächte alt-

106. Wahrlich diese Worte enthalten eine Botschaft [welche deutlich genug ist] für ein gottesfürchtiges Volk.

107. Wir haben dich einzig und allein aus Mitleid gegen die Menschheit gesandt.

108. Sprich: Es ist mir geoffenbart worden, daſs eure Götter ein Gott sind: Wollt ihr ihm huldigen?

109. Wenn sie sich weigern, so sprich: Ich habe an euch die Verkündigung so vollständig ergehen lassen, daſs wir gleich viel wissen, und es ist mir gänzlich unbekannt, ob das, was euch gedroht wird, nah oder fern ist.

110. Gott weiſs eure geheimen Reden und die öffentlichen,

111. wie kann aber ich wissen, ob die Verzögerung nicht eine Versuchung und nur ein Genuſs ist, der bloſs bis zu einer bestimmten Zeit dauert.

112. Sprich: Herr, entscheide [zwischen mir und meinen Gegnern] dem Wahren gemäſs. Unser Herr ist der Raḥmân, den wir um Hülfe anrufen gegen ihre Verläumdungen.

Die Verheiſsung Gottes, daſs die Frommen das Land erben werden, ging am Ende doch schon während der Lebzeiten des Propheten in Erfüllung — freilich nicht wegen der Versöhnlichkeit der Moslime. — Nach einer gewonnenen Schlacht ruft Gott den Gläubigen zu:

33, 27. Gott hat euch ihr Land, ihre Wohnsitze und ihre Reichthümer zum Erbe gegeben und auch ein Land, das ihr nie betreten habt. Allah hat sich über alle Dinge mächtig erwiesen.

Der Wahlspruch der frühen Moslime: »Gott gehört

---

testamentliche Schriften, in denen die so eben erwähnte, von Gott den Juden gemachte Verheiſsung, der Behauptung des Moḥammad zufolge, vorkommt. Er hatte den Psalmvers wahrscheinlich aus den Çoḥof des Abraham und Moses genommen, diese wagte er aber nicht mehr anzuführen; er wählte daher den allgemeinsten Ausdruck, den er finden konnte. Auch in andern Offenbarungen dieser Periode kommt Dzikr in dieser Bedeutung vor, wie Ḳ. 21, 7. 16, 45.

die Welt und er giebt sie dem Muthigen zum Erbe« ist ewig wahr und wird auf jeder Seite der Geschichte bewiesen. Möchten sich die Deutschen doch Friedrich II. zum Muster nehmen und bedenken, daſs That und Entschlossenheit, ja Verwegenheit eine Nation groſs machen und nicht die Träume ihrer Philosophen und noch viel weniger die Orthodoxie und Frömmigkeit ihrer Theologen.

IV. Die Natur Jesu.

Eines Tages saſs der Prophet mit Walyd b. Moghyra bei der Ka'ba. Es kam auch Nadhr und allmählig sammelte sich eine ziemliche Anzahl von Ḳorayschiten. Nadhr benutzte diese Gelegenheit und lieſs sich mit dem Propheten in einen Disput ein. Er wurde aber zum Schweigen gebracht. Darauf erschien die Offenbarung:

21, 98. Ihr und die Götzen, welchen ihr neben Allah dient, sind Brennstoff für das Gehannam; dort werdet ihr euch einstellen.

99. Wenn sie Götter wären, würden sie sich nicht einstellen; aber ihr und sie werden ewig darin bleiben.

100. Da wird ein Winseln sein! aber es wird kein Gehör finden.

Walyd, welcher bei solchen Gelegenheiten den Vorsitz führte, wandte sich an den eben hereintretenden Ibn Zi'bary, erzählte ihm, was vorgefallen und sprach: Nadhr war zwar nicht im Stande zu antworten, hat sich aber auch nicht ergeben. Ibn Zi'bary versetzte: Bei Gott, wenn ich ihn sähe — Moḥammad hatte sich nämlich schon entfernt — so würde ich ihm auf sein Verdammungsurtheil über unsere Götter eine Antwort geben. Fragt ihn: Meinst du bloſs unsere Götter oder alle Wesen, die auſser Allah angebetet werden? Bei der nächsten Gelegenheit wurde Moḥammad gefragt, und er antwortete: Alle. Du hast dich selbst verfangen, riefen seine Gegner, du glaubst doch, daſs die Engel Diener Gottes seien, daſs Jesus ein frommer Diener Gottes und dafs Ozayr (d. i. Ezra) ein frommer Diener Gottes sei. Die Engel aber werden von den Banû Molayḥ angebetet, Jesus von den Christen und Ezra von den Juden. Die Ḳorayschiten waren höchlich erfreut über diese Disputation. Darauf wurde geoffenbart [1]):

21, 101. Diejenigen Wesen, die wir schon von vornherein der Gnade theilhaft gemacht haben, werden ferne davon sein

102. und nicht einmal das Prasseln des Höllenfeuers hören, sondern ewig geniefsen, was ihr Herz gewünscht hat.

103. Jener grofse Schreckenstag wird sie nicht betrüben, denn die Engel werden ihnen entgegenrufen: Dieses ist euer Ehrentag, der euch versprochen worden ist.

Ueber die Natur Jesu spricht er sich deutlicher aus:

43, 57. Und da dir der Sohn der Maria als Problem vorgelegt worden ist, unter dem Beifallsrufe deines Volkes [2]),

58. und da sie fragten: Sind unsere Götter besser oder Jesus? [so wisse] dafs sie dir diese Frage nur aus Zanksucht vorgelegt haben, denn sie sind wahrlich ein rechthaberisches Volk.

59. Er ist nichts als ein Knecht, dem wir unsere Gnade ertheilt (zum Propheten auserkoren) und für die Söhne Israel zum Problem gemacht haben [sie wissen daher nicht, was sie aus ihm machen sollen: einige halten ihn für Gottes Sohn und andere für einen Betrüger].

60. Wenn wir wollen, können wir ja auch von euch Engel geboren werden lassen, welche auf Erden eure Nachfolger sein werden [seid daher nicht über die Geburt und Bestimmung Christi erstaunt].

61. Jesus wufste von der Stunde (wann sie eintref-

---

[1]) Ibn Isḥâḳ, S. 236, und Wâḥidy, Asbâb 21, 101, von Ibn ʿAbbâs.

[2]) Nach einer andern Lesart: Obschon dein Volk ihn nicht anerkennt.

fen werde[1]); bezweifelt sie daher nicht, sondern folget mir; dies ist die gerade Strafse (fides catholica).

62. Lasset euch durch den Satan nicht davon abwendig machen; denn er ist offenbar euer Feind.

63. Als Jesus den Menschen die Erleuchtungen überbracht hatte, sagte er: Ich habe euch die Weisheit überbracht und bin gekommen, um euch über einige Punkte, über welche ihr in Zwiespalt seid, aufzuklären; seid daher gottesfürchtig und gehorchet mir.

64. Wahrlich, Allah ist mein Herr und euer Herr, dienet ihm also; dieses ist die gerade Strafse.

65. Aber die Ethnoi geriethen in Zwiespalt unter sich [in Bezug auf seine Natur]. Wehe den Ungerechten ob der Strafe eines peinlichen Tages!

Jede Idee, welche während jener Periode des Dranges in Moḥammad angeregt wurde, bewegte einige Zeit seine Brust und fand unter verschiedenen Gesichtspunkten einen Ausdruck im Ḳorân, ehe sie eine neue verdrängte und in Vergessenheit brachte, oder bis ein Ausdruck derselben stereotyp wurde. Verkannt und verachtet von der Welt, lebte der Prophet in seiner Subjectivität. Weil diese Bemerkung für die Beurtheilung des Charakters dieses Schwärmers wichtig ist, theile ich noch zwei Inspirationen aus der Drangperiode über das Wesen Jesu und

---

[1]) Die Vokale wurden Anfangs im Ḳorân nicht geschrieben, und auch das Alif als Dehnungszeichen ist erst später eingeführt worden, darum wird hier لعلم auf zweierlei Art gelesen. Ich lese la'âlim oder la'allâm. Wenn diese Lesart von den Moslimen nicht vorgeschlagen wird, müssen wir bedenken, dafs Moḥammad bekannte, er wisse die Stunde [der Auferstehung] nicht. Sie wollten doch dem Religionsstifter der Christen nicht zuerkennen, dafs er in Geheimnisse eingeweiht war, welche dem ihrigen vorenthalten wurden; und so waren sie veranlafst, diese Ḳorânstelle anders aufzufassen. Es ist wohl Jesus zu verstehen, wenn Moḥammad in Ḳor. 72, 26 sagt, es habe Propheten gegeben, denen die Stunde bekannt war.

der Engel mit, die sich um denselben Mittelpunkt drehen wie die soeben vernommene.

21, 26. Sie sagen: Der Raḥmân hat Kinder. — Das sei ferne von ihm. — Ehrenwerthe Diener hat er.

27. Sie wagen es nicht, vor ihm das Wort zu nehmen und sie handeln seinen Befehlen gemäſs.

28. Er weiſs, was vor ihnen und hinter ihnen ist, und sie dürfen nicht Fürbitte einlegen,

29. auſser für wen es Ihm gefällt, und sie sind mit tiefster Ehrfurcht gegen ihn erfüllt.

30. Sollte einer von ihnen sagen: Ich bin ein Gott neben ihm, so würden wir es ihm mit der Hölle vergelten; denn so belohnen wir die Ungerechten.

[Ein Fragment.]

(Zu ergänzen aus der Inspiration S. 30 oben.)

43, 79. Oder haben sie vielleicht eine gewisse Sache festgemacht — auch wir wollen Etwas festmachen —

80. oder glauben sie, daſs wir ihre Geheimnisse und ihr Geflüster nicht hören? Allerdings hören wir es, denn unsere Boten sind um sie, welche alles aufschreiben.

81. Sprich: Wenn der Raḥmân ein Kind hätte, so wäre ich der erste, der es anbetete.

82. Weit erhaben ist er, der Herr der Himmel und der Erde, der Herr des Thrones, über das, was sie ihm andichten!

83. Laſs sie allein in ihrem Grübeln und in ihrem Leichtsinn, bis sie den ihnen gedrohten Tag erreichen.

84. Er ist der Gott im Himmel, er ist der Gott auf Erden, er ist der Weise, der Wissende.

85. Gesegnet sei der, welchem die Herrschaft der Himmel und der Erde und was dazwischen ist, angehört. Er besitzt die Kenntniſs der Stunde, und vor ihm müſst ihr erscheinen.

86. Jene Wesen, welche die Menschen neben ihm anrufen, sind nicht im Stande, Fürbitte einzulegen, ausgenommen solche [wie Jesus und die Engel], welche für

die Wahrheit Zeugnifs ablegen [1]), und diese sind aufgeklärt [über diese Dinge].

87. Wenn du die Ungläubigen fragst: Wer hat euch erschaffen? sagen sie unfehlbar: Allah! Warum lassen sie sich bethören?

Aus diesem Disput sieht man Moḥammad's damalige Stellung zum Christenthum und Judenthum. Hätte er schon damals die Absicht gehabt, eine diesen zwei Religionen widersprechende Glaubenslehre zu gründen, so hätte er dem Zi'bary einfach geantwortet: Die Christen haben Unrecht, indem sie Jesum verehren.

V. Der Ḳorân.

Es ist bereits angedeutet worden, dafs die Makkaner erwarteten, das im Himmel aufbewahrte Buch, oder wenigstens irgend ein Beglaubigungsschreiben, werde dem Moḥammad schriftlich durch Engel herabgesandt werden [2]). Hier will ich die betreffenden Ḳorânstellen und Moḥammad's Erklärung, warum ihr Wunsch nicht erfüllt werde, mittheilen:

---

[1]) Die Intercessionstheorie ist in dieser Periode schon ziemlich ausgebildet, in der vorigen Inspiration (Ḳ. 21, 27; vergl. 20, 108) hängt es von der der Fürsprache bedürftigen Person ab, ob sie dem Raḥmân vorgetragen werden darf, nach dieser aber auch von dem Fürsprecher. Wenn für unwürdige Menschen die Fürsprache nicht einmal vorgetragen werden darf, so hängt dies mit dem orientalischen Glauben, dafs die Bitte und der Fluch heiliger Männer immer erhört werden, zusammen.

[2]) „Die Heiden von Makka sagten zu Moḥammad: Bei Allah! wir glauben dir nicht, wenn du nicht von Allah selbst ein Buch erhälst und vier Engel es begleiten und bezeugen, dafs es wirklich von Allah ist und du sein Bote bist." — Kalby bei Wâḥidy, Asbâb 6, 7. Tha'laby bemerkt zu Ḳor. 2, 102: „Dieser Vers wurde in Bezug auf die Juden geoffenbart, weil sie sagten: o Moḥammad, bring uns das Buch auf einmal vom Himmel, wie Moses die Thora gebracht hat."

25, 34. Die Ungläubigen haben gesagt: Warum wurde auf ihn der Ḳorân nicht als ein abgeschlossenes Ganze herabgesandt? [1])

Er antwortete, dafs ihm die Offenbarungen der Zweck-

---

[1]) Ich gebe hier die Stelle im Zusammenhang wieder, weil sie die damalige Taktik des Moḥammad zeigt:

25, 32. Der Bote (Moḥammad) sprach zu Gott: Herr, mein Volk hat sich von diesem Ḳorân (Psalter) entfernt.

33. [Gott antwortete:] Auf dieselbe Art haben wir gegen jeden Propheten Widersacher unter den Bösewichtern erweckt. Aber dein Herr genüge dir als Leiter und Helfer.

34. [Der Bote fuhr fort:] Die Ungläubigen haben gesagt: Warum wurde auf ihn der Ḳorân nicht als ein abgeschlossenes Ganze herabgesandt? [Gott antwortete:] Wir offenbaren ihm dies auf solche Art (d. h. nicht in der Form eines Buches, sondern als eine Reihe von Eingebungen), auf dafs wir fortwährend dein Herz damit stärken, und wir singen ihn dir feierlich vor.

35. So oft sie dir nämlich ein Problem vorlegen, theilen wir dir die Wahrheit und die beste Lösung mit.

36. Diejenigen, welche mit dem Gesichte vorwärts in die Hölle gestürzt werden (d. h. zum Unglauben prädestinirt sind), haben einen schlechten Ort und sind auf dem gröfsten Irrwege.

37. Dem Moses haben wir das Buch [auf einmal] gegeben, und für ihn seinen Bruder als Wazyr bestellt [die Art, wie dies geschah, wird in Sûra 7, dann in Sûra 2 beschrieben].

38. Dann sagten wir: Gehet zum Volke, welches unsere Zeichen für Trug hält. Aber wir haben es auch verheert und vertilgt.

39. So auch das Volk des Noah. Als es die Boten als Lügner erklärte, haben wir es ertränkt und den Menschen zum [abschreckenden] Zeichen gemacht, und für die Ungerechten haben wir eine peinliche Strafe bereitet.

40. So auch [erging es] den ʿÂditen, Thamûdäern, den Leuten des Rass und vielen Geschlechtern zwischen ihnen.

41. Jedem haben wir die Probleme (die unwahrscheinlichen Lehren, die wir jetzt dir offenbaren) vorgelegt, und jedes haben wir gänzlich vertilgt.

42. Die Makkaner sind doch bei der Stadt Sodoma vorübergegangen, auf welche der Regen der Zerstörung gefallen ist; haben sie dieselbe denn nicht angesehen? Aber sie erwarteten nicht, dafs sie auferstehen werden [und deswegen nahmen sie das Beispiel nicht zu Herzen].

mäfsigkeit wegen fragmentarisch mitgetheilt werden [1]) und dafs, wenn sie ihm Gott auch nicht schriftlich zustellt, sie doch im Himmel geschrieben aufbewahrt seien, und dies, dachte er, sollte den Makkanern genügen.

74, 50. Was ist ihnen denn, dafs sie von der Ermahnung weglaufen,

51. wie wilde Esel, welche vor dem Löwen fliehen?

52. Freilich verlangt jeder, dafs die Offenbarung in offenen Rollen überbracht werde.

53. [Die Ursache ihres Unglaubens ist nicht Mangel an Beweis der Wahrheit der Offenbarung,] sondern dafs sie das künftige Leben nicht fürchten.

54. Allein dies (dieser Ḳorân) ist eine Ermahnung [2]) und wer will, nimmt ihn zu Herzen;

55. sie werden ihn aber nicht zu Herzen nehmen, aufser dafs Allah es wolle; Er ist der Gott der Versöhnlichkeit [3]) und der Gott des Verzeihens.

---

1) Ḳor. 17, 107.

2) Dieser Vers kommt auch in Sûra 80, 11 vor und bildet auch dort einen essenciellen Bestandtheil der Inspiration. Die Wiederholung desselben hat aber die Sammler veranlafst, dort Verse einzuschalten, die hieher gehören.

3) Wir wissen, dafs virtus bei den Römern und Tugend bei den alten Deutschen in etwas ganz Anderm bestand als bei den Mönchen. Es ist wahrscheinlich, dafs auch taḳwà Frömmigkeit, Gottesfurcht, wenn der Ausdruck den heidnischen Arabern vor Moḥammad bekannt war, einem andern Begriffe entsprach als bei den Darwyschen. Die Frage, worin die taḳwà bestehe, ist schon von den Moslimen untersucht worden. Der Chalyfe 'Omar fragte Ka'b, den Schriftgelehrten: Was ist die taḳwà? Dieser antwortete: Bist du je einen dornigen Pfad gegangen? — Ja! — Was hast du da gethan? — Ich habe mich in Acht genommen und aufgepafst. Ka'b erwiderte: Das nennt man taḳwà. Im Ḳor. 2, 22 kommt der Ausdruck vor: fa-ttaḳû alnâr, vermeidet die Hölle, und daher hat man, wohl mit Recht, die taḳwà für eine negative Eigenschaft erklärt: sich von der Sünde enthalten. Es entspricht unserer Gewissenhaftigkeit oder Scrupulosität. Die Raubsucht der ersten Moslime und die Grausamkeiten des Ḥaǵǵâǵ haben unter den frommen Männern

Mit diesen Worten endet die Sûra; daran schliefst sich:
80, 11. Allein dies (dieser Ḳorân) ist eine Ermahnung,
12. und wer will, nimmt ihn zu Herzen.

---

eine Reaktion hervorgerufen, deren Repräsentant der Chalyfe 'Omar b. 'Abd al-'Azyz war, und die taḳwà galt unter ihnen als das höchste Princip der Moralität. Sie besteht, sagte dieser Chalyfe, nicht darin, dafs du bei Tage fastest und und bei Nacht betest, sondern darin, dafs du das vermeidest, was Gott verboten hat, und wenn du aufserdem noch Almosen giebst von deinem Vermögen, so fügst du Gutes zu Gutem. Mit unerreichter Reinheit hat Moḥâsiby dieses Princip in seinem Dawâo dâi-lḳolûb entwickelt. Andere Moralisten sind jedoch schon zu weit gegangen. Sofyân Thawry und Fodhayl sagen: Gewissenhaft (mottaḳiy) ist ein Mann, der für andere anstrebt, was er für sich selbst wünscht. Ġonayd b. Moḥammad ist jedoch mit dieser Lehre nicht zufrieden und sagte, der Mensch mufs für den andern mehr erstreben als für sich selbst. Weist du, sagte er, was mein Lehrer gethan hat? Eines Tages grüfste ihn ein Freund. Er erwiderte den Grufs, sah dabei aber mürrisch aus. Ich fragte ihn um die Ursache. Er antwortete: Ich habe gehört, dafs wenn ein Bruder den andern grüfst und dieser erwidert den Grufs, so gewährt ihnen Gott hundert Gnaden, wovon neunzig dem zukommen, welcher von beiden eine freundliche Miene macht: ich wünsche nun dafs ihm und nicht mir die neunzig Gnaden zu Theil werden. Für uns ist es interessant zu wissen, welche Begriffe Moḥammad von taḳwà hatte, und wenn er sie nicht selbst entwickelt hat, wo er sie hernahm. In die letztere Frage einzugehen habe ich nicht die Mittel, und in Bezug auf die erste müssen wir uns an den Ḳorân halten. Der Ausdruck ittaḳû Allâha, fürchtet Gott, kommt so häufig im Ḳorân vor, dafs kein Zweifel sein kann, taḳwà bedeute Gottesfurcht. Diese Furcht scheint sich aber Moḥammad nicht als Gefühl der Angst gedacht zu haben, sondern er fand sie in einem behutsamen, rücksichtsvollen Betragen, und deswegen äufsert sie sich zunächst als Schamgefühl (Ḳor. 91, s. 7, 25) und Reinheit der Sitten; er nennt daher in Ḳ. 9, 109 sein Bethaus die Moschee der taḳwà „in welcher Männer sind, die sich rein halten.“ Die Auffassung der Aufsenwelt ist bei hysterischen Menschen so ganz subjektiv, dafs die ganze Schöpfung in ihnen ihren Mittelpunkt hat und um sie kreist, und wenn man diese Stelle und die Veranlassung zur Offenbarung derselben genauer besieht, so überzeugt man sich, dafs Sittenreinheit nach seiner Ansicht in der unbedingten Ergebenheit gegen „Gott und seine Boten“ bestand. Dies geht noch deutlicher aus Ḳ. 58, 10

13—14. [Im Himmel] wird er geschrieben auf ehrwürdige, erhabene, reine Rollen,

15. von den Händen edler, rechtschaffener Schreiber.

Auch in Sûra 85 ist ein Fragment ohne Vorsatz. Der Sinn aber bedingt einen, ähnlich dem im zweitvorhergehenden Stück.

85, 21. Vielmehr ist dies ein glorreicher Psalter (Ḳorân),

22. geschrieben auf einer aufbewahrten Tafel.

Mit diesen Worten endet die Sûra. Die in diesen Fragmenten vorgetragene Lehre, dafs der Ḳorân im Himmel schriftlich vorhanden sei, ist bereits erörtert worden.

In der im Jahre 615 geoffenbarten Stelle (Ḳor. 28, 48—59) sagt er, dafs Gott dem Moses das Buch allerdings auf einmal wunderbarerweise gegeben, dafs es aber nichts gefruchtet habe, denn die Juden verharrten doch im Unglauben; Gott wolle daher das Experiment nicht wiederholen. Ja hätte Gott den Juden nicht das Wort gegeben, sie nicht wie die Frevler unter den Heiden zu vertilgen, so würde er sie der Schismen wegen, welche die wunderbare Herabsendung des Gesetzes zur Folge hatte, ausgerottet haben. Es ist daher ein unvernünftiges Verlangen, dafs der Ḳorân auf dieselbe Weise geoffenbart werden soll.

Der Gründer der Sekte der Mormonen fand es nöthig vorzugeben, dafs sein Buch eine Uebersetzung aus einer fremden Sprache sei. Auch die Makkaner scheinen Einwendungen gegen eine Offenbarung in der Jedermann

---

hervor, wo es füglich mit Unterwürfigkeit übersetzt werden kann. In Ḳ. 48, 26 sagt er, dafs sich die Ugläubigen von blinder Wuth hinreifsen lassen, welche charakteristisch sei für ihre Unwissenheit (Ungöttlichkeit), dafs aber Gott auf die Herzen des Propheten und der Gläubigen die Sakyna (Ruhe) herabgesandt und ihnen das Wort taḳwà zur Loosung gemacht habe. Die Commentatoren verstehen zwar alle unter dem Wort „taḳwà“ das Glaubensbekenntnifs: „es giebt nur einen Gott“; ich bin aber überzeugt, dafs Moḥammad Nachgiebigkeit, Versöhnlichkeit, darunter meinte. Dieses ist auch die Bedeutung der Stelle, welche uns hier beschäftiget.

verständlichen Landessprache erhoben zu haben. Mohammad fertigt diesen und den vorigen Einwurf in einer Stelle ab:

41, 40. Diejenigen, welche unsere Zeichen (Offenbarungen) angreifen, sind uns wahrlich nicht verborgen. Ist etwa der, welcher in's Feuer geworfen wird, besser daran oder der, welcher am Auferstehungstage geborgen auftritt? Thut, was ihr wollt, Gott sieht, was ihr thut.

41. [Ich meine] diejenigen, welche sich undankbar gegen die Ermahnung (Offenbarung) erweisen, nachdem dieselbe an sie ergangen ist; denn sie ist eine erhabene Bibel.

42. Das Nichtige findet weder von vorn noch von hinten Zutritt zu ihr; sie ist ein Erlafs von jenem Weisen, Gepriesenen.

43. Keiner der Einwürfe gegen dich ist neu; sie sind schon gegen die Propheten vor dir erhoben worden; aber während dein Herr nachsichtig ist [gegen die Propheten], straft er auch peinlich [ihre Feinde].

44. Hätten wir sie [ihrem Verlangen gemäfs] in ausländischer Sprache abgefafst, so würden sie sagen: Warum sind ihre Zeichen (Verse) nicht verständlich gemacht worden? pafst ein welsches Buch für einen Araber? Antworte: Sie ist für die Gläubigen eine Leitung und Heilung. Die Ungläubigen sind schwerhörig und schwachsichtig, es ist, wie wenn man ihnen von weiter Entfernung zuriefe.

45. Wir haben es gethan [was sie verlangen]; wir haben dem Moses die Bibel übergeben. Es entstanden aber Meinungsverschiedenheiten darüber, und hätte dein Herr nicht bereits ein Wort gesprochen gehabt, so wäre zwischen ihnen entschieden worden. Sie sind wahrlich selbst jetzt noch in rathloser Ungewifsheit darüber [1]), [ob

---

[1]) Das heifst: Hätte Gott nicht bereits den Termin für ihre Strafe festgesetzt gehabt, würden sie ihres Zweifels wegen schon vertilgt worden sein. In denselben Worten, aber deutlicher, ist die Idee in Ḳ. 20, 129 ausgedrückt. Meine Auffassung der ganzen Stelle

die Thora oder blofs die zehn Gebote schriftlich geoffenbart worden sind].

Der Schlufs dieser Inspiration bezieht sich auf eine andere Schwierigkeit. Seine Gegner hatten, wie es scheint, in Erfahrung gebracht, dafs die Rollen des Moses unächt und dafs ihm nur die zehn Gebote, nicht aber die Thora auf Tafeln von Gott mitgetheilt worden seien. Auch die folgenden Verse haben auf diesen Streit Bezug:

32, 23. Wir haben dem Moses das Buch gegeben — bezweifle nicht, dafs er es erhalten hat — und wir bestimmten es für die Kinder Israel zur Leitung.

24. Einige von ihnen haben wir, weil sie ausharrten und von unsern Zeichen fest überzeugt waren, zu Imâmen (Vorbildern, geistlichen Obern) bestellt, welche das Volk leiten sollen.

25. Wahrlich, dein Herr ist es, welcher am Tage der Auferstehung zwischen ihnen über die Gegenstände ihrer Streitigkeiten entscheiden wird.

Wenn ihm auch gesagt wurde, dafs die Thora dem Moses nicht schriftlich mitgetheilt worden sei, so konnte er doch seine Behauptung nicht zurücknehmen. Einige Zeit nach dieser Offenbarung dachte er, da seine Gegner bei ihrer Forderung beharrten, auf eine bessere Antwort:

98, 1. Die Ungläubigen, sowohl die unter den Schriftbesitzern, als auch die unter den Heiden, wollen nicht nachgeben, bis nicht der [verlangte] Beweis zu ihnen kommt:

2. nämlich ein Bote (Engel) von Allah, der da reine Rollen vorliest, welche unwandelbare [1]) Schriften enthalten.

---

wird gerechtfertigt durch Ḳor. 42, 13. Das Wort (schakk), welches ich mit Ungewifsheit wiedergebe, bedeutet eigentlich Zweifel, aber auch Unwissenheit (Ḳ. 4, 156).

[1]) Moḥammad hat manche seiner Offenbarungen abgeändert und widerrufen, wodurch er den Glauben der Zuhörer erschütterte. Sie wünschten sich daher eine Offenbarung, die keiner Veränderung unterworfen sei.

3. Aber diejenigen, welchen die [im Himmel aufbewahrte] Schrift [auf diese Weise] mitgetheilt worden ist, trennten sich erst in Sekten, als ihnen dieser Beweis vorlag.

4. Es wurde ihnen jedoch kein anderes Gebot gegeben, als Allah ausschliefslich als Ḥanyfe anerkennend zu dienen, das vorgeschriebene Gebet zu verrichten und das gesetzliche Almosen zu geben. Darin besteht die unwandelbare (ewige) Religion [die Abänderungen im Ḳorân beziehen sich also nur auf Zufälligkeiten].

Hält man diese Inspiration und die vorige zusammen, so findet man eine Bestätigung der oben S. 291 ausgesprochenen Vermuthug, dafs er die Ḥanyfe — wohl vorzugsweise seine Lehrer — die Imâme (Führer, Vorbilder) nennt [1]).

Ziemlich schwach ist folgende Ausflucht:

6, 7. Hätten wir auf dich ein Buch auf Pergament herabgeschickt, und sie hätten es mit ihren Händen befühlt, so würden sie (die Gottlosen) doch sagen: Dies ist deutlich eine Zauberei (Betrug).

Als er diesen Vers verfertigte, hatte er wahrscheinlich schon darüber gesonnen, was die Folgen sein würden, wenn er vorgäbe, »das Buch« gesehen zu haben. Er spricht seine Befürchtung, dafs man ihm nicht glauben würde, offen aus und stand auch einige Zeit davon ab. Allein die Hoffnung, es könnte einen guten Eindruck auf seine Anhänger machen, bewog ihn am Ende, »die bestmögliche Lösung des ihm vorgelegten Problems zu geben«:

44, 1. Ḥam [2]). Beim unverkennbaren Buche schwören wir,

---

[1]) Die Orientalen haben von Zeit zu Zeit ihren Asceten die pompösesten Titel gegeben, wie Schaych der Aelteste, Schâh König, Abû Vater, Murschid Führer, Ghawth der Hülferuf. Es ist wahrscheinlich, dafs auch die Juden von Zeit zu Zeit neue Benennungen für ihre Schwärmer erfanden, und dafs Imâm (oder ein Wort, wovon Imâm die arabische Uebersetzung ist) eine davon war. Vielleicht kann uns ein jüdischer Gelehrter darüber Aufschlufs geben.

[2]) Einige sprechen diese mysteriösen Buchstaben Ḥomm aus. Ueber die Bedeutung herrscht Meinungsverschiedenheit.

2. dafs, da wir die Menschen zu ermahnen entschlossen waren, wir es hinabgesandt haben in einer gesegneten Nacht,

3. in welcher alle weisen Dinge erledigt werden.

4. Wir haben es gesandt in Folge eines von uns ausgehenden Rathschlusses [1]); denn wir wollten einen Boten senden,

5. aus Gnade Seitens deines Herrn; denn er ist der Hörende, der Wissende.

Gott hat also endlich doch alle Bedenken überwunden und seinem Boten das Buch übersandt. Diese Lüge wurde dann ferner ausgebildet:

97, 1. Wir haben ihn (den Ḳorân) hinabgesandt in der Nacht des Fatums.

2. Aber weifst du auch, was die Nacht des Fatums ist? [2]).

3. Die Nacht des Fatums ist besser als tausend Monate;

4. denn in jener Nacht steigen die Engel und der Rûḥ (heilige Geist) auf Befehl ihres Herrn hinab in Bezug auf alle Dinge (um alle Dinge zu ordnen).

5. In jener Nacht herrscht Heil bis zum Aufgang des Morgenroths.

Zu bemerken ist noch, dafs diese Inspiration (97, 1—5) und das vorhergehende Fragment 80, 12—15 und die ursprüngliche Forderung der Heiden (74, 50—54) denselben (nicht häufig vorkommenden) Reim haben und in demselben Stil geschrieben sind. Vielleicht war es Moḥammad's Absicht, dafs alle diese Inspirationen nur ein Stück bilden sollen, obschon sie nicht auf einmal geoffenbart worden sind. Sie würden dann in folgender Reihenfolge stehen:

---

[1]) Meines Dafürhaltens ist Amran von anzalnâ abhängig.

[2]) Sie ist den Moslimen das, was den Juden der Neujahrstag ist.

74, 50—54 (Vers 55 ist ein späterer Zusatz),
80, 12—15,
97, 1—5.

Was mich in dieser Ansicht bestärkt, ist, dafs in Sûra 80 das Femininum plötzlich in das Masculinum übergeht, wodurch sie mit Sûra 74, 54 in Einklang kommt.

Ḥalaby, fol. 371, sagt, dafs die Nacht des Fatums dem Palmsonntag يوم السباسب der Christen entspricht. Sie kommt im Ḳorân noch einmal vor (Sûra 2, 181—183) und dort wird gesagt, dafs sie in den arabischen Monat Ramadhân falle. Den Tag des Monats wissen die Moslime nicht mit Bestimmtheit anzugeben. Der Palmsontag fiel in den Jahren 621, 622 und 623 in den Ramadhân. Der Ḳorân müfste also dem Moḥammad in einem dieser drei Jahre gezeigt worden sein. Im Jahre 623, in welchem der Palmsonntag auf den 12 Ramadhân (20. März) fiel, war Moḥammad schon in Madyna und im J. 624 beobachtete er die Fasten der Christen; es liegt daher die Vermuthung nahe, dafs 623 das Datum der zwei letzten Inspirationen sei. Im Ḳorân werden sie jedoch als makkanische Sûren überschrieben. Wenn sie schon in Makka geoffenbart wurden, wie anzunehmen ist, so kann man sich die Sache so erklären, dafs die Moslime im J. 623 das damals zufällige Zusammentreffen ihres Festes mit dem Palmsonntag bemerkten und dafs die Tradition, welcher zufolge die Nacht des Fatums mit dem christlichen Feste übereinstimmt, sich von diesem Jahre datirt.

Die Sage hat dieses Wunder erweitert. Es wird behauptet, dafs Gabriel alle Jahre den Ḳorân vom Himmel brachte und ihn dem Moḥammad zeigte, und dafs der Prophet diese Gelegenheit benutzte, um das, was er bereits besafs, mit dem himmlischen Original zu vergleichen. Ibn Isḥâḳ glaubt, dafs Moḥammad im Ramadhân die erste Offenbarung erhalten und das Buch gelesen habe; er läfst daher den Engel, der ihm auf dem Berge Ḥirâ erschien, mit einem in Brokat eingewickelten Buche versehen sein. Wahrscheinlich hat des Engels Ansprache an Moḥammad »lies!« zu dieser Tradition Veranlassung gegeben. Es ist aber möglich, daſs der Prophet die Geschichte der Vision nachträglich selbst erweitert und das Buch bei dieser Gelegenheit gesehen zu haben behauptet habe. Eine andere Lehre trägt Tha'laby, Tafs. 2, 181, vor.

Wir haben gesehen, daſs die Widersacher nicht nur forderten, daſs das Buch bei hellem Tage von Engeln dem Propheten zugestellt werde, sondern daſs sie sich auch darüber aufhielten, daſs er die Offenbarungen allmählig erhalte, und nicht mit einem vollständigen Vorrathe, wie er diesen auch immer erhalten haben mochte, auftrete. Es ist nicht unwahrscheinlich, daſs er dieser Forderung schon im Jahre 614—15 zu entsprechen bestrebt war, und erst später die Zweckmäſsigkeit der gelegentlichen Inspiration vertheidigte. Um jene Zeit war er mit Hülfe seines Mentors eifrigst beschäftigt, die Prophetenlegenden poetisch zu bearbeiten, und um durch die Schwierigkeit der Form im Fortgange nicht gehindert zu sein, änderte er plötzlich den Stil. Früher waren die Verse kurz, die Sprache wohlklingend und der Reim gesucht. Jetzt werden die Verse lang, der Ausdruck prosaisch und er wählt gewöhnlich den Reim in yn, welcher so leicht ist, daſs man darin sprechen könnte. Er nahm sich nicht Zeit, die Offenbarung so sorgfältig zu stilisiren wie früher.

Wenn diese Vermuthung begründet ist, so drücken die Worte Gottes (Ḳor. 15, 87): »Wir haben dir bereits sieben Wiederoffenbarungen und den glorreichen Ḳorân gegeben« die Befriedigung aus über das Zustandekommen so vieler Offenbarungen in kurzer Frist.

Um zu zeigen wie früh die über den Ḳorân vorhandenen Mythen entstanden sind, wollen wir der Sage nachspüren, daſs Gabriel jährlich im Monat Ramadhân mit dem

Propheten Repetitionen gehalten und den ganzen Ḳorân durchgegangen sei.

Bochâry, S. 748, von Zohry, von ʿObayd Allah b. ʿAbd Allah, von Ibn ʿAbbâs († A. H. 68):

»Der Prophet war immer sehr wohlthätig, aber am meisten im Ramadhân, denn der Engel Gabriel pflegte ihn jede Nacht bis zu Ende des Monats zu besuchen, damit der Prophet ihm den Ḳorân zur Vergleichung vortrage (yoʿridh ʿalayhi Rasûlullah alḳorână).«

Bochâry, S. 784, von [ʿOthmân b. ʿÂçim] Abû Ḥaçyn, von Abû Çâliḥ [Dzakwân], von Abû Horayra († A. H. 58 oder 59).

»Der Ḳorân wurde dem Propheten jährlich einmal zur Vergleichung vorgetragen (kână yoʿradh ʿalayhi) und in dem Jahre, in dem er starb, geschah dies zwei Mal. Der Prophet pflegte jährlich zehn Tage sich Andachtsübungen zu widmen, und im Jahre, in dem er starb, widmete er sich ihnen zwanzig Tage.«

Das Wort, welches ich mit »vorgetragen« übersetze, heiſst technisch eine Abschrift mit dem Original collationiren. Ob es aber schon zur Zeit als diese zwei Traditionen redigirt wurden, diese Bedeutung hatte, ist schwer zu bestimmen.

Hier haben wir zwei von einander ganz unabhängige Isnâds (Ketten von Zeugen), die bis in die Mitte des ersten Jahrhunderts hinaufreichen, als Bürgschaft für eine handgreifliche Lüge. Daſs sie alt sei, ist also gewiſs. Aber wer hat sie erfunden? — Folgende Tradition scheint die ursprüngliche Dichtung zu enthalten:

Bochâry, S. 512, von Schaʿby, von Masrûḳ, von ʿÂyischa:

»Fâṭima kam daher spaziert und hatte gerade denselben Gang wie der Prophet. Er (Moḥammad) grüſste sie, machte sie an seiner Seite niedersitzen und vertraute ihr ein Geheimniſs an. Als sie es vernommen hatte, weinte sie. Dann erzählte er ihr ein anderes Geheimnifs und sie lachte. Ich sagte zu ihr: Ich habe nie Freude so nahe beim Schmerz gesehen, als heute; was hat dir der Prophet erzählt? Sie weigerte sich, das Geheimnifs zu veröffentlichen. Als der Prophet todt war, fragte ich sie um das Geheimnifs, welches er ihr bei der erwähnten Gelegenheit erzählt habe. Sie antwortete: Er vertraute mir an: Gabriel vergleicht mit mir den Ḳorân (kână yo'âridhony alḳorână) jährlich einmal; dieses Jahr aber hat er ihn zweimal mit mir verglichen. Ich schliefse daraus, dafs mein Ende nahe sei, und du wirst das erste Mitglied meiner Familie sein, das mir in's Paradies folgen wird. Darauf weinte ich. Er aber setzte hinzu: Bist du nicht damit zufrieden, dafs du die Königin der Frauen des Paradieses und der rechtgläubigen Frauen sein wirst? darauf lachte ich.«

Da keiner von den Freunden des Moḥammad von dieser Collation etwas aus seinem Munde gehört hatte, so mufste sie der Erzähler ein Geheimnifs sein lassen, welches erst nach seinem Tode herauskam. Einerseits möchten wir aus dem Geiste der Tradition schliefsen, dafs sie nicht von 'Âyischa erfunden worden ist, noch ist es wahrscheinlich, dafs sie zu ihren Lebzeiten bekannt gemacht wurde, denn man hätte sie ja fragen können. Sie starb aber A. H. 57. Andererseits ist es klar, dafs sie A. H. 58 oder 59, dem Todesjahre des Abû Horayra, schon bekannt war. Wir können die Erfindung also dem gewandten Theologen Masrûḳ (†A. H. 62) zuschreiben und sie in das Todesjahr der 'Âyischa A. H. 57 oder 58 versetzen. Wenn aber um's Jahr 57—58 eine solche Mythe nöthig war, so müssen damals grofse Zweifel unter den Gelehrten geherrscht haben über die Integrität des Ḳorâns, und es mufs noch bekannt gewesen sein, dafs der Prophet manche Offenbarung später änderte oder gar wegwarf. Nicht umsonst wird daher gesagt:

13, 39. Allah streicht [vom Korân] was er will und bestätiget was er will; — bei uns ist der Urtext (wörtlich: die Mutter des Buches).

VI. Alexander der Grofse.

Eine interessante Veranlassung zu einer theologischen Disputation bot den Feinden des Moḥammad die Sage von Dzû-lkarnayn (Alexander). Er liefs sich nämlich den Irrthum zu Schulden kommen, eine Episode aus dem Leben dieses Helden in verdorbener Gestalt dem Moses zuzuschreiben, indem er sagt:

18, 59. Moses sprach ja zu seinem Burschen: Ich mache nicht Kehrt, ehe ich die Ineinandermündung der beiden Meere erreicht oder jahrelang marschirt bin.

60. Nachdem sie mit einander zu der Ineinandermündung gekommen waren, vergafsen sie ihren Fisch und er nahm frei seinen Weg in das Meer.

61. Als sie dabei vorüber waren, sagte er zu seinem Burschen: Trag unser Frühstück auf; diese Reise hat uns erschöpft.

62. Dieser antwortete: Weifst du was vorgefallen ist, als wir beim Felsen ruhten? Ich habe den Fisch vergessen — nur der Teufel konnte mich vergessen machen, dafs ich dich nicht daran erinnerte — und er nahm auf wunderbare Weise den Weg nach dem Meere.

63. Jener versetzte: Dies ist es gerade was wir gewünscht hatten. Darauf kehrten sie mit einander denselben Weg zurück.

64. Und sie begegneten einem unserer Diener, welchem wir unsere Gnade beschert und übernatürliche Kenntnifs gegeben hatten.

65. Moses sprach: soll ich dir folgen, auf dafs du mich unterweisest in dem, was dir bekannt ist im Gebiete der Weisung?

66. Er antwortete: Es wird dir unmöglich werden, bei mir geduldig auszudauern.

67. Wie könntest du auch Geduld in Dingen haben, von denen du keine Kunde besitzest?

68. Moses sagte: Du wirst mich geduldig finden, und ich werde dir in Nichts widerstreben.

69. Er antwortete: Wohlan, wenn du mir folgen willst, darfst du mich über Nichts zu Rede stellen, bis ich den Gegenstand selbst berühre.

70. Sie gingen mit einander weiter, bestiegen ein Schiff und er machte es leck. Moses sagte: Hast du es verdorben, um die Leute zu ertränken? — Bedenke was du thust!

71. Er versetzte: Habe ich dir nicht gesagt, es wird dir nicht möglich sein bei mir geduldig auszudauern?

72. Moses sagte: Lafs mich es nicht entgelten, dafs ich es vergessen habe; du mufst mir aber in meiner Lehrzeit nicht zu Schweres aufbürden.

73. Sie gingen weiter und begegneten einem Knaben; er tödtete diesen. Moses sagte: Wie du tödtest einen unschuldigen Menschen, an dem du kein Blut zu rächen hast? Du hast ein Verbrechen begangen.

74. Er versetzte: Habe ich dir nicht gesagt, es wird dir unmöglich sein, bei mir geduldig auszudauern.

75. Moses sagte: Wenn ich dich noch einmal über etwas zu Rede stelle, so schliefse mich von deiner Gesellschaft aus; ich erkläre, dafs ich mich nicht beklagen werde.

76. Sie gingen weiter und kamen in eine Stadt. Hier baten sie die Bewohner um etwas Essen, es wurde ihnen aber keine Gastfreundschaft zu Theil. Sie fanden daselbst eine Mauer, welche einstürzen wollte, er aber stützte sie. Moses sprach: Wenn du gewollt hättest, hättest du dabei was verdienen können.

77. Er fiel ihm in's Wort: Nun trennen wir uns; ich will dir aber die Dinge erklären, deren Ausgang zu erwarten du nicht die Geduld besafsest.

78. Das Schiff gehörte armen Leuten, welche ihr Brod auf dem Meere verdienen. Es lag mir daran, es zu beschädigen, denn hinter ihnen kam ein König, welcher jedes Schiff gewaltsam wegnimmt.

79. Der Knabe hatte gläubige Eltern. Wir fürchteten, dafs er sie in Sünde und Unglauben versenken werde,

80. und wir wünschten, dafs ihnen Gott statt seiner ein besseres Kind gebe, welches rein und liebevoller sei.

81. Die Mauer ist das Eigenthum zweier Waisenknaben in der Stadt. Unter der Mauer liegt ein Schatz begraben, welcher ihnen gehört. Ihr Vater war ein rechtschaffener Mann. Dein Herr wollte nun, dafs sie zum reifen Alter gelangen und dann erst ihren Schatz finden sollen. All dies ist aus Gnade deines Herrn geschehen; ich habe es nicht auf eigene Verantwortlichkeit gethan. Dies ist die Erklärung dessen, was du nicht mit Geduld anzusehen vermochtest.

Geiger, S. 171, sagt in Bezug auf diese Korânstelle: »Von der Reise des Moses, welche darin erzählt wird, konnte ich keine Spur in jüdischen Schriften finden.« Das beweist nun freilich noch nicht, dafs diese Reise eine Episode aus der Geschichte des Dzu-lkarnayn sei. Um dieses darzuthun müssen wir weiter ausholen.

Der ungenannte Wundermann, welcher in diesem Stücke vorkommt, heifst nach dem einstimmigen Zeugnifs der Exegeten Chidhr [1]). Dies ist eine sonderbare, unbiblische, ja

[1]) „Ibn 'Abbâs und Ḥorr b. Ḳays Fazâry waren nicht ganz gewifs, wer der Mann gewesen, welchen Moses getroffen hat; Ibn 'Abbâs behauptete, dafs es Chidhr (man schreibt auch Chadir) war. Während sie sprachen, ging Obayy b. Ka'b (ein bekehrter Jude und Freund des Moḥammad) vorüber. Ibn 'Abbâs rief ihn und befragte ihn darüber. Er antwortete: Ich habe den Propheten erzählen hören: Moses befand sich einst unter mehreren vornehmen Israeliten und es fragte ihn Jemand: Weifst du Einen, der mehr Kenntnisse besäfse als du. Er antwortete: Nein. Gott offenbarte ihm, dafs Chidhr ihn übertreffe. Er bat Gott, ihm den Weg zu Chidhr zu zeigen und es wurde ihm der Fisch als Zeichen gegeben mit den

unsemitische Persönlichkeit, die aber allerdings von den Moslimen auch mit biblischen Sagen verherrlicht wurde. Die Nachrichten darüber fangen mit der Genealogie an. Er war ein Sohn des Königs Malkân, eines Sohnes Phaleg b. Eber b. Schalech b. Arfachschad b. Sem b. Noah. Chidhr bedeutet grün und ist ursprünglich ein Titel und nicht ein Name. Der Träger hiefs Balyà. Moḥammad sagte, er wurde Chidhr geheifsen, weil er sich auf einen dürren, kräuterlosen Platz setzte und dieser hinter ihm sogleich grün wurde [1]). Nawawy, Biogr. Dict. S. 229, sagt: Die meisten Gelehrten sind der Ansicht, dafs Chidhr noch am Leben und vorhanden [aber unsichtbar] sei. Sehr viele Çûfies und fromme Männer erzählen, dafs er ihnen erschienen, sie ihn gesehen und mit ihm gesprochen haben. Er hält sich in heiligen Orten auf und hat sich unzählige Male gezeigt. Einige Traditionen jedoch behaupten, dafs Chidhr ein Prophet sei, während andere ihn zum Heiligen machen; darin stimmen sie doch alle überein, dafs er unsichtbar ist und erst am Ende der Zeiten sterben werde. Dem zufolge wäre er eine Art Ḳoṭb oder Abdâl, welcher seinen Verehrern, wenn sie mit Zweifeln ringen oder in grofser Bedrängnifs sind, unversehens zu Hülfe kommt. Die erwähnten Attribute sind moslimischen Ursprungs und enthüllen uns nicht das Wesen des Chidhr. Zum Menschen ist er wohl erst nach Moḥammad geworden; ja es giebt selbst einige Moslime, welche ihn für einen Schutzgeist halten,

---

Worten: Wenn du den Fisch vermissest, so kehre um und du wirst den Chidhr treffen. Er folgte nun dem Fisch etc." — Bochâry, S. 481 und S. 17, von Zohry, von 'Obayd Allah b. 'Abd Allah. — Es ist noch eine andere Version dieser Erzählung im Bochâry, von Sofyân b. 'Oyayna, von 'Amr b. Dynâr, von Sa'yd b. Ġobayr, von Ibn 'Abbâs, von 'Obayy, und man sieht es ihr recht deutlich an, dafs Ibn 'Abbâs die Absicht hatte, diese ganze Ḳorânstelle zu erklären und wohl auch so weit als thunlich sie zu verdrehen.

[1]) Bochâry, S. 483, von Ma'mar, von Hammâm b. Monabbih, von Abû Horayra.

und Kamâl aldyn Abû-lghanâyun findet in ihm gar den heiligen Geist, den höchsten Demiurg. In der Legende hält er sich gern bei Quellen auf und, wie sein Name anzeigt, steht die Vegetation, welche durch die Feuchtigkeit hervorgerufen wird, unter seinem Schutze.

Unter der Ineinandermündung der beiden Meere haben wir nicht etwa mit den Commentatoren die Meerenge von Gibralter zu verstehen. Wir lesen im Ḳorân:

25, 55. Gott ist es, welcher die zwei Meere in Verbindung setzte: Dieses ist süfs und ein Euphrates, jenes ist salzig und brackisch, er aber hat zwischen sie eine Scheidewand und Absonderung gesetzt.

Das Wunder, welches Moḥammad anstaunt, ist: wie es kommt, dafs die Quellen und Flüsse süfses Wasser liefern, da sie doch, wie er glaubt, aus dem Meere kommen. Moses, oder richtiger Dzû-lḳarnayn, hatte, indem er die Ineinandermündung der zwei Gewässer besuchen wollte, die Absicht, das Wunder mit Augen anzusehen, und dort traf er Chidhr, den Schutzgeist der Gewässer.

Der Bursche des Moses weifs nicht, wozu er den Fisch mitgenommen habe, sein Herr aber sagte, als ihm gemeldet wurde, dafs er entkommen sei, er hätte dies gerade gewünscht. Von den Commentatoren, welche dem Ibn ʿAbbâs folgen, wird der Zweck, zu welchem er den Fisch mitgenommen habe, auf eine sehr ungenügende Weise erklärt. Wir finden aber Aufschlufs darüber in der Alexander-Sage: Der Fisch sollte durch die unterirdische Verbindung von dem salzigen in das süfse Wasser schwimmen und somit die Verbindung beider constatiren und zeigen, dafs es einem Wunder zuzuschreiben sei, wenn dennoch nicht alles Wasser der Erde salzig wird.

Aehnliche Ideen über den Ursprung und den unterirdischen Lauf der Flüsse kommen in den spätesten Büchern der Parsis vor, und sind von ihnen zu den Moslimen übergegangen. Ǧâḥitz, welcher Egypten besucht und in Baçra gelebt hat, also doch einige Begriffe vom Nil, dem Persischen Golf und dem Indischen Ocean haben mufste, war dessenungeachtet fest überzeugt, dafs der Nil und der Indus ein und derselbe Flufs sei. Er mufste sich also einbilden, dafs der Indus unter dem Meere nach Afrika fliefse. Und Mas'ûdy sagt (vergl. Uebers. S. 231): »Die Gelehrten sind verschiedener Ansichten über den Ursprung der Flüsse und Quellen. Einige glauben, dafs sie alle denselben Ursprung haben, nämlich das grofse Meer. Darunter hat man das süfse Meer (albaḥr al'adzb) und nicht den Ocean zu verstehen.« Unter der Ineinandermündung der zwei Meere wäre demnach die Verbindung zwischen dem süfsen Meer, von welchem unsere Quellen kommen, und dem Ocean zu verstehen [1]). Und bei dieser Verbindung hielt sich Chidhr, der Schutzgeist der Wasser, der Bäume und Kräuter, auf.

Dzû-lḳarnayn war, wie wir sehen werden, nicht nur Eroberer und Prophet, sondern auch Philosoph; er erforschte alle Geheimnisse der Natur, und es war in der That seine Wifsbegierde, was ihn seine abenteuerlichen Kriegszüge zu unternehmen bewog. In dieser Absicht begab er sich, nach Wahb b. Monabbih (zu Ḳor. 50, 1), auch zu dem die Erde umschliefsenden Gebirge Ḳâf [2]).

---

[1]) Unter dem segensreichen Einflusse des Christenthumes haben geistreiche Ansichten dieser Art die sündhaften Vorstellungen des Pythagoras, Aristoteles, Ptolemaeus und anderer Heiden verdrängt und sich auch unter den Völkern griechischer (byzantinischer) und lateinischer Civilisation geltend gemacht, wie wir aus Cosmas und dem Geographen von Ravenna lernen. Nach dem letzteren fliefsen die Paradiesflüsse durch den Ocean, und dann unter der Erde fort bis sie ihre Quelle erreichen, und endlich setzen sie ihren Lauf über die Oberfläche der Erde nach dem Meere fort, mit dem sie sich vereinen. Ocean und Meer sind, wie man sieht, bei dem frommen Ravennaten nicht gleichbedeutend. (Vergl. Parthey, Monatsbericht d. K. Akad. d. Wiss. Berlin 1859. S. 631.)

[2]) Borayda, 'Ikrima und Dhaḥḥâk sagen bei Tha'laby: Ḳâf ist der Name eines Gebirgszuges, welcher die Erde umringt und aus einem Stück grünen Smaragd (zomorroda ḥadhrâ), von dessen Farbe der Himmel sein Grün hat, besteht. Darauf ruhen die beiden Seiten

Er ſand daselbst mehrere kleinere Berge. Er fragte das Hauptgebirge: Wer bist du? Dieses antwortete: Ich bin Ḳâf. Er fuhr fort zu fragen: Was sind diese kleinen Berge um dich herum? Es erwiderte: Dies sind meine Sehnen (ʿorûḳ). Es giebt keine Stadt, nach der sich nicht eine von diesen Sehnen hinzöge. Wenn Gott ein Land mit Erbeben heimsuchen will, so befiehlt er mir die betreffende Sehne zu bewegen. Ich gehorche dem Befehle und es ensteht das Erbeben. Dzû-lḳarnayn bat nun den Ḳâf, ihm eine Idee von der Gröſse Gottes zu geben. Er sagte: Keine Beschreibung reicht hin, ihn zu schildern und die kühnste Einbildung ist ungenügend, ihn zu begreifen. — So theile mir doch eine ungenügende Beschreibung mit. — Auſser der Erde, sagte Ḳâf, ist ein Raum von 500 Jahren Länge und Breite, und es bedecken ihn Schneeberge. Wären diese nicht, so würde die Erde von der Hitze der Hölle verbrannt werden.

Diese Legende und die von der Reise nach der Ineinandermündung der zwei Meere sind Zwillinge. Ich erzähle noch eine dritte, in welcher Chidhr vorkommt und welche desselben Geistes Kind ist. Es ist möglich, daſs Alexanders Marsch zum Jupiter Ammon einen Anknüpfunspunkt dafür gewährt hat, jedoch phantastische Ideen dieser Art sind so eng mit der Lüge verwandt, daſs auch ohne äuſsere Veranlassung Dichtungen wie Pilze aus der Fäulniſs daraus hervorspringen.

Dzû-lḳarnayn, berichtet Thaʿlaby (Proph. Gesch. fol. 195) hatte einen Freund unter den Engeln, dessen Name Rafael war. Dieser erzählte ihm, daſs die Engel und der Ruḥ (heilige Geist) sich im Himmel ohne Unterlaſs mit der Anbetung Gottes beschäftigen. Dzû-lḳarnayn sagte: Ich wünsche [ewig] zu leben und Gott zu dienen wie man ihm dienen soll. Wohlan, erwiderte der Engel, wenn du das

---

des Himmels. Der Smaragd, den die Menschen besitzen, kommt von diesem Gebirge. So erzählt auch Abû-l-Ġawzâ von Ibn ʿAbbâs.

willst, so wisse, dafs es einen Quell auf Erden giebt, welchen man den Quell des Lebens nennt, und Gott hat es so bestimmt, dafs wer einmal daraus trinkt, nicht eher stirbt, bis er seinen Herrn um den Tod bittet. Und wisset ihr Engel, fragte Dzû-lḳarnayn, wo jener Quell ist? Nein, antwortete Rafael, aber wir erzählen uns im Himmel, dafs Gott auf Erden eine Finsternifs hat, in welche weder Mensch noch Ġân eintritt, und wir vermuthen, dafs der Quell sich in dieser Finsternifs befinde [1]).

Dzû-lḳarnayn versammelte die Weisen dieser Erde und die Schriftgelehrten und diejenigen, welche die Zeichen des Prophetenthums kennen, und sprach: Findet ihr in den Büchern, die ihr leset und in den Traditionen, welche von den Propheten und früheren Weisen überliefert worden sind, dafs Gott einen Quell auf die Erde gesetzt hat, den man den Quell des Lebens nennt? Alle antworteten: Nein; nur einer sagte: Ich habe im Testament des Adam gelesen, dafs Gott eine Finsternifs in die Welt gesetzt hat, welche weder Mensch noch Ġân betritt, und in dieser Finsternifs ist der Quell der Unsterblichkeit. Wo werde ich die Finsternifs finden? fragte er. Der Weise antwortete im Horn (Ḳarn) der Sonne. Er sandte Boten, um die Weisen, Edeln und Könige zu ihm zu rufen; dann machte er sich auf und ging dem Aufgang der Sonne zu. Nach einem Marsche von zwölf Jahren erreichte er den Rand der Finsternifs. Dies war nicht die Finsternifs der Nacht, sondern es qualmte wie Rauch. Er schlug dort sein Lager auf, liefs die Gelehrten seines Hoflagers [2]) zu sich rufen und sprach: Ich gedenke in diese Finsternifs einzutreten. Sie riethen ihm alle, von seinem Vorhaben

---

[1]) Es ist ein Sprichwort in Persien: tscheschmeï zindegy dar târyky ast, d. h. der Quell des Lebens ist in der Finsternifs. Ist das Sprichwort aus dieser Sage oder diese Sage aus dem Sprichworte entstanden?

[2]) 'Askar mufs hier in der Bedeutung des im Persischen üblichen tartarischen Wortes Urdû aufgefafst werden.

abzustehen, er aber bestand darauf, und nachdem er ausfindig gemacht hatte, dafs junge Stuten unter allen Lastthieren bei Nacht am besten sehen, liefs er sechstausend kommen und wählte in seiner Armee eben so viele Krieger aus, welche sich durch Entschlossenheit und Intelligenz auszeichneten, und ernannte den Chidhr zum Kommandanten des Vortrabes, welcher aus zweitausend Reitern bestand; er selbst folgte mit den übrigen viertausend.

Beim Abmarsch befahl er seinem zurückgelassenen Hoflager, zwölf Jahre auf ihn zu warten, werde er innerhalb dieser nicht zurückkommen, so mögen sie das Lager abbrechen und in ihre Heimath zurückkehren. Chidhr sagte: O König! im Dunkeln wissen wir nicht wie weit wir gegangen sind, noch kann einer den andern sehen; was sollen wir thun, wenn sich einige unserer Leute verirren? Wirf diese Muschel auf die Erde und wenn sie einen Laut von sich giebt, gehen die Irrenden darauf zu. Chidhr marschirte voraus und rückte vorwärts, während Dzû-lḳarnayn sich lagerte. Chidhr stiefs auf ein Wâdiy und vermuthete, dafs der Quell im Wâdiy sei. Es kam ihm dies in den Sinn als er am Rande des Wâdiy stand. Er befahl seinen Leuten Halt zu machen und keiner solle seinen Platz verlassen. Er warf die Muschel in's Wâdiy. Es dauerte lange ehe der Schall von der Muschel zurückkam. Er ging dem Laute nach und fand, dafs sie am Rande des Quells sei. Er zog seine Kleider aus und ging in den Quell hinein. Dieser war weifser als Milch und süfser als Honig. Er trank, badete sich, machte die vorgeschriebenen Ablutionen und wusch seine Kleider; darauf warf er die Muschel gegen seine Krieger; sie fiel auf und er ging dem Schalle nach. Bei seinen Leuten angekommen, befahl er ihnen, sich marschbereit zu halten und sprach: Vorwärts im Namen Gottes!

Dzû-lḳarnayn ging vorüber und verfehlte das Wâdiy. Sie gingen vierzig Tage und vierzig Nächte lang, endlich kamen sie zu einem Lichte, welches aber weder das Licht der Sonne, noch das des Mondes war. Die Erde war roth und mit Sand bedeckt. Sie sahen ein Schlofs, welches eine Farsange lang und ebenso breit war. Dzû-lḳarnayn ging allein hinein etc.«

In diesen Alexandersagen weht derselbe Geist wie in der Legende, welche Moḥammad von Moses erzählt, und in allen kommt derselbe mysteriöse Chidhr vor; es unterliegt also wohl keinem Zweifel, dafs sich Moḥammad einer Verwechselung schuldig gemacht habe. Seine Gegner stellen ihn darüber zu Rede, und die Tradition giebt zu, dafs er in grofse Verlegenheit gerieth und es lange verschob, eine Antwort zu geben [1]). Endlich gelang es ihm Nachrichten über den Dzû-lḳarnayn [2]) zu erhalten, und die Kenntnifs derselben sollte als Beweis seiner Inspiration, und die Inspiration als Beweis, dafs er sich nicht geirrt habe, gelten.

18, 82. Sie fragen dich beständig über Dzû-lḳarnayn. Antworte: Ich will euch eine Nachricht über ihn vorlesen:

83. Wir bescherten ihm Macht auf Erden und gaben ihm in allen Dingen die Erkenntnifs des rechten Mittels [3]). Er verfolgte ein Mittel

---

[1]) ʿIkrima, Dhaḥḥâk, Ḳatâda, Moḳâtil und Kalby erzälen: „Gabriel wurde nicht sogleich zum Propheten gesandt als ihn die Leute in Bezug auf die Höhlen-Bewohner (Siebenschläfer), Dzû-lḳarnayn (Alexander) und den [heiligen] Geist Fragen vorlegten. Er sagte bei dieser Gelegenheit: Ich will sie morgen beantworten, aber vernachläfsigte „wenn es Gott gefällt“ hinzuzusetzen. Gabriel kam nicht und der Prophet war sehr betrübt. Als er endlich kam sagte er: Warum bist du nicht gekommen? ich war sehr betrübt. Gabriel antwortete: Ich wünschte zu dir zu kommen, aber ich bin nur ein Diener und kann nur kommen, wenn ich gesandt werde. Darauf wurde Ḳor. 19, 65 geoffenbart.“

[2]) Dzû-lḳarnayn, Zwiehorn, war, wie Redslob glaubt, ein Titel, welchen die Juden dem Cyrus in Hinblick auf Daniel 8, 2 gaben, weil er Medien und Persien beherrschte, und welcher auch auf Alexander überging. Einfacher wird der Name von Winer erklärt. Auch ein König von Ḥyra legte sich ihn bei.

[3]) Wenn Jemand einen Zweck zu erreichen, z. B. Reichthümer

84. und es gelang ihm bis zu dem Untergang der Sonne vorzudringen, und er fand, dafs sie in einen trüben Quell hineinsinke, in dessen Nähe er Leute fand.

85. Wir sprachen: O Dzû-lḳarnayn entweder züchtige sie oder verpflichte sie zum Dank.

86. Er sprach: Den, welcher ungerecht war, wollen wir gewifs züchtigen; dann wird er vor seinem Herrn erscheinen müssen und er wird ihm eine gräfsliche Strafe auferlegen.

87. Aber der, welcher geglaubt und Gutes gethan, hat Gutes als Belohnung zu erwarten, und wir werden an ihn in unserer Machtausübung ermuthigende Worte richten.

88. Dann verfolgte er ein anderes Mittel (einen andern Weg),

89. und es gelang ihm den Aufgang der Sonne zu erreichen; er fand, dafs sie über einem Volke aufging, dem wir keinen Schutz dagegen gegeben haben.

90. Dies ist der Sachverhalt. Wir hatten schon lange volle Kenntnifs seiner Hilfsquellen.

91. Dann verfolgte er ein anderes Mittel,

92. und es gelang ihm bis zwischen die zwei Wälle vorzudringen, hinter welchen er ein Volk fand, das durchaus kein Wort verstand (ganz wild war und seine Vorstellungen weder verstehen noch begreifen konnte).

93. Seine Unterthanen sagten: O Dzû-lḳarnayn, Yâǵûǵ und Maǵûǵ (Gog und Magog) sind Unheilstifter auf Erden. Sollen wir einen Tribut festsetzen, den wir entrichten, auf dafs du einen Wall bauest zwischen uns und ihnen?

---

zu erwerben, wünscht, so giebt es verschiedene Mittel und Wege dazu zu gelangen, es ist nur schwierig eines zu finden und zu verfolgen, und deswegen gelingt es auch Wenigen. Dem Dzû-lḳarnayn hat nun Gott stets eines der Mittel an die Hand gegeben. Im Original steht aber nicht Mittel, sondern Ursache. Wenn wir z. B. frieren, so halten wir Feuer, oder Bewegung, oder Speise und Trank für Mittel, uns zu erwärmen; der Araber erblickt darin verschiedene Ursachen der Wärme.

94. Er antwortete: Das was mir der Herr beschert hat, ist besser als ein Tribut. Stehet mir mit Eifer bei, und ich will zwischen euch und ihnen eine Mauer erbauen.

95. Gebet mir Stücke Eisen, so lange bis der Raum zwischen den beiden Bergabhängen ausgefüllt ist. Er sprach ferner: Blaset bis die Masse Funken sprühet; dann sagte er: Laſst mich gegossenes Erz [1]) über die Mauer gieſsen.

96. Gog und Magog waren nun weder im Stande darüber zu kommen, noch sie zu durchbohren.

97. Er sprach: Dieser Bau ist eine Wohlthat von meinem Herrn.

VII. Verbotene Speisen und Sabbathfeier.

Wir kommen nun zu einem Disput, welcher nicht so anziehend, aber für die Geschichte der Ausbildung der Lehre des Moḥammad viel wichtiger ist als irgend ein anderer. Bisher hatte er sich dem Wahne hingegeben, daſs die verschiedenen Sekten von Schriftbesitzern die Urreligion nicht ganz verloren haben, und er war allen möglich äuſseren Einflüssen offen. Dieser Disput überzeugte ihn zum ersten Mal von der Nothwendigkeit, sich ausschlieſslich auf seine eigenen Inspirationen zu berufen. Dies war der erste Schritt, seine Religion feindlich gegen andere zu machen. Er ging aber in dieser Richtung langsam, und nur in Folge nöthigender Verhältnisse, vorwärts und vollendete das System der Ausschlieſsung erst wenige Jahre vor seinem Tode.

---

[1]) Im Original ḳiṭr. Dem Bochâry, S. 472, zufolge kann es Blei, oder Eisen, oder Messing bedeuten. Ibn ʿAbbâs erklärt es durch Kupfer. Ḳaṭrân (von κέδρια?) bedeutet Kolophonium, vielleicht hat ḳiṭr dieselbe Bedeutung, oder heiſst es Asphalt?

Wir haben Bd. I S. 119 gesehen, dafs der Ḥanyfe Zayd den Moḥammad, ehe er noch sein Amt angetreten, hatte, auf die Undankbarkeit der Menschen aufmerksam machte, welche das Fleisch von Thieren essen, ohne beim Schlachten den Namen dessen, der sie erschaffen und dem Menschen dienstbar gemacht hat, anzurufen. Im Ḳorân kommen mehrere Stellen vor, wie diese:

40, 79. Allah ist es, welcher euch die Hausthiere gegeben hat, damit ihr auf ihnen reiten und sie essen könnt.

Es ist kein Zweifel, dafs Moḥammad und seine Anhänger in Bezug auf verbotene Speisen die Gesetze der Ḥanyfe befolgten. Diese Sekte verdammte manche Gebräuche der heidnischen Araber, wovon einige zwar närrisch, aber recht unschuldig waren, wie die Privilegien, welche sie gewissen Kameelen einräumten, andere waren ekelhaft, wie der Genufs des Fleisches krepirter Thiere, und andere verbrecherisch, wie der Mord neugeborener Mädchen. Wir haben bereits erwähnt, dafs, weil man es für ein Unglück hielt, wenn einer Familie ein Mädchen geboren ward, diese in seltenen Fällen lebendig begraben wurden. Auch gegen diese Sitte hat der Ḥanyfe Zayd geeifert.

Zur Erläuterung dessen, was folgt, ist es nöthig, in einige der albernen Gebräuche der Araber einzugehen. Wenn eine Kameelin zehn Mal hinter einander weibliche Junge, welche viel höher geschätzt wurden als männliche, geworfen hatte, so wurde sie von aller Arbeit befreit, und deswegen Sâyiba, Freie, geheifsen. Sie wurde weder belastet, noch geritten, ihre Haare durfte man nicht abschneiden und die Milch durfte nur von ihren Jungen und von Gästen getrunken werden, und wenn sie starb, wurde das Fleisch sowohl von Männern als Frauen gegessen. Eine Kameelin wurde auch frei und einem Götzen geweiht in Folge eines Gelübdes, oder wenn sie aus einem Gefecht auf eine wunderbare Weise mit dem Reiter entkam. Ein männliches Kameel, welchem ähnliche Privilegien zugestanden wurden, nannte man Ḥâmiy. Wenn eine Sâyiba noch ein weibliches Junge hatte, so wurde das Junge Baḥyra genannt, es wurden ihm die Ohren aufgeschlitzt und es erfreute sich derselben Exemptionen wie die Mutter. Auch unter andern Umständen konnte eine Kameelin oder Ewe zur Baḥyra werden. In manchen Fällen durfte das Fleisch der krepirten Baḥyra nur von den Männern, in andern von beiden Geschlechtern verzehrt werden. Es gab auch Schaafe, welche Wâçyla genannt wurden und unter Umständen einem Götzen geweiht werden mufsten. Auch in Bezug auf Saaten scheinen ähnliche Satzungen bestanden zu haben.

Moḥammad verdammte diese und ähnliche Gebräuche der Heiden und erregte dadurch ihren Widerwillen; er führte neue diätische Gebote ein, welche in Fällen, in denen Moslime und Heiden noch mit einander lebten, recht lästig gewesen sein mufsten. Dies war ein Grund, warum Moḥammad's Gesetze über verbotene Speisen angefochten wurden.

Die Stelle, welche die formellen Satzungen über den Genufs des Fleisches von Thieren enthält, fällt uns durch ihren Stil auf. Er ist so schwerfällig, wie der eines englischen Juristen, und bildet einen grofsen Kontrast mit der Ausdrucksweise der Offenbarungen, die wir bisher haben kennen lernen, ist aber der Stil der meisten madynischen Sûren. Vielleicht war er unter den Arabern in Urteln und überhaupt, wenn sie von Rechtsachen sprachen, üblich. Man verwerfe eine solche Vermuthung nicht etwa deshalb, weil die Araber kein Schriftthum hatten. Streitigkeiten über Mein und Dein giebt es überall und die feierlichen Gebräuche bei solchen Gelegenheiten datiren sich aus den Zeiten der Barbarei und Freiheit, und sie verschwinden unter Despotismus, wo Gewalt die Stelle des durch solche Gewohnheiten gestärkten Rechtsgefühles einnimmt. Die Bedouinen beobachten in Rechtssachen eine Solennität, welche wahrhaft theatralisch ist, sie haben hergebrachte Redensarten und sind überaus umsichtig in ihrer Sprache.

[Ein Fragment.]

6, 137. Und sie bestimmen für Allah von den Saaten und Hausthieren, welche er hervorgebracht hat, einen Theil und sagen: Dies ist für Allah — welcher Wahn! — und dies für unsere Penaten. Was für ihre Penaten bestimmt ist, kommt nicht zu dem Antheil Allah's, was aber für Allah bestimmt ist, kommt zu dem Antheil der Penaten. — Dies ist eine schlechte Beurtheilung.

138. Auf ähnliche Art haben ihre Penaten (d. h. die Ğinn oder Teufel) vielen von den Vielgötterern den Mord ihrer eigenen Kinder als recht und schuldlos vorgespiegelt, um sie zu verderben und um sie von ihrer Pflicht abwendig zu machen. Wenn es Allah's Wille wäre, würden sie (die Ğinn) dies nicht thun. Verlasse sie und ihre Lügen.

139. Sie sagen: Diese Hausthiere und Saaten sind abmarkirt; Niemand soll davon essen, aufser wem wir's erlauben — welcher Wahn! — Es giebt auch Thiere, welchen man nichts aufladen darf, und, weil sie Lügen von Allah sagen, giebt es Thiere, über die sie nicht den Namen Allah's sprechen [1]). Er wird ihnen aber ihre Lügen vergelten.

140. Sie sagen auch: Die Jungen, welche diese Thiere tragen, sind nur den Männern, aber nicht unseren Frauen erlaubt, wenn aber das Junge krepirt, so verzehren es beide Geschlechter. — Ein Weiser (Gott) wird ihnen diese Auslegung seines Willens vergelten.

141. Diejenigen, welche ihre Kinder aus Dummheit und weil sie keine Kenntnifs besitzen, tödten, und diejenigen, welche das, was ihnen Allah zur Nahrung gegeben hat, verbieten, indem sie von ihm Lügen sagen (d. h. Götzen

[1]) Die Lügen oder Verläumdungen gegen Allah bestehen darin, dafs sie ihm andere Wesen gleichstellen. Die Namen dieser Götzen wurden also bei dem Schlachten der ihnen geweihten Thiere ausgesprochen. Es scheint, dafs sie in gewöhnlichen Fällen doch den Namen Allah's beim Schlachten anriefen.

ihm gleichstellen), machen ein schlechtes Geschäft; sie sind auf Irrwegen und nicht geleitet.

142. Er ist es, welcher Weingärten, in denen die Reben in die Höhe steigen, und solche, in denen sie nicht in die Höhe steigen, Dattelhaine und Feldfrüchte von verschiedenem Geschmack, wie auch Oelbäume und Granaten, gewöhnlicher und ungewöhnlicher Sorte, erschaffen hat. Esset die Früchte, wenn sie im Reifen sind und am Tage des Herbstes gebet Gott seinen Antheil. Seid nicht verschwenderisch, denn er liebt nicht die Verschwender.

143. [Er ist es, welcher] einige von den Thieren zum Lasttragen, andere zum Hausgebrauch bestimmt hat. Esset was euch Allah zur Nahrung gegeben hat, und folget [in euren Satzungen über diesen Gegenstand] nicht den Schritten des Satans, denn er ist offenbar euer Feind.

144. Es giebt vier Paare [von Hausthieren, deren Fleisch euch zur Nahrung bestimmt ist], nämlich: Ewe und Widder und Bock und Gais. — Frage sie: Hat Gott von diesen zwei Paaren die Weibchen verboten, oder die Männchen, oder was die Weibchen werfen? Gebet einen Grund an, wenn ihr Recht habt!

145. Ferner: Kameelin und Kameel, Kuh und Stier. Frage sie: Hat Gott von diesen zwei Paaren die Weibchen verboten, oder die Männchen, oder was die Weibchen werfen? War es in eurer Gegenwart, daſs Allah diese Aufträge gegeben hat? Wer ist ungerechter als der, welcher dem Allah eine Lüge andichtet, um, ohne Kenntniſs zu haben, die Menschen irre zu führen. Wahrlich Allah leitet das Volk der Ungerechten nicht.

Die Aristokraten beriethen sich mit den Juden von Madyna, damit sie ihnen in ihren Disputen mit Moḥammad an die Hand gehen sollten; und da Moḥammad vorgab, daſs er dasselbe lehre, was Moses vorgetragen hatte, so griffen sie die von den Gesetzen des Moses abweichenden Bestimmungen über die verbotenen Speisen an, als den positivsten Beweis, dafs seine Behauptung falsch sei. Auf diesen Streit bezieht sich nun folgende Ḳorânstelle. Sie enthält einen von Gott ausgehenden, besonders für die Anhänger der neuen Lehre berechneten Machtspruch, welcher, wie es scheint, nach langem Warten, d. h. Nachdenken und Nachfragen erschienen ist:

6, 115. Die Aussprüche deines Herrn sind erfolgt und sie sind voll Wohlwollen und Billigkeit. Niemand kann sie abändern; denn er ist der Hörende, der Wissende.

116. Wenn du der Mehrzahl der Erdbewohner folgst, so werden sie dich von dem Pfad des Herrn wegführen, denn sie lassen sich einzig durch Vermuthungen leiten und dichten blos.

117. Wahrlich, dein Herr kennt am besten diejenigen, welche er von seinem Pfade wegführt, und er kennt am besten die Geleiteten.

118. Und daher esset von dem, worüber der Name Allah's gesprochen worden ist, wenn ihr an seine Zeichen (Moḥammad's Inspirationen) glaubt.

119. Es ist kein Grund vorhanden, warum ihr von dem, worüber der Name Allah's gesprochen worden ist, nicht essen sollt. Er hat euch ja auseinander gesetzt, was euch, aufser im Falle des Zwanges, verboten ist. Viele führen euch allerdings irre wegen ihrer Leidenschaften und weil sie ohne Wissen sind. Aber dein Herr kennt am besten die Uebertreter.

120. Verlasset das Aeufsere und das Innere der Sünde, denn denen, welche Sünden begehen, wird nach ihren Werken vergolten werden.

121. Und esset nicht von dem, worüber nicht der der Name Allah's gesprochen worden ist; denn es ist unheilig [1]). Die Satane (Juden) geben ihren Clienten ein,

---

[1]) Wâḥidy, Asbâb, bemerkt zu diesem Verse:
„Die Heiden sprachen zum Propheten: Sag' uns, Moḥammad,

mit euch zu disputiren. Wenn ihr ihnen folgt, so gehört ihr zu den Vielgötterern.

122. Ist etwa derjenige (Moḥammad), welcher todt war, den wir aber belebt und dem wir ein Licht gegeben, womit er unter den Menschen wandelt, mit jenem (Moḥammad's Antagonist) zu vergleichen, welcher gleichsam in der Finsternifs ist, aus der ihn Niemand herauszieht? So spiegeln wir den Ungläubigen ihre Werke als gut vor (und deswegen bleiben sie in der Finsternifs).

Weil die christliche Lehre in diesem Punkte der seinen nahe kommt [1]), beruft er sich nicht nur auf den Gesetzgeber der Juden, sondern auch auf den der Christen, und besteht auf seiner Theorie, dafs alle Offenbarungen übereinstimmen, und verdammt beide religiösen Genossenschaften ihres Zwiespaltes wegen

23, 51. Ehedem haben wir dem Moses das Buch mitgetheilt, auf dafs sie (die Juden) geleitet werden sollen.

52. Und wir machten die Maria und ihren Sohn zum Zeichen und liefsen beide am Hügel wohnen, dem festbegründeten und mit Wasser versehenen.

53. [Wir riefen allen Propheten zu:] O Boten, esset von Allem, was gut ist, und führet einen gottseligen Wandel, denn ich weifs was ihr thut.

54. Alle eure Religionsgemeinden sind ein und dieselbe Religionsgemeinde, und ich bin euer aller Herr; — fürchtet mich!

55. Sie aber (die Juden und Christen) lösten die Einhelligkeit (wörtlich ihr Geschäft) in Sekten auf, und jeder

---

wer nimmt dem Schaf das Leben, wenn es stirbt? Er antwortete: Gott. Sie versetzten: Du glaubst also, dafs das Fleisch von Thieren, welche du oder der Geier oder der Hund tödtet, erlaubt sei, wenn sie aber Gott tödtet (wenn die Schafe krepiren) unerlaubt? Darauf wurde Ḳor. 6, 121 geoffenbart."

[1]) Die orientalischen Christen essen kein Kameelfleisch, halten aber, wie wir, das Schweinefleisch für erlaubt.

Ethnos (Sekte) hob das, was er [ausschliefslich] besafs, hervor.

56. Lafs sie in ihrer Unwissenheit einige Zeit (d. h. so lang es geht).

In der früheren Offenbarung wendete er sich besonders an die Gläubigen und erklärt, dafs er nicht Jedermann gefallen könne; hier verdammt er den Sektengeist. Der nächste Schritt war: mit voller Selbstständigkeit aufzutreten und an die ihm mitgetheilten Eingebungen zu appelliren, ohne Rücksicht auf die vorhandenen geschriebenen Offenbarungen, welche man gegen ihn zu gebrauchen anfing. An seine Ideen über eine Uroffenbarung hält er fest, und um zu beweisen, dafs ihn Gott in den alten Satzungen unterrichte, zählt er die Zehngebote auf, freilich mufs er die, welche er nicht weifs, durch andere ersetzen [1]). Er giebt zu, dafs die Juden sich auch des Fleisches anderer Thiere enthalten müssen als deren, welche er verboten hat, sagt aber, dafs ihnen Gott dieses Gebot als Strafe auferlegt habe. Am Ende behauptet er, dafs er die Lehre des Abraham vortrage, und wenn meine Ver-

[1]) Dafs Moḥammad seine Fassung des Dekalogs bei Gelegenheit eines Disputes mit den Juden als Beweis seiner Sendung vorgetragen habe, wird auch von der Tradition anerkannt; aber die Thatsache wird sehr entstellt. — Ibn Aby Schayba S. 9, von ʿAbd Allah b. Salama, von Çafwân b. Ghassâl:

„Ein Jude sagte zu seinem Freund: Komm, wir wollen diesen Propheten besuchen. Der Freund antwortete: Sage ja nicht Prophet, er könnte dich leicht hören, denn er hat vier Augen. Sie gingen hin und befragten ihn über neun klare Ayah سالاه عن تسع ايات بينات. Er sagte: Ihr sollt neben Allah kein anderes Wesen anbeten etc. (die in dieser Tradition erwähnten Gebote sind nicht ganz identisch mit der betreffenden Ḳorânstelle; das letzte heifst: Ihr sollt den Sabbath heiligen). Als sie seine Worte vernommen hatten, küfsten sie seine Hände und Füfse und sagten: Wir bezeugen, dafs du ein Prophet bist. Er versetzte: Warum folget ihr mir nicht? Sie antworteten: David hat zu Gott gebeten, dafs stets ein Prophet unter seinen Nachkommen sein möge. Wir fürchten, die Juden werden uns tödten [wenn wir dich offen anerkennen].

muthungen über die abrahamitischen Ḥanyfen gegründet sind, so müssen wir annehmen, dafs er die diätischen Gebote von ihnen entlehnt hat; denn sonst hätte er ihnen gegenüber diese Behauptung nicht aufstellen können.

6, 146. Sprich: Ich finde in den Offenbarungen, welche mir gemacht worden sind, nichts Verbotenes zu essen, ausgenommen krepirte Thiere, freies Blut und Schweinefleisch, denn dies ist unrein; auch Unheiliges ist verboten, d. h. wenn der Name eines andern Wesens als der Allah's beim Schlachten darüber gesprochen worden ist. Wer dieses Gebot nicht freiwillig, sondern gezwungen übertritt, sündigt nicht, denn dein Herr ist nachsichtig und milde.

147. Den Juden haben wir das Fleisch aller Thiere mit Krallen verboten, wie auch das Fett des Rindes und Schafes, mit Ausnahme des Fettes am Rücken und Gekröse und an den Knochen. Wir gaben ihnen dieses Verbot ob ihrer Abtrünnigkeit; denn wir halten Wort.

148. Wenn sie dich als Lügner verschreien, so sprich: Allerdings hat dein Herr umfassendes Mitleid, allein seine Strenge wird vom Volke der Ungerechten nicht abgewendet (d. h. ihr werdet doch noch bestraft werden).

149. Die Vielgötterer werden sagen: Wenn Allah es so gewollt hätte, würden weder wir, noch unsere Väter ihm Abgötter beigesellt haben, noch würden wir irgend eine Speise verboten haben. So haben die vor ihnen geläugnet bis sie unsere Strenge fühlten. Sprich: Besitzt ihr irgend eine [positive] Kenntnifs? Wohlan, weiset sie! Ihr folget nur Vermuthungen und erfindet Gebote.

150. Sprich: In Allah's Hand ist der ausreichende Beweis [für seine Lehre] und wenn er so wollte würde er euch alle leiten.

151. Sprich: Bringt eure Zeugen, welche attestiren, dafs Allah dies verboten habe. Aber auch wenn sie es bezeugen, so bezeuge du [o Moḥammad] es nicht und folge nicht den Wünschen jener, welche unsere Offenbarungen leugnen, nicht an das Jenseits glauben und

ihrem Herrn ein Gleichgewicht (andere Götter) entgegenstellen.

152. Sprich: Nähert euch, ich will euch vorlesen was euch Allah verboten hat: [1] Ihr sollt ihm kein anderes Wesen beigesellen; [2] ihr sollt Vater und Mutter ehren; [3] ihr sollt eure Kinder nicht aus Furcht vor Armuth tödten; denn wir nähren euch und sie; [4] ihr sollt nicht Unkeuschheit treiben, weder öffentlich, noch heimlich; [5] ihr sollt nicht ein Wesen tödten, dessen Leben Allah heilig zu halten befohlen hat, aufser wenn ihr berechtigt seid. — Diese Gebote hat euch Allah gegeben, auf dafs ihr zur Vernunft kommen sollt.

153. Ferner: [6] ihr sollt eure Hand nicht nach der Habe der Waisen ausstrecken — es sei denn, dafs es zu ihrem Besten geschehe — bis sie mündig sind; [7] ihr sollt gutes Maafs und Gewicht geben; [8] ihr sollt Niemandem (keinem Sklaven) mehr auferlegen [1]) als er zu leisten im Stande ist; [9] wenn ihr euch aussprecht, beobachtet Gerechtigkeit, selbst wenn der betreffende ein Verwandter ist, und [10] beobachtet das Bündnifs Gottes. — Diese Gebote hat euch Allah gegeben, auf dafs ihr zu euch selbst kommen sollt.

154. Dies ist meine Strafse; sie ist gerade; folget ihr also und geht nicht verschiedene Pfade; denn sie führen euch weg von seinem Pfade. — Diese Gebote hat euch Allah gegeben, auf dafs ihr gottesfürchtig sein sollt.

155. Darauf (nach dem Dekalog) haben wir dem Moses das Buch complet mitgetheilt etc.

Nach einer Digression sagt er:

162. Sprich: Mein Herr hat euch auf eine gerade Strafse geführt, zu einer unwandelbaren Religion, der Lehre

---

[1]) Ich lese tokallifû und würde so lesen, wenn ich ein Ḳorânexemplar von Moḥammad's eigener Hand mit nokallifo vor mir hätte.

des Abraham, welcher Ḥanyf war — er gehörte nicht zu den Vielgötterern.

163. Sprich: Mein Gebet, meine Andachtsübungen, welche beim Pilgerfeste beobachtet werden, mein Leben und mein Sterben, alles ist Allah, dem Herrn der Welten, geweiht. Er hat keinen Genossen. Dies ist der Befehl, den ich erhalten habe, und ich bin der erste der Moslime.

164. Sprich: Wie, aufser Allah soll ich nach einem Herrn verlangen, da er doch der Herr aller Dinge ist, kein Mensch etwas thut, wofür er nicht selbst verantwortlich wäre, und Niemand das Gewicht eines andern zu tragen hat? Endlich werdet ihr vor eurem Herrn erscheinen müssen und er wird euch aufklären über das, worüber ihr in Zwiespalt seid.

165. Er ist es, welcher mich zu seinem Statthalter auf Erden gemacht und welcher Einen über den Andern um mehrere Stufen erhoben hat, auf dafs er euch versuche in dem was er euch gegeben. Dein Herr ist schnell im Strafen, aber er ist auch nachsichtig und gnädig.

Moḥammad giebt ein kurzes Resumé der vorigen Offenbarung. Für das Ḳorânstudium ist es von Interesse, weil wir in diesem Falle mit Bestimmtheit sagen können, dafs die ausführliche Bearbeitung der kürzern vorausging. Dieses Resumé dient als Einleitung zu einem andern Thema, der Sabbathfeier. In seinen Bemerkungen über dieselbe beobachtet er die gröfste Behutsamkeit.

[Ein Fragment.]

16, 115. Esset daher was euch Allah zur Nahrung giebt; insofern es erlaubt und gut ist; danket dabei für Allah's Wohlthaten, wenn ihr ihn anbetet.

116. Es sind euch verboten krepirte Thiere, das Blut, Schweinefleisch und das Fleisch von Thieren, über welche beim Schlachten der Name eines andern Wesens als Allah's gesprochen worden ist. Wer dieses Gebot nicht freiwillig,

sondern gezwungen übertritt, sündigt nicht; denn Allah ist nachsichtig und milde.

117. Macht euch nicht einer Lüge schuldig, indem ihr saget: Dies ist erlaubt und dies ist verboten, um [indem ihr so etwas für göttliche Satzung ausgebt] Gott eine Lüge anzudichten; denn Diejenigen, welche Unwahrheiten auf Allah erfinden, gedeihen nicht.

118. [Die Lüge] gewährt einen kurzen Genuſs und es erwartet sie eine peinliche Strafe.

119. Denjenigen [Schriftbesitzern], welche sich dem Judenthume anschlossen [und nicht Ḥanyfe sind], haben wir verboten, was wir dir früher erzählt haben. [Indem sie strengere Gesetze befolgen als euch gegeben worden] sind nicht wir gegen sie ungerecht, sondern sie waren gegen sich selbst ungerecht.

120. Uebrigens ist dein Herr gegen Diejenigen, welche aus Unwissenheit Böses gethan, und darauf sich bekehrt und gebessert haben, nachsichtig und milde.

121. Abraham bildete als Ḥanyf für sich selbst eine dem Allah unterthänige Religionsgemeinde und gehörte nicht zu den Vielgötterern.

122. Er war für dessen Wohlthaten dankbar. Gott erwählte ihn aus und leitete ihn auf die gerade Straſse,

123. und wir gewährten ihm Wohlfahrt auf Erden, und in jenem Leben gehört er zu den Gottseligen.

124. Darauf haben wir dir geoffenbart [o Moḥammad], als Ḥanyf der Lehre des Abraham, welcher nicht zu den Vielgötterern gehörte, zu folgen.

125. Der Sabbath ist jenen aufgebürdet worden, welche darüber verschiedener Meinung sind. Ihren Zwist wird der Herr am Tage der Auferstehung entscheiden [1]).

---

[1]) Die Frage scheint gewesen zu sein: Erfüllen die Juden das Gebot Gottes, indem sie den Samstag feiern? Und: Was hälst du von der Feier eines Tages in der Woche? Er antwortete: Den

128. Sei also geduldig, deine Geduld aber ist nur durch deinen Herrn möglich. Laſs dich von ihnen nicht betrüben, noch durch ihre Ränke (d. h. Einwürfe gegen deine Lehre) in die Enge treiben; denn Allah ist mit den Gottesfürchtigen und Guten.

Während Moḥammad in dem versöhnlichen Geiste, welcher auch in den Clementinen weht, bisher alle Schriftbesitzer für geleitet hält, bekennt er sich jetzt, weil man ihn durch das jüdische Ceremonialgesetz in die Enge trieb, offen zur abrahamitischen Ḥanyferei. Er spricht jedoch noch immer nicht das Verdammungsurtheil über die Juden und Christen blos weil sie Juden oder Christen sind, sodern tadelt nur ihre Zwiste. Da die Anerkennung der abrahamitischen Ḥanyferei sonst nicht sehr häufig im Ḳorân ausgesprochen wird, so setzen uns diese Stellen in den Stand, die Zeit und die Veranlassung mit ziemlicher Gewiſsheit zu bestimmen.

Streit der Juden und Christen wird Gott entscheiden. In Bezug auf die zweite Frage glaubt er, daſs es sich nicht um Ceremonien, sondern um die Erkenntniſs Gottes und reine Moral handle und daſs der Sabbath, wie das Verbot gewisser Speisen, den Juden zur Strafe auferlegt worden sei.

Funfzehntes Kapitel.

Ausbildung des Schreckensapparates.

Die Dünste, welche früh Morgens den See, die Au und den Hügel bedeckt haben, sammelten sich in Nebelgruppen, schlichen dann langsam an den Abhängen der Berge empor; bald darauf wurden sie zu unstäten Wolken und endlich krystallisirten sie sich und fielen als Schnee auf die Erde herab. Gerade so gestalten sich bei den meisten Menschen Gedanken und Entschlüsse. Auf dem einsamen Spaziergange in dem Halbdunkel des Haines nach den Beschwerden des Tages bemächtiget sich unser eine wehmüthige Stimmung. Sie ist unbestimmt, wir wissen nicht woher sie kommt und fragen: Herz, mein Herz, warum so traurig? Es kostet uns einige Mühe, der Stimmung entsprechende Vorstellungen zu finden. In solchen »gemüthlichen« Augenblicken beschwören wir die Erinnerung an die ferne Heimath, an die verflossene Jugend und die dahingeschiedenen Freunde herauf. Diese Bilder sind anfangs allgemein und nebelhaft; allmälich werden sie deutlicher; die Umrisse gewinnen an Schärfe, verlieren aber an Umfang; die Phantasie concentrirt sich und wählt einzelne Scenen aus der Welt, die ihr so eben vorschwebte. Endlich gewinnt die Vernunft ihre Herrschaft über die Stimmung und die Vorstellungen krystallisiren sich zu Gedanken und Entschlüssen.

Ich will nicht behaupten, dafs jeder Gedanke sich auf eine Stimmung zurückführen lasse, aber dieses ist der Entwicklungsgang des menschlichen Geistes, und nur bei dem gebildeten, geistig und physisch kräftigen Menschen wird der Gedanke mehr oder weniger unabhängig von der Stimmung und Gewohnheit.

Behaglichkeit versetzt uns in eine angenehme und Widerwärtigkeiten in eine verdriefsliche Stimmung; allein wie in jeder Gegend gewisse Winde vorherrschen, so auch ist bei jedem Menschen ein gewisser Humor mehr oder weniger habituell. Die Wahl hängt von der Konstitution des Körpers, aber ganz vorzüglich von der Erziehung ab, welche auch auf die physische Entwicklung eine grofse Macht übt. Es besteht nämlich eine Wechselwirkung zwischen den Bildern der Phantasie und der Stimmung, und vor dem Erwachen des Geschlechtstriebes erhalten wir fast alle Bilder der Phantasie von Aufsen. Kinder äffen in ihren Spielen das sie umgebende Leben und Treiben und entwickeln sich physisch und geistig im Sinne desselben. Ein sehr bedeutender Faktor der habituellen Stimmung sind somit die Einflüsse, welche auf das kindliche Gemüth wirkten und die Bilder, welche es erfüllten. Streng im Katholicismus erzogene Menschen unterscheiden sich auch, nachdem sie sich emancipirt haben, durch die Lebhaftigkeit und die supernaturalistische an Aberglauben streifende Tendenz ihrer Gefühle und Anschauungen von den nüchternen Protestanten. Der Nationalcharakter beruht zum geringsten Theil auf der Abstammung und der damit zusammenhängenden Organisation des Körpers: er hängt fast lediglich von der Erziehung ab, d. h. den Bildern, mit denen das kindliche Gemüth gefüllt worden ist.

Wie gehoben auch die Stimmung sein mag, so ist es doch so schwer neue, würdige Bilder herbeizuzaubern, dafs es nur genialen Menschen gelingt, und es bieten uns die Kunst, besonders die Poesie, und die Religion ihren Beistand an. Wenn ein Hindu an einem Baum in seinem Garten besonderes Interesse nimmt, so legt er alle seine Gefühle und Bedürfnisse in denselben hinein und bemüht sich vor Allem für ihn eine passende Frau zu werben, und hat er in der Nähe einen andern Baum gefunden, der sich nach sachkundiger Prüfung als Braut eignet, so wird der Brahmane gerufen, um die Einsegnung der Ehe zu celebriren und es wird ein Familienfest gehalten. Harmlose poetische Spiele dieser Art charakterisiren die Kinderjahre des Individuums und ganzer Völker; wir finden sie in der Poesie der Griechen und in unsern Volkssagen.

Nicht so harmlos sind die Einflüsse der Religion auf unsere Erziehung, Stimmungen und Gefühle. Sie bedient sich der mächtigsten Mittel, den Menschen in Bewegung zu setzen: der Furcht und Hoffnung. Um die Vernunft ihrer Herrschaft zu berauben, legt sie ihr das Problem der Unendlichkeit vor; die Zeit wird zur zeitlosen Ewigkeit, der Raum verliert seine Grenzen und Gott wird, wenn man die Sache genau untersucht, zum Nichts. Diesem System der Sophisterei, welches wir zuerst im Buddhaismus erblicken, ist es Jahrhunderte lang gelungen, die kräftigsten Geister mit den unlösbaren Räthseln zu beschäftigen, aus Negationen concrete Vorstellungen zusammenzusetzen.

Da einmal Furcht den gröfsten Eindruck auf die Massen macht, so hängt die Wirkung einer Religion von der Vollendung ihres Schreckensapparates ab. Eine Religion mit einem gehörigen Contingent von Teufeln, aber ohne Himmel würde gewifs weit mehr Glück machen, als eine ohne Hölle, wenn auch ihr Himmel noch so wonnevoll wäre, und nicht nur geglaubt, sondern gesehen werden könnte; deshalb verdunstet auch der aufgeklärte Protestantismus mehr und mehr, während Verweigerung der Absolution, und selbst der Bannstrahl, ungeachtet des Fortschrittes der Aufklärung doch noch immer einige Wirkung hat. Der gottlose Heide hat nicht ganz unrecht, wenn er sagt: Primos in orbe deos timor fecit. Den Moḥammad kosteten die Freuden des Paradieses, wie luxuriös er es auch ausstattete, nicht mehr als die Qualen der Verdammten, und er hat daher seine Religion mit Himmel und Hölle versehen, doch hat er auf letztere viel mehr Mühe verwandt als auf erstern und zwar mit dem klaren Bewufstsein, dafs Furcht das sicherste Mittel zur Erreichung seiner Zwecke sei. »Bei der Anhörung der Mathâniy, sagt er, überläuft Diejenigen, welche ihren Herrn fürchten, eine Gänsehaut vor Schrecken; dann werden ihre Herzen weich und empfänglich für Gottes Wort.« Die letzten fünf Jahre seines Aufenthaltes in Makka hat er sich daher vorzüglich mit der Ausbildung seines Schreckensapparates, daneben aber wohl auch mit der Eschatologie überhaupt beschäftiget, und da er grofse Mühe auf sein Inferno und seine Beschreibung der Auferstehung verwendet hat, müssen wir unser Urtheil über seine poetischen Talente besonders auf die darauf bezüglichen Offenbarungen gründen, und es wäre sehr wünschenswerth, wenn sie ein Dichter im Geiste des Originals, aber ohne sie zu veredeln, übersetzte.

Sein Thema zerfällt in vier Haupttheile: Beweise für die Auferstehung, Beschreibung des Gerichtstages, die Qualen der Hölle und die Freuden des Paradieses; dazu kommt noch die Angst der sterbenden Ungläubigen, mit diesem Gegenstand jedoch hat er sich wenig beschäftiget [1]).

---

[1]) Es sind nur drei oder vier Inspirationen dieser Art im Ḳorân. Als Beispiel diene folgendes Fragment:

23, 101. Bis sich Einem von ihnen der Tod naht, dann ruft er: „Herr, bring mich zurück,

102. auf dafs ich Gutes thue und die vernachläfsigten Pflichten einhole.“ Keineswegs! was ihr zu erwarten habt, ist, dafs er einen Urtheilsspruch fälle: deswegen steht hinter ihnen eine Scheidewand [und sie können nicht zurück].

103. Wenn dann in die Posaune gestofsen wird u. s. w.

Ich übersetze Urtheilsspruch, wo es nach den Exegeten heifsen sollte, er (der Sterbende) spricht ein leeres Wort, weil Kalima auch in andern Ḳorânstellen diese Bedeutung hat.

Das Wort für Scheidewand ist im Original Barzach. Auch im Islâm ist eine Kabbale entstanden und aus Barzach ist alles Mögliche gemacht worden. Man wollte eine sichtbare Scheidewand haben und behauptete, Barzach bedeute das Grab, oder eine Vorhölle, in der die Seele den Tag der Auferstehung erwartet, oder eine Linie zwischen der Hölle und dem Paradiese. In der Transcendental-

Anfangs durfte er es nicht wagen, in diesen Schilderungen ganz seiner Phantasie zu folgen, sondern er mufste die bereits unter den Schriftbesitzern vorhandenen Vorstellungen berücksichtigen; so hat er, nach Geiger, den Einfall, dafs die Glieder des Menschen Zeugnifs gegen ihn ablegen, von den Juden entlehnt [1]). Ferner mufsten die früheren Drohungen einer zeitlichen Strafe, so weit als möglich, in neuer Gestalt darin aufgenommen werden; deswegen erscheint auch der Ruf, Çayḥa, neben der biblischen Posaune. Allein sehr hoch dürfen wir diese Hindernisse gegen eine freie ungezügelte Ausbildung des Schreckensapparates nicht anschlagen; denn wenn er sich durch Behutsamkeit hätte beschränken lassen, so würde er sich vor Widersprüchen gehütet haben, diese sind aber so grofs, dafs es den Mosli-

---

philosophie (hikmat alischrâḳ) nennt man den Körper Barzach, weil er den endlichen vom unendlichen Geiste trennt. Bei den Çûfies wird die ganze sichtbare Welt und auch der gröfste Geist (rûḥ-i-a'tzam) d. h. die Weltseele, und die sichtbare Welt ('âlam-i-mithâl) so genannt. Andere finden in Barzach nicht den Begriff von Trennen, sondern von Mittelglied. Die Schaṭṭârier sagen daher: Barzach ist die sinnlich wahrnehmbare Gestalt des Meisters oder geistlichen Führers. Er ist das Mittelglied zwischen seinen Jüngern und dem Wahren (Gott). Es ist daher nöthig, dafs diese, während sie das Dzikr verrichten, beständig den Meister vor den Augen des Geistes festhalten, damit sie durch seinen Segen sich dem Wahren nähern und damit sie selbst und die ganze Welt im Gedanken auf ihn verschwinden. Die Çûfies sprechen auch von einem Barzach der Barzache, von einem umfassenden Barzach (Barzachi ğâmi') und vom gröfsten Barzach. Sie verstehen darunter jenen Standpunkt der Contemplation, auf dem uns Gott als das einzige Wesen, das Sein hat, erscheint. Dies ist die höchste der [unreinen] Auffassungen der Gottheit und die Wurzel von allen niedrigen Barzachen. Man nennt diesen Standpunkt auch das moḥammadische Licht und die moḥammadische Wesenheit.

[1]) Im Hinblick auf diese Idee haben die moslimischen Moralisten die Glieder ğawâriḥ Erwerber, Fänger genannt; nicht etwa deswegen, weil wir mit den Händen unsern Unterhalt erwerben, sondern weil im Ḳorân sehr oft der Ausdruck vorkommt: Dem Menschen wird vergolten für das was sie erworben, d. h. gethan haben.

men nicht gelingt, ein einheitliches Bild der Dinge nach dem Tode zu entwerfen. Im Ganzen beurkundet er grofsen Mangel an Erfindungsgabe, und hierin steht er unsern katholischen Predigern nach; er ist aber nicht so roh wie diese. Die wenigen Bilder, die er schon in Makka hatte, stellte er mannichfaltig dar, bald werden sie von Gott beschrieben, bald erzählend und bald dramatisch geschildert; aber überall zeigt er mehr Schlauheit als Kunstsinn, und er ist unerschöpflich in den Mitteln, die Eindrücke nicht erfüllter Weissagungen zu verwischen. Am meisten müssen wir die Kraft des Ausdruckes bewundern; hierin übertrifft er selbst unsern Luther. Es wäre interessant die allmählige Entwicklung des Schreckensapparates zu verfolgen, weil er aber nicht selten frühere Compositionen durch Einschiebungen ergänzt hat, so ist dies nicht leicht möglich; indessen dürfen wir annehmen, dafs die in den Raḥmân-Stücken (s. Anhang zu Kap. 12) enthaltenen Beschreibungen zu den ältesten gehören.

Mit seiner Uebersiedlung nach Madyna begann Moḥammad ein neues Leben. Göthe hat uns die Umwandlung eines Metaphysikers zum genufsliebenden Weltmanne im zweiten Theile seines psychologischen Dramas anschaulich gemacht. Der Prophet wurde zum unumschränkten Herrscher und Feldherrn, und die vierzig Frauen, welche er besafs, freite oder verstiefs, gaben ihm auch zu thun. Unter diesen Verhältnissen haben ihn Bilder des Lebens nach dem Tode viel weniger beschäftiget als seine bethörten Anhänger, und da ohnedies seine poetische Periode vorüber war, begnügte er sich stereotyp gewordene Phrasen am Schlusse seiner Tagesbefehle — Inspirationen hatte er in Madyna nur sehr selten — zu wiederholen. Seine Jünger hingegen erfanden Qualscenen, welche, wenn sie auch selten originell sind und häufig an unsere Hölle, ja sogar an den Orcus erinnern, doch bedeutenden poetischen Werth haben und selbst in unsern Tagen von moslimischen Dichtern nicht ohne Erfolg bearbeitet worden sind. Er winkte

Beifall, bearbeitete sie aber nicht, und deswegen stehen sie in der Ḥadyth und nicht im Ḳorân. Die eschatologischen Inspirationen, welche die gröſste Frische bekunden, können wir etwa in das Jahr 618—619 versetzen, die vollständigsten hingegen fallen ohne Zweifel in die Jahre 621—622. Es ist kaum nothwendig zu erwähnen, daſs dieser Theil des Ḳorâns einen sehr groſsen Einfluſs auf die Ausbildung des Islâms übte, und lange Zeil galt selbst unter den Theologen die Furcht, chawf, für das Hauptmotiv der Sittlichkeit [1]).

Der Erfolg, welchen je das neue Schreckensmittel hatte, verleitete ihn zu demselben Irrthum, den er früher in seinen Drohungen eines zeitlichen Strafgerichtes begangen

---

[1]) Zu Anfang des zweiten Jahrhunderts war Ḥasan Baçry († 113, beinahe 90 Jahre alt) der Repräsentant des religiös-geistigen Lebens einer der drei Hauptstädte des Islâms, und er erhob „die Furcht" zum höchsten Princip der Moral. Es war dies eine Frucht der Schreckenssûren des Ḳorâns. Hawschab erzählt daher: Ich hörte den Ḥasan sagen: Ein Menschenkind, welches den Ḳorân liest und daran glaubt, 'wird in der Welt meistens mit Schrecken erfüllt sein, es wird in der Welt heftige Furcht empfinden, und häufig weinen. Ibrâhym b.ʿYsà Yaschkory sagt: Ich habe nie Jemanden gesehen, der betrübter aussah als Ḥasan, so oft ich ihn sah, kam er mir vor, wie wenn ihn gerade ein groſses Unglück betroffen gehabt hätte.

Ḥasan Baçry wurde einer der Gründer der moslimischen Ascese und der damit zusammenhängenden pantheistischen Religionsphilosophie. Obwohl er für die rein historische Theologie und Rechtsgelehrsamkeit als ein Kirchenvater gilt, so erzählt doch ʿImrân der Kurze: Ich befragte den Ḥasan über Etwas, und auf seine Antwort machte ich die Bemerkung: die Theologen (faḳyhe) aber sagen so und so. Er erwiderte: Weiſst du auch welcher Theologe dir nützt? Es nützt dir der Theologe, welcher sich von der Welt enthält, klares Bewuſstsein hat in seiner Religion und beständig mit der Anbetung seines Herrn beschäftigt ist.

Die Moslime haben sich lange von Extrem zu Extrem, Furcht und Liebe, herumgetrieben, bis sie die Vervollkommnung der Seele, takmyl alnafs, als das höchste ethische Princip gelten lieſsen.

hatte, und er gab die Zeit der Auferstehung mit zu grofser Bestimmtheit an. Die Veranlassung wird in der Tradition halb erzählt und halb verschwiegen.

Der Zohrite 'Adyy war mit dem rechthaberischen Achnas verschwägert, und es fehlte auch ihm der erhabene Geist, himmlische Dinge zu verstehen. Eines Tages begab er sich zum Gesandten Gottes und fragte ihn, wann die Auferstehung stattfinden und wie es dann aussehen werde. Für seinen stumpfen Alltagsverstand war es besonders unbegreiflich, wie Gott die nach allen vier Winden zerstreuten Knochen zusammenzuklauben im Stande sein werde. Moḥammad unterrichtete ihn über diesen Gegenstand, und obschon es die Tradition nicht zugiebt, scheint er ihm doch auch über die Zeit die gewünschte Auskunft gegeben zu haben. Die Eindrücke der Unterredung riefen eine Inspiration in ihm hervor, wovon folgende Verse ein Bruchstück sind:

75, 1. Ich brauche nicht zu schwören bei dem Auferstehungstag,

2. noch bei der Seele, die sich selbst anklag'.

3. Wie, glaubt der Mensch, dafs Gott seine Knochen nicht zu sammeln vermag?

4. Ja, er ist im Stand die Finger zusammenzusetzen nach jetziger Lag'.

5. Aber der Mensch läugnet, damit er auch hinfort in seiner Sündhaftigkeit nicht verzag'.

6. Er fragt dich: Wann ist der Auferstehungstag?

Nach diesen Versen kommt plötzlich ein anderer Reim, der frühere kehrt aber in folgendem Stücke wieder:

75, 16. Setze bei der Inspiration deine Zunge nicht in Bewegung, um damit zu eilen;

17. denn uns liegt das Sammeln derselben ob und der Vortrag,

18. und wenn wir sie vorgetragen (in Worte gekleidet haben), so folge dem Vortrag;

19. und dann liegt uns ob die Erklärung dessen, was darin dunkel ist oder vag [1]).

Diese auch in psychologischer Beziehung wichtige Stelle enthält ein Bekenntnifs, dafs Moḥammad sich übereilt und eine halb fertige Inspiration mit menschlichen Zugaben und in menschlicher Fassung verkündet habe. Begreiflicher Weise wurde sie gestrichen und vorsichtshalber behält sich Gott in Zukunft das Recht vor, nicht nur die Redaktion der Orakel selbst zu besorgen, sondern auch selbe nachträglich zu deuten. Um die Zweckmäfsigkeit einer solchen Anordnung zu begreifen, versetze man sich in die Lage des Propheten, wenn er mitten unter seinen Feinden safs und diese ihn mit Fragen bestürmten, die er unmöglich beantworten konnte, oder ihm Widersprüche in seinen Offenbarungen vorhielten. Was war vernünftiger als zu antworten: Ich mufs warten bis mir Gott darüber Aufschlufs giebt oder den scheinbaren Widerspruch löst.

Dem Vorwurfe ob der Uebereilung geht die Frage des ʿAdyy voraus: »Wann ist der Auferstehungstag?« Aehnliche Fragen kommen oft im Ḳorân vor, und darauf folgt fast allemal eine Antwort, welche mit ḳol »sprich« anfängt [2]). Hier fehlt sie. Wahrscheinlich war sie so unbehutsam ausgedrückt, dafs sie unterdrückt werden mufste und zu diesem Verweise Anlafs gab. Sie mag gelautet haben: Sprich: die Stunde wird eintreten, ehe ein Jahr vorüber ist,

قل ستقوم الساعة فلم يمض على الانسان عامه ۞

---

[1]) Hier folgen zwei Verse, deren Einschaltung bezeichnend ist für die Geistlosigkeit, mit der die zum Theil fragmentarisch erhaltenen Inspirationen zusammengereiht wurden:

20. Aber ihr liebet das Vergängliche,

21. und vernachlässiget das Jenseits.

Das Vergängliche heifst im Original ʿÂǵila (wörtlich: das Eilende; über die Bedeutung vergl. Ḳor. 17, 19. 76, 27), und weil nun vorher Gott das Eilen tadelt, so hielten es die Sammler für passend, diesem Fragment hier einen Platz anzuweisen, in welchem er die Liebe zum Eilenden mifsbilliget.

[2]) Z. B. Ḳor. 2, 185. 211. 214. 216; 5, 6; 8, 1 etc.

Vielleicht hat er auch nach Unterdrückung dieser Weissagung das Bekenntniſs seines Irrthumes deutlicher ausgesprochen und obige Erklärung, welche, wie wir an einem andern Orte zeigen werden, sein Gemüth so lange beschäftiget hat, bis die Lüge zur Selbsttäuschung wurde, erst später in die Stelle desselben gesetzt. Es mag ursprünglich geheiſsen haben:

»Wir haben dir in keiner Offenbarung die Zeit des jüngsten Tages bestimmt«,

ما انزلنا عليك وحيا فى تعيين آنه ۞

Die Vermuthung, daſs Moḥammad so unvorsichtig war, das Eintreten des Gerichtstages mit zu groſser Bestimmtheit als ganz nahe bevorstehend vorauszusagen, stützt sich auf folgende Gründe: Erstens fuhr er auch später fort, aber weislich ohne genaue Zeitbestimmung, zu behaupten, das Gericht werde bald eintreten: Ḳor. 16, 79 »Es kommt in einem Augenblick oder noch bälder« (vergl. Ḳor. 47, 20. 17, 53). Zweitens: wenn man in ihn drang, Tag und Jahr anzugeben, so antwortete er, daſs ihm Gott diese Kenntniſs vorenthalten habe. In einer früheren Offenbarung hatte er zugegeben, daſs Jesus die Zeit wuſste. Ein solches Bekenntniſs, muſste ihn, da er doch sonst mit Gott auf dem vertrautesten Fuſse stand, in den Augen seiner Anhänger, dem Religionsstifter der Christen gegenüber, heruntersetzen, und er würde es kaum ausgesprochen haben, wenn er sich nicht durch seine Voreiligkeit so compromittirt gehabt hätte, daſs er dazu gezwungen wurde. Wie einfach wäre es sonst gewesen, eine Zeit zu nennen, zu der er, aller Wahrscheinlichkeit nach, nicht mehr am Leben sein würde. In der That hat er der Zudringlichkeit der Gläubigen gegen Ende seines Lebens auch nachgegeben und in Gegenwart eines Jünglings erklärt, daſs ehe derselbe das Greisenalter erreiche, das Zeitliche sein Ende haben werde; doch hat er es nie wieder gewagt, die Zeit genau zu bestimmen. Um seine Würde andern Religionsstiftern gegenüber zu wahren, erklärte er (Ḳor. 20, 15), daſs auch Moses, obschon er mit Gott von Angesicht zu Angesicht gesprochen hatte, »die Stunde« doch nicht gewufst habe. Drittens endlich finden wir in Sûra 79 ein ziemlich deutliches Bekenntnifs, dafs er sich compromittirt habe:

79, 42. Sie befragen dich über die Stunde: Wann wird sie tagen?
43. Wie kommst du dazu, dies zu sagen?
44. da doch nur dein Herr solches darf wagen.
45. Wahrlich, dein Geschäft ist, denen, die sie fürchten, die Warnung vorzutragen;
46. [gleichviel, ob sie nahe oder fern ist] eines Tages, wenn sie selbe sehen, wird es ihnen vorkommen, dafs sie nur einen Abend oder Mittag im Todesschlafe lagen.

Wie in andern Fällen, in denen er eine Offenbarung unterdrückte, nahm er auch hier ein Stück aus seinem Schreckensapparate, dessen gute Wirkungen ihn die Erfahrung schätzen gelehrt hatte, und setzte es an Stelle der gestrichenen Verse:

75, 7. Wenn es einem vor den Augen funkelt
8. und der Mond sich verdunkelt
9. und die Sonne und der Mond sich verbinden;
10. an jenem Tage wird der Mensch bestrebt sein, eine Zuflucht zu finden.
11. Aber es giebt keinen Zufluchtsort;
12. dein Herr ist an jenem Tage der einzige Hort.
13. An jenem Tage wird dem Menschen gesagt werden, was er gethan und unterlassen.
14. Nein, er ist gegen sich selbst Zeuge seiner Werke [1]),
15. selbst wenn er Entschuldigungen vorbringt.

Wahrscheinlich gehören auch folgende Verse, welche denselben Reim haben, zu dieser Inspiration:

22. Einige Antlitze sind an jenem Tage blühend

---

[1]) Seine Augen, Ohren und Haut werden Zeugnifs gegen ihn ablegen. Ḳor. 41, 21.

23. und zu ihrem Herrn emporblickend.

24. Andere Antlitze sind an jenem Tage düster

25. und sie ahnen, dafs ihnen etwas Schreckliches bevorstehe.

Dieses Stück ist nicht in der Absicht verfafst worden, um das Gestrichene zu ersetzen, denn sonst würde es denselben Reim haben, wie die vorhergehenden Verse und mit Worten schliefsen wie: sobald dieses eintritt, werdet ihr schon wissen, wann der Gerichtstag gehalten wird. Er hat, als er die Offenbarungen in Kapitel eintheilte, eine fertige Inspiration genommen und die Lücke ausgefüllt.

Der Gesichtspunkt, von dem wir die hier zu untersuchenden Inspirationen ansehen, macht es uns zunächst zur Aufgabe, die Art der Verfassung derselben näher zu beleuchten. Nur unwissende Leute huldigen noch dem Vorurtheile, dafs gediegene Kunstwerke aus den Köpfen der Dichter in ihrer ganzen Vollendung hervorsprudeln. Schon Horaz hat uns eines Bessern belehrt: Der Dichter, sagt er, mufs die Feile anwenden. Dem Moḥammad scheint es, wie allen Schwärmern, ganz besonders schwer gefallen zu sein, die heifs empfundenen Gefühle mit jener Fülle und Mannigfaltigkeit der Form auszustatten, ohne welche sie wirkungsloses Rasen geblieben wären. Die häufigen Wiederholungen im Ḳorân sind zum Theil die Folge dieser Unfähigkeit. Wochen, ja Monate lang sann er über eine bereits bearbeitete Idee nach, es fielen ihm neue Bilder ein, und dieser Fund erschien ihm so wichtig, dafs er wieder zur Bearbeitung schritt. Hier ist eins der schlagendsten Beispiele zum Beweise dieser Behauptung:

Erster unvollendeter Versuch.

84, 1. Wenn der Himmel gespalten worden

2. und seinem Herrn folgt, und dazu befähigt worden,

3. und wenn die Erde gedehnt worden,

4. und was in ihr war ausgeworfen hat, und dessen losgeworden,

5. und ebenfalls ihrem Herrn folgt und dazu befähigt worden.

Bemerk. Ohne Nachsatz.

Zweiter Versuch.

82, 1. Wenn der Himmel gekloben worden,
2. wenn die Sterne zerstreut worden,
3. wenn die Meere ausgegossen worden.
4. Wenn die Gräber aufgethan worden,
5. dann weiſs jede Seele was von ihr gethan und unterlassen worden.

Dritter Versuch.

81, 1. Wenn die Sonne zusammengerollt worden [1]),
2. wenn die Gestirne getrübet worden,
3. wenn die Berge von der Stelle bewegt worden,
4. wenn [die Verwirrung so groſs ist, daſs selbst] der Geburt nahe Kameele vernachlässiget worden,
5. wenn die wilden Thiere versammelt worden,
6. wenn die Meere übergeschüttet worden,
7. wenn die Seelen gepaart geworden,
8. wenn lebendig begrabene Mädchen gefragt geworden:
9. wegen welcher Schuld sie getödtet worden?
10. wenn die Rollen [welche die Rechnung der Menschen — ihre Sünden und Verdienste — enthalten] ausgebreitet worden,
11. wenn der Himmel abgeschält (d. h. weggenommen, entfernt) worden,
12. wenn die Hölle geheizt worden,
13. und wenn das Paradies nahe gerückt worden,
14. dann weiſs jede Seele, was ihr bevorsteht.

Der zweite Versuch hat im Original schon viel mehr

---

[1]) Um eine groſse Fackel (masch'al) zu machen, benetzt man Fetzen von Baumwollenzeug mit Oel, und man löscht sie aus, indem man sie zusammenwickelt: daher dieses Bild.

Wohlklang als der erste, der dritte aber gilt als die vollendetste Composition im ganzen Korân und Mohammad erklärte selbst, wer den Tag der Auferstehung zu sehen wünsche, soll diese Beschreibung desselben lesen. Alle drei Versuche haben denselben Reim, und man könnte glauben, die Sammler haben aus Versehen dieselbe Offenbarung mit mehr oder weniger Vollständigkeit wiederholt. Ein solches Versehen war aber unmöglich, denn die Verse von Sûra 81 mufsten noch in ihren Ohren geklungen haben als sie Sûra 82 niederschrieben; wir haben es also wirklich mit drei Versuchen zu thun, wovon sie dem vollendetsten den ersten, und dem mangelhaftesten den letzten Platz anweisen.

Es würde den Leser ermüden, wenn ich meiner ursprünglichen Absicht nachkäme, und hier alle auf die letzten Dinge bezüglichen Inspirationen zusammenstellen wollte. Ich gehe daher sogleich auf die dritte Strafperiode über; die bei diesen und andern Gelegenheiten angeführten Korânstellen sind mehr als genügend, dem Zwecke zu entsprechen und dem Leser die Mittel, mit welcher er die Sünder erschreckte, anschaulich zu machen.

Der Bd. I S. 548 angeführten Stelle über das Wegwannen der Berge hat Mohammad ungefähr im Jahre 621 folgende Inspiration angehängt:

77, 8. Und wenn die Sterne ausgebrannt,
9. und wenn zerrissen ist das Himmelsgewand,
10. und wenn die Berge weggewannt
11. und zum Stell-dich-ein vorgeladen werden die Männer, welche einst Gott gesandt —
12. Aber auf welchen Tag ist der Termin anberaumt?
13. Der Tag wird Tag der Entscheidung genannt[1]).

---

[1]) Die Inspirationen, in welchen der jüngste Tag „der Tag der Entscheidung“ geheifsen wird, bilden eine eigene Gruppe und zeichnen sich durch Schwung aus.

14. Ist dir auch der Sinn von »Tag der Entscheidung« bekannt?

15. Wehe an jenem Tage denen, die die Wahrheit verkannt!

16. Haben wir nicht die Alten vertilgt und verbrannt?

17. Dann werden ihnen die Neuern nachgesandt:

18. so machen wir Bösewichter zu Schand'.

19. Wehe an jenem Tage Jenen, die die Wahrheit verkannt! u. s. w. bis Ende der Sûra.

Moḥammad drohte den Ungläubigen eine Ḳâri'a »Katastrophe«, ähnlich der, welche die 'Âditen und Thamûdäer befallen hatte (vergl. Bd. I S. 472). Folgende darauf bezügliche Offenbarung gehört in die erste oder zweite Drohungsperiode:

13, 31. Es ist eine Regel, dafs die Ungläubigen, wegen ihrer Handlungen, von Zeit zu Zeit eine Katastrophe trifft, oder dafs sie ihre Nachbarländer befällt, bis die Drohung Allah's in Erfüllung geht, denn Allah handelt seiner Verheifsung nicht zuwider.

32. Auch die Propheten vor dir wurden verlacht. Ich gewährte den Ungläubigen eine Frist, dann aber nahm ich sie her, und wie war meine Strafe?

33. Ist etwa Er, welcher jede Seele und ihr Thun und Lassen überwacht [wie die Götzen]? Dennoch nehmen sie an, dafs Allah Gefährten habe! Sprich: nennt sie! — Wollen sie Ihn vielleicht über etwas belehren, wovon Er auf der ganzen Erde (durchaus nichts) weifs? oder sind es blofse Worte (wenn sie die Götzen Götter nennen)? Nein, den Ungläubigen sind vielmehr ihre Manöver [gegen Moḥammad vom Teufel] als gut vorgespiegelt worden und sie werden von dem [rechten] Pfad verdrängt, denn wen Allah irre führt, der findet keinen Wegweiser.

Da die Katastrophe nicht kommen wollte, deutete er die Drohung auf den jüngsten Tag und die Hölle. Um den Uebergang einzuleiten, fügte er der ursprünglichen Drohung folgenden Vers hinzu:

34. Es wird sie eine Strafe in diesem Leben treffen, aber die Strafe des Jenseits ist viel tiefer gehend; und sie werden gegen Allah keinen Beschützer finden.

Darauf sagt er in Sûra 101:

1. Die Katastrophe — was ist die Katastrophe?
2. Wie weifst du, was die Katastrophe sei?
3. An einem gewissen Tage werden die Menschen wie zerstreute Motten herumflattern,
4. die Berge werden wie bunte gezupfte Wolle sein.
5. Derjenige, dessen Wagschale schwer ist, wird sich im Wohlleben befinden,
6. die Mutter desjenigen aber, dessen Wagschale leicht ist, wird die Hâwiya [1]) sein.
7. Weifst du auch, was das bedeutet?
8. Ein loderndes Feuer. —

In Ḳ. 12, 107 heifst es: Sind sie vielleicht sicher, dafs nicht eine Ghâschiya (Zudeckende) vom Strafgerichte Allah's oder die Stunde sie plötzlich überrumpele, ohne dafs sie sich's versehen?

In den darauf folgenden Versen ist eine kurze Anspielung auf die vertilgten Städte. Es ist wohl kein Zweifel, dafs hier unter Ghâschiya eine zeitliche Strafe zu verstehen sei. Für den Araber hatte der Ausdruck Ghâschiya, Bedeckerin, viel Poetisches. Der Nomade sucht, wenn er in Gefahr ist, sein Heil nicht hinter Gräben und Mauern, sondern, wie die Gazelle der Wüste, im Weiten. Daher bedeutet auch umzüngelt werden so viel als auf eine Unmöglichkeit stofsen (Ḳ. 12, 66). Eine noch schlimmere Be-

[1]) Hâwiya heifst die fallende, stürzende, dann auch eine ihrer Kinder beraubte Mutter. Man sagt: hawat ommoho, wörtlich: seine Mutter ist gestürzt oder kinderlos geworden, d. h. ihr Sohn ist in der Schlacht gefallen. Die Commentatoren glauben, dafs Hâwiya hier Hölle bedeute.

deutung hat bedeckt werden. Bei einem nächtlichen Ueberfall schneidet der Feind die Stricke der Zelte ab und die Schlafenden werden von den Zelten bedeckt, wie Vögel vom Netze. Auch die Nacht, welche dem Menschen die Möglichkeit sicherer, freier Bewegung benimmt, »bedeckt« ihn; Schwermuth und Wahnsinn »bedecken« das Gemüth, und während einer Ohnmacht werden die Lebenskräfte des Kranken »bedeckt«. »Gedeckt werden« hat also in den meisten Fällen einen peinlichen Sinn für den Araber.

Gerade weil Ghâschiya ein poetischer Ausdruck ist, war es leicht für Moḥammad, als das Strafgericht nicht eintrat, sie in eine Scene des jüngsten Tages zu verwandeln.

88, 1. Hast du das Nähere über die Ghâschiya vernommen?

2. Einige Gesichter (d. h. Menschen) sind an jenem Tage demüthig,

3. strebend und bebend,

4. sie steigen hinab in ein loderndes Feuer

5. und werden von einem kochenden Quell getränkt

6. und ihre Nahrung wird die Dhary'-Pflanze (d. h. Kameelfutter) sein;

7. sie wird sie weder fett machen, noch ihnen den Hunger stillen.

8. Andere Gesichter sind an jenem Tage blühend,

9. mit ihrem Streben zufrieden,

10. [sie wohnen] in einem erhabenen Garten,

11. und hören kein eitles Geschwätz;

12. dort ist ein fliefsender Quell,

13. dort sind hohe Ruhebetten

14. und Becher ausgelegt,

15. und Polster [1]) reihenweise hingestellt

16. und Teppiche ausgebreitet.

Obschon Moḥammad »die Strafe, welche im Anzuge

---

[1]) Im arab. Namâriḳ; es wird durch Wasâyid, Polster, erklärt, aber im bekannten Lied: „Wir sind die Töchter des Ṭâriḳ und wandeln auf Namâriḳ“, mufs es so viel bedeuten als das englische Rug.

ist«, in den Bd. I S. 548 ff. angeführten Versen ziemlich genau beschrieben und als eine zeitliche bezeichnet hat, findet er es jetzt doch passend, dieses Attribut dem Gerichtstage zu geben. Nach einer durch das abschreckende Beispiel vertilgter Völker belegten Weissagung einer zeitlichen Strafe (Bd. I S. 472) ist eingeschoben:

69, 13. Wenn einmal in die Posaune gestofsen wird
14. und die Erde und Berge gehoben und durch einen Stofs zermalmt werden,
15. an jenem Tage ist das im Anzuge befindliche Strafgericht eingetroffen,
16. und die Feste des Himmels ist gespalten und an jenem Tage ist sie voll Risse,
17. und die Engel sind am Rande und über ihnen wird an jenem Tage der Thron deines Herrn von acht Engeln getragen [1]) u. s. w. bis Vers 37.

Auch in einer der ausführlichsten Beschreibungen des jüngsten Tages wird das im Anzuge befindliche Strafgericht genannt:

56, 1. Wenn einmal eingetroffen das im Anzug befindliche Strafgericht,
2. so sagt keine Seele mehr: »sein Heranziehen ist erlogen, es kommet nicht!«
3. Es wird [die Bösen] drücken, [die Guten] beben.
4. Wenn dann die Erde zittern wird und beben,
5. die Berge zermalmet sich heben
6. und als Samenstäubchen schweben,
7. wird es vor euch drei Klassen geben,
8. nämlich die Genossen der Rechten — was sind dies für Genossen der Rechten!

Vielleicht sind es gar die persischen Filzteppiche, welche jetzt libd, Plur. lobûd, genannt werden, und auf denen man weich schläft.

[1]) Die Tradition sagt, dafs gewöhnlich nur vier Engel den Thron Gottes tragen, wovon einer ein Menschen-, einer ein Löwen-, einer ein Stier- und einer ein Adlergesicht hat. Am Gerichtstage wird die Anzahl verdoppelt.

9. und die Genossen der Linken — was sind dies für Genossen der Linken!
10. und die Flinken! die Flinken![1]
11. Dies sind die, welche in Gunst stehen[2].
12. Sie werden in Lustgärten umhergehen.
13. Zahlreich sind die Alten unter ihnen vertreten,
14. aber nur wenige von den Neueren werden unter sie eintreten.
15. Dort auf geflochtenen Ruhebetten,
16. an Polster gelehnt sitzen sie einander gegenüber, sich zu laben
17. und es warten ihnen auf ewig junge[3] Knaben
18. mit Becken und Gieſskannen und Bechern[4], gefüllt mit Maʿyn,

---

1) D. h. welche im Glauben Andern vorauseilen.

2) Al-Moḳarrab, wörtlich: „der in die Nähe Gebrachte" (Ḳ. 51, 27), bedeutet gewöhnlich „der Günstling eines Fürsten", und weil im Orient, wie in Deutschland, das Regieren eine Unterhaltung für den Fürsten und seine Günstlinge ist, so schlieſst der Begriff den Besitz von Macht und der höchsten Würde ein (Ḳ. 7, 111. 26, 41). Das hebräische Cherubim ist von derselben Wurzel abgeleitet und wird auch im Arabischen durch Malâyika Moḳarrabûn wiedergegeben (Ḳor. 4, 170). Indessen hat Moḥammad die phantastischen Ideen der Juden über die Cherubim nicht in den Islâm — wenigstens nicht in den Ḳorân — übertragen, und Moḳarrab bedeutet bei ihm blos diejenigen Engel, die Gott seiner Majestät am nächsten gestellt hat; weil aber nach seiner echt semitischen Idee der Mensch ebenso hoch oder höher steht, als die Engel, werden auch die vollkommensten der Gläubigen Moḳarrab genannt (Ḳ. 83, 28. 21; in diesen zwei Stellen können nämlich sowohl Engel als Menschen darunter zu verstehen sein). Wenn es nun im Ḳor. 56, 17 heiſst, daſs die Alten zahlreicher vertreten sind unter dieser Schaar von Auserwählten als die Zeitgenossen des Moḥammad, so ist kein Zweifel, daſs die Christen gemeint werden, deren Oberhaupt, Jesus, Ḳor. 3, 40 einer der Moḳarrabûn genannt wird.

3) Dem Saʿyd b. Ġobayr zufolge bedeutet خلد auch Ohrring (ḳort) und mochallad kann daher auch „mit Ohrringen geschmückt" heiſsen.

4) Ibryḳ: Gieſskanne mit einem Schnabel, ist ein persisches

19. der weder Betäubung noch Kopfweh nach sich wird zieh'n,

20. und mit Obst, wovon sie auslesen können nach Belieben,

21, und mit gebratenem Geflügel, das sie am meisten lieben,

22. und die grofsäugigen Ḥûries, wie Perlen so weifs und rein!

23. Dies soll der Lohn ihrer Werke sein.

24. Dort hören sie nicht das Schwatzen und Schimpfen der Schlechten,

25. sondern nur: Heil! Heil euch Gerechten!

26. O die Genossen der Rechten — was sind dies für [glückliche] Genossen der Rechten!

27. Sie sitzen in dornlosen Zizyphus- (Pflaumen-) Hainen [1])

---

und akwâb: Becher, rund und ohne Schnabel, ein nabathäisches Wort. Beide mögen schon vor Moḥammad im Ḥigâz eingebürgert gewesen sein.

[1]) Nach andern Ḳorânstücken wohnen die Seligen in den Gärten von 'Eden oder nach arabischer Aussprache 'Adn. Ich glaube, dafs dieses Wort aus dem Arabischen erklärt werden müsse. Man sagt von Kameelen, welche lange in ein und derselben Gegend weiden ta'din und der Ort wird ma'din genannt. In diesem Sinne sind Eigennamen, wie Ma'din albyr, Ma'din alḥasan, Ma'dan alborm, Ma'din Bany Solaym u. s. w., zu verstehen. Zunächst liegt in der Wurzel der Begriff der Zeit, daher die noch jetzt im Libanon übliche Phrase al'adn tayyib „il fait beau temps"; aber ganz vorzüglich der des Weilens, daher 'Adn, d. h. Weiler, Ville, der Name einer südarabischen Stadt (die, beiläufig gesagt, gar keine paradiesische Lage hat, denn es wächst auf der ganzen Halbinsel kein Strauch und kein Grashalm). Die Exegeten erklären demgemäfs „Gärten 'Edens" durch Gärten des Aufenthaltes, d. h. Landsitze, Villas (almâwà). Auch Moḥammad scheint es ursprünglich in diesem Sinne genommen zu haben (vergl. Ḳor. 32, 19), und in Ḳor. 98, 7 kann der später stereotyp gewordene Zusatz „sie werden ewig darin weilen" als Erklärung angesehen werden. Am meisten wird der Begriff des Weilens in der spätern Bedeutung von Ma'din gestreckt, es bedeu-

28. und fruchtbeladenen Plantainen
29. in ununterbrochenen Schatten,
30. an fliefsendem Wasser auf grünen Matten.
31. Es wird ihnen viel Obst beschert,
32. das nie aufhört und das ihnen niemand verwehrt,
33. und sie strecken sich auf schwellende Unterbetten,
34. welche wir unmittelbar (d. h. ohne Zeugung) zum Dasein gerufen
35. und als Jungfrauen erschufen,
36. wie ihre Männer sind diese in der Jugendpracht und voll Liebesmacht [1]).
37. Dies für die Genossen der Rechten;
38. unter ihnen sind viele von unsern frühern Knechten
39. und auch viele von den Neuern.

---

tet das habitat von Pflanzen, den Fundort von Perlen und ganz besonders die Minen von Mineralien, daher dann ma'dinyya Mineral.

Weil aber die Kameele nur in wasserreichen Gegenden, mit üppiger Vegetation lange weilen, und sich wohlbefinden, so liegt in der Wurzel 'Adn auch der Begriff von Ueppigkeit. Alle Landschaften, deren Eigenname mit Ma'din anfängt, sind Oasen, üppige wasserreiche Orte, in denen ein Theil des Stammes ansäfsig ist, und der dem nomadischen Theile zum Hauptquartier dient. Ma'din Bany Solaym bedeutet daher die fruchtbare Oase oder das Hauptquartier des Solaym-Stammes. In der Bibel glaube ich nun sei 'Eden in diesem Sinne zu verstehen; es bedeutet eine wasserreiche Gegend, und deswegen fügt Moḥammad, welcher im Geiste der Erfinder der Paradieslegende dachte, fast immer den Beisatz hinzu „welches von Bächen durchschnitten wird." Als die Paradiesmythe einmal unter den Juden lebte, wurde die Wurzel auch für „im Genusse schwelgen", gleichsam 'edenisiren, gebraucht, so z. B. von Nehemias. Auch Moḥammad hat später, weil er mit Juden verkehrte, „Gärten 'Edens" in dieser Bedeutung aufgefafst und sie „Gärten des Wohllebens" (na'ym) genannt. Weil vor 'Adn der bestimmte Artikel nicht gebraucht wird (das Paradies ist der Garten eines 'Eden, deren es viele gab), setzte er Anfangs vor na'ym auch keinen Artikel, endlich aber gab er dem Genius der Sprache nach und sagte alna'ym.

[1]) Im Original 'orob. Dieses Wort wird verschieden gedeutet und läfst sich besser durch das Hebräische als durch das Arabische erklären.

40. Aber die Genossen der Linken — was sind dies für [unglückliche] Genossen der Linken!
41. Sie schmachten im Sirocco und heifsen Wassern, welche stinken,
42. und der Schatten schwarzer Rauchwolken wird auf sie sinken
43. und weder Kühlung noch Erfrischung wird ihnen winken,
44. denn sie haben geschwelgt im frühern Leben
45. und sich geflissentlich dem grofsen Verbrechen (dem Unglauben) hingegeben,
46. und gesagt, um dich zu necken:
47. Wie, wenn wir todt und Staub und Gerippe sind, wird man uns auferwecken?
48. und auch unsere Vorfahren?
49. Antworte: In der That die Alten werden sich zu den Neuern schaaren
50. und werden versammelt werden zum Stell-dich-ein eines Tages, auf den wir harren.
51. Dann werdet ihr Irrenden, die ihr jetzt läugnet vermessen,
52. von dem Baume Zakkûm essen.
53. Mit seiner bittern Frucht füllt ihr den Bauch
54. und trinkt siedendes Wasser darauf,
55. aus dem Magen verpesteter Kameele die Jauch'.
56. So wartet man ihnen am Gerichtstage auf.

Mohammad hatte den Ungläubigen gedroht, dafs sie in Hunde oder Schweine verwandelt werden, wenn sie ihm nicht glauben wollen (vergl. Bd. I S. 568). Er kommt auch in dieser Offenbarung, welche, wie die ursprüngliche Weissagung zunächst von der »Strafe, die im Anzuge ist« handelt, auf die gedrohte Verwandlung zu sprechen [1]) und geht dann auf die Allmacht und Güte Gottes über:

---

[1]) Hasan bemerkt bei Baghawy zu Vers 62: „Das heifst Gott ändert eure Beschaffenheit und verwandelt euch in Affen und Schweine,

57. Wir sind es, die euch erschaffen; warum also erkennet ihr [die Verkündigung dieser Wahrheiten] nicht an?

58. Habet ihr je den Saamenerguſs (d. h. die Zeugung) betrachtet?

59. Erschafft ihr [die Frucht im Mutterleibe] oder sind wir die Schöpfer?

60. Wir sind es, welche unter euch das Sterben eingesetzt haben; und nichts kann uns hindern

61. euren Typus zu verändern und euch in einer Gestalt wieder erwachsen zu lassen, von der ihr keine Ahnung habt [1]).

---

wenn es ihm so gefällt, wie er es einst mit Menschen vor euch gemacht hat."

[1]) Adverbien und Präpositionen waren ursprünglich fast durchgehends Substantive, und der Sprechende verband damit einen selbstständigen Begriff. Mathalan bedeutet jetzt „wie", Moḥammad aber verband damit den Begriff von „Typus" und weil die Commentatoren dies nicht begriffen, so haben sie diese Stelle nicht verstanden. So sagt Baghawy نأتي بخلق مثلكم بدلا منكم „wir euzeugen Geschöpfe wie ihr statt eurer." Nasafy und die zwei Ġalâle geben eine ähnliche Erklärung; nach ihnen bedeutet امثالكم so viel als مكانكم „an eurer Stelle", nur nach Baydhawy, welcher dem Ḥasan folgt, ohne ihn zu nennen, kann man مثل in der Bedeutung von صفة „Beschaffenheit" auffassen. Jetzt sagt man انت مثل الكلب „du bist wie ein Hund." Im Ḳorân-Arabischen aber würde man sagen مثلك كمثل الكلب „dein Typus ist wie der Typus des Hundes" (Ḳor. 7, 175). So heiſst es auch Ḳor. 6, 122: Ist einer der im Lichte wandelt, wie einer dessen Vorbild (oder Typus) im Dunkel wandelt. Für uns sind in diesen Fällen „Vorbild", „Typus" überflüssig, weil wir keines vermittelnden selbstständigen Begriffes beim Vergleich bedürfen. Es kommen aber schon im Ḳorân Ellipsen vor. So soll es in Ḳ. 11, 26, der Analogie mit مثلك كمثل الكلب zufolge, heiſsen: „das Vorbild der beiden Parteien ist wie das Vorbild des Blinden und Sehenden, sind sie wohl was den Typus anbetrifft gleich?" Dafür aber heiſst es: „das Vorbild der beiden Parteien ist wie der Blinde etc."

Manchesmal müssen wir مثل, wo es denselben Begriff hat wie oben, um den deutschen Lesern verständlich zu sein, mit Problem (gleichsam مسئلة) wiedergeben, so z. B. in Ḳor. 36, 78. Und weil

62. Es ist euch doch euer erstes Erwachsen bekannt. Warum denkt ihr denn nicht nach?

63. Sehet ihr den Saamen, den ihr aussäet?

64. machet ihr ihn keimen oder sind wir es, die ihn keimen machen?

65. Wenn wir wollten, liefsen wir ihn vertrocknen. Ihr würdet die Hände zusammenschlagen [und ausrufen]:

66. Wir gerathen in Schulden! — ja wir werden verhungern!

67. Seht ihr das Wasser, welches ihr trinket?

68. Lasset ihr es von den Wolken fallen oder sind wir es, die es herabsenden?

69. Wenn wir wollten, würden wir es salzig machen. O dafs ihr doch dankbar wäret!

70. Sehet ihr das Feuer, welches ihr durch Reibung erhaltet?

71. Lafst ihr das Holz, welches man gegen einander reibt [1]), wachsen oder sind wir es, die es wachsen machen?

---

die Ausbildung der Ideen unter den Arabern denselben Verlauf nahm wie bei uns, haben auch die Juristen fingirte Rechtsfälle, womit schwierige Fragen erläutert werden, مثل geheifsen, und jetzt wendet man dieses Wort im Persischen auf jeden Rechtsfall an, selbst das Protokoll heifst مثل (spr. Misl).

Wie es scheint, hat sich aus diesem Ḳorânvers die Sage entwickelt, dafs die Seelen der Bösen in den Kröpfen schwarzer Vögel in das Barahût getragen werden. Barahût ist wohl eine aramäische Form für Barathrum. Man nennt so den Sand in Yaman (Fons Stygis bei Ptolemaeus), in welchen Menschen und Thiere, welche hineingerathen, untergehen. Der Anknüpfungspunkt für diesen Glauben ist eine falsche Erklärung der Worte, welche ich mit „von der ihr keine Ahnung habt“ übersetze, denn wörtlich bedeuten sie „in Etwas, was ihr nicht wifst“: dieses „Etwas“ wären also die Kröpfe der schwarzen Vögel.

[1]) Die Araber hatten dieselbe Art Feuer zu machen wie die Indianer in Amerika. Sie wird von Ida Pfeifer beschrieben: Er spitzt ein Stückchen Holz fein und macht in ein zweites eine schmale seichte Rinne, worin er mit dem zugespitzten Holze so lange reibt, bis die feinen Späne, die sich dabei ablösen, zu rauchen beginnen.

72. Wir lassen es wachsen euch zur Beherzigung und zum Gebrauch für Reisende (welche sonst nirgends Feuer fänden).

73. Lobpreise daher den Namen deines Herrn, des Grofsen!

In einigen andern Fällen begnügt er sich damit, die ursprünglichen Weissagungen zu verstümmeln und eine Beschreibung des jüngsten Tages an die Stelle der unterdrückten Verse zu setzen.

[Ein Fragment aus der ersten Drohungsperiode:]

44, 36. Sind sie besser als das Volk des Tobba'?

37. Ihre Vorgänger aber haben wir vertilgt, weil sie Bösewichter waren [und weil sie nicht besser sind, wird ihnen dasselbe geschehen].

[Aus der dritten Drohungsperiode:]

38. Die Himmel und die Erde und was dazwischen ist, haben wir nicht zum Zeitvertreib erschaffen,

39. sondern dem Wahren gemäfs (nach einem ewigen Plan) — aber die meisten wissen es nicht.

40. Wahrlich der Tag der Entscheidung ist für euch insgesammt ein Stell-dich-ein,

41. ein Tag, an dem Beschützer und Beschützter einander nicht helfen können und an dem Niemand Beistand finden wird,

42. aufser dessen sich Allah erbarmet; denn er ist der Erhabene, der Erbarmer.

43. Wahrlich der Baum Zakkûm

44. ist die Nahrung des Bösewichts,

45. sie schmeckt wie Oelhefen, und brennt im Bauch,

46. wie siedendes Wasser.

Zuvor bereitet er dürres Gras und Laub, — in dieses wirft er die rauchenden Späne, nimmt es dann in die Hand und schwingt es mehrmals in der Luft, worauf es alsbald lichterloh brennt. Die ganze Operation währt kaum zwei Minuten. — Frauenfahrt um die Welt. Wien 1850 B. 1 S. 175.

79, 1. [Ich schwöre] bei den mit Gewalt Herausziehenden,

2. bei den heiter die Banden Lösenden,

3. bei den Lobpreisenden,

4. bei den um die Wette Eilenden

5. und bei den irgend einem Geschäfte Vorstehenden [1]).

Diesem Schwur folgt kein Nachsatz, statt dessen ist eine Beschreibung des jüngsten Tages eingeschaltet. Ich halte dafür, dafs fast alle solche Schwüre aus einer frühen Periode, alle Beschreibungen der Auferstehung aus einer späten seien. Wahrscheinlich knüpfte sich an diesen Schwur eine Weissagung über das baldige Eintreten »des Rufes«.

79, 6. Eines Tages wird die Bebende (Erde) erbeben

7. und die hinter ihr Sitzende [Veste des Himmels] ihr folgen.

8. An jenem Tage werden die Herzen voll Angst

9. und die Augen niedergeschlagen sein.

10. Sie sagen oft: Wir werden in die frühere Bahn zurückgebracht?

11. selbst nachdem wir zu morschem Gerippe geworden?

12. Und sie haben hinzugesetzt: Das wäre eine unheilsvolle Rückkunft.

13. In der That nur ein Ruf [wird ergehen],

---

[1]) Ich weiche in meiner Auffassung bedeutend von den Commentatoren ab. Es sind in diesen fünf Versen verschiedene Arten von Engeln zu verstehen. Im ersten die Todesengel, welche die Seele aus dem Körper ziehen. Im zweiten Vers sind die Schutzengel gemeint. Nach Farrâ bedeutet die Wurzel nscht auch den Halter am Fufse des Kameels lösen, und es werden für diese Behauptung Beispiele angeführt. Im dritten Vers scheint mir Sâbiḥât statt Mosabbiḥât zu stehen. Im vierten werden die Engel, welche Boten Gottes sind, genannt. Die im fünften Verse erwähnten Geschäftsführer sollen den Commentatoren zu Folge die Erzengel sein.

14. und sie sind schon in der Sâhira [1]).

In einigen der vorhergehenden Stücke wird der Zakkûm erwähnt. Er ist ein Baum, welcher bittere Früchte trägt, in Yaman vorkommt und auch dem Ibn Bayṭar (Sontheimers Uebers. Bd. I S. 535) bekannt war. Im Korân blühte er nur kurze Zeit. Da Zakkûm in Makka auch ein Gericht aus Rahm und Brod bedeutete [2]), machten sie den Propheten lächerlich und sagten: Sie wollten sich's recht schmecken lassen [3]). Er fand es daher zweckmäfsig, zur Stelle, in der er den Zakkûm zuerst genannt hatte, folgenden Zusatz zu machen:

37, 61. Wir haben ihn (den Zakkûmbaum) zur Prüfung für die Ungerechten (Gottlosen) gemacht (d. h. wir nannten ihn so, um sie in ihrem Unglauben zu bestärken).

62. Er ist aber ein Baum, welcher sich aus dem Grunde der Hölle erhebt.

63. Seine Früchte sehen aus wie Satansköpfe [4]).

64. Wahrlich davon werden sie essen und ihre Bäuche füllen.

65. Dann erhalten sie darauf statt Brühe siedendes Wasser.

66. Kurz, die Hölle ist ihr Ort [es kann auch heifsen: wenn sie getränkt sind, werden sie in das Feuer zurückgetrieben].

Dieselbe Idee spricht Moḥammad auch in dem im November 621 geoffenbarten Vers 17, 62 aus. Auch obige Stelle mag in dieselbe Zeit fallen.

---

[1]) Bet hasohar bedeutet im Hebräischen Gefängnifs. Daraus scheint Sâhira für Hölle entstanden zu sein. Aus dem Arabischen läfst es sich nicht erklären.

[2]) Das Wort soll der Sprache der Berbern an der Ostküste Afrika's angehören.

[3]) Wâḥidy, Asbâb 17, 62.

[4]) Satansköpfe ist auch der Name eines Baumes und seiner Früchte, der in Bâdiya vorkommt und sehr übel riecht.

Sechszehntes Kapitel.

Die letzten drei Jahre vor der Hiġra und die Flucht nach Madyna.

Ibn Saʿd erzählt: »Durch den Tod des Abû Ṭâlib und der Chadyġa — sie verschieden nur einen Monat und fünf Tage von einander (vergl. oben S. 147) — befielen den Propheten zwei Unglücksfälle auf einmal. Er blieb zu Hause und ging nur selten aus; denn er war jetzt vollständiger in der Gewalt der Ḳorayschiten als je zuvor, ja mehr als sie zu hoffen gewagt hatten. Als sein Onkel und Erzfeind Abû Lahab von seiner bedrängten Lage hörte, ging er zu ihm und sprach: O Moḥammad, gehe wohin du willst und thue wie du zu Lebzeiten meines Bruders Abû Ṭâlib gethan hast; ich schwöre bei der Göttin Lât, so lange ich lebe soll dir nichts Böses widerfahren. Abû Ġahl beschimpfte den Propheten. Abû Lahab stellte ihn zu Rede und erhielt Satisfaction. Abû Ġahl entfernte sich nun und rief: O Ḳorayschiten, Abû Lahab ist zum Çâbier geworden. Viele Menschen begaben sich darauf zu Abû Lahab; er aber erklärte: Ich habe die Religion meines Vaters nicht verlassen; aber ich thue meine Pflicht gegen meinen Neffen und beschütze ihn, dafs er, ohne sich Unbilden auszusetzen, gehen kann, wohin er will. Die Gegenwärtigen antworteten: Du thust Recht daran, deine Handlungsweise ist edel, denn du erfüllst deine Pflichten gegen Verwandte.«

»Das dauerte einige Tage, Moḥammad hatte Schutz und seine Feinde wagten es nicht, ihn zu beleidigen, weil sie den Abû Lahab fürchteten. Dann aber kamen 'Okba b. Aby Mo'ayṭ und Abû Ġahl zu Abû Lahab und fragten ihn: Hat dir dein Neffe auch gesagt, wo sich dein Vater befindet? Abû Lahab fragte den Moḥammad: Sag' mir, wo ist mein Vater 'Abd al-Moṭṭalib? Er antwortete: Bei seinem Volke. Abû Lahab begab sich zu den genannten zwei Freunden und erzählte ihnen: Ich habe ihn gefragt, wo mein Vater sei, und er antwortete: Bei seinem Volke; das ist doch ganz in der Ordnung. Ja, versetzten sie, er meint in der Hölle. Abû Lahab ging nun zu Moḥammad zurück und fragte: Wie, du glaubst, dafs mein Vater in der Hölle sei? Ja, antwortete er, alle, welche in einem Glauben starben, wie der, in welchem er dahingeschieden ist, gehen in die Hölle. Abû Lahab fiel ihm in's Wort: Nun aber, Moḥammad, werde ich nie aufhören dein Feind zu sein. Dieses Verdammungsurtheil des Propheten that dem Abû Lahab und den Ḳorayschiten sehr weh.«

Der Prophet war in Makka so vielen Unbilden ausgesetzt, dafs er sich im Juli 619 entschlofs, mit seinem Adoptivsohne Zayd nach der drittbalb Tagereisen von Makka gelegenen Stadt Ṭâyif zu gehen. Er hielt sich daselbst zehn Tage auf und besuchte jeden Mann von Bedeutung, aber es gelang ihm nicht einen einzigen zu bekehren [1]. Sie fürchteten, er möchte Anhang unter den jungen Leuten finden. Es wurde ihm daher bedeutet, er solle sich entfernen und nach einem Orte gehen, welcher für seine Umtriebe besser geeignet sein möchte. Zugleich wurden die Gassenbuben ermuthiget, ihn zu verfolgen. Sie bilde-

---

[1]) Dem Ibn Isḥâḳ, S. 279, zufolge hat sich Moḥammad ganz besonders an drei Brüder gewendet: 'Abd Yâlyl, Mas'ûd und Ḥabyb, Söhne des 'Amr b. 'Omayr b. 'Awf b. 'Oḳda b. Ghiyara b. 'Awf b. Thaḳyf. Einer von ihnen hatte eine Makkanerin zur Frau, nämlich die Çafyya, eine Tochter des Ma'mar b. Ḥabyb b. Wahb b. Ḥodzâfa b. Ġomaḥ. Nach Bochâry's Angabe war 'Abd Yâlyl ein Sohn des 'Abd Kolâl.

ten zwei Reihen, durch die er passiren mufste, und warfen Steine auf ihn, dafs seine Füfse bluteten. Zayd beschützte ihn mit seinem Körper und erhielt einige Stöfse. Zwei Makkaner, die Söhne des Raby'a, besafsen einen Garten und ein Sommerhaus aufserhalb der Stadt. Hier flüchtete sich der Prophet in den Schatten eines Weinstockes und die Verfolger zogen sich zurück. Die Eigenthümer schickten ihm Trauben zur Labung durch ihren Sklaven 'Addâs, welcher ein Christ und dem Moḥammad zugethan war.

Es hätte den Glauben selbst der aufrichtigsten Moslime erschüttern müssen, wenn Gott seinen Boten gegen so rohe Verfolgungen nicht geschützt hätte. Er sandte daher den Engel der Berge zu ihm. Dieser grüfste ihn und sprach: Ich bin zu dir gesandt, auf dafs ich thue was du befiehlst; soll ich diese zwei Berge — er zeigte auf das Achschab-Gebirge [1]) — auf die Frevler werfen? Nein, erwiderte der Prophet sanftmüthig, vielleicht werden ihre Kinder den wahren Gott anbeten [2]).

Mit betrübtem Herzen trat Moḥammad den Rückweg nach seiner Vaterstadt an. Es war ihm nicht gelungen, die verstockten Menschen zu bekehren, aber zu Nachla, wo er sich einige Tage aufhielt, hörten ihn die Ġinn Ḳorânstücke vortragen und viele bekehrten sich (vergl. oben S. 245).

»Zayd sprach zu ihm in Nachla: Wie kannst du es wagen, zu den Ḳorayschiten zurückzukehren, nachdem sie dich doch vertrieben haben? Er antwortete: O Zayd, Gott wird Mittel und Wege schaffen; er unterstützt seine Religion und hilft seinem Propheten. Als er bis Ḥirâ vorge-

[1]) Dies ereignete sich zu Ḳarn altha'âlib, welches auch Ḳarn almanâzil genannt wird. Der eine dieser zwei Berge ist der Abû Ḳobays und der andere Ḳo'ayḳa'ân.

[2]) Bochâry, von 'Âyischa.

rückt war, sandte er einen Chozâ'iten zu Moṭ'im b. 'Adyy mit der Bitte, ihm Schutz zu gewähren [1]). Er verstand sich dazu, rief seine Söhne und Verwandten zu sich und befahl ihnen, sich zu bewaffnen. Sie erwarteten ihn bei der Ka'ba, und als er zu ihnen kam sprach er: Ich habe dem Moḥammad Schutz gewährt. Unterdessen langte der Prophet mit Zayd an. Moṭ'im rief aus: O Ḳorayschiten, ich beschütze den Moḥammad; nehmet euch in Acht, ihn nicht zu beleidigen. Moḥammad näherte sich der Ka'ba, küſste den schwarzen Stein und ging nach Hause. Moṭ'im mit seinen Söhnen und Verwandten aber verrichteten den Umgang um die Ka'ba.«

»Eines Tages begab sich Moḥammad zur Ka'ba und Abû Ǵahl rief: Hier ist euer Prophet, o Banû 'Abd Manâf! Dem 'Otba b. Raby'a, obschon er nicht zu den Gläubigen gehörte, miſsfiel dieser Spott, und er sagte: Nun, warum soll aus unserer Mitte nicht ein Prophet oder gar ein Engel hervorgehen. Moḥammad fiel ihm in's Wort und sagte: Du, o 'Otba, vertheidigest nicht Gott und seinen Boten, sondern deine eigene Nase, indem du für mich Partei nimmst, du aber Abû Ǵahl muſst dich auf ein groſses Unglück vorbereiten und für kurzen Scherz sollst du lange weinen. Euch, o Häuptlinge der Ḳorayschiten, wird auch groſses Leiden befallen und ihr werdet in eine peinliche Lage kommen.« (Ṭabary S. 154.)

Das Pilgerfest und die darauf folgenden Jahrmärkte boten dem Propheten eine günstige Gelegenheit, seine Lehre auch auſserhalb Makkas bekannt zu machen. »Der Gottgesandte, erzählt Ibn Sa'd, fand sich jährlich beim Pilgerfeste ein und forderte die Leute auf, ihn zu schützen und

---

[1]) Zuerst wandte er sich an den Achnâs b. Scharyḳ. Dieser antwortete: Ich bin ein Bundesgenosse (ḥalyf) und ein Budesgenosse hat nicht das Recht, einen Çaryḥ zu schützen; dann wandte er sich an Sohayl b. 'Amr. Dieser antwortete: Die Banû 'Âmir b. Lowayy gewähren den Banû Ka'b keinen Schutz.

ihn dadurch in den Stand zu setzen, die Botschaft Gottes auszurichten, deren Annahme sie in das Paradies einführen würde. Aber er fand Niemanden, der ihm Gehör geben wollte und beizustehen geneigt war«.

Endlich erkundigte er sich nach den Stämmen und ihren Lagerplätzen [1]). Er besuchte jeden einzeln und sagte: O Menschen, sprecht mir die Worte nach: »Es giebt keinen Gott aufser Allah«, und ihr werdet gedeihen, und durch dieses Glaubensbekenntnifs werdet ihr über die Araber herrschen und die Ausländer demüthigen. Wenn ihr glaubt, seid ihr Könige im Paradiese. Sein Onkel Abû Lahab ging hinter ihm her und sagte: Glaubet ihm nicht, denn er ist ein Çâbier und ein Lügner. Sie wiesen ihn auf die schimpflichste Weise ab, quälten ihn und sagten: Deine Verwandten kennen dich doch am besten. Er liefs sich durch ihre Einwürfe nicht irre machen und predigte ihnen und rief aus: O Gott, wenn es nicht dein Wille wäre würden sie nicht so verstockt sein.

Verse, wie die folgenden zwei, scheint er speziell für die Erbauung der Wanderstämme verfafst zu haben:

16, 82. Allah hat euch Gezelte zur Wohnung gegeben und Thierhäute, Gezelte zu machen. Ihr findet sie leicht,

---

[1]) Einige Biographen sind der Ansicht, Moḥammad sei in der Wüste herumgereist und habe die Bedouinenlager besucht. Dieses ist nicht richtig. Aus Ibn Isḥâḳ und auch aus Ibn Sa'd, fol. 41, geht hervor, dafs Zohry und Yazyd b. Rûmân gelehrt haben, Moḥammad habe die Lagerplätze der Fremden in Minâ beim Pilgerfeste und in den vorhergehenden Märkten in 'Okatz, Maǵanna und Dzû-Maǵâz besucht. Jeder Stamm bildete in diesen Orten ein eigenes Lager, wie sich jetzt noch die Pilgrime in Minâ, in Landsmannschaften theilen.

Ṭâriḳ Moḥâriby erzählt bei Ibn Aby Schayba, S. 17, dafs er den Moḥammad auf der Messe in Dzû-Maǵâz, in eine rothe Ǵobba gekleidet, habe herumgehen sehen und rufen hören: O Menschen, sprechet mir nach: „Es giebt keinen Gott aufser Allah.“ Abû Lahab, fügt er hinzu, ging hinter ihm her und sagte: Er ist ein Lügner, und warf Steine auf ihn.

wenn ihr aufbrechet und wenn ihr sie aufschlaget. Und er hat euch Wolle und Kameelhaare zum eigenen Gebrauch und als Handelsartikel beschert. — Diese Genüsse dauern einige Zeit.

83. Allah hat für euch Schattenplätze erschaffen und Berge zum Unterschluf. Er hat euch Kleider gegeben, um euch gegen die Hitze zu schützen, und Kleider, welche euch im Kampfe bedecken. Er hat seine Wohlthaten gegen euch vollständig gemacht, auf dafs ihr Moslime werdet.

Wenn es ihm auch nicht gelang, einen ganzen Bedouinenstamm zu gewinnen, so machte seine Lehre doch auf einzelne Personen einen bedeutenden Eindruck.

»Ich und Abû Bakr, welcher, wo es das Gute galt, immer voraus war, erzählt ʿAlyy, begleiteten einst den Propheten auf einem solchen Ausfluge. Wir kamen zu den Banû Schaybân b. Thaʿlaba, und Abû Bakr sagte, unter den Anwesenden befinden sich die vornehmsten Männer ihres Stammes. Mafrûḳ, welcher dem Abû Bakr am nächsten safs, übte grofsen Einflufs auf seine Stammgenossen und zeichnete sich durch Schönheit und Anstand aus. Abû Bakr fragte ihn: Wie zahlreich seid ihr? Er antwortete: Wir sind nicht über tausend Streiter und tausend Mann sind unüberwindlich, so weit es auf die Zahl ankommt. Abû Bakr: Wie steht es mit eurer Wehrkraft? Mafrûḳ: Unsere Aufgabe ist es, unser Bestes zu thun, und jeder Stamm hat seine glänzenden Tage. Abû Bakr: Wie fahrt ihr im Kriege gegen eure Feinde? Mafrûḳ: Beim Angriff sind wir am wüthendsten und unser Angriff ist am heftigsten, wenn wir wüthend sind. Die Menschen fühlen unsere Cavallerie und die Kameele unsere Waffen. Den Sieg aber wendet Gott bald für, bald gegen uns. Du bist wohl ein Bruder der Ḳorayschiten? Abû Bakr: Habt ihr gehört, dafs ein Bote Gottes unter uns ist und was er sei? Mafrûḳ: Wir haben gehört, dafs er einer zu sein behauptet. Was lehrt er? — Während dieses Gespräches näherte sich der Prophet und sprach: Ich lehre, dafs es keinen Gott giebt als Allah. Er hat keinen Genossen, und ich bin sein Bote. Ich fordere euch auf, mich aufzunehmen und mir beizustehen; denn die Ḳorayschiten sind gegen die Herrschaft Allah's, heifsen seinen Boten einen Lügner und ziehen das Unwahre dem Wahren vor. Doch Gott bedarf ihrer nicht und ist der Gepriesene. Mafrûḳ: Was ist deine Lehre, Bruder der Ḳorayschiten? Moḥammad: Kommt, ich will euch vorlesen, was Gott euch verboten hat: Ihr sollt ihm kein anderes Wesen beigesellen (etc.; der Dekalog, wie in Ḳorân 6, 152—153). Masrûḳ: Du lehrst edle Sitten und schöne Thaten. Dein Volk thut Unrecht, wenn es dich der Lüge beschuldigt und sich dir widersetzt.

Es war, als wünschte er, dafs ihm Hâniў b. Ḳabyça beipflichte und er fuhr deswegen fort: Dies ist Hâniў, unser Schaych und unser Haupt in Religionssachen. Hâniў ergriff das Wort und sagte: Ich habe deine Worte vernommen, o Ḳorayschite. Es kommt mir aber vor, dafs wir uns des Leichtsinns und Mangels an Ueberlegung schuldig machen würden, wenn wir auf einen einzigen Vortrag hin, den du unter uns hieltest und der weder Anfang noch Ende hatte, unsere Religion verliefsen und dir folgten.

Mafrûḳ stellte ihm nun den Mothannà vor mit den Worten: Dies ist unser Haupt im Kriege. Mothannà wiederholte die Worte des Hâniў und fügte hinzu: Wir leben zwischen den zwei Çary, dem von Yamâma und dem von Samâma. Moḥammad: Was sind diese zwei Çary? Mothannà: Kanäle des Chosroes und Wasserplätze der Bedouinen. Innerhalb des Distriktes an den Kanälen des Chosroes hat der Besitzer für einen Fehltritt keine Vergebung zu erwarten und seine Entschuldigung findet kein Gehör. Im Distrikte der Wasserplätze der Bedouinen ist es anders, da sind wir frei. Wir haben den Besitz des erstern in Folge eines Bündnisses erhalten, welches der Chosroes uns abgenommen hat, dafs wir keine Neuerungen vornehmen und keinen Neuerer unter uns dulden und mir kommt vor, dafs die Lehre, welche du predigest, von den Königen nicht gebilligt werden würde. Wenn du jedoch willst, dafs wir dich im Distrikte der Wasserplätze der Bedouinen aufnehmen und dir beistehen, so sind wir dazu bereit. Moḥammad: Wenn es euch ganz ernst wäre, so wäre es euch unmöglich, mein Anerbieten zurückzuweisen. Niemand vertheidigt die Religion Gottes, welcher sie nicht von allen Seiten zu beschützen bereit ist. Glaubt mir, es würde nicht lange dauern, bis euch die Länder, die Schätze und die Weiber der Perser zufielen. Der Prophet verliefs sie und begab sich zu den Einwohnern von Yathrib (Madyna)« [1]).

Es war für die Einwohner von Madyna vorbehalten, den Islâm siegreich zu machen. Sowayd, angeblich ein Verwandter [2]) des Moḥammad, aus einer angesehenen madynischen Familie gebürtig, ein Mann von ritterlichem Sinn und bedeutendem poetischen Talent, stand in hohem Ansehen unter seinen Mitbürgern. Er kam einst nach Makka um die Heiligthümer zu besuchen und machte die Bekanntschaft des Moḥammad. Dieser trug ihm seine Lehre vor, und Sowayd zeigte ihm die Weisheitssprüche des Loḳmân. Wenn Loḳmân identisch ist mit Elxai, so war sein Buch ein Annäherungspunkt zwischen dem Madyner und dem ḥanyfischen Propheten. Sowayd entfernte sich jedoch von Makka, ohne sich mit Bestimmtheit für oder gegen den Boten Gottes zu entscheiden, und fiel in der Schlacht von Boʿâth, noch ehe dieser nach Madyna kam.

Auch ein anderer Madyner war geraume Zeit vor der Flucht halb geneigt, dem Islâm beizutreten. Abû Ḥaysar kam mit mehreren jungen Männern aus dem Stamme ʿAbd

---

[1]) Ein Hamdânite hat dem Moḥammad versprochen, sich zu bemühen, seinen Stamm für den Islâm zu gewinnen. Die Einzelheiten werden verschieden erzählt. Vergl. Ibn Aby Schayba S. 25 und Ibn Saʿd fol. 66.

[2]) Sowayd's Mutter soll eine Tante des ʿAbd-al-Moṭṭalib gewesen sein. Dies ist chronologisch unmöglich.

Aschhal nach Makka, in der Absicht mit den Ḳorayschiten ein Bündniſs zu schlieſsen gegen die Chazraǵiten, denn es herrschte bittere Fehde in seiner Vaterstadt, welche zur Schlacht von Boʿâth führte. Moḥammad besuchte die Ankömmlinge und predigte ihnen seine Religion. Iyâs, welcher noch in der Blüthe der Jugend war, nahm warmes Interesse daran. Abû Ḥaysar jedoch warf ihm scherzhaft eine Hand voll Sand in's Gesicht mit den Worten: Wir haben dies Mal ein anderes Geschäft zu verrichten. Sie kehrten nach Madyna zurück. Die Lehre des Moḥammad hatte einen so tiefen Eindruck gemacht auf das Gemüth des Iyâs, daſs er vor seinem Tode, welcher nicht lange darauf erfolgte, in Einem fort Gott pries und um Verzeihung seiner Sünden bat.

Auf dem Pilgerfeste 621 waren des Propheten Bemühungen mit Erfolg von groſser Tragweite gekrönt [1]).

Wenn man von Makka nach Minâ geht, kommt man zu einer Gegend, welche Ǵamra heiſst; der Weg wird eng und steigt eine Ecke (arab. ʿAḳaba) hinan; links öffnet sich eine Schlucht, in der jetzt auf einer kleinen Anhöhe eine Moschee steht. In diesem öden, unheimlichen Orte wurden die ersten Madyner bekehrt und die Moschee ist zum Andenken an dieses wichtige Ereigniſs erbaut worden. Man nennt es die erste Bekehrung der ʿAḳaba oder vielmehr einfach die erste ʿAḳaba. (Wir werden bald von einer zweiten hören.)

»Der Prophet benutzte seiner Gewohnheit gemäſs das Pilgerfest, um seine Lehre zu predigen. Bei der ʿAḳaba begegnete er sechs Madynern. Er fragte sie, wessen Stammes sie seien? Sie antworteten: Wir sind Chazraǵiten. Er fuhr fort: Also Verbündete der Juden? Sie erwiderten: Ja. Setzt euch ein wenig, ich möchte gern mit

---

[1]) ʿÂçim setzt dieses Ereigniſs in das Jahr 620 und berichtet, daſs auch im Jahre 621 und wieder 622 ähnliche Zusammenkünfte stattfanden oder in andern Worten: er nimmt drei ʿAḳaba an.

euch sprechen, sagte er. Sie waren damit zufrieden, und er erklärte ihnen, was der Islâm sei und trug ihnen Stücke seiner Offenbarungen vor.«

»Sie waren durch eine besondere Fügung Gottes für den Glauben vorbereitet worden. In ihrer Stadt wohnten nämlich auch Juden, welche eine geoffenbarte Schrift und Kenntnisse besafsen, während sie, die Chazraǵiten, Heiden waren. Bisweilen plagten [1]) sie die Juden und wenn es dann zu Händeln kam, sagten diese: Die Zeit ist gekommen, zu der ein Messias aufstehen wird [2]). Wir werden ihm folgen und mit seinem Beistande euch todt schlagen, wie wir einst die ʿÂditen und Iramäer todt geschlagen haben. Als nun Moḥammad von seiner göttlichen Mission sprach, sagten sie zu einander: Es ist kein Zweifel, dafs dies der Messias ist, mit dem uns die Juden drohen. Sie sollen uns aber nicht zuvorkommen! Sie willigten also sogleich ein, ihn als ihren Propheten anzuerkennen und an seine Lehre zu glauben. Dann sagten sie: In dem Volke, welchem wir angehören, herrscht mehr Zwietracht, als unter irgend einem andern auf Gottes Erdboden; durch dich ist vielleicht die Eintracht geboten. Wir wollen heimgehen, ihm die Religion verkünden, zu der wir uns soeben bekehrt haben; und wenn es gelingt, durch dich Einheit zu stiften, so bist du der gröfste Mann« [3]).

---

[1]) Im Original ʿazza. Thaʿlaba, Tafs. 2, 124 sagt: اصل العزة فى اللغة الشدة يقال تعزز لحم الناقة اذا اشتد ويقال عز على اى شق واشتد على. Im gewöhnlichen Sprachgebrauch hatte also das Wort dieselbe Bedeutung wie im Hebräischen. Im Text steht ʿazzuhom statt ʿazzû ʿalayhom.

[2]) Dafs die Juden von Madyna den Arabern mit dem Messias drohten, geht auch aus Ḳorân 2, 83 hervor. Vergl. Bd. I S. 160.

[3]) Ich folge der Erzählung des Ibn Isḥâḳ, S. 286, welcher den Âçim b. ʿOmar b. Ḳatâda als seine Quelle citirt, weiche aber der Einfachheit wegen von der Auffassung dieses Biographen ab, obschon sich gegen die Ansicht der spätern Auktoren, denen ich folge, viel einwenden läfst. Ibn Isḥâḳ sagt, dafs sich bei der ersten Zusammenkunft (also beim Pilgerfeste 620) sechs Männer, bei der zweiten, wel-

che wieder beim Pilgerfeste stattfand (also im Jahre 621), zwölf bekehrten und dann 622 folgte die dritte 'Aqaba. Wâķidy, welcher die Ueberlieferungen des 'Âçim mit fünf andern verglich (darunter wird die des Ġâbir und des Nâfiy Abû Moḥammad genannt), sagt in Bezug auf die Verschiedenheit der Nachrichten: „Einige behaupten, dafs sich zuerst ein Madyner bekehrt habe, den sie auch mit Namen nennen; Andere sagen zwei, auch ihre Namen werden angegeben, und wieder Andere behaupten, es seien zuerst sechs Männer auf einmal dem Islâm beigetreten; statt sechs nennen andere acht Männer. Wir haben alle diese Nachrichten aufgezeichnet und geben sie hier wieder. As'ad b. Zorâra und Dzakwân b. 'Abd Ķays sollen mit Otba b. Raby'a sich über die Vorzüge ihrer betreffenden Stämme gestritten haben. 'Otba sagte bei dieser Gelegenheit: Dieser Betbruder, welcher sich in den Kopf gesetzt hat, dafs er ein Bote Gottes sei, macht mir so viel zu schaffen, dafs ich an nichts Anderes denken kann. As'ad hatte sich schon früher mit Abû Haytham b. Tayyahân oft über die Einheit Gottes unterhalten. Dzakwân flüsterte ihm daher zu: Gieb Acht, dies ist deine Religion! Sie begaben sich darauf zu Moḥammad, und nachdem sie die Grundzüge seiner Religion vernommen hatten, legten sie das Glaubensbekenntnifs ab. Nach ihrer Rückkunft nach Madyna erzählte As'ad, was er gehört und gethan dem Abû Haytham und auch dieser erklärte seinen Glauben an Moḥammad.

Andere erzählen, dafs der Zoraķite Râfi' b. Mâlik und Mo'âdz b. 'Afrâ, um die Heiligthümer zu besuchen nach Makka kamen und dort vom Propheten hörten, ihn aufsuchten und sich bekehrten. Man behauptet daher, dafs Râfi' der erste Gläubige und das Bethaus der Banû Zorayķ die erste Moschee in Madyna war, in der der Ķorân gebetet wurde.

Nach einer andern Nachricht traf der Prophet acht Madyner zu Minâ, nämlich: Mo'âdz b. 'Afrâ, As'ad b. Zorâra, Râfi' b. Mâlik, Dzakwân b. 'Abd Ķays, 'Obâda b. Çâmit, Yazyd b. Tha'laba, Abû Haytham b. Tayyahân und 'Owaym b. Sâ'ida; diese bewog er, ihn als Propheten anzuerkennen. Er fragte sie dann, ob sie ihm Schutz gewähren wollten, auf dafs er die ihm von Gott auferlegte Botschaft verkünden könne. Sie antworteten: Wisse, dafs wir bereit sind, uns für die Sache Gottes und seines Boten anzustrengen. Allein gerade jetzt ist unser Gemeindewesen durch innere Fehden zerrüttet. Erst voriges Jahr haben wir die Schlacht von Bo'âth geschlagen und Verwandte haben gegen Verwandte gekämpft. Wenn du jetzt zu uns kommst, so, fürchten wir, werden sich unsere Mitbürger nicht vereint für dich erklären. Bleibe einstweilen in Makka; wir wollen zu den Unsrigen zurückkehren, vielleicht fügt es Gott, dafs sich unsere

Einer von den Anwesenden überliefert [1]), dafs sie dem Propheten folgendes Gelöbnifs nachsprachen: Wir wollen dem Allah kein Wesen gleichstellen, wir wollen nicht stehlen, wir wollen nicht Unkeuschheit treiben, wir wollen unsere Kinder nicht tödten, wir wollen auf Niemanden einen Verdacht werfen, den wir willkürlich erdichtet haben und wir wollen deinen Befehlen in billigen Dingen nicht zuwider handeln. Moḥammad sprach dann: Wenn ihr diesem Gelöbnisse nachkommt, so gehet ihr in das Paradies ein, wenn ihr es übertretet, habt ihr die festgesetzten Strafen zu erdulden und durch diese werdet ihr gesühnet, wenn ihr aber die Uebertretung bis auf den jüngsten Tag verheimlicht, so steht euer Schicksal in der Hand Gottes; wenn er will, bestraft er euch und wenn er will, verzeiht er euch.

Weil in diesem Gelöbnifs die Pflicht für den Glauben zu kämpfen nicht erwähnt wird, heifst man es »das Frauengelöbnifs«. Es enthält die Hauptbestimmungen der in Sûra 6 vorgetragenen Bearbeitung des Dekalogs mit dem wichtigen Beisatz, dafs die Gläubigen dem Propheten gehorchen müssen. Später hat er auch eine Offenbarung (Ḳor. 60, 12) veröffentlicht, in welcher den Frauen aufgetragen wird, diese Punkte zu geloben.

---

innern Verhältnisse ordnen. Im nächsten Jahre treffen wir uns wieder beim Pilgerfeste.

Darauf theilt Wâḳidy in abgekürzter Form die Nachricht des ʿÂçim mit und fügt hinzu, dafs er diese für richtig halte, weil die meisten Quellen darüber einstimmig sind.

Ich halte diese Tradition, die vorhergehende von der Bekehrung von acht Männern und die von der Bekehrung von zwölf Männern (welche technisch die erste ʿAqaba genannt wird) für verschiedene Versionen ein und derselben Geschichte. Es hat übrigens schon ʿÂçim, dessen Zeugnifs Wâḳidy beide Mal anführt, zwei Ereignisse aus dem einen gemacht.

[1]) ʿObâda b. Çâmit; von ihm haben sie zwei Schüler fast gleichlautend überliefert, nämlich Çonâbiḥy und Abû Idrys ʿÂyidz Allah. Vergl. Ibn Isḥâḳ, S. 289 und Bochâry, S. 550.

Einige Zeit nach ihrer Rückkehr in die Heimath schrieben die Neubekehrten an den Propheten, er möchte ihnen einen seiner Jünger schicken, der sie im Ḳorân unterrichte und in der Verbreitung des Glaubens unterstütze. Er sandte den Moçʿab (s. oben S. 166) an sie und der Ḳorân wirkte Wunder. Bald gab es nur wenige Häuser, in denen nicht einige Gläubige waren. Nur der talentvolle und einflufsreiche Abû Ḳays b. Aslat widerstand noch mehrere Jahre der Neuerung und hielt auch die Mitglieder seiner Familie vom Islâm zurück. Moçʿab soll sich, als seine Mission so weit gelungen war, wieder nach Makka begeben haben.

Am 10. October 621 trug Moḥammad folgenden Ḳorânvers vor:

17, 1. Das Lob sei Ihm, welcher seinen Knecht des Nachts in nächtlicher Reise von dem Tempel al-Ḥarâm (von Makka) zum entferntesten Tempel brachte, dessen Umgebung wir gesegnet, um ihm einige von unsern Wundern zu zeigen. Wahrlich, Gott ist der Hörende, der Sehende.

Zugleich erzählte er, dafs er auf wunderbare Weise während der Nacht von Makka nach dem Tempel von Jerusalem — denn dies ist die Bedeutung des entferntesten Tempels — und dann wieder zurück in seine Heimath gebracht worden sei. Die Heiden fanden den Einfall lächerlich und selbst die Gläubigen bezweifelten das Wunder, ja einige sollen in seiner Behauptung eine Lüge erblickt haben und von ihm abgefallen sein. Er sah sich daher genöthigt, Gott sagen zu lassen:

17, 62. »Das Traumgesicht, welches wir dir gezeigt haben, liefsen wir nur deswegen stattfinden, auf dafs es eine Versuchung sei für die Menschen.«

Es war also blofs ein Traum gewesen. Einige Jahre später, als der Glaube fest gewurzelt war, wurde diese Widerrufung von den Moslimen übersehen; Moḥammad kam auf seine ursprüngliche Angabe zurück und erzälte ihnen neue Einzelheiten über seine nächtliche Reise. Die Tradition hat sie aufbewahrt und Anas A. H. 80 daraus seine Geschichte des Mirʿâg (der Himmelfahrt) des Propheten gebildet. Man sieht es ihr an, dafs sie als Gegenstück zur Verklärung Christi zu dienen bestimmt war, und sie gilt für die Moslime als das gröfste Wunder, welches Gott an ihrem Propheten gewirkt hat. Da ihre Entstehung Licht auf die Ausbildung der moslimischen Traditionen wirft, so gedenke ich sie eingehend im Buche über die Quellen der Prophetenbiographie zu behandeln.

Es wirft sich uns die Frage auf: Hat Moḥammad wirklich einige Zeit einen Traum für Wirklichkeit gehalten oder hat er es versucht, seine Zuhörer zu betrügen? Es sind Gründe vorhanden, das Letztere zu vermuthen. Seine Gegner, bemerken die Exegeten, sagten zu Moḥammad: Die Propheten werden in Syrien erweckt. Wenn du wirklich ein Prophet bist, so gehe dahin und wir wollen an dich glauben. Syrien ist das Land der Propheten und dort werden die Menschen zum Gerichte versammelt. Die Exegeten setzen hinzu, dafs Moḥammad halb entschlossen war, sich nach Syrien zu begeben [1]). Wenn diese Nachricht begründet ist, so wurde er dazu gedrängt vorzugeben, er sei in Jerusalem gewesen, habe im Tempel gebetet und die Bekanntschaft der alten Propheten gemacht.

Wenn Moḥammad diese Lüge absichtlich erdacht hat, so ist vorauszusetzen, dafs er sich auch mit Beweisen vor-

---

[1]) Die Exegeten verlegen diese Forderung nach Madyna in der Voraussetzung, dafs nur die Juden, nicht die Heiden sie an den Propheten stellen konnten. Dieser Grund ist unzureichend, denn es unterliegt keinem Zweifel, dafs die Makkaner in ihren Disputen von Juden unterstützt wurden. Der Prophet soll sich der Tradition, zufolge, als man zuerst die Erwartung aussprach, dafs er im Tempel von Jerusalem geheiligt werden soll, zu einer Reise nach Syrien angeschickt haben und bis nach Dzû Ḥolayfa vorgedrungen sein. Dzû Ḥolayfa liegt zwischen Makka und Madyna, und also von letzterer Stadt nicht auf dem Wege von Jerusalem. Ferner erzählen alle Exegeten diese Geschichte als Einleitung zu Ḳor. 17, 1 und halten sie für den Grund der wunderbaren Nachtreise nach Jerusalem. Diese aber fand vor der Flucht statt.

gesehen habe. Der überzeugendste Beweis wäre eine Beschreibung von Jerusalem gewesen. Vielleicht hat er von seinem Mentor oder sonst irgend woher einige Einzelheiten erfahren und sie zu diesem Zwecke benutzt. Wenigstens behaupten mehrere seiner Zeitgenossen, er habe diesen Beweis geliefert [1]).

Im Frühling 622 war der Bürgerkrieg der Madyner beendigt [2]). Friede und Eintracht war in die palmenreiche Stadt zurückgekehrt und die Gläubigen konnten nun ihrem Versprechen gemäfs dem Propheten ihre Huldigung darbringen. Es erschienen zu diesem Zwecke zweiundsiebzig von ihnen bei dem Pilgerfeste.

Die Zusammenkunft hatte nicht blofs einen religiösen, sondern zugleich einen politischen Charakter; sie wurde daher heimlich im Dunkel der Nacht gehalten und Moḥammad war von seinem Onkel ʿAbbâs begleitet, obschon dieser nicht an ihn glaubte. Das Stelldichein war wieder die Schlucht bei der ʿAḳaba, wohin sich die Madyner nach Vollendung der Ceremonien in Minâ einzeln oder in kleinen Gruppen begaben. Moḥammad und sein Onkel traten zu-

---

[1]) Bochâry, S. 684, von Ġaʿbir b. ʿAbd Allah:

Ich hörte den Propheten erzählen: Als mich die Ḳorayschiten der Lüge beschuldigten, stand ich auf einmal im Ḥiġr und Gott enthüllte vor meinem Auge den Tempel von Jerusalem; ich fing an, ihnen ohne Unterlafs von seinen Zeichen (Schönheiten) zu erzählen, denn ich konnte ihn sehen.

In einer andern Version ist folgende Einleitung: Als die Ḳorayschiten meine Nachtreise nach Jerusalem für eine Lüge erklärten etc.

[2]) Ich nehme an, dafs das Pilgerfest immer im Frühling gefeiert wurde, die Moslime hingegen, dafs es stets in der elften Lunation des Mondenjahres stattfand. Es sind jedoch auch abweichende Berichte vorhanden; so wurde dem Mostadrik und dem Dalâyil des Bayhaḳy (Nûr alnibrâs S. 502) zufolge das Pilgerfest im Jahre 621 im Raġab (siebente Lunation) gefeiert. Nach Ġâbir b. ʿAbd Allah (bei Ibn Aby Schayba, S. 25) fand Moḥammad's erste Zusammenkunft mit den Madynern im Raġab statt. Es ist wohl der Raġab des Sonnenjahres d. h. der Nisân (März) zu verstehen. Mehr davon im dritten Bande.

erst ein. Der Verabredung gemäſs soll »der Schlafende nicht geweckt und auf den Abwesenden nicht gewartet werden.« Die Madyner folgten daher rasch auf einander, als die Zeit der Zusammenkunft gekommen war. ʿAbbâs eröffnete die Unterhandlung mit den Worten: O Chazraǵiten, ihr habt an Moḥammad die bewuſste Einladung ergehen lassen. Er gehört zu einer der besten Familien seines Stammes, und obschon einige von uns nicht an ihn glauben, so sind wir doch alle darüber einig, daſs wir ihn schützen; wir gewähren ihm unsern Schutz wegen seiner Geburt und Verwandtschaft. Moḥammad hat alle Einladungen dieser Art verschmäht, die eurige hat er angenommen, denn ihr seid Leute, die Macht, Tapferkeit und Einsicht im Kriege besitzen und die sich vor allen Arabern sammt und sonders nicht zu fürchten brauchen. Ueberleget wohl eure Pläne und berathet euch, und wenn ihr zu einem Entschluſs gekommen, so trennt euch nicht von euren Führern, noch von der Majorität, denn das wahrste Wort ist auch das beste.

Darauf nahm Barâ b. Maʿrûr das Wort und sprach: Wir haben deine Rede vernommen. Bei Allah! führten wir etwas Anderes im Schilde, als wir ausgesprochen haben, so würden wir es sagen. Es ist aber unser Entschluſs, Treue und Anhänglichkeit gegen Moḥammad zu bewahren und unser Leben zu seinem Schutze zu opfern.

Der Prophet trug nun Ḳorânstücke vor. In Sûra 22 befindet sich eine Inspiration [1]), welche er, dem Inhalte nach zu schlieſsen, für diese Gelegenheit vorbereitet hatte. Er fängt mit den Schrecknissen »der Stunde« an, bringt die abgenutzten Beweise für die Auferstehung vor, beschreibt

---

[1]) Die Sûra ist sehr gemischt; so ist z. B. V. 57 ganz gewiſs madynisch und wahrscheinlich auch V. 40, während einige andere Stellen, wie V. 43—47 (vgl. oben S. 24), mehrere Jahre vor der Zusammenkunft bei der ʿAḳaba geoffenbart worden sind. Auch kommen viele Wiederholungen darin vor. Diese mögen durch Verschiedenheit der Ueberlieferung entstanden sein, denn es ist anzunehmen, daſs sie bis zur Flucht in Makka und Madyna aufbewahrt worden ist.

die Qualen der Hölle und dringt ausführlicher als in irgend einer andern Offenbarung auf die Nothwendigkeit, Allah allein anzubeten. Die Vielgötterei ist das Werk des Satans, welchem es zur Pflicht gemacht worden ist, seine Anhänger in den Irrthum und in die ewige Verdammnifs zu führen (V. 4). Es giebt zwar, sagt er in V. 16, Gläubige, Juden, Çâbier, Christen, Magier und Vielgötterer. Alle haben verschiedene Ansichten und es liegt Gott ob, ihre Streitigkeiten am Gerichtstage zu schlichten; so viel ist aber gewifs (V. 8—13 und 20 ff., am deutlichsten 31 ff.), dafs diejenigen, welche aufser Allah noch andere Wesen anbeten, verdammt werden. Jede von den moslimischen (d. h. monotheistischen) Religionsgemeinden hat ihren eigenen Cultus (V. 25 u. 66). Der Hauptcultus der Gläubigen ist das von Abraham eingesetzte Pilgerfest (vgl. oben S. 276), doch dieses sind nur Aeufserlichkeiten; das Wesentliche ist, dafs man sich Gott unterwerfe, ihn fürchte, im Unglück ausdaure, das Gebet verrichte und wohlthätig gegen die Armen sei.

Nach Vollendung seines Vortrages lud er die Anwesenden ein, das Glaubensbekenntnifs abzulegen. Barâ war der erste, welcher ihm Folge leistete und sagte: Wir haben ein hohes Ehrgefühl von unsern Vätern ererbt und geloben dir nun Treue, o Bote Gottes! Alle riefen; Wir nehmen den Propheten auf und sind bereit, Gut und Blut für ihn zu opfern! Sie wurden lärmend; daher sagte ʿAbbâs, indem er die Hand des Moḥammad ergriff: Sprechet leise, denn wir sind von Spionen umgeben. Lasset eure Aeltesten reden, sie sollen das Wort für euch führen. Wenn ihr den Eid der Treue geschworen habt, so zerstreut euch und begebet euch zu euren Lagerplätzen. Barâ sprach: Oeffne deine Rechte, o Gottgesandter! und schlug mit seiner Hand darauf. Auf dieselbe Weise legten die Uebrigen den Eid der Treue ab [1]).

[1]) Ibn Isḥâḳ behauptet, in der zweiten Zusammenkunft bei ʿAḳaba haben die Ançâr auch für Moḥammad zu kämpfen gelobt.

Der Prophet sagte, nachdem die Ceremonie vorüber war: Jesus hat zwölf Apostel und Moses hat Aelteste gewählt (Ḳor. 5, 15). Auch ich will zwölf Naḳybe (wörtlich Patrouillenführer) auserkiesen. Es darf sich aber Niemand von euch grämen, wenn er übergangen wird, denn nicht ich, sondern Gabriel trifft die Wahl. Nachdem er die zwölf Naḳybe bezeichnet hatte, sagte er: Ihr seid die Vorsteher über die Glaubensgenossen eures Stammes und ich bin der Vorsteher der ganzen Gemeinde. Darauf zerstreute sich die Versammlung. Die Madyner waren nun die Beschützer des Propheten und des Glaubens, und deswegen werden sie Ançâr, Gehülfen, genannt [1]).

Er macht sich einer kleinen Begriffsverwechselung schuldig. Sobald Moḥammad in Madyna lebte, waren sie nach allgemeinem arabischen Rechte verpflichtet, sein Leben zu vertheidigen; aber das Gebot, offensive Kriege für den Glauben zu führen, hat Moḥammad erst später gegeben.

[1]) Ançâr ist ein Plural und bedeutet Gehülfen. Nawawy glaubt, der Singular sei Naçyr, und er führt aschrâf, Sing. scharyf als ein Beispiel dieser Pluralbildung an. Sohayly hingegen leitet es von Nâçir her und sagt: Auch çâḥib und shâhid haben diese unregelmäfsige Pluralbildung. Beides ist zulässig, doch ist die Behauptung des Nawawy vorzuziehen, weil von Nâçir im Ḳorân der Plural Nâçirûn vorkommt, während Naçyr im Ḳorân keinen andern Plural als Ançâr hat. Wenn Ançâr technisch gebraucht wird, so hat es weder Nâçir noch Naçyr im Singular, sondern Ançâry. Dies ist ein Patronymicum und bedeutet der Ançârite. Ançâry bedeutet auch einen Nachkommen eines der Ançârer, und in diesem Sinne bildet man dann wieder den Plural Ançâryyûn daraus.

Es giebt ein anderes Wort, welches dieselben Erscheinungen bietet. Açḥâb (eigentlich der Plural von Çâḥib) werden technisch die Begleiter des Propheten genannt. Man sagt auch Çaḥâba, die Gefährtenschaft, in dieser technischen Bedeutung statt Açḥâb, und aus diesem Worte hat man dann den Singular Çaḥâby, Gefährtenschäftler gebildet, weil Çâḥib in der technischen Anwendung nicht als Singular gebraucht wird.

Es ist eine allgemeine Regel, dafs sich unter Völkern, die sich in einem engen Ideenkreis bewegen, in kurzer Zeit Stichwörter bilden. In dem Studium des Ḳorâns und der Geschichte einer Reli-

Am nächsten Tage kam eine Anzahl von Ḳorayschiten in das Thal, in welchem die Ançâr ihr Lager hatten. Sie sagten: O Chazraǵiten, wir haben vernommen, dafs ihr gestern Nachts eine Zusammenkunft hattet mit unserem Stammgenossen und dafs ihr ihm bei dieser Gelegenheit unter Anderm uns zu bekriegen versprochen habet. Bei Gott, es giebt keinen Stamm in ganz Arabien, mit dem wir unlieber in Unfrieden lebten, als mit euch. Diejenigen Madyner, welche noch Heiden und bei der Versammlung nicht zugegen gewesen waren, sprangen auf und schworen bei Allem, was ihnen heilig war, dafs die Beschuldigung unbegründet sei und sie nichts von Allem dem wüfsten. Sobald sich die Ḳorayschiten entfernt hatten, machte sich Barâ auf und begab sich nach Baṭn Mâḥiǵ; die übrigen Moslime folgten ihm. Die Ḳorayschiten entschlossen sich mittlerweile, sie zu verfolgen, und einzelne Parteien von ihnen besetzten die Wege von Madyna. Es gelang ihnen auch, bei Adzâchir den Sa'd b. 'Obâda und Mondzir b. Amr einzuholen. Der letztere kämpfte sich durch, der erstere aber fiel in ihre Gewalt. Sie banden ihm mit den Riemen seines Kameelsattels die Hände auf den Nacken

gion oder Wissenschaft überhaupt ist es von grofser Wichtigkeit, diese Thatsache im Auge zu halten. Auch Naḳybe, obschon der phantastische Gedanke, zwölf Apostel zu wählen, von keinem praktischen Nutzen war, wird von spätern Autoren im Hinblick auf dieses Ereignifs mit Vorliebe technisch gebraucht, besonders von solchen, welche das Heiligenhandwerk trieben. Bei ihnen bedeutet Naḳyb so viel als Erzheiliger.

Schon im Ḳorân kommt Ançâr als ein Titel der gläubigen Madyner vor. Warum hat ihn Moḥammad gewählt? Die Antwort darauf ist in Ḳor. 61, 15 (vergl. Ḳor. 3, 45) enthalten:

O Gläubige, seid Ançârer Gottes! wie einst Jesus den Jüngern zugerufen hat: Seid meine Ançârer! und die Jünger antworteten: Wir sind die Ançârer Gottes [so auch etc.].

Es ist sehr wahrscheinlich, dafs Moḥammad, welcher kein grofser Philolog war, glaubte, dafs Naçârà, Christen, ursprünglich Gehülfenschaft bedeute und deswegen die Jünger Jesu und auch seine eigenen so nannte.

und schleppten ihn bei seinen langen Haaren unter Schlägen fort. Glücklicher Weise begegnete ihm auf dem Wege Abû Bachtary und er fragte ihn, ob er einen Gastfreund und Verbündeten in Makka habe. Ja, antwortete der Unglückliche, ich beschütze die Waaren des Ġobayr b. Moṭʿim und die des Ḥârith b. Ḥârith b. Omayya auf dem Wege durch unser Gebiet. Abû Bachtary eilte zu diesen zwei Männern und unterrichtete sie über die Lage, in der sich ihr Verbündeter befinde, und sie kamen und erlösten ihn.

Die zweite Zusammenkunft bei der ʿAḳaba fand um die Zeit der Frühlings-Tag- und Nachtgleiche statt, und die Flucht des Propheten im September. Die Zwischenzeit benutzten die Moslime, um die Auswanderung zu organisiren. Es unterstützten sie vier begeisterte Ançârer, welche zu diesem Zweck von Madyna herbeigeeilt waren. Wahrscheinlich hatten sie Gastfreunde unter den Ḳorayschiten, welche sie beschützen mufsten.

Den Makkanern konnte es nicht gleichgültig sein, dafs die Zeloten, welche sie bisher verachten konnten, nun einen so mächtigen Anhaltepunkt gewonnen hatten und zu einer politischen Macht in Arabien geworden waren, von welcher vorauszusehen war, dafs sie der heiligen Stadt feindlich entgegentreten würde [1]). Dennoch wagten sie es noch nicht, den Moḥammad aus dem Wege zu räumen und die Neuerung im Bürgerblute zu ersticken. Ungeachtet der grofsen Erbitterung waren die Familienbande unter den

---

[1]) Hischâm b. ʿOrwà, bei Ṭabary S. 178, sagt, dafs die Moslime zwei Verfolgungen zu erdulden hatten. Die eine nöthigte viele von ihnen, nach Abessynien auszuwandern. Sie liefs nach und mehrere der Auswanderer kehrten nach Makka zurück. Moḥammad war von einer bedeutenden Zahl von Anhängern umgeben und zudem fingen die Bekehrungen in Madyna an. Die Neubekehrten dieser Stadt machten ihm Besuche und dies schürte den Geist der Verfolgung aufs Neue. Er war am heftigsten nach der letzten Zusammenkunft bei der ʿAḳaba, und endlich befahl Gott dem Propheten in Ḳor. 2, 189 gegen die Feinde zu kämpfen.

Heiden noch immer viel mächtiger als die religiösen. Während die Moslime für den Propheten gefochten hätten, wenn es zum offenen Kampf gekommen wäre, würden die meisten heidnischen Familien es für ihre Pflicht gehalten haben, ihre Angehörigen ohne Rücksicht auf Glauben zu beschützen. Die sogenannten patriarchalischen Institutionen, welche eigentlich in einem Zustande vollständiger Gesetzlosigkeit bestehen, erwecken Tugenden im menschlichen Herzen, von denen wir gar keinen Begriff haben. Nur derjenige, welcher die Freiheit seiner Brüder achtet und sich ganz für andere zu opfern bereit ist, kommt in einer Gesellschaft, wo Besitz äufserst prekär und von untergeordnetem Werthe ist, zu Macht und Ansehen, und deswegen entwickelt sich in den edlern Individuen eine zwar derbe, aber opferbereite Männlichkeit, welche sie zu den höchsten Höhen der Menschheit erhebt. Es dürfte hier ein Sittengemälde in den Worten einer Frau an seinem Platze sein.

Omm Salama, welche der Prophet später zu seiner Frau machte, erzählt: Mein Mann hatte alles zur Auswanderung nach Madyna vorbereitet. Er sattelte für mich ein Kameel, setzte mich darauf und gab mir unser Kind Salama in den Schoofs; dann nahm er den Zügel des Kameeles und trat die Reise an. Die Banû Moghyra, jene Abtheilung der Familie Machzûm, welcher ich angehörte, bemerkten dieses, traten an ihn heran und sprachen: Glaubst du, dafs wir, da wir doch deine Absichten kennen, dir gestatten, mit deinem Weibe, welches uns angehört, frei in der Welt herumzuziehen? Sie rissen ihm das Leitseil aus der Hand und warfen mich vom Sattel. Die Banû ʻAbd Asad, ebenfalls Machzûmiten, zu denen mein Gatte gehörte[1]), waren aufgebracht über dieses Benehmen und sagten: Das Kind gehört uns und wenn ihr euch der Mutter

---

[1]) Abû Salama war ein Sohn des ʻAbd Asad b. Hilâl b. ʻAbd Allah b. ʻOmar b. Machzûm. Seine Frau war eine Tochter des Abû Omayya b. Moghyra b. ʻAbd Allah b. ʻOmar b. Machzûm.

bemächtigt, so dürft ihr uns doch den Knaben nicht entreifsen. Sie zankten sich und zerrten mein Söhnchen Salama hin und her, bis sie ihm die Hand verrenkten. Endlich trugen es die Banû 'Abd Asad fort, mich behielten die Banû Moghyra und mein Mann setzte seinen Weg nach Madyna fort.

Ich war nun von meinem Mann und Kind getrennt und lebte in grofser Betrübnifs. Ein ganzes Jahr hindurch[1]) ging ich täglich am Morgen auf den Sand vor der Stadt hinaus und weinte dort bis zum Abend. Eines Tages ging einer meiner Vettern vorüber und von Mitleid gerührt, sprach er zu den Banû Moghyra: Seid ihr denn ohne alles menschliche Gefühl, dafs ihr dieses Weib getrennt von ihrem Mann und Kind dahinwelken lasset? Sie sagten nun zu mir: Wenn du willst, kannst du dich zu deinem Manne begeben. Die Banû 'Abd Asad gaben mir meinen Sohn, ich bestieg mein Kameel, nahm ihn in den Schoofs und trat ganz allein die Reise an, entschlossen mich irgend einem Reisegefährten anzuschliefsen, den ich auf dem Wege treffen möchte.

---

[1]) Ṭabary, S. 182, sagt: Der erste Moslim, der nach Madyna auswanderte, war Abû Salama; er verliefs Makka ein Jahr vor dem bei Aḳaba geschlossenen Vertrag. Er kam nämlich von Abessynien nach Makka, weil er aber von den Ḳorayschiten gemifshandelt wurde und von den Bekehrungen in Madyna vernahm, wanderte er dorthin aus. Der nächste nach ihm war 'Âmir b. Raby'a und seine Frau Laylà, dann folgte 'Abd Allah b. Ġaḥsch. Er war blind, wufste aber jeden Weg und Steg in ganz Makka. Nach ihm flüchteten sich die Moslime haufenweis, so dafs nur der Prophet, Abû Bakr und 'Alyy in Makka waren.

Ibn Sa'd, fol. 45 r., von Scho'ba, von Abû Isḥâḳ, von Barâ:

„Zuerst kam Moç'ab und Ibn Omm Maktûm zu uns und unterrichteten uns im Ḳorân; dann kamen 'Ammâr, Bilâl und Sa'd, dann 'Omar und mit ihm zwanzig Gläubige und endlich langte der Prophet, an. Ich habe nie solchen Jubel gesehen, wie seine Ankunft in Madyna verursachte. Die Kinder riefen einander zu: Sieh, dies ist der Gottgesandte, da kommt er! Als er in unsere Mitte kam, wufste ich schon Sûra 87 und einige Mofaççal-Sûren auswendig.“

Zu Tan'ym [1]) begegnete ich dem 'Othmân b. Ṭalḥa [2]). Er war Heide und ein angesehener Mann; denn sein Vater hatte von seinen Vorfahren die Schlüssel der Ka'ba ererbt. Er fragte mich: Wohin, o Tochter des Abû Omayya? Ich antwortete: Ich will zu meinem Mann in Madyna. — Und du bist ganz allein? — Ja, nur Gott und mein Kind ist bei mir. Er nahm die Leitschnur meines Kameeles, führte es und behandelte mich mit der gröſsten Zartheit; bei Gott! ich bin nie mit einem Araber gereist, der sich edler benommen hätte als er. So oft wir bei einem Halteplatze ankamen, lieſs er das Kameel niederhocken, dann entfernte er sich, daſs ich ohne Scheu absteigen konnte. Darauf kehrte er zurück, führte das Kameel unter einen Baum, nahm ihm die Last ab, band es an und begab sich unter einen Busch zur Ruhe. Am Abend, wenn es Zeit war aufzubrechen, lud er das Kameel, führte es vor, lieſs es niederknien und entfernte sich, bis ich aufgestiegen war. Wenn ich meine Sachen aufgepackt und mir's im Sattel bequem gemacht hatte, kam er wieder und führte mein Thier weiter. Auf dieselbe Art benahm er sich auf dem ganzen Wege, zehn Tagereisen, bis wir zu Ḳobâ, einem

---

[1]) Tan'ym ist drei oder vier arabische Meilen von Makka. Rechts (südlich) davon erhebt sich ein Berg, welcher Na'ym heiſst und links davon steht einer Namens Nâ'im, das Thal dazwischen heiſst No'mân und daher die Gegend Tan'ym. Aehnliche etymologische Spielereien sind in den Benennungen der Araber nicht selten.

[2]) 'Othmân b. Ṭalḥa b. Aby Ṭalḥa 'Abd Allah b. 'Abd al-'Ozzà b. 'Othmân b. 'Abd aldâr. Seine Mutter Omm Sa'yd war eine Madynerin. Sein Vater und sein Onkel, welcher auch 'Othmân hieſs, fielen nebst anderen Verwandten in der Schlacht von Oḥod im Kampfe gegen den Propheten. 'Othmân bekehrte sich während des Waffenstillstandes von Ḥodaybyya und begab sich mit Châlid b. Walyd nach Madyna. Bei der Eroberung von Makka kämpfte er auf Seiten der Moslime und lieſs sich dann wieder in Makka nieder, wo er A. H. 42 starb. Es ist nicht ganz sicher, ob er bei seinem Tode noch im Besitze der Schlüssel der Ka'ba war; einige behaupten nämlich, Moḥammad habe sie seinem Cousin Schayba b. 'Othmân übergeben.

Dorfe aufserhalb Madyna, ankamen. Er führte mich in die Gasse, in welcher mein Mann wohnte und sagte: Hier lebt dein Gatte, gehe zu ihm, Gott segne dich! Dann entfernte er sich und trat die Rückreise nach Makka an.

Dieser Mann hielt es so wenig wie 'Omar für eine Schande, eine ungezogene Frau zu züchtigen; und dennoch wie hoch steht er über unsern Frauenverehrern, welche mit den ekelhaftesten Fratzen im Ballsaale die schwachen Köpfe junger Gänschen vollends zu verdrehen streben, wenn sie aber ein Weib in Bedrängnifs sehen, ihr feig den Rücken wenden. Wenn auch nicht jeder Araber von dem ritterlichen Sinn eines 'Othmân beseelt ist, so besteht dennoch bis auf den heutigen Tag die Sitte unter den Bedouinen, dafs, wenn sie Frauen ausrauben und ihnen den Schmuck und die bessern Kleidungsstücke abnehmen, keiner von ihnen so vermessen ist, selbst Hand anzulegen; sie befehlen ihnen, diese Gegenstände abzulegen, und während dies geschieht, entfernen sie sich und warten mit abgewandtem Gesicht, um ihr Schaamgefühl nicht zu verletzen. Diese Art Frauenachtung gab der Omm Salama den Muth, sich auf eine so weite Reise zu wagen, obschon es ihr schwer geworden wäre, ihr Kameel selbst zu bedienen. Sie war gewifs, dafs jeder Mann, dem sie begegnete, ihr Beistand zu leisten bereit sein würde. Wie würden sich unsere Weinsberghelden bei einer solchen Gelegenheit benehmen?

Unter den Ersten, welche Makka verliefsen, war die zahlreiche Familie des Ġaḥsch. Die meisten Mitglieder derselben lebten in demselben Dâr. Unter Dâr mufs man sich einen Hof vorstellen, der von allen Seiten von niedrigen Gebäuden umgeben ist und nur eine Thüre nach aufsen hat. Die Gebäude enthalten Stuben und andere Räumlichkeiten, welche sich sämmtlich in den Hof öffnen, unter sich aber keine Communication haben. Jedes dieser Gemächer konnte bei den wenigen Bedürfnissen der Orientalen als Wohnung für ein Ehepaar mit seinen Kindern dienen. Bei ihrem Abzug von Makka schlossen die Ǧaḥschiten ihr Dâr und liefsen es ohne Wächter. Einem vorübergehenden Makkaner ging es zu Herzen, dafs sich das Gemeindewesen auflöse, und er recitirte den Vers eines ältern Dichters:

Jedes Dâr, wenn es auch lange Segen genossen hat, wird einst die Beute der Winde und des Schmerzes.

Nâfi' († 117) erzählte seinem Sohne 'Abd Allah († 154)[1]: Als der Prophet die Gläubigen zur Auswanderung nach Madyna ermunterte, verliefsen sie Makka in kleinen Gruppen; jeder suchte sich Reisegefährten und so machten sie sich auf den Weg. 'Abd Allah unterbrach hier seinen Vater und fragte, ob sie zu Fufs oder auf Kameelen die Reise machten? Er antwortete: Beides. Die Wohlhabenden ritten; manchesmal safsen auch zwei auf einem Kameele; diejenigen, welche sich kein Thier verschaffen konnten, gingen zu Fufs. Folgende Erzählung des 'Omar habe ich von seinem Sohne vernommen. Ich, sagte er, 'Ayyâsch und der Sahmite Hischâm b, 'Âç trafen alle Vorbereitungen zur Reise und dann versprachen wir einander, weil wir heimlich die Stadt verliefsen, uns zu Tanâdhob zu treffen; wir sagten: wenn sich einer nicht einfindet, so setzen wir voraus, dafs er festgehalten werde und die übrigen zwei treten ohne zu warten die Reise an. 'Ayyâsch und ich fanden uns am Morgen in Tanâdhob ein, Hischâm aber fehlte. Es war ihm unmöglich zu entkommen und er war einer von denen, welche sich bewegen liefsen, vom Glauben abtrünnig zu werden. Ich und 'Ayyâsch lenkten zu 'Aḳyḳ von dem Wege ab nach 'Açya (عصَيّة 'Oçaba?) und erreichten glücklich Ḳobâ, wo wir bei Rofâ'a b. 'Abd Mondzir unser Absteigequartier nahmen.

---

[1]) Ibn Sa'd, fol. 232, von Wâḳidy, welcher die Erzählung von 'Amr ('Omar?) b. Aby 'Âtika und 'Abd Allah b. Nâfi' gehört hatte. Auch Ibn Isḥâḳ, S. 319. Nach Ibn Aby Schayba, S. 40 und Bochâry, S. 552, verliefs 'Omar seine Heimath mit zwanzig Gläubigen.

Abû Ġahl und sein Bruder Ḥârith folgten uns eilig nach und kamen bis in unsere neue Wohnung zu Ḳobâ. Sie sagten zu ihrem Halbbruder ʿAyyâsch: Deine Mutter hat geschworen, kein Oel soll ihre Haare befeuchten und kein Dach soll ihr Haupt beschatten, ehe sie dich wiedersieht. Der Schmerz der Mutter ging dem ʿAyyâsch zu Herzen, ich aber sagte zu ihm: Diese Leute haben keine andere Absicht, als dich vom Glauben abwendig zu machen. Wenn deine Mutter das Bedürfniſs fühlt, wird sie sich das Kopfhaar kämmen und wenn sie die Hitze nicht länger ertragen kann, wird sie in den Schatten gehen. Er antwortete: Ich will den Schwur meiner Mutter lösen, ferner habe ich Vermögen in Makka und es liegt mir daran, auch dieses in Sicherheit zu bringen. Mein Zureden war vergebens. Ich gab ihm also mein Kameel und sagte: Wenn du findest, daſs dir deine Leute zusetzen und dich mit Gewalt vom Islâm abwendig machen wollen, besteige dieses Kameel, welches alle andern an Schnelligkeit übertrifft, eile davon und sie werden nicht im Stande sein, dich einzuholen. Er bestieg es und trat die Reise an. Auf dem Wege klagte Abû Ġahl über sein Kameel und bat den ʿAyyâsch, ihn hinter sich auf das seinige zu nehmen. ʿAyyâsch willigte ein, und alle drei stiegen ab. Abû Ġahl und sein Gefährte fielen über ihn her, banden ihn und brachten ihn im Triumpf nach Makka, wo er sich bewegen lieſs, den Glauben abzuschwören. Dies ereignete sich, noch ehe der Prophet seine Vaterstadt verlassen hatte. Später bereute ʿAyyâsch seinen Abfall und kam wieder nach Madyna [1]).

[1]) Ibn Isḥâḳ erzählt zwei widersprechende Berichte über die Wiederbekehrung des Hischâm und ʿAyyâsch, von denen weder der eine, noch der andere wahrscheinlich ist.

Auch andere Moslime blieben in Makka und fielen von Moḥammad ab. So Naḥḥâm aus dem Stamme ʿAdyy. Er war der eilfte oder nach Ibn Aby Chaythama der neununddreiſsigste, welcher sich bekehrte, folgte aber dessen ungeachtet dem Propheten nicht nach Madyna. Ibn Isḥâḳ, S. 455, zählt fünf Männer auf, welche von ihren Ver-

Abû Bakr, 'Alyy und Moḥammad waren noch in ihrer Vaterstadt, als alle andern Moslime, die auswandern konnten und wollten, schon nach ihrer neuen Heimath abgereist waren. Die Ḳorayschiten beriefen eine Versammlung der Familienhäupter in das Rathhaus, bei der auch Repräsentanten einiger verwandten Stämme erschienen, ja sogar der Teufel hat sich, einer frommen Legende zufolge, in der Gestalt eines ehrwürdigen Schaychs aus dem Nağd, in einen langen Mantel (baththa) gehüllt, dabei eingefunden. Doch die Verwandten des Moḥammad, wie auch die Banû Zohra, von denen er mütterlicherseits entsprossen war, wurden vermifst. Einer der Anwesenden eröffnete die Verhandlung mit den Worten: Ihr sehet, wie weit die Sache gekommen ist. Wahrscheinlich wird uns Moḥammad mit seinem Anhange aus fremden Stämmen in nicht ferner Zeit angreifen, berathet euch daher und bestimmet Mittel, solchen Eventualitäten vorzubeugen.

Ein anderer stellte den Antrag: Leget ihn in Eisen und sperrt ihn ein hinter Thor und Riegel und dann wartet, bis ihn betrifft, was andere überspannte Dichter, wie Zohayr und Nâbigha betroffen hat, d. h. bis er stirbt.

Nein, rief der Nağdite aus, dies ist ein schlechter Vorschlag. Schlofs und Thür werden die Verbreitung seiner Lehre nicht hindern, seine Worte werden zu seinen Anhängern dringen, und diese werden sich beeilen, euch zu überfallen und ihn zu befreien. Solche Versuche werden wiederholt werden, bis es ihnen gelingt, euch zu besiegen und eure Republik zu zerstören. Ihr müfst etwas Zweckmäfsigeres beschliefsen.

Das beste ist, liefs sich eine andere Stimme vernehmen, wir vertreiben ihn aus unserm Lande. Was kümmern wir uns um ihn, wenn er einmal fort ist. Lasset ihn

---

wandten vom Glauben abwendig gemacht wurden, in der Schlacht von Badr gegen Moḥammad kämpften und fielen, vergl. die Exegeten zu Ḳor. 4, 99.

laufen, sobald er in der Ferne ist, kehren wir zu jenem Zustand der Einigkeit und Kraft zurück, der früher unter uns zu Hause war.

Nein, unterbrach ihn der Naǵdite, das geht durchaus nicht. Sehet ihr nicht, dafs er durch seine Beredsamkeit und süfse Sprache die Herzen der Menschen für sich und seine Neuerungen gewinnt? Wenn ihr dies thut, schliefst er sich einem Bedouinenstamme an, gewinnt ihn für sich und wenn er mächtig genug ist, führt er Krieg gegen euch, besiegt euch und thut, was ihm gefällt. Ihr müfst energischere Maafsregeln ergreifen, als die soeben in Vorschlag gebrachten.

Abû Ġahl sagte darauf: Ich wüfste schon Rath, aber ich sehe voraus, dafs ihr ihn nicht annehmen werdet.

Ein allgemeiner Zuruf: Sprich, was ist dein Antrag!

Abû Ġahl: Wählet aus jedem Stamm einen entschlossenen, jungen Mann von guter Abkunft und hoher socialer Stellung; Jeder von den Ausgeschossenen bewaffne sich mit einem scharfen Säbel und alle dringen gleichzeitig auf ihn ein und tödten ihn [1]); dann haben wir Ruhe vor ihm. Die Blutschuld wird auf diese Art unter alle Familien vertheilt und seine Beschützer, die Banû 'Abd Manâf, unfähig, sein Leben an allen zu rächen, werden sich mit der Sühne begnügen müssen, das Blutgeld aber bezahlen wir ganz gern.

Das ist ein weiser Rath, rief der Naǵdite, so müfst ihr verfahren.

Der Vorschlag des Abû Ġahl wurde einstimmig angenommen und die Versammlung löste sich auf.

Moḥammad's Lage war voll Gefahr. Aufser Abû Bakr und 'Alyy befand sich kein Moslim mehr in Makka als sol-

---

[1]) Ibn Sa'd nennt den Ausschufs: Abû Ġahl, Ḥakam b. Aby 'Âç, 'Oḳba b. Aby Mo'ayṭ, Nadhr b. Ḥârith, Omayya b. Chalaf, Ibn al-Ghayzala, Zam'a b. Aswad, To'ayma b. 'Adyy, Abû Lahab, Nobayh und Monabbih, die Söhne des Ḥaǵǵâǵ.

che, die sich durch Intimidation hatten bewegen lassen, den Glauben zu verläugnen. Er war ohne Schutz, nur List konnte ihn retten.

Der Legende zufolge hat ihm der Engel Gabriel den im Rathhause gefafsten Entschlufs mitgetheilt und mit Rath beigestanden. Er mag auch aufser Gabriel andere Freunde gehabt haben. Es war vorauszusehen, dafs die blutige That im Dunkel der Nacht vollbracht werden würde, um so viel als möglich das Aufsehen zu vermeiden. In drei Tagen erwartete man den Neumond, die Nächte waren dunkel und die Zeit war daher günstig für die Mörder, aber auch für Moḥammad. Nachdem Jene Gewifsheit erlangt hatten, dafs er sich in seiner Wohnung befinde, bewachten sie das Haus, damit er es ohne ihr Wissen nicht verlassen könne. Moḥammad aber gab bei Einbruch der Nacht dem ʿAlyy seine grüne Borda und sagte, er soll sich auf sein (Moḥammad's) Bett legen und schlafen. Er selbst verbarg sich. Die Mörder, sagt die Legende, waren vor dem Hause versammelt und sahen durch eine Spalte in der Thür hinein. Sie glaubten, dafs sich Moḥammad wirklich zu Bette gelegt habe. Er aber nahm eine Hand voll Staub und warf ihn auf ihre Köpfe. Sie verloren ihre Sinne und waren wie Automaten, mit denen Moḥammad thun konnte, was er wollte. Während sie sich in diesem Zustande befanden, entfernte er sich aus dem Hause [1]).

Wenn die Mörder schon vor dem Hause versammelt gewesen wären, so hätte die unverweilte Ausführung ihrer blutigen Arbeit weniger Aufsehen gemacht als der Verschub. Ich stelle mir den Hergang anders vor. Während der Sommernächte schläft man auf den Terrassen der Häuser unter freiem Himmel, und es konnte daher die Lagerstätte des Moḥammad schwerlich durch eine Ritze der Hausthür gesehen werden, wohl aber von den Dächern der be-

[1]) Diese Legende lehnt sich an die viel früher geoffenbarte Ḳorânstelle 36, s.

nachbarten Häuser, wenigstens wenn man sich einige Mühe gab. Ich glaube nun, dafs die Mörder heimlich und unbemerkt die Bewegungen des Moḥammad ausspionirten, und weil sie glaubten, dafs er sich schlafen gelegt habe, sich dem Wahne hingaben, ihre Pläne seien ihm unbekannt und er werde ihnen nicht entgehen.

Im Verlaufe der Nacht begaben sie sich zu seiner Wohnung und wollten eindringen. Aber es schallte ihnen der Hülferuf eines Weibes entgegen. Wenn wir vordringen, sagte einer von ihnen, wird man sich in ganz Arabien erzählen, dafs wir jene Helden sind, welche bei nächtlicher Weile über die Mauern ihrer Nachbarn steigen, die Töchter ihrer nächsten Verwandten im Schlafe stören und die Unantastbarkeit des Frauengemaches entheiligen. Sie zogen sich daher zurück und entschlossen sich, den Mord zu verschieben, bis Moḥammad aus dem Hause kommen würde. Weil sie den ʿAlyy noch immer für Moḥammad hielten, glaubten sie ihres Opfers ganz sicher zu sein [1]).

Die Flucht des Propheten scheint ein Lieblingsthema der moslimischen Geschichtenerzähler gewesen zu sein, und die Hofstraditionisten der Herrscher im grünen Palaste zu Damascus haben es sich angelegen sein lassen, seine Rettung dem Abû Bakr und seiner Familie zuzuschreiben. Selbst der ungerathene ʿAbd al-Raḥmân, den wir bereits kennen (s. oben S. 326), hat mit Aufopferung und Lebensgefahr während des Tages die Pläne der Heiden ausgekundschaftet und sie Nachts dem Propheten überbracht [2]). Weil sich mehrere Legenden eingeschlichen haben, müssen wir ziemlich willkürlich zwischen den verschiedenen Versionen wählen.

---

[1]) Wüstenfeld zu Ibn Isḥâḳ, S. 101. Es ist aber sawwarnâ alḥayṭân und hataknâ zu lesen.

[2]) Die Tradition rührt von ʿOrwa, einem Verwandten des Abû Bakr her und er citirt die ʿÂyischa als seine Autorität. Den Moslimen gilt dies als eine sehr gute, mir als eine schlechte Tradition.

Die nothwendigen Vorkehrungen für die Flucht waren schon früher von Abû Bakr getroffen worden: seit vier Monaten [1]) hielt er zwei gute Kameele in Bereitchaft und hatte einen zuverläfsigen Führer im Auge. Die letzten Verabredungen zwischen ihm und dem Propheten fanden ungefähr um dieselbe Zeit statt, zu der die Ḳorayschiten im Rathhause deliberirten. Nach einer Version begab sich Moḥammad von seinem Hause zu Abû Bakr. Dort entwichen sie mit einander durch ein hinteres Fenster und verbargen sich in der Höhle des Berges Thawr. Nach einer andern Version ging der Prophet geraden Weges nach der Höhle und übersendete durch ʻAlyy eine Botschaft an Abû Bakr, ihm dahin zu folgen [2]).

Moḥammad und Abû Bakr weilten drei Tage in der Höhle. Asmâ, die Tochter des letzteren, brachte ihnen jeden Abend Lebensmittel [3]), und damit sie ja nichts entbehren sollten, weidete ʻÂmir b. Fohayra seines Herrn (des Abû Bakr) Heerden in der Umgebung und versah sie am Abende mit Milch. Die Ḳorayschiten setzten einen Preis von 100 Kameelen [4]) auf den Kopf des Propheten, aber alle Nachforschungen waren vergebens. Der bestellte Wegweiser hiefs ʻAbd Allah b. Arḳaṭ aus dem Stamme Doyal b. Bakr. Er war ein Heide, aber treu und zuverlässig. Beim Anbruch der Nacht, nach dem dritten Tage, brachte er drei Kameele, wovon der Gottgesandte das eine, dessen

---

[1]) Bochâry S. 553.

[2]) Ṭabary S. 187 u. 189.

[3]) Das Wasser trägt man im Orient in einem Schlauch, und das Essen in einem Leder, das man zusammenschnüren kann wie einen Beutel. Asmâ hatte keine Schnur, den Schlauch und das Leder, welches die Speisen enthält, zu verbinden, und sie nahm ihren Gürtel, rifs ihn entzwei und bediente sich der Stücke zu diesen Zwecken; deshalb wird sie Dzât alniṭâḳayn „die Frau mit den zwei Gürteln“ genannt.

[4]) Nach Ibn Aby Schayba: vierzig Unzen [Goldes] = 172½ Napoleon.

Freund und 'Âmir das andere und der Führer das dritte bestieg.

Die Höhle, in der sie sich aufgehalten hatten, liegt nicht auf dem Wege nach Madyna, sondern in der entgegengesetzten Richtung, anderthalb Stunden südlich von der Ka'ba, zu orberst auf dem hohen Berge Thawr. Sie gingen auf ihrer Reise das Thal hinunter und der Meeresküste zu, welche sie unter 'Osfân erreichten, dann setzten sie ihren Weg durch Einöden nach Madyna fort [1]).

Auf dem Wege fehlte es weder an Abenteuern noch an Wundern [2]). Kaum waren vierundzwanzig Stunden ver-

---

[1]) Der Weg wird von Ibn Isḥâḳ, S. 332, Ibn Sa'd, fol. 44, Ṭabary, S. 193, und Ibn Chordâdbeh, Geographie, Ms. Oxford, S. 131, beschrieben.

Seine Familie liefs Moḥammad zurück. „Als er sich zu Madyna in dem Hause des Abû Ayyub aufhielt, in welchem er sieben Monate verweilte, schickte er den Ḥâritha und Abû Râfi' mit 500 Dirham zu den Makkanern und sie brachten ihm seine zwei unverheiratheten Töchter, Fâṭima und Omm Kolthûm, und seine Frau Sawda bint Zam'a nach Madyna. Seine an 'Othmân verehelichte Tochter Roḳaya war mit ihrem Manne nach Madyna gekommen, und Zaynab wurde von ihrem Manne gewaltsam in Makka zurückgehalten. Ḥâritha nahm bei dieser Gelengeheit auch seine eigene Frau Omm Ayman und seinen Stiefsohn Osâma b. Zayd nach Madyna.“ Ibn Sa'd fol. 46 r.

[2]) Die Wunder sind albern. Obschon Abû Bakr für einen Führer gesorgt hatte, wurde die Reisegesellschaft doch auch von einem Ġinn begleitet, der den Weg zeigte. Später als die Moslime den Wundern Christi noch bessere entgegenstellten, liefsen sie ihrem Propheten einen Stern vorleuchten. 'Oyûn alathar S. 57.

Es wird auch erzählt: Moḥammad melkte auf dem Wege eine galte Ziege oder Ewe und erhielt soviel Milch als er und seine Begleiter bedurften. Ibn Aby Schayba S. 37 theilt eine Geschichte mit, aus welcher dieses Wunder entstanden zu sein scheint: Abû Bakr bereitete für den Gottgesandten nach dem ersten Ritt ein sanftes, schattiges Lager, dann lief er zu einem Schäfer, erhielt Schaafmilch von ihm und brachte sie dem Moḥammad. Nachdem sie sich gestärkt hatten, machte er ihn auf die Gefahr eines zu langen Aufenthaltes aufmerksam, worauf sie weiter ritten.

flossen, seitdem der Gottgesandte und Abû Bakr ihren Schlupfwinkel verlassen hatten, als letzterer einen Mann zu Pferde ihnen nacheilen sah. Er machte den Moḥammad darauf aufmerksam und dieser sagte: Wir werden verfolgt! o Gott, lafs den Frevler vom Pferde stürzen. Das Rofs stellte sich wiehernd auf die Hinterfüfse und der Reiter lag auf dem Sande. Sorâḳa, so hiefs dieser, rief: O Prophet Gottes, ich bin bereit zu thun, was du befiehlst. Moḥammad antwortete: Bleibe hier und sorge dafür, dafs uns Niemand einhole. Sorâḳa war somit am Morgen ein Widersacher und am Abend eine Burg für den Propheten [1]).

Diese Erzählung ist später ausgeschmückt und zum Wunder erhoben worden. Da Moḥammad selbviert und Sorâḳa allein war, so kann man dem Erfinder des Wunders nicht den Vorwurf machen, dafs er dem Propheten und seinen Begleitern wegen ihres Muthes schmeicheln wollte.

Bei Chirrâr begegnete dem Moḥammad sein Jünger Ṭalḥa, welcher soeben von einer Handelsreise aus Syrien zurückkam. Dieser gab ihm und dem Abû Bakr syrische Kleiderstoffe ثياب شامية zum Geschenk und benachrichtigte sie von der Sehnsucht, mit der sie in Madyna erwartet würden [2]).

Endlich wird von Abû Bakr noch ein Witz erzählt: Da er öfter in Geschäften nach Syrien gereist war, kannten ihn die Leute auf dem Wege und fragten ihn, wer sein Reisegefährte sei? denn Moḥammad war den Leuten nicht bekannt. Abû Bakr antwortete: Er ist mein Führer, der mich auf den richtigen Weg leitet. Selbstverständlich meinte er sein geistlicher Führer.

---

[1]) So lautet die Erzählung des Ibn Saʿd, fol. 45, von Anas b. Mâlik.

[2]) Ibn Aby Schayba, S. 43, und Ibn Saʿd, fol. 220. Nach Bochâry, S. 554, war es nicht Ṭalḥa, sondern Zobayr.

Der Prophet erreichte Ḳoba, ein Dorf ganz nahe bei Madyna, während der Mittagszeit am 14. Sept. 622, und nahm daselbst für einige Tage sein Absteigequartier. Die Gläubigen waren ihm jeden Morgen entgegengegangen, begaben sich aber, wenn die Hitze zunahm, in ihre Wohnungen zurück, denn sie erwarteten, dafs er früh Morgens ankommen würde. An dem Tage, an welchem er Ḳobâ erreichte, hatten sie sich schon zurückgezogen, und es war ein Jude, welcher ihn von einem Thurme zuerst erblickte und sein Herannahen verkündete [1]). Die Gläubigen ergriffen sogleich ihre Waffen, um ihn würdig zu empfangen.

---

[1]) Dies ist die gewöhnliche Erzählung. Dem Moslim Bd. 2, S. 536, dem Abû Ma'schar und dem Ibn Barḳy (bei Nûr alnibrâs) zufolge erreichte Moḥammad Ḳoba in der Nacht. Seine Ankunft ist wohl nur deswegen auf Mittag versetzt worden, auf dafs ihn ein Jude zuerst sehe und die Ḳorânstelle gerechtfertigt werde: „Die Juden kennen ihn besser als sie ihre Kinder kennen".

Das Datum der Ankunft wird im folgenden Bande weiter besprochen werden.

Ende des zweiten Bandes.

Gedruckt bei A. W. Schade in Berlin, Stallschreiberstr. 47.

CPSIA information can be obtained
at www.ICGtesting.com
Printed in the USA
BVHW061243160819
556068BV00020B/1913/P